# INSTRUCTOR'S EDITION

to accompany

# PASAJES

## LENGUA

QUINTA EDICION

**Mary Lee Bretz**
Rutgers University

**Trisha Dvorak**
University of Washington

**Carl Kirschner**
Rutgers University

**Rodney Bransdorfer**
Central Washington University

Contributing Writers

**Constance Kihyet**
Saddleback College

**Javier Martínez de Velasco**
Central Washington University

# CONTENTS

# INTRODUCTION

In this *Instructor's Edition* insert, we have compiled suggestions and hints to help you get the most out of ***Pasajes: Lengua***. These include *follow-up* activities to help students summarize and synthesize what they have learned while doing the activities in the text, *expansion* activities to build on other activities in the text, and *additional activities* associated with a particular feature or grammar point. In developing the fifth edition of ***Lengua***, we have retained many features and activities from the previous edition. Additionally, in thankful response to feedback from our reviewers, several features and activities have been updated, reorganized, simplified, or expanded as appropriate. We hope that teaching and learning Spanish with the fifth edition of ***Lengua*** will prove to be a more rewarding experience for you and your students and that this revised *Instructor's Edition* will serve as a useful teaching tool.

The multicomponent format of the ***Pasajes*** series is meant to provide you with the greatest possible flexibility. We encourage you to select the text or texts most appropriate for your course and to use materials from those books in a manner that complements your own teaching style and the learning style of your students. Because the three main texts of the ***Pasajes*** series (***Lengua, Cultura,*** and ***Literatura***) share a common thematic and grammatical organization, it is technically possible to use all three in a single course. We recommend, however, that you use only one or two of the texts in a given course and exploit the materials in those texts to their fullest.

With its focus on the four language skills (reading, writing, listening, and speaking), ***Lengua*** is conceived as the core text of the series. In it, we not only present and practice vocabulary and grammatical structures but also emphasize meaningful communication and the acquisition of communication strategies. Developed hand-in-hand with ***Lengua,*** the ***Cuaderno de práctica*** promotes the acquisition of vocabulary and grammatical structures through abundant guided practice in listening (through the *Audio Program* as well as the *Video*), writing, and reading. We highly recommend using the *Cuaderno de práctica* along with *Lengua* to provide your students further opportunities for practicing Spanish outside of class and for assessing their progress in the course. Another useful tool for students, and one new to the fifth edition, is the *Pasajes* CD-ROM. It contains interactive activities that students can use to practice the vocabulary and grammar material from each chapter.

# USING THE FEATURES OF PASAJES: LENGUA

## Organization and Purpose of the Main Sections

### Reflexiones

The new chapter-opening section functions as an advance organizer for the chapter theme. Its photo and accompanying activities are designed to activate students' prior knowledge and to encourage them to discuss their associations with the chapter theme at three distinct levels: **A nivel personal, A nivel regional,** and **A nivel global.** Each **A nivel global** activity also includes a

Web-based activity to help students relate the activity to the real world around them. While it may be tempting to skip this section and move directly into the vocabulary section, we strongly urge you to spend a portion of the first class session of each chapter on this section. Activating prior knowledge about the topic and reactivating known vocabulary and structures will help build your students' confidence in their ability to communicate effectively in Spanish.

## Describir y comentar

The first main section of each chapter, **Describir y comentar,** opens with a color drawing specially designed to elicit a description and discussion. As students work with the drawing, they practice and acquire vocabulary related to the chapter theme, first by describing and talking about the drawing and then by using the vocabulary in more personalized contexts. The **Vocabulario para conversar,** which should be considered active, provides a set of useful words and expressions for this purpose.

## Lengua

By the time students complete the **Lengua** section, they should have explored and reached a deeper understanding of both the chapter theme and the grammatical concepts presented. The grammar explanations are written to allow students to study them on their own. Whereas some concepts may require further explanation or clarification on your part, we encourage you to spend as little class time as possible discussing grammar. We have noticed that students may struggle with certain grammar points on a conceptual level but are actually able to use the structures appropriately when given practical, guided contexts in which to work. The activities in **Lengua** provide such contexts and should therefore be the focus of classroom work.

Each **Lengua** section contains four or five grammar points. Most grammar explanations are preceded by **De entrada,** a short activity tied to the chapter theme and often accompanied by a visual. Designed to "trigger" the grammar point, **De entrada** prompts students to use their inductive skills to come to an initial understanding of the grammatical concept. In many cases, this activity can be prepared as homework, with follow-up in class (see general guidelines for these activities on the next page). When possible, answers to **De entrada** activities are provided in this *Instructor's Edition* insert.

Each grammar explanation is immediately followed by **Práctica,** one or two short, form-focused, productive exercises designed to check comprehension of the grammar point. Students who experience difficulty with the grammar point should be encouraged to do further form-focused practice in their ***Cuaderno de práctica,*** which contains additional exercises. When possible, answers to **Práctica** exercises are provided in this *Instructor's Edition* insert.

**Intercambios** are truly the heart of each chapter: These are the activities toward which students are working as they review each grammatical concept in **Lengua.** In these communicative activities, students use the grammatical structures and chapter vocabulary they have just learned in more meaningful, and often personalized, contexts. Most of the activities are designed for pair or group work; many, however, can be prepared by students as homework, with follow-up in class.

## Enlace

The chapter culminates with **Enlace,** in which students review the structures and vocabulary of the chapter as they develop their critical-thinking and linguistic skills. Each **Enlace** opens with a pair or group activity (**Juego, Sondeo,** or other similar activity) that allows students to converse about a particular aspect of the chapter theme.

In the **¡Ojo!** section, students practice word discrimination and learn common and useful idiomatic expressions. These activities, along with the explanation, can be done by students for homework, with follow-up in class.

The **Repaso** section closes **Enlace.** It generally consists of two types of activities, one that reviews material from previous lessons and another that focuses on the grammatical points presented in the current chapter. These activities can also be done as homework; students can check their answers in Appendix 8 in the back of the book.

## Special Features

### A propósito

**A propósito** boxes highlight important grammatical information.

### Lenguaje y cultura

**Lenguaje y cultura** emphasizes the interconnectedness of language and culture, thereby helping students develop their appreciation of the Spanish language. Many of these have been designed as miniactivities for in-class work.

### Estrategias para la comunicación

**Estrategias para la comunicación** provide students with strategies for communicating more effectively in Spanish. Because students often want to express ideas beyond their linguistic abilities, **Estrategias** help them learn how to use vocabulary and structures they already know to express those ideas. Most activities in this section are designed for pair work. Students should be encouraged to use the communication strategies, whenever needed, in *all* of the communicative activities in the ***Pasajes*** series. Additionally, the **Estrategias** have been simplified and reorganized for the fifth edition to make them more meaningful and useful to students and instructors.

### Pasaje cultural

The *Video to accompany **Pasajes*** provides additional opportunities for students to hear spoken Spanish in authentic contexts related to the chapter theme. With a new name (formerly **Viaje cultural**) and new video segments for Chapters 7, 10, and 12, each **Pasaje cultural** now includes three different types of activities. The **Antes de ver** activities offer students advance organizers; the **Vamos a ver** exercises provide assistance during viewing; and the **Después de ver** section consists of follow-up activities for small-group work and an activity for individual research on the World Wide Web. Overall, this feature is designed so that each video segment need be viewed only once for general understanding, thus allowing more time for the in-class **Después de ver** activities. Since the footage of the *Video* is taken from authentic Hispanic media sources, some vocabulary may be unfamiliar. Let your students know that many of the words they will hear in each video segment appear in the introductory passage and/or the **Antes de ver** and **Vamos a ver** activities in their text. (It may be advisable to preteach some of these unfamiliar vocabulary items—for recognition only, not for memorization—before playing the video. For your convenience, we have provided a list of new vocabulary in the Teaching Suggestions for each **Pasaje cultural** section.) Although many techniques can be used to view the video segments, the **Pasaje cultural** activities are designed to make viewing the video a profitable learning experience for your students. Additional viewing activities in the ***Cuaderno de práctica*** allow students to review the video segment, from a fresh perspective and for a more detailed understanding, in the language lab. More information about working with this feature and a complete transcript of the *Video* are located in the *Instructor's Manual.*

## Special Activity Types

**De entrada** activities help your students get an initial foothold on the grammar point to be introduced. You may wish to use one of two approaches, or a combination of approaches, to **De entrada** activities:

- Assign the activity as homework for the class meeting in which you review the corresponding grammar point. On the day of the grammar review, use some of the related follow-up activities and questions provided in the *Instructor's Manual* or in this *Instructor's Edition* insert.
- As appropriate, have students work individually or with a partner to complete the activity. Follow up with additional activities and questions provided in the *Instructor's Manual* or in this *Instructor's Edition* insert. Then assign the grammar review as homework, moving on to the productive activities in the next class meeting.

**¡Necesito compañero!** activities are specifically designed for pair work. While most of these activities

can be done in class without any special preparation, some do require advance preparation by students at home.

**Entre todos** are activities designed for small-group or whole-class discussion. We encourage you to monitor all small-group work, moving from group to group, answering students' questions, and providing guidance as needed. Most of these activities have an explicit follow-up phase, which is integral to confirming that students have successfully attained the goals of the activity.

In **Guiones,** students create characters and stories through extended description of drawings and narration. It is often useful to prepare students for these activities by doing some group brainstorming about vocabulary and possible plots or storylines. **Guiones** can be followed up by various types of group work; suggestions for possible follow-up are provided in the Teaching Suggestions in this *Instructor's Edition* insert.

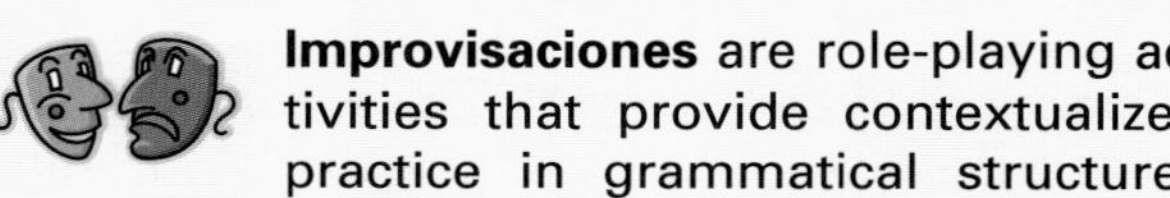

**Improvisaciones** are role-playing activities that provide contextualized practice in grammatical structures and vocabulary as well as in conversational strategies. These should be done only after the pertinent grammatical structures and conversational strategies in **Lengua** have been covered. Preparation for these activities may involve class brainstorming and, if necessary, a quick review of useful expressions and conversational strategies. Follow-up may take the form of presentations of the roles in front of the class.

**Sondeo** is a class poll with a follow-up discussion that appears in **Enlace** and invites students to explore aspects of the chapter theme in a highly interactive manner. The number of participants in a group is irrelevant to the tabulation of responses, so it is not necessary that groups be the same size. Students create the **tabla de resumen** by totaling the number of students responding to a given question. Do not average the results.

**Juego,** which also occurs in some **Enlace** sections, is an activity designed to develop both critical-thinking and linguistic skills.

In **Volviendo al dibujo,** students review chapter vocabulary and structures as they revisit a section of the color drawing first encountered in **Describir y comentar.** This activity, which appears in the **¡Ojo!** section, assumes that students have worked with and studied the expressions presented in the **¡Ojo!** sections of both the current and previous chapters.

**Pro y contra** activities, which occur in **Enlace,** guide students through the process of engaging in and managing a classroom debate.

**Escenarios** also appear in **Enlace** and are guided role-play activities designed to further develop critical-thinking and linguistic skills while allowing students an opportunity to express their creativity.

# TEACHING SUGGESTIONS & ANSWERS TO SELECTED ACTIVITIES

## Capítulo 1: Tipos y estereotipos

### Reflexiones (page 7)

**Follow-Up:** Encourage students to speculate on the origins of some of the stereotypes mentioned and the function that stereotypes might have in a society. Ask: **¿Qué evidencia pueden Uds. dar que pruebe que los mexicanos no son perezosos, y que eso es solamente un estereotipo? En su opinión, ¿cuál es el origen de éste y otros estereotipos parecidos? Desgraciadamente, los estereotipos se perpetúan, es decir, son duraderos. ¿Cuál puede ser la función de los estereotipos, que los hace tan difíciles de erradicar? ¿Es un estereotipo lo mismo que un prejuicio o son conceptos distintos?**

### Describir y comentar B (page 9)

**Expansion:** Have students bring magazine photos of three or four famous people to class the day you do this activity. Hold up the photos, one at a time, and have students list the characteristics they associate with each person.

### Describir y comentar D (page 10)

**Expansion:** Point out that people often have stereotypical conceptions of many things, including the inhabitants of other parts of this country. Encourage students to discuss opinions and stereotypical images of people from various regions. Ask: **¿Cómo estereotipan los siguientes lugares y sus habitantes?** Then list five or six cities, states, provinces, or regions of this country that carry a stereotype.

### Estrategias para la comunicación (pages 10–11)

**Follow-Up:** Have students review this **Estrategias para la comunicación** in small groups, then have them restate the message of the following sentences in Spanish.

**1.** I am undecided about my future plans.
**2.** During the fall semester, most morning classes meet three times a week.
**3.** Dorms are great socially, but they're awful if you're here to get good grades.
**4.** Most stereotypes are not complete falsehoods and exaggerations; there is usually some partial truth involved.
**5.** Do you have to have an ID card to check out books?
**6.** I'm not really capable of expressing this idea in Spanish.
**7.** Newspapers and magazines, as well as many experts, are of the opinion that this is a very sticky situation.

### De entrada 1 (page 12)

**Answers**

| PALABRA | M/F | CLAVES |
|---|---|---|
| persona | f | termina en «-a» |
| hombre | m | sexo masc. |
| animal | m | artículo masc. «un» |
| mujeres | f | sexo fem. |
| inteligencia | f | artículo fem. «la» |
| profesor | m | sexo masc. |
| psicóloga | f | artículo fem. «la» |
| sistema | m | artículo masc. «un» |
| análisis | m | artículo masc. «el» |
| síntesis | f | artículo fem. «la» |
| sentimientos | m | artículo masc. «los» |
| problemas | m | adj. masc. «muchos» |

## **Práctica** (page 14)

**Answers:** **1.** la **2.** el/la **3.** el **4.** la **5.** el **6.** la **7.** el **8.** el **9.** el/la **10.** la **11.** la **12.** el/la **13.** el **14.** el **15.** el **16.** la **17.** la **18.** la **19.** el **20.** la **21.** el

## **Práctica** (page 15)

**Answers:** **1.** las madres **2.** los/las bromistas **3.** los dólares **4.** las veces **5.** los reyes **6.** las capacidades **7.** los mundos **8.** los detalles **9.** los atletas **10.** las superficies **11.** las muchedumbres **12.** los/las clientes **13.** los días **14.** las águilas **15.** los sistemas **16.** las tradiciones **17.** las personas **18.** las verdades **19.** los jueves **20.** las tesis **21.** los trajes

## **Intercambios A** (page 15)

**Answers:** **1.** la **2.** la **3.** (de)l **4.** los **5.** la **6.** el **7.** los **8.** la **9.** la **10.** El **11.** la **12.** las

## **De entrada 2** (page 16)

**Suggestion:** Draw four stick figures on the board. Have individual students read the clues and direct you to label the figures with specific information or to draw articles of clothing on the figures (using colored chalk, if possible). Encourage students to correct any errors their classmates make, negotiating suggestions and corrections with the **Estrategias para la comunicación** they have learned (in **Bienvenidos** and in this chapter).

**Answers**

| | 1 | 2 | 3 | 4 |
|---|---|---|---|---|
| **NOMBRE** | Miguel | Margarita | Gloria | José |
| **RASGO** | extrovertido | perezosa | trabajadora | artístico |
| **ROPA** | camisa amarilla | falda azul | zapatos negros | bufanda verde |
| **FAMILIA** | padres franceses | 0 hermanos | 1 hermano | 4 hermanos |

## **Práctica** (page 17)

**Answers** **1.** franceses, perezosos, trabajadores, listos, atléticos **2.** optimistas, inmaduras, pesadas, habladoras, responsables **3.** cómicas, complicadas, fantásticas, realistas, tristes **4.** interesantes, aburridos, educativos, españoles, estúpidos **5.** absurda, común, falsa, simplista, típica

## **Práctica 1** (page 19)

**Answers** **1.** España es un país bello/sucio. **2.** «60 minutos» es un programa bueno/ aburrido. **3.** Chile produce (unos) vinos magníficos/ baratos. **4.** El ruso es un idioma fácil/difícil. **5.** Los alemanes tienen un/el carácter alegre/ serio.

## **Práctica 2** (page 19)

**Answers** **1.** treinta y un niños **2.** ciento veinte atletas **3.** doscientas sillas **4.** dos millones de víctimas **5.** cincuenta y una coquetas **6.** trescientos mil kilómetros

## **De entrada 3** (page 20)

**Answers to First Part:**
**1.** son **2.** familia **3.** favorito **4.** ocho **5.** están **6.** trabajo **7.** cansados **8.** es
**Follow-Up:** Upon completion of this activity, write the first letter of each answer to the crossword puzzle on the board in any order, e.g., s f o e c e t. (Count *f* only once.) Have students rearrange the letters to form a word that describes an essential usage of **estar** (**efectos**). Say: **Digan uno de los efectos que la demora del señor Guzmán tiene en sus hijos.** (Possible answer: **Están cansados de esperar.**) Then ask: **¿Qué otros efectos tiene su demora?**

## **Práctica** (page 24)

**Answers:** es americano, es alto, está cansado, es trabajador, es aburrido (personalidad) / está aburrido (estado mental), está en casa, está contento, es mi hermano, es de Cuba, es guapo (característica física) / está guapo (apariencia en este momento), está aquí, es estudiante, es listo (inteligencia) / está listo (preparado para hacer algo), es perezoso, es introvertido, está bien hoy, está sucio, es tonto, es enfermo (característica) / está enfermo (estado físico), es feliz (característica) / está feliz (estado mental)

## **Práctica** (page 25)

**Answers:** **1.** resueltos **2.** enojados **3.** perdidas **4.** muerta **5.** escritos

## Intercambios A (page 25)

**Answers:** **1.** son **2.** están, es **3.** es, estar **4.** son **5.** son **6.** son **7.** son, está, está **8.** están

## Práctica (page 29)

**Answers:** **1.** tengo **2.** almuerzo **3.** vuelvo **4.** duermo **5.** prefiero **6.** recuerdo **7.** paso **8.** tomo

## Práctica (page 30)

**Answers:** **1.** llevo **2.** doy **3.** suelo **4.** conseguimos **5.** oímos **6.** traigo **7.** acabo **8.** conozco **9.** voy

**Follow-Up:** Personalize the activity by having students work in pairs to answer the following questions.

**1.** Imagínate que éstos son tus padres. ¿Cómo se visten para hacer un viaje a Cancún o San Juan? ¿Se visten de esta manera o llevan ropa distinta?

**2.** ¿Qué llevan en las manos? ¿Por qué?

**3.** Si algún día tu hijo/a te dice que te pareces al hombre / a la mujer del dibujo, ¿cómo te vas a sentir? ¿Te vas a cambiar de ropa? ¿Por qué sí o por qué no?

## Intercambios E (page 32)

**Expansion:** Have students work in pairs to create short dialogues between the characters in the illustrations and an imaginary TV interviewer, explaining their current situation. Here are some questions they might answer.

**1.** ¿De qué país es Ud. / son Uds.? ¿de qué ciudad?

**2.** ¿Qué hace Ud. / hacen Uds. en este momento? ¿Y qué hacen las personas en su país de origen? ¿En qué país prefiere(n) estar? ¿Por qué?

**3.** ¿Cuáles son algunos de los problemas que complican su vida? ¿Cómo piensa(n) solucionarlos?

**4.** ¿Cuál es la imagen estereotipada de una persona de su país natal? ¿Qué piensa(n) de esa imagen? Explique(n).

**5.** Pueden decirles a los televidentes algo en general sobre los tipos y estereotipos de su país. ¿Qué les van a decir?

Have pairs present their dialogues to the class. Students should list the most common types and stereotypes mentioned in the dialogues.

## Pasaje cultural (page 33)

**Warm-Up:** Have students locate Medellín on a map of Colombia. You may wish to preteach the following words and expressions from the footage: **el sonido del palpitar (de Medellín), la mirada fija (en el futuro), atribuirse, el espíritu empresarial y pujante (de sus gentes), medirse, el nivel, el alcalde, calar, (transplantes de) riñones, la raza, el empuje, la fe, el linaje, el orgullo.**

## De entrada 5 (page 34)

**Answers:** **1.** f **2.** e **3.** g **4.** b **5.** c **6.** d **7.** h **8.** a

## Práctica (pages 36–37)

**Answers:** **1.** la recordamos; no la recuerdo **2.** los seguimos; no los sigo **3.** lo solemos usar; no lo suelo usar **4.** las escribimos; no las escribo **5.** lo llevamos; no lo llevo **6.** los repasamos; no los repaso **7.** las escuchamos; no las escucho **8.** la sabemos; no la sé

## Intercambios A (page 36)

**Suggestion:** Project the five scenes using an overhead projector. Have the class describe each scene in as much detail as possible, with books closed.

## Juego (pages 38–39)

**Suggested Answers**

**España:** 100: Madrid 200: el flamenco; la paella 300: Galicia, el País Vasco, Valencia, Navarra, Andalucía, etcétera 400: a las dos de la tarde

**Norteamérica:** 100: la Ciudad de México (el D.F.) 200: California (Los Angeles, San Diego), Nuevo México, Colorado, Texas, etcétera 300: el arroz con frijoles, el mole poblano, las enchiladas de pollo, etcétera 400: NAFTA (en español, TLC [Tratado de Libre Comercio])

**Centroamérica y el Caribe:** 100: el canal de Panamá 200: El Salvador, Costa Rica, Nicaragua, Guatemala, Honduras, etcétera 300: la salsa, el merengue, etcétera 400: Inglaterra, España, Francia

**Sudamérica:** 100: Colombia 200: los Andes 300: en el Brasil 400: la civilización inca

## ¡Ojo! A Volviendo al dibujo (pages 39–40)

**Answers:** **1.** trabaja **2.** baja **3.** mira **4.** Parece **5.** buscando **6.** breve **7.** mira **8.** funciona **9.** trabajo **10.** corto **11.** Parece **12.** parecen

## ¡Ojo! B (page 41)

**Answers:** **1.** No trabajamos, parece **2.** parece, no funciona **3.** ¡Mira! **4.** Busco, bajo **5.** trabaja **6.** corta

# Capítulo 2: La comunidad humana

## Reflexiones (page 43)

**Follow-Up:** Encourage students to think about the cultural diversity in Spanish-speaking communities that coexists with a strong sense of **Hispanidad.** Ask: **En la foto, ¿qué indicaciones hay de la diversidad (cultural, de edades, de clases sociales) que existe entre estas personas? ¿Qué indica que también hay entre ellas un sentimiento de solidaridad? En su opinión, ¿son la conciencia de la diversidad y la de la solidaridad conceptos que no se pueden reconciliar fácilmente? Expliquen. ¿Cuál de estos conceptos es más importante para la comunidad? ¿y para el individuo? Expliquen.**

## Describir y comentar (page 44)

**Suggestion:** Use an overhead projector to show the illustration. Have students discuss it in as much detail as possible, with books closed. Remind students of the usage of **ser** versus **estar** when describing the characters in the illustration.

## De entrada 6 (pages 46–47)

**Answers:** **1.** F **2.** F **3.** F **4.** F **5.** F **6.** F **7.** F **8.** C

## Práctica 1 (page 48)

**Answers:** **1.** Se desprecia el buen servicio de los empleados. **2.** Aun en el siglo XXI, se discrimina contra otras razas. **3.** Por lo general, se respeta a los profesores de esta universidad. **4.** Se aprecia lo que hicieron los antepasados para mejorar nuestra vida. **5.** Se cree que todos deben compartir con los demás lo que tienen.

## Práctica 2 (page 48)

**Answers:** **1.** ¿Se cree que todos los estudiantes universitarios consumen drogas? (I) **2.** En este país, ¿se considera la diversidad como algo positivo? (P) **3.** En esta universidad, ¿se habla mucho de asuntos políticos o sociales? (I) **4.** ¿Se dan fiestas en las residencias cada semana aquí? (P) **5.** En esta universidad, ¿se escriben composiciones en todas las clases o solamente en las clases de inglés? (P) **6.** Normalmente en esta universidad no se trabaja mucho, ¿verdad? (I) **7.** En esta universidad, ¿se venden los libros al final del curso? (P) **8.** En esta universidad, ¿se respeta a los profesores? (P)

## De entrada 7 (pages 50–51)

**Warm-Up:** Use the Total Physical Response game **La caja misteriosa** to review indirect object pronouns. Place an unbreakable object that will make an interesting sound when shaken in a small cardboard box and seal the box. Show the box to the class and shake it. Say: **¿Pueden Uds. adivinar lo que hay dentro?** Give the box to a student. Say: **Déle la caja a otra persona y dígale lo que Ud. cree que hay dentro de ella. Luego, dígale que se la pase a otra persona para que haga lo mismo.** When the last student has received the box, have him/her guess aloud what is inside and then open it and show the mystery object (**el objeto misterioso**) to the class.

**Answers:** **1.** b **2.** b **3.** b

## Práctica 1 (page 52)

**Answers:** **1.** María y Juan, les **2.** Fernando, le **3.** yo, me **4.** nosotros, nos

## Práctica 2 (page 53)

**Answers:** **1.** Me dan dinero. **2.** Le explico mis problemas. **3.** Nos dice «Buenos días». **4.** Te (Le) traen libros.

## Intercambios C ¡Necesito compañero! (pages 54–55)

**Follow-Up:** Write the following models and lists on the board and have pairs form sentences using components from each list. Have them use as many combinations as they can and incorporate indirect object pronouns whenever possible.

MODELOS: Los conquistadores les quitan tierras a los indígenas.
Los colonos les piden ayuda a los indígenas.

| Agentes o afectados | Acción | Complemento |
|---|---|---|
| indígenas / conquistadores / colonos | comprar | consejos |
| presidente / congreso | contestar | dinero |
| niños / padres | dar | preguntas |
| médicos / pacientes | (no) decir | tierras |
| hermanos menores / hermanos mayores | explicar | tradiciones |
| | hacer | la verdad |
| | pedir | la obediencia |
| | quitar | ayuda |
| | traer | comida |
| | | juguetes |

## De entrada 8 (pages 56–57)

**Warm-Up:** Use an overhead projector to show the illustration on page 56 again. Have students define the relationships between the people in each scene and state two possible reasons for the conflicts. For the first scene, ask: **¿Quiénes serán estas personas? ¿Por qué lo creen? ¿Cuántos años tendrán los niños? ¿Creen que hay muchos conflictos entre ellos? ¿Por qué sí o por qué no?** Follow the same procedure for the remaining scenes, then personalize the activity by having volunteers describe similar experiences they have had.

**Answers: 1.** b **2.** a **3.** b **4.** a
**Follow-Up:** Assign different scenes to pairs of students. Have each pair create a minidialogue and present it to the class.

## Práctica 1 (page 57)

**Answers: 1.** Sí, se las explican. **2.** Sí, se las quitan. **3.** Sí, prometen devolvérselas (se las prometen devolver) pero nunca se las entregan. **4.** Sí, se los piden...

## Práctica 2 (page 58)

**Answers: 1.** La profesora se los explica. **2.** Mi novia me las manda. **3.** El banco nos lo presta. **4.** Su compañera se las dice.

## Pasaje cultural (page 59)

**Warm-Up:** Have students locate the following regions on a map of Spain: **Cataluña, Galicia, el País Vasco.** You may wish to preteach the following words and expressions from the footage: **el castellano, el catalán, el gallego, el vascuense (euskera), impuesta (imponer), tras, la huella, alrededor de, el mozárabe, la aportación, el náhuatl, el quechua.**
**Follow-Up:** Present the following words after completing Activity B: **la atalaya, el alcázar, la alcazaba, las almenas, el azafrán, la alcachofa, la zanahoria, la noria, la jarra, el ajedrez, el tiburón, el cacahuete.**

## De entrada 9 (page 61)

**Warm-Up:** Review the concept of the imperfect by using an overhead projector to show "then and now" photographs: for example, a childhood birthday party and an adult party. Model describing how things *used to be* and how they are now. Have students contribute descriptions and their own experiences.
**Answer:** b. una descripción
**Razón:** En el párrafo no hay ni diálogo ni acción.

## Práctica (page 63)

**Answers: 1.** eran **2.** había **3.** vivía **4.** tenía **5.** veía **6.** escuchaba **7.** iba **8.** existían **9.** sabían **10.** leían **11.** recibían **12.** llegaban **13.** estaban **14.** daban **15.** ocurrían **16.** entendían **17.** podían **18.** preocupaban **19.** vivían

## Intercambios D (page 64)

**Follow-Up:** Make a grid similar to a bingo card with sixteen to twenty cells. In each cell, write a different verb that could relate to students' past activities. Examples: **jugar, estudiar, ir, salir,** and so on. Give each student a copy of the grid and have them circulate to ask their classmates questions in the imperfect, using each of the verbs. When a student answers using the imperfect correctly, he or she signs the appropriate cell on the questioner's grid. The first student to fill his or her grid with a different signature in each cell shares the information collected with the class. Examples: **Cuando Judy tenía dieciocho años, siempre jugaba al tenis los sábados. Mario estudiaba dibujo en el colegio.**

## De entrada 10 (pages 65–66)

**Warm-Up:** Use drawings and photos from magazines that illustrate reflexive verbs (such as

**lavarse, ponerse, cepillarse,** and **mirarse**) and reciprocal actions requiring reflexive pronouns in Spanish. Model the use of several of these verbs as you describe the first few illustrations, then have students describe the remainder.

**Answers: 1.** d **2.** b **3.** a **4.** f **5.** c **6.** e

## **Práctica 1** (page 68)

**Suggested Answers: 1.** La mujer se pone el pañuelo; Yo me pongo el pañuelo; Tú te pones el pañuelo. **2.** Ellos se afeitaban con jabón; Uds. se afeitaban con jabón; Nosotros nos afeitábamos con jabón. **3.** La señora va a mirarse (se va a mirar) al espejo; Tú vas a mirarte (te vas a mirar) al espejo; Ud. va a mirarse (se va a mirar) al espejo.

## **Práctica 2** (page 68)

**Answers 1.** No, él se baña. **2.** No, él se lo quita. **3.** No, ella se los pone. **4.** No, ellos se lo preparan.

## **De entrada 11** (page 70)

**Answers:** Gabriela Sabatini: RAQUETA; Albert Einstein: CALCULADORA; Lucille Ball y Desi Arnaz: TELEVISOR, VIDEOS; Un amigo (hablándote a ti): CLASE; El doctor Watson (hablando de Sherlock Holmes): PISTAS

## **Práctica** (page 72)

**Answers:**

**1.** Me gustan los libros de historia; Me gusta comer; Me gustan los deportes; Me gusta lo moderno; Me gustan las vacaciones; Me gusta escribir composiciones en español.

**2.** A ella le gustan; A ti te gustan; A Ud. le gustan; A mí me gustan; A ellos les gustan; A él le gustan.

**3.** Me caen bien; Me caen bien; Me cae bien; Me cae bien.

## **¡Ojo! Volviendo al dibujo** (pages 75–76)

**Answers 1.** de, con; en; parece; en, en; de, con **2.** en; en, de **3.** funciona; que, trabaja

## **Repaso B ¡Necesito compañero!** (page 77)

**Additional Activity:** Divide the class into small groups and give each group the name of one of the following traditions or products, which are familiar in this country but of foreign origin. Have each group write a description that does not explicitly name the tradition or product and then read it aloud for the other groups to guess what it is.

| | |
|---|---|
| Christmas tree | Volkswagen |
| Easter eggs | Sony |
| Santa Claus | Kahlúa |
| St. Patrick's Day | Cuisinart |
| Oktoberfest | Dos equis |
| Mardi Gras | Perrier |

# Capítulo 3: Costumbres y tradiciones

## **Reflexiones** (page 79)

**Follow-Up:** Personalize the activity by having students express their thoughts about and/or personal experiences of Hispanic celebrations. Ask: **¿Qué fiestas hispanas conocen Uds.? ¿Cómo son? ¿Saben algo del origen de esas fiestas? ¿Celebran esas fiestas en su familia? ¿Qué semejanzas o diferencias hay entre las fiestas hispanas y las que celebran en su familia?**

## **Describir y comentar** (page 80)

**Warm-Up:** Use an overhead projector to show the illustrations on page 80. Have students describe what is going on in each and recount their own experiences at birthday parties, Halloween celebrations, and on religious holidays. Draw their attention to chapter vocabulary and the contrast between imperfect and preterite when narrating past events.

## **Vocabulario para conversar** (page 81)

**Suggestion:** Show slides and photographs of **Día de los Muertos** observances and/or other holiday observances in different Hispanic countries. Explain the various traditions and their significance and invite students to comment.

**Follow-Up:** After reviewing the vocabulary, have students generate word webs. Write **el esqueleto** on the board and have students suggest words and expressions associated with it, explaining the associations. (Possible expressions: **el miedo, lo sobrenatural, la muerte, el fantasma, el más alla.**)

## De entrada 12 (page 82)

**Possible Answers:** **a.** 6 **b.** 9 **c.** 1 **d.** 5 **e.** 2 **f.** 4 **g.** 8 **h.** 3 **i.** 10 **j.** 7

## Práctica (page 85)

**Answers:** **1.** estudié; manejé; corrí; leí; dormí **2.** estudiaron; ganaron; jugaron; perdieron; salieron **3.** Festejaste a muchos amigos; gastaste muchas bromas; seguiste muchos cursos; fuiste a Centroamérica; viniste a clase conmigo **4.** lo tradujo; las repitió; me los dio; les dijo la verdad; le hizo el favor; se rió **5.** nos asustaron; las rechazaron; se la sirvieron; se los trajeron; los vieron; nos sonrieron **6.** se disfrazó; se los pidió; se las hizo; se las sacó

## Intercambios A (page 85)

**Answers:** **1.** levantó **2.** puso **3.** llamó **4.** contó **5.** enojó **6.** fue **7.** escondió **8.** dibujó **9.** mintió **10.** volvió **11.** vistió **12.** cerró **13.** rió **14.** durmió

## Intercambios D Guiones (page 87)

**Expansion:** Have groups of five or six students dramatize the sequence of events illustrated.

## De entrada 13 (page 88)

**Answers:** **1.** d **2.** d **3.** c **4.** a

## 13 *Hacer* in Expressions of Time (page 89)

**Warm-Up:** Have students look again at the illustrations on page 86 while you ask them questions about specific and nonspecific time relationships in the narrative. Examples: **¿Cuánto tiempo hace que Norman vive en esta casa? ¿Desde cuándo trabaja Marian como secretaria? ¿Cuánto tiempo hace que Marian y Norman se conocen?**

## Práctica (page 90)

**Possible Answers:**

**1.** Hace cinco años que asisto a la universidad; Empecé a asistir a la universidad hace cinco años.

**2.** Raúl sabe montar en bicicleta desde hace seis años; Hace seis años que Raúl aprendió a montar en bicicleta.

**3.** Hace [tres] años que Berenice está en España; Berenice fue a España hace [tres] años.

**4.** Hace cincuenta minutos que estamos en clase; La clase empezó hace cincuenta minutos.

**5.** Hace ocho años que el padre de Rafael está muerto; El padre de Rafael se murió hace ocho años.

**6.** Hace [cinco] años que su único hijo está enfermo; Su único hijo se enfermó hace [cinco] años.

## Intercambios C ¡Necesito compañero! (page 91)

**Follow-Up:** After identifying the characteristics of an **esquela** as a genre, have students write one for an important figure (real or fictional) in Hispanic cultural history. Tell them to research the figure they choose in the library, then present the obituary to the class orally. Possible figures: El Cid Campeador, don Juan Tenorio, don Quijote, Artemio Cruz, José Martí, Eva Perón, Francisco Franco, José Asunción Silva, Alfonsina Storni, Federico García Lorca.

**Expansion:** Have students write a short epitaph (**epitafio**) for their own tombstone (**lápida**). Remind them that epitaphs are usually serious, but some are humorous. W.C. Fields's: **Considerándolo todo, preferiría estar en Filadelfia.** A hypochondriac's: **¡Yo siempre afirmaba que estaba enfermo!** An ancient Greek epitaph: **Aquí yace Dionisio de Halicarnaso, muerto sin hijos. Ojalá que hubiera muerto así su padre.**

## De entrada 14 (page 92)

**Answers:** **1.** c **2.** e **3.** a **4.** b **5.** d

## Práctica (page 96)

**Answers:** **1.** medio → tenía **2.** medio → era **3.** medio → pasábamos **4.** medio → íbamos **5.** comienzo → conoció **6.** comienzo → le habló **7.** comienzo → la invitó **8.** comienzo → me dijo **9.** medio → le tenía compasión **10.** medio → no se lo creía **11.** medio → quería **12.** comienzo → decidí **13.** medio → sabía **14.** medio → vivía **15.** comienzo → fui **16.** medio → era **17.** comienzo → llegué **18.** comienzo → vi **19.** medio → estaba **20.** comienzo → me puse **21.** comienzo → empecé **22.** comienzo → salió **23.** comienzo → me vio **24.** comienzo → gritó **25.** comienzo → corrió

## Intercambios A (page 96)

**Answers:** **1.** podía **2.** contaba **3.** observaba **4.** era **5.** ponía **6.** conocí **7.** murieron **8.** veía **9.** movían **10.** rezaba **11.** fue **12.** tenía **13.** compraron **14.** pusieron **15.** rezaron **16.** pusieron **17.** escondieron **18.** empezaron **19.** vio **20.** oyó **21.** comenzó **22.** rieron

## Pasaje cultural (page 99)

**Warm-Up:** Have students locate Oaxaca on a map of Mexico. You may wish to preteach the following words and expressions from the footage: **dar inicio a, arraigado, el sincretismo, la época prehispánica, a lo largo y ancho (del estado de Oaxaca), el oaxaqueño, convivir con, recordar, por lo tanto, el alma, el seno, alimentar, extrañarse.**

## De entrada 15 (page 100)

**Answers:** **1.** P **2.** I **3.** I **4.** I **5.** I **6.** P

## Práctica (page 103)

**Answers:** **1.** que **2.** que **3.** que **4.** quien **5.** que **6.** quienes **7.** quienes **8.** que

## Intercambios A (pages 103–104)

**Answers:** **1.** Los disfraces que los jóvenes llevan en Carnaval representan brujas, piratas y animales. **2.** En México hay mucha gente que celebra el Día de la Independencia el 16 de septiembre. **3.** Pienso invitar a la fiesta a todas las personas con quienes trabajo. **4.** La edad es un tema que asusta a mucha gente en las fiestas de cumpleaños. **5.** Todas las personas que asistieron a su cumpleaños eran parientes del niño. **6.** La mezcla de razas que resultó de la conquista constituye un elemento característico de la cultura nacional.

## ¡Ojo! A Volviendo al dibujo (page 107)

**Answers** **1.** funcionaba; prestaba; con; del cuento; de; con; que; hora **2.** se dieron cuenta de; parecía; buscaba; otra vez **3.** en; de; corto; prestaban; parecían; tiempo

**Follow-Up:** Write the following sentences on the board (underlining the target words) or read them aloud (emphasizing the target words) and have students give the answers. Say: **Den la palabra o frase en español que corresponda mejor a las palabras subrayadas/enfatizadas.**

**1.** You *know* the story of the little boy who cried "Wolf!"? He did this so many *times* that in the end no one would *pay attention* to him. (¿Conoce?; veces, prestarle atención / hacerle caso)
**2.** Is it *time* to eat yet? (hora)
**3.** He decided to stay home this *time* because he is very tired. (vez)
**4.** Sorry, I can't *pay* the *bill.* (pagar, la cuenta)
**5.** I don't have *time* to talk to you now. (tiempo)
**6.** How many *times* do I have to ask you? *Pay attention!* (veces; ¡Preste atención!)
**7.** How much did you *pay* for that dress? (pagar)
**8.** Don't tell those scary *stories!* (cuentos)
**9.** We're planning to *pay a visit* to my parents this weekend. (hacer una visita)
**10.** That's what you get for not *paying attention* to the sign. (hacerle caso)

# Capítulo 4: La familia

## Reflexiones (page 111)

**Suggestion:** Use an overhead projector to show pictures that illustrate family members and aspects of family life. Have students describe the people and events in the pictures and talk about personal experiences. To review names for family relationships and the Hispanic use of two **apellidos,** ask simple questions such as: **La pareja que recibe los regalos son los padres de Susanita, ¿verdad? Si Fernando es el padre de Susanita y Juan es su tío, ¿cuál es la relación entre Fernando y Juan? ¿Cuántos nietos tienen Manuel e Isabel? ¿Cuáles son los apellidos de cada uno?**

**Follow-Up:** Have students describe the photo. Personalize the activity by having students say what the term "family" means to them and how they experience their families. Ask: **En su opinión, ¿qué relación existe entre las personas de la foto? ¿Se puede considerar ésta como una relación familiar? En su opinión, ¿en qué consiste el concepto de la familia? ¿Cuáles son los lazos de familia más importantes? ¿los conflictos más comunes dentro de la familia? ¿Cómo sería la familia «ideal» para cada uno de Uds.?**

## Describir y comentar E Entre todos (page 112)

**Expansion:** Have each of the following characteristics written on a separate index card or sheet of scrap paper before class begins: **la independencia, la fuerza, la coordinación física, la destreza manual, la agresividad, la curiosidad intelectual, la pasividad, la dependencia, la creatividad, la disciplina mental, el materialismo, la masculinidad / la feminidad.** Have students mention some of the toys they enjoyed playing with as children. Write their suggestions on the board under the heading **Juguetes.** Possibilities: **muñecas y muñecos, modelos de aviones y barcos, los soldaditos (como GI Joe), los rompecabezas, la plastilina, las pistolas de juguete, un laboratorio de química, una cocina de juguete, juegos de tablero (Monopolio, Scrabble), tebeos, pelotas.** Say: **Se dice que los juguetes influyen mucho en la formación de los niños. ¿Cuáles son algunos de los juguetes que podrían desarrollar estas cualidades en los niños?** Distribute the cards with the characteristics equally among small groups and have them come up with toys and possessions that foster each of the characteristics received. Later, have each group explain its decisions to the class and have the class divide the traits into positive characteristics (**cualidades positivas**) and negative characteristics (**cualidades negativas**) and list the toys and possessions that foster them on the board under the headings **Juguetes positivos** and **Juguetes prohibidos.**

## **Práctica** (page 117)

**Answers: 1.** No grite a sus hijos. **2.** Enséñenles a ser responsables. **3.** No los mime. **4.** No les compren pistolas ni otros juguetes violentos. **5.** Oblíguelos a tomar clases de música y de gimnasia. **6.** No discutan delante de los niños. **7.** Den igual trato a los niños y a las niñas. **8.** Pase más tiempo con los hijos porque la relación entre padres e hijos es muy importante.

## **De entrada 17** (page 119)

**Answers: 1.** d **2.** h **3.** b **4.** a

## **Práctica** (page 121)

**Answers: 1.** hable, escriba, no me duerma, esté, venga **2.** nos portemos, comamos, volvamos, seamos, no digamos **3.** se lave, cierre, pida, haga, vaya **4.** respeten, lean, abran, den, vean **5.** le mandes, no discutas, sugieras, salgas, sepas **6.** beban; asistan; recuerden; sigan; se rían

## **Práctica** (page 123)

**Possible Answers: 1.** esperan; prefieren; quieren; desean **2.** prefiere; quiere, espera; desea **3.** permite; quiere; desea **4.** permiten; sugieren **5.** recomienda; sugiere; aconseja

## **Intercambios A** (page 123)

**Additional Activity:** Use this activity for more practice of the subjunctive with persuasion. Say: **Las siguientes oraciones expresan algunos deseos comunes a todos los padres. En su opinión, ¿por qué quieren o no quieren los padres que sus hijos hagan estas acciones?**

**1.** Sugieren que los niños no miren mucho la televisión.

**2.** No permiten que sus hijos jueguen con pistolas de juguete.

**3.** Prohíben que sus hijos escuchen la música de Nirvana y grupos de Gangsta Rap.

**4.** Recomiendan que sus hijos vayan a la universidad.

**5.** No desean que sus hijos coman entre las comidas.

**6.** Esperan que sus hijos les escriban con frecuencia.

**7.** Insisten en que sus hijos sean bien educados.

**8.** Esperan que se casen y tengan hijos.

**9.** No quieren que se griten ni se peguen con sus hermanos.

## **Intercambios B** (pages 123–124)

**Additional Activity:** Use this activity for more practice of the subjunctive with persuasion. Have students work in pairs. Say: **Para explicar la importancia de las siguientes acciones en sus respectivas familias, formen oraciones con el subjuntivo empleando las frases impersonales a continuación. Deben alternar las explicaciones.**
Es importante Es necesario Es preferible No importa

MODELO: hablar con respeto a los padres → En mi familia, es necesario que hables con respeto a mis padres.

1. hablar con respeto a los padres
2. no dejar la ropa en el suelo
3. no decir palabrotas

4. ayudar un poco con el trabajo de casa
5. decir «por favor» y «gracias»
6. estar en casa a cierta hora de la noche
7. pedir permiso para usar el coche
8. avisar antes de salir de noche
9. no poner los pies sobre los muebles
10. ir a la iglesia / al templo / a la mezquita una vez por semana

## Pasaje cultural (page 127)

**Warm-Up:** Have students locate Guayaquil on a map of Ecuador. You may wish to preteach the following words and expressions from the footage: **deambular, el embarazo, dar a luz, las entrañas, el calvario, recorrer, en carne propia, a pesar de, escaso, los recursos, albergar, brindar, el índice, el desamparo, la permanencia, el hogar, la capacitación, la actualidad, merecer, la gestación, encargarse de.**

## Práctica 1 (page 129)

**Answers:** **1.** No, no los pongas; Sí, ponlos. **2.** No, no los comas; Sí, cómelos. **3.** No, no la hagas; Sí, hazla. **4.** No, no la bebas; Sí, bébela. **5.** No, no vayas; Sí, ve. **6.** No, no te lo cortes; Sí, córtatelo. **7.** No, no salgas; Sí, sal. **8.** No, no te la pongas; Sí, póntela.

## Práctica 2 (page 130)

**Answers:** acostarse → Acuéstate; Acuéstese; Acuéstense (Acostaos)
comer → Come; Coma; Coman (Comed)
irse → Vete; Váyase; Váyanse (Idos)
comprarla → Cómprala; Cómprela; Cómprenla (Compradla)
darle → Dale; Déle; Denle (Dadle)
ponerse → Ponte; Póngase; Pónganse (Poneos)

## Intercambios C (page 131)

**Follow-Up:** Use an overhead projector to show a magazine photo of an 18–21-year-old male or female that your students would consider "rebellious." Call him Pablo / her Lourdes. Describe what various relatives and friends want Pablo/Lourdes to do to "mend his/her ways" (**enmendarse**). Say, for example: **El padre de Pablo/Lourdes no quiere que se ponga la chaqueta de cuero negro para ir a la entrevista para un empleo.** Cue students to respond with the appropriate familiar command: **No te pongas esa chaqueta de cuero negro para ir a la entrevista.**

## ¡Ojo! A Volviendo al dibujo (page 135)

**Answers:** **1.** unidos **2.** apoyamos **3.** íntimo **4.** parecía **5.** trabajaron **6.** mantenerme **7.** importa **8.** con **9.** cercana **10.** en **11.** soportar **12.** cuidar **13.** en

**Follow-Up:** Write the following sentences on the board (underlining the target words) or read them aloud (emphasizing the target words) and have students give the answers. Say: **Den la palabra española que corresponda mejor a las palabras subrayadas/enfatizadas.**

1. My mother *supported* our family after she and my father got divorced. (mantenía)
2. I can't *stand* that class! (soporto)
3. My classmates all *supported* me when I complained to the dean. (apoyaron)
4. They live very *close* to the ocean. (cerca)
5. My sister is my *closest* relative. (más íntima)
6. I don't *care* if you work all night—this has to be finished tomorrow! (importa)
7. Will you take *care* of my dog while I'm gone? (cuidar)
8. In some societies, the mother *cares* for the children while the father works outside the home. (cuida a)
9. —Can we use pencils to write this exam? —I don't think it *matters.* (importa)
10. A lot of people really don't *care* what happens in the future. (importa)

**Expansion:** Have three or four students role-play a different famous personality (for example, a politician, a historical figure, an entertainer, an author). Ask each personality questions about his or her life that use the words in the **¡Ojo!** section. Example: **Al Gore, ¿hay algo en particular que Ud. no puede soportar nunca? ¿Qué cosas le importan mucho? Bill Clinton, ¿sobre qué temas conversaba Ud. con sus amigos más íntimos? ¿Hay algo que haya cuidado por mucho tiempo?** Encourage the class to "help" the personality respond to your questions.

## Repaso B (page 137)

**Expansion:** The topics mentioned in this survey can serve as subjects for debate. Have one pair of students prepare and present the position of the "liberal parent of the future" and another pair that of the "conservative parent of the future." You serve as moderator and the class as a whole decides which side has the most convincing arguments.

**Additional Activity**: Have students dramatize an afternoon talk show, "**Dígaselo a Consuelo** (with female moderator) / **Plácido** (with male moderator)." Encourage the class to brainstorm a list of three or four family dramas typically presented on talk shows. Assign each problem to a small group, which works outside of class to prepare the roles of family members and program moderator. When each group presents its program, the rest of the class serves as the audience and is called upon by the moderator to participate with observations, suggestions, and solutions. As a follow-up, have students write as homework a solution for one or more of the problems presented.

## Capítulo 5: Geografía, demografía, tecnología

### Reflexiones (page 139)

**Follow-Up**: Have students describe the photo on page 138. Encourage them to say what they think it might be like to live in Medellín. Ask: **En su opinión, ¿cuál es el aspecto más sorprendente de Medellín? ¿Qué contrastes notan Uds.? Algunas de las ciudades más grandes del mundo se encuentran en Latinoamérica. ¿Cuáles son? ¿Cuáles son algunos de los problemas que enfrentan? En Latinoamérica, ¿qué diferencias hay entre el centro de las grandes ciudades y los suburbios? ¿entre las ciudades y las zonas rurales?**

### Describir y comentar (page 140)

**Warm-Up**: Point out the contrast between the urban and natural environments in the Chapter Opener photo (page 138). Then give each student a copy of an outline map of Latin America (including the Southwestern United States) and Spain. Using an overhead projector, show the same maps and narrate a brief, imaginary travelogue (**El viaje de Teresa Tomaviajes**), giving Spanish names of major cities, rivers, mountain ranges, and tourist attractions as Teresa visits them. Mention also demographic information about each country or region, particularly the technological differences between rural and urban areas. Have students record these on their maps as the travelogue proceeds. Invite students to volunteer their own experiences visiting the Hispanic world and to suggest places Teresa should see as she travels.

### Práctica 1 (page 145)

**Answers**: **1.** que **2.** que **3.** que **4.** quienes **5.** quienes **6.** que

### Práctica 2 (page 146)

**Answers**: **1.** los que (los cuales) **2.** Lo que **3.** los que (los cuales) **4.** las que (las cuales) **5.** las que (las cuales) **6.** lo que; lo que

### Práctica 1 (page 150)

**Suggested Answers**: **1.** Alguien quiere que tú te vayas. **2.** Ya no tengo el regalo que mi ex novio me dio. **3.** Los viejos viven aquí también. **4.** ¡Voy siempre a conciertos de música rock! **5.** ¿No conoces a nadie que me pueda ayudar? **6.** Algunas casas son perfectas. **7.** Ya no están buscando una computadora; les gusta alguna de éstas. **8.** Ni la modernización ni la tecnología nunca es la respuesta.

### Práctica 2 (page 150)

**Answers**: **1.** No, no hay ningún problema con el agua de la ciudad. **2.** No, nunca hay cortes de electricidad. (No, no hay nunca cortes de electricidad.) **3.** No, ya no usan máquinas de escribir en mi oficina. **4.** No, no hay ningún robo ni asesinato en la ciudad. **5.** No, no hay nada sospechoso en la política municipal. **6.** No, no hay ninguna resistencia a reciclar en la ciudad.

### Intercambios D Entre todos (page 152)

**Follow-Up**: Play a "Jeopardy!"-style game. Before class, write descriptions of various machines, appliances, and inventions on note cards, giving sufficient detail so that students can guess the object. (Be sure to include several aspects of computer technology from the vocabulary and the devices listed in **Intercambios C** [page 151] as well as **Intercambios D** [page 152].) Examples: **En este aparato se puede calentar la comida rápidamente sin gastar energía. (¿Qué es un horno de microondas?) Este aparato reproduce la música con tanta claridad que parece que uno escucha a los propios músicos y no una reproducción. (¿Qué es un disco**

**compacto?) Con este pequeño aparato se puede llevar a cabo varias funciones en la pantalla de una computadora sin usar el teclado. (¿Qué es el ratón?)**

Play by dividing the class into two teams. Ask for two volunteers to play moderator (**animador[a]**) by reading the clues. Use a buzzer to time the period in which responses are accepted. If no one guesses correctly, show a picture of the object (if available) and write the name on the board. The team that guesses the larger number of objects wins.

## Pasaje cultural (page 155)

**Warm-Up:** Have students locate regions in Central and South America where (rain) forests are located. You may wish to preteach the following words and expressions from the footage: **valioso, floreciente, terrestre, los recursos, suministrar, quizás, explotar, la madera, el combustible, el reducto, la reliquia, llevar a cabo, la desaparición, mediante, desarrollado, el nivel, aportar su grano de arena, salvar, tirar, la basura, el reciclaje, derribar, los víveres.**

## De entrada 22 (page 156)

**Follow-Up:** Have students look at the illustration. Ask: **¿Cuáles son algunos de los aparatos domésticos que tiene la familia de extraterrestres?** List them on the board and help students name those they do not recognize. Then say: **Al parecer, en su planeta no se conoce el refrán «Un lugar para cada cosa y cada cosa en su lugar». Expliquen el uso de los aparatos y señalen el lugar en el que normalmente se espera encontrarlos.** Write student responses beside each object. Afterward ask: **¿Cuáles de estos aparatos tienen Uds. en su casa? ¿Cuáles les gustaría tener? Expliquen.**

## Práctica 1 (page 159)

**Answers:** **1.** seguridad **2.** falta de seguridad **3.** seguridad **4.** falta de seguridad **5.** falta de seguridad

## Práctica 2 (page 159)

**Answers:** **1.** siga **2.** resuelva **3.** es; hay **4.** puedan **5.** esté; trabaje **6.** se acaben **7.** quiere; sabe **8.** se realice

**Additional Activity:** For further practice of the subjunctive with certainty versus doubt, have students work in pairs. Say: **Comenten las siguientes oraciones. Uno de Uds. debe leer una oración; el otro debe reaccionar, usando una de las expresiones a continuación. Justifiquen las respuestas en cada caso. No es necesario usar el subjuntivo en todas las oraciones.**

Creo Es cierto Dudo Es importante

**1.** Muchos vicios de la sociedad moderna se originan en las ciudades.
**2.** Es más fácil y mejor criar a los niños en el campo.
**3.** La tecnología es uno de los aspectos positivos de la vida moderna.
**4.** Lo rural va desapareciendo. En el futuro, no va a haber más zonas rurales.
**5.** El hambre es el peor crimen del siglo XXI. No se debe tolerar.
**6.** Es necesario aprender la lengua de un país para conocer su cultura.
**7.** Es más fácil aprender una segunda lengua que conocer una nueva cultura.
**8.** En el mundo de hoy, la computadora tiene más importancia que el televisor.

## Práctica (page 160)

**Answers:** **1.** C **2.** C **3.** U **4.** C **5.** EV **6.** U **7.** EV **8.** C **9.** EV

**Expansion:** Have six groups discuss possible changes in popular culture in the United States in the future. Say: **Ahora que los índices de natalidad y de mortalidad han bajado en los Estados Unidos, es menor el número de jóvenes que el de individuos que tienen más de 40 años. ¿Qué efecto va a tener este cambio en los siguientes aspectos sociales y económicos?** Write on the board: **el empleo y el desempleo, el ideal de la belleza, las prioridades de las organizaciones federales, la educación, la propaganda comercial, los productos de mayor venta.** Have a spokesperson for each group present the group's conclusions to the class. Then ask: **¿Están todos de acuerdo? ¿Coinciden las conclusiones de este grupo con las de los demás grupos?**

## Intercambios B (page 161)

**Expansion:** Have students review the illustrations on page 161, pointing out that these inventions were designed to solve specific problems. Have small groups brainstorm several problems common in their area (e.g., traffic congestion, lack of parking, interminable winter darkness, large roaches) and come up with inventive solutions for one of them. Have one group member draw the group's "invention" on the board while another explains the problem it seeks to solve and how it accomplishes its goal. After all the presentations have been made, have students vote to choose the invention they think is most creative (**la más creativa**), most outrageous (**la más graciosa**), the most dubious (**la más increíble**), and so on.

### Intercambios F Entre todos (page 163)

**Follow-Up:** Have groups of five or six students brainstorm a list of commonly used machines, appliances, and technological advances available in their area. Then have them write several questions in Spanish that present an interviewee with the problem of how he or she would cope if a given machine, appliance, or advance were to disappear. Group members then interview classmates who are not members of their group, students in other Spanish classes, and Spanish-speaking people they know, recording their responses with a tape recorder. The class reviews the tapes and tallies the responses.

### ¡Ojo! A Volviendo al dibujo (page 166)

**Answers:** **1.** con; cuidar; parece, cuida, mantiene; del, trabajar; con, mudarse; se siente; caso **2.** mira, en; Parece, hora; parece, se sienten; importa **3.** mudó; se sienten; miran, cerca

**Follow-Up:** Write the following sentences on the board (underlining the target words) or read them aloud (emphasizing the target words) and have students give the answers. Say: **Den la palabra en español que corresponda mejor a las palabras subrayadas/enfatizadas.**

**1.** My neighbor hopes *to move* to Chile next year. He *feels* that he will have a good chance to use his skills as a translator there. (mudarse; cree/piensa/opina)

**2.** After that meal, I *feel* so stuffed that I can't even *move!* (me siento, moverme)

**3.** Her job is very demanding: she often doesn't *return* home until quite late. (vuelve/regresa)

**4.** Although he can't *move* his arms at all, the doctors *feel* that his condition will surely improve. (mover, creen/piensan/opinan)

**5.** It seems that my friend has not yet *returned* the books! I *feel* awful! (devuelto; me siento)

**6.** The new employees did not know that the Human Resources office had *moved* to another building. They will have to *go back* next week. (trasladado; volver/regresar)

**7.** My parents have a big house but they don't want to *move;* they want to have lots of room so that when all of us kids *come back* with our own families, we will all *feel* comfortable. (mudarse, volver/regresar, sentirnos)

## Capítulo 6: El hombre y la mujer en el mundo actual

### Reflexiones (page 171)

**Warm-Up:** Personalize the activity by having students bring in family photographs that illustrate the changing roles of men and women. Use an overhead projector to show the photos and have the student who brought them describe what is depicted and its significance. Invite other students to comment and ask questions. When all students have shown their photos, have them do the survey of parental expectations and discuss the results.

**Follow-Up:** Have students describe the photo on page 170 and speak about their experiences of the changing roles of women and men. Ask: **Cuando la mujer de la foto era niña, ¿cuáles eran algunas de las expectativas de la sociedad? ¿En qué han cambiado estas expectativas? ¿Es diferente lo que se espera de los niños y de las niñas en varias culturas? ¿en los distintos grupos dentro de una misma cultura? ¿En qué consisten estas diferencias? ¿Es más parecido lo que se espera de los niños de ambos sexos en las culturas llamadas «modernas», o es más parecido en las «tradicionales»? ¿o continúa siendo distinto en tales culturas lo que se espera de ambos sexos?**

**Expansion:** Divide students into groups based on birth order (first-born, second-born, only child, and so on) and have groups discuss how parental expectations for individual children vary according to birth order. Have each group profile behavioral patterns, attitudes, and aptitudes of their birth-order group for the class.

### Describir y comentar (page 172)

**Warm-Up:** To visually reinforce vocabulary for abstract ideas, show the illustration on an overhead projector. Write the following vocabulary items on the board and have students use them when speaking of the illustrations: **la carrera, la aspiración, la meta, el puesto; tener un papel, aspirar a; la igualdad; educar, socializar.** Then review the following adjectives by asking simple questions about the illustration. Example: **¿Se puede usar el adjetivo *machista* respecto a una de estas situaciones? ¿Respecto a cuál?** Adjectives: **agresivo, atlético, bien educado, cariñoso, insensible, intelectual, mimado, realista, responsable, sensible, sumiso.**

## Describir y comentar C (page 172)

**Expansion:** Before class, make a copy of the following list of **profesiones y oficios** for each student.

- abogado/a
- albañil(a)
- amo/a de casa
- bailarín/bailarina
- basurero/a
- bombero / mujer bombero
- boxeador(a)
- camionero/a
- carpintero/a
- cocinero/a
- comerciante
- dentista
- dependiente/a
- enfermero/a
- gimnasta
- juez(a)
- médico/a
- peluquero/a
- profesor(a)
- senador(a)
- soldado / mujer soldado

Have students review the list and indicate which sex is generally associated with each profession and occupation. Have them explain their responses and suggest other professions. Ask: **¿Qué actividades tradicionalmente se consideraban masculinas o femeninas? ¿Cuáles se consideran masculinas hoy en día? ¿Y cuáles se consideran femeninas? ¿En qué casos se observa un cambio? En su opinión, ¿hay casos en que nunca va a haber cambios?** Invite students to suggest men and women who have achieved prominence in professions traditionally associated with the other sex. Possibilities: **Ministra de Justicia:** Janet Reno; **torera:** Cristina Sánchez; **Inspectora General de Salud:** Antonia Novelo; **Juezas de la Corte Suprema:** Ruth Bader Ginsburg, Sandra Day O'Connor; **campeona de golf:** Nancy López; **pilota:** Amelia Earhart; **senadora:** Dianne Feinstein, Barbara Boxer. When students have listed as many as they can, survey their suggestions to see if they have provided approximately an equal number of both sexes in nontraditional roles. If not, have them suggest reasons for any discrepancy. Ask: **¿Hay más posibilidades de que las mujeres asuman carreras tradicionalmente masculinas, de que los hombres asuman las tradicionalmente femeninas? ¿Por qué creen que es así?**

## Práctica (page 176)

**Answers: 1.** ha aprendido **2.** Has educado **3.** he obtenido **4.** Han aspirado **5.** Hemos cumplido **6.** han abierto **7.** has hecho

## Práctica (page 180)

**Answers: 1.** tú → hayas; el gobierno → haya; yo → haya; Uds. → hayan **2.** eliminado; resuelto; acabado; visto **3.** no creo → haya; es natural → ha; me gusta → haya; es importante → haya

## Intercambios C ¡Necesito compañero! (page 181)

**Additional Activity:** Tell students you want them to tell you how two fictional characters, Filis Feminista and Tomasina Tradicional, will react to the following situations. Have them use complete sentences and the correct forms of the subjunctive, and explain the reason for their answers. Reactions: **Se pone furiosa/contenta de que... , Le molesta/gusta que...** Situations: **un hombre le abre la puerta, una amiga deja su carrera cuando se casa, un hombre le dice un piropo cuando la ve pasar por la calle, un hombre quiere cambiar la llanta desinflada del auto de ella, una amiga no gana el mismo sueldo que gana un hombre por hacer el mismo trabajo, su sobrino quiere una muñeca y su hermana se niega a dársela, su hermano tiene cuatro novias a la vez.** Have students bring to the next class meeting magazine and newspaper photos and advertisements that might appeal to the feminist philosophy of Filis Feminista, the traditionalist philosophy of Tomasina Tradicional, or ones that could appeal to both. Display them and have students discuss why they would appeal to one or both of the women.

## Pasaje cultural (page 182)

**Warm-Up:** Have students locate the Cañar province on a map of Ecuador. You may wish to preteach the following words and expressions from the footage: **apoderar, el llano, disipar, renacer, la olla, la tinaja, el cántaro, la alfarera, el torno, girar, el cilinchí, recurrir a, el pedazo, el cuero, mojado (mojar), la guactana (= el golpeador), el martillo, la arcilla, incaico, restringirse a, la camaronera, labrar, ocultar, el cerro, quemar, la hoguera, apilar, acarrear, la**

**leña, el trueque, la vasija, el sabor, la chicha, madurar.**

## **Práctica** (page 186)

**Answers:** **1.** busque **2.** se consideran; se considere **3.** pague; ofrezca **4.** paga; da **5.** está **6.** exista **7.** prefieran **8.** cure; ha

## **Intercambios A** (page 186)

**Answers:** permita; dé; ofrezca; esté; haya; proteja

## **Pro y contra** (page 188)

**Expansion:** Have students bring in magazine and newspaper ads that illustrate discriminatory attitudes regarding gender. Have them display and comment on the ads. Ask: **¿A quiénes se dirige este anuncio? ¿Es positivo o negativo el mensaje del anuncio? ¿Se podría mejorar el anuncio agregando o quitando cierta información?** After the presentations, divide the class into small groups and have each plan a **superanuncio** with none of the faults of the ads they have discussed. They should be prepared to present their **superanuncio,** with visuals, at the next class meeting.

## **¡Ojo! A Volviendo al dibujo** (page 191)

**Answers:** **1.** con **2.** asistir **3.** hacerse **4.** tenido éxito **5.** llegar a ser **6.** importa **7.** hacerse **8.** mudarse **9.** trabajar **10.** íntimos **11.** ayudan **12.** logren **13.** el tiempo **14.** regresar **15.** poner

**Follow-Up**: Write the following sentences on the board (underlining the target words) or read them aloud (emphasizing the target words) and have students give the answers. Say: **Den la palabra española que corresponda mejor a las palabras subrayadas/enfatizadas.**

**1.** He *succeeded* in delaying the campaign debate. (logró)

**2.** She is always very *successful.* (tiene éxito)

**3.** He wants his son to *succeed* him as CEO of the corporation. (suceda)

**4.** If at first you don't *succeed,* try, try again. (tiene éxito)

**5.** We need a waiter to *attend* to us here. (atienda)

**6.** Elsa *has attended* all the meetings this year. (ha asistido a)

**7.** Your being late *has become* a habit! (se ha convertido en)

**8.** The tone of the conversation *was becoming* nasty. (se volvía)

**9.** He *has become* more patient over time. (se ha puesto)

**10.** Beethoven *went* deaf during his young adulthood. (se volvió)

**11.** The woman *became* a rock star after many years of sacrifice and hard times. (llegó a ser)

**12.** He *turned* as pale as if he had seen a ghost. (se puso)

# Capítulo 7: El mundo de los negocios

## **Reflexiones** (page 195)

**Follow-Up**: Have students describe the photo on page 194 and speak about products imported from the Hispanic world. Ask: **¿Hay algún aspecto de la ciudad por el cual se distinga de otras ciudades grandes del mundo? ¿Cuál es? ¿Hay algo que la distinga como ciudad latinoamericana? ¿Hay aspectos que tenga en común con cualquier otra ciudad moderna? ¿Cuáles son esos aspectos? ¿Creen Uds. que realmente existe una economía global hoy en día? ¿Cuáles son algunas de las ventajas de tal economía? ¿y las desventajas? ¿Compran Uds. productos hechos en los países hispanos? ¿Qué productos compran?**

## **Práctica** (page 199)

**Answers:** **1.** despidió, despediste **2.** vendí, vendió **3.** pagaron, pagué **4.** murió, murieron **5.** hiciste, hizo **6.** se fue, se fueron **7.** invirtieron, invertiste **8.** empecé, empezó **9.** diste, dieron **10.** venimos, vinieron

## **Práctica** (page 202)

**Answers:** **1.** haya (juicio) **2.** recuerde (falta de seguridad) **3.** exporta (seguridad) **4.** comimos (lugar que existe) **5.** comer **6.** ayudemos (persuasión) **7.** ofrezca (no conocido) **8.** preste (persuasión)

## **Intercambios A ¡Necesito compañero!** (page 203)

**Expansion:** Divide the class into small groups and say: **Imagínense que cuatro compañías con**

**oficinas en el extranjero les han ofrecido a cada uno de Uds. un puesto de vendedor. Todas las compañías quieren que Uds. vayan a un país en vías de desarrollo para vender su producto. Uds. tienen que elegir una de las cuatro ofertas, que las hacen Coca-Cola, Ford, Dow Chemical e IBM. ¿Cuál de ellas van a elegir Uds.? Expliquen su respuesta.** When groups have reached a conclusion, have them share it with the class. Then say: **Después de cuatro años, la compañía que Uds. eligieron les ofrece un traslado a la India, al Japón, a Hungría, a Venezuela, a la Argentina, a Alemania o al Canadá. ¿A cuál de ellos prefieren ir Uds.? ¿Por qué?** Have groups discuss, then share their conclusion with the class. Then add a final element to the situation. Say: **Pasan otros cuatro años, y ahora Uds. tienen mucha experiencia y pueden buscar trabajo en cualquier compañía de cualquier país. ¿Dónde quieren Uds. trabajar y para qué compañía? Expliquen su respuesta.**

## De entrada 28 (page 203)

**Answers:** 4, 1, 6, 3, 2, 5

## Práctica (page 206)

**Answers:** **1.** empezáramos; fuéramos; hiciéramos; viniéramos **2.** recibieran; tuvieran; llegaran; volvieran **3.** pidiera; ofreciera; diera; mantuviera; siguiera; permitiera

## Intercambios A (page 206)

**Expansion:** Have pairs of students take turns role-playing a career counselor. Say: **Imagínense que Uds. son consejeros en una universidad. Tienen que aconsejar a los estudiantes sobre los distintos tipos de empleo. Comenten las siguientes alternativas de trabajar, explicando las ventajas y desventajas de cada una.**

**1.** trabajar para sí mismo/a frente a trabajar para otra persona

**2.** trabajar para una compañía grande frente a trabajar para una compañía pequeña

**3.** trabajar como gerente frente a trabajar como empleado/a

**4.** trabajar para el gobierno frente a trabajar en el sector privado

**5.** ser miembro de un sindicato frente a ser trabajador(a) independiente

## Intercambios E Entre todos (page 208)

**Expansion:** Have students find ads that they consider deceptive (in magazines and newspapers or on television and radio) and either bring them to class or describe them in detail, explaining why they feel that the ads are deceptive. Say: **El movimiento a favor de los derechos de los consumidores critica la propaganda que engaña: por ejemplo, la práctica de anunciar la venta de ciertos modelos de un producto a un precio muy bajo cuando la tienda no tiene ninguna muestra de ese modelo. Den otros ejemplos de propaganda engañosa. ¿Han sido Uds. víctimas de ella alguna vez? ¿Debe prohibir el gobierno este tipo de propaganda? ¿Creen Uds. que la propaganda, en general, es necesaria? ¿Qué factores influyen en su decisión de probar un nuevo producto? Expliquen.**

## Pasaje cultural (page 208)

**Warm-Up:** Have students locate Buenos Aires on a map of Argentina. You may wish to preteach the following words and expressions from the footage: **recurrir a, el estreno, la sensación, el campo, lejos, interpretar, dirigir, la etapa, bajar.**

## Práctica (page 213)

**Answers: 1.** lleguemos **2.** escribe **3.** podíamos (pudimos) **4.** salgamos **5.** ganó **6.** corten **7.** me llamara; me llamó

## A propósito (page 213)

**Additional Activity:** Ask: **¿Pueden Uds. indicar lo que significan las siguientes palabras compuestas?**

- el cortacésped
- el matamoscas
- el espantapájaros
- el sacacorchos
- el sacapuntas
- el paraguas

Then ask: **¿Cómo expresarían las siguientes palabras en español, si yo les doy los términos necesarios para formarlas?**

- skyscraper (rascar: el cielo)
- back scratcher (rascar: la espalda)
- snowblower (quitar: la nieve)
- paper cutter (cortar: el papel)

## ¡Ojo! A Volviendo al dibujo (page 221)

**Answers: 1.** cita; mudarse; una cuenta; preguntas; del, buscaban; prestaba; hora, buscar; miraba, cerca; le importaba **2.** se siente; porque, trabajar; cuestión; presta mucha atención; soporta; Por; Parece, tener éxito

**Follow-Up:** Write the following sentences on the board (underlining the target words) or read them aloud (emphasizing the target words) and have students give the answers. Say: **Den la palabra en español que corresponda mejor a la palabra o expresión subrayada/enfatizada. Pero ¡tengan cuidado! En algunos casos hay más de una respuesta correcta.**

**1.** *Because* he was very tired, he decided to finish his project in the morning. (Ya que / Como / Puesto que)

**2.** *It's a question* of making time for the things that matter. (Es cuestión de)

**3.** Many people don't watch TV *because of* all the violence. (por)

**4.** Does that answer your *question?* Well, *since* you asked: no, it doesn't. (pregunta; puesto que / como / ya que)

**5.** He made the sacrifice *out of* love for his country. (por)

**6.** *Both* professors *and* students attended the party. (Tanto, como)

**7.** It was an important *date* in the history of Peru for *both* the native inhabitants *and* the Spanish. (fecha, tanto, como)

**8.** *Since* I can't go, why don't you take *both* tickets and go with Steve? (Ya que / Como / Puesto que, ambos)

**9.** Don't tell me that you didn't come *because* you didn't have enough money. (porque)

**10.** *Both* my parents *and* my sisters bought stock in the company. (Tanto, como)

# Capítulo 8: Creencias e ideologías

## Reflexiones (page 225)

**Follow-Up:** Have students describe the photos on page 224 and the role religion does (or does not) play in their lives. Ask: **¿Qué función tiene la religión en la vida humana? En su opinión, ¿ha sido más importante esta función en el pasado que hoy en día? ¿Por qué sí o por qué no? Para algunas personas, ¿tiene una ideología la misma función que la religión tiene en la vida de otras personas? ¿En qué se diferencia la función que tiene la religión en los países hispanos de la que tiene en los Estados Unidos? ¿Es inevitable que haya conflicto entre las religiones? ¿Cuáles son los valores en que uno basa la vida?**

**Expansion:** Use photos or other pictures to illustrate moments in family life that may be happy, sad, or conflicted. Examples: a happy family portrait, the departure of a child for college, parents missing their departed children, the return of the children (dressed in what the parents consider outlandish attire) to a family gathering. Have students describe the photos. Then tell them they are going to create a survey concerning "family values" as they relate to the pictures. Have students brainstorm words and expressions that relate to the topic while you write their suggestions on the board. Then help them create survey questions to determine what their family's reaction would be to specified events and behaviors. Write possible survey questions on the board. Here is a sample survey.

A. ¿Qué importancia tienen los siguientes acontecimientos en su familia?
1 = poca importancia 2 = alguna importancia 3 = mucha importancia

**1.** ______ la cena familiar de cada día
**2.** ______ los días feriados como Nochebuena, Navidad, Pascua
**3.** ______ las despedidas cuando un miembro de la familia se va a la universidad o de viaje
**4.** ______ la llegada de visita de un miembro de la familia
**5.** ______ los fines de semana pasados en casa

B. ¿Cuál sería la reacción de su familia si Ud. decidiera no participar en las siguientes actividades?
1 = indiferencia 2 = un poco de molestia 3 = mucha molestia

**1.** ______ la cena familiar de cada día
**2.** ______ los días feriados como Nochebuena, Navidad, Pascua
**3.** ______ el cumpleaños de un miembro de la familia
**4.** ______ las bodas o el aniversario de boda de un miembro de la familia
**5.** ______ las vacaciones familiares

C. ¿Cuál sería la reacción de su familia si Ud. hiciera las siguientes cosas sin avisarles?
1 = indiferencia 2 = un poco de molestia
3 = mucha molestia

**1.** ______ si Ud. perdiera un día (o más) de clases para salir de juerga con sus amigos
**2.** ______ si Ud. cambiara de imagen, optando por vestirse al estilo «punk» o «grunge»
**3.** ______ si Ud. regresara a casa después de medianoche
**4.** ______ si Ud. comprara un vehículo (una moto, un coche) sin decirles
**5.** ______ si Ud. se fuera a vivir con sus amigos o su novio/a sin pedirles permiso o su opinión

When the class has agreed on questions, have class members respond to them. Tabulate responses on the board, encouraging students to discuss them. Then have students work in pairs to complete sentences such as the following, which recycle chapter vocabulary and grammar.

**1.** Mis padres no quieren que me case antes de que...
**2.** No voy a dejar mis estudios universitarios a menos que...
**3.** Sin que mis padres estén de acuerdo conmigo, no voy a...
**4.** Para que mis padres y yo siempre estemos de acuerdo, estoy dispuesto/a a...
**5.** Mi padre/madre aceptaría que yo cambiara de imagen, con tal de que...

To conclude, have the class discuss the Mafalda cartoon (page 53) and the painting *La familia presidencial* (page 228). Have students contrast the ideas of "family life" that underlie each.

## **Describir y comentar** (page 226)

**Answers:** **1.** d **2.** e **3.** a **4.** c **5.** b
**Additional Activity:** Write the following historical events on the board: **la guerra de la Independencia de los Estados Unidos, la Segunda Guerra Mundial, la guerra de la Secesión (la Guerra Civil americana), la guerra de Corea, la guerra hispano-estadounidense, la guerra de Vietnam, la Primera Guerra Mundial, la invasión de Panamá, la guerra del Golfo pérsico, la intervención en Bosnia-Herzegovina.** Say: **Aquí está una lista de algunas de las guerras e intervenciones militares en que han participado los Estados Unidos. Expliquen las razones de la intervención norteamericana en cada caso y luego comenten cómo la historia de los Estados Unidos cambió como consecuencia de tal guerra o intervención.**

## **De entrada 30** (page 229)

**Answers:** **1.** c **2.** a **3.** e **4.** b **5.** d

## **Práctica** (page 230)

**Answers:** **1.** Colón compró más de una carabela en caso (de) que una se perdiera en alta mar. **2.** Colón partió inmediatamente para que (a fin de que) la reina no cambiara de opinión. **3.** Colón y los marineros que lo acompañaban llevaban muchas provisiones para poder soportar un largo viaje. **4.** Colón les prometió muchas riquezas a los marineros con tal (a condición) (de) que ellos descubrieran la ruta. **5.** Colón tenía muchas dudas sobre el viaje sin que los marineros lo supieran.

## **Intercambios A** (page 231)

**Suggestion:** If you do these activities with the whole class, write the first sentence completed on the board as a model.

## **De entrada 31** (page 234)

**Answers:** **1.** sí **2.** no **3.** no **4.** sí **5.** sí **6.** no **7.** sí

## **Intercambios A** (page 236)

**Answers:** **1.** Por **2.** por **3.** por **4.** por **5.** por **6.** para **7.** para **8.** para **9.** por **10.** para **11.** por **12.** por

## **Intercambios C** (page 237)

**Answers:** **1.** para **2.** para **3.** por **4.** para **5.** por **6.** por **7.** por **8.** para **9.** por **10.** por **11.** por **12.** por **13.** para

## **Pasaje cultural** (page 238)

**Warm-Up for Segment 1:** Have students locate Lima on a map of Peru. You may wish to preteach the following words from the footage: **fiel, la manifestación, morado, el milagro, el cirio, el transeúnte.**

**Warm-Up for Segment 2:** Have students locate La Paz and, if possible, Oruro on a map of Bolivia. You may wish to preteach the following words from the footage: **minero, asombrar, fastuoso, la Candelaria, el socavón, el estaño, el nivel, lograr, recorrer, el trayecto.**

## Práctica (page 243)

**Answers: 1.** para que → hagan; ahora que → hacen; a fin de que → hagan; con tal de que → hagan; porque → hacen **2.** Es verdad → hay; Me pone triste → haya; No creo → haya; Sabemos → hay; Es posible → haya **3.** sin que → pidieran; ya que → pidieron; antes de que → pidieran; cuando → pidieron; a menos que → pidieran

## Intercambios B (page 247)

**Expansion:** Give small groups five minutes to discuss the following topics. Ask: **¿Qué es un crimen de guerra? ¿Cuál es la diferencia entre un crimen de guerra y un acto de obediencia a un superior durante un estado de guerra? ¿Hay alguna circunstancia en que un soldado deba cuestionar las órdenes de su superior en vez de seguirlas? Comenten.** After five minutes, have a spokesperson for each group summarize the group's conclusions. Have students compare their own group's conclusions with those of other groups. Is there agreement? disagreement? Along what lines?

## ¡Ojo! A Volviendo al dibujo (page 250)

**Answers: 1.** una fecha, porque, realizó; hecho, se dio cuenta de; datos; hecho **2.** dato; de; Puesto que; se sentía, caso; se hizo

**Follow-Up:** Write the following sentences on the board (with the cues in parentheses) or read them aloud (reading the English cues) and have students give the answers. Say: **Den la forma correcta de la palabra o frase que mejor complete cada oración, según las palabras indicadas entre paréntesis / las palabras en inglés.**

**1.** Cuando un hombre tiene muchas (*dates*), se dice que es porque es atractivo; pero cuando una mujer hace lo mismo, se dice que es coqueta. (citas)

**2.** ¿(*Don't you realize*) que tengo prisa? Necesito (*return*) estos vídeos ahora mismo. (¿No te das cuenta [de]; devolver)

**3.** No fue (*question*) de gustos. (*Since*) la Sra. Benítez cambió de trabajo, fue preciso que (*she move*) a Lima. (cuestión; Ya que / Como / Puesto que, se mudara)

**4.** ¿(*Do you care*) si (*I return*) a casa ahora? Tengo una (*date*) esta noche y quiero vestirme con cuidado. (¿Te importa, regreso/vuelvo; cita)

**5.** Si esos zapatos te quedan muy pequeños, debes (*return them*). Puedes (*look for*) otros más grandes. (devolverlos; buscar)

## ¡Ojo! B Entre todos (page 251)

**Expansion:** Ask: **¿En qué fecha nació Ud.? ¿Recuerda también otras fechas históricas importantes? Por ejemplo, ¿la fecha del ataque sobre Pearl Harbor? ¿de la muerte de John Lennon? ¿del aterrizaje en la luna? ¿del ataque terrorista en Nueva York? Dé dos fechas importantes, a ver si sus compañeros de clase pueden adivinar el acontecimiento que ocurrió en esas fechas.**

# Capítulo 9: Los hispanos en los Estados Unidos

## Reflexiones (page 255)

**Warm-Up:** Give a brief biography of several Hispanics who have contributed to the culture of the United States whom you think your students would find interesting. Suggestions: César Chávez, Gloria Estefan, Celia Cruz, Sammy Sosa, Bill Richardson, Jimmy Smits, Javier Suárez, Rita Moreno, Rubén Blades, Roberto Clemente, Nancy López, Antonia Novello. If you are in a region of the United States that has a long history of Hispanic presence, you might sketch that history for students, asking them to contribute details that they know.

**Follow-Up:** Have students describe the photo on page 254 and their personal knowledge of the Hispanic contribution (historical and current) to the United States. Ask: **¿En qué cosas se ve la influencia de la cultura hispana aquí cerca? ¿y en las regiones de donde son Uds.? ¿Qué elementos de la cultura hispana entran en su vida? ¿Comen comidas latinoamericanas o españolas a veces? ¿Escuchan música latina? ¿Saben bailar algún baile latino? ¿Escuchan la radio en español o miran programas en los canales hispanos de televisión?**

**Expansion:** Have students bring in a photo of a family member and a brief written biography of that person. The biography should include personal data such as country of origin, education, occupation or profession, marital status, number of children, and favorite pastimes. Display the photos in the chalkboard tray. Have volunteers read their biography while the rest match the biography with the appropriate photo. Finally, have students group the photos in categories such as similar ancestry, language, religion, time or reason for immigration (if applicable), and so on.

## Describir y comentar (page 256)

**Warm-Up:** Show slides of locations in the United States that have a Hispanic influence and talk a little about each. Examples: Calle Ocho (Miami), St. Augustine (Florida), San Juan's Day Parade and Museo del Barrio (New York City), Calle Olveira and various murals (Los Angeles), Mission San Juan Capistrano (California), Mission San Javier del Bac (Tucson, Arizona), Traditional Arts Festival (Santa Fe, New Mexico), and so on. Encourage students to comment and volunteer their own experiences.
**Follow-Up:** Create a display of photos, picture postcards, articles of clothing, crafts, foods, and so forth from various parts of the Hispanic world, including the United States. Ask students to name each object and identify the country or countries of origin.

## Describir y comentar E (page 258)

**Expansion:** Have students research the life of an immigrant whose contribution to life in the United States has been significant. Have them present their reports orally.

## Describir y comentar F Entre todos (page 258)

**Expansion:** Point out that because of the long-standing contact between English and Spanish in the United States, many English words have entered the Spanish spoken here just as many Spanish words have entered English. Say: **Aquí hay unas palabras en español que vienen del inglés. Todas son utilizadas por algunos hispanos que viven en los Estados Unidos. ¿Pueden adivinar las palabras inglesas de donde vienen?** Words: **el loiseida** (*Lower East Side*), **la marqueta** (*market*), **la rufa** (*roof*), **la grocería** (*grocery*), **la saugüesera** (*southwest area*), **la carpeta** (*carpet*), **vacunear** (*to vacuum*), **la factoría** (*factory*), **la troca** (*truck*). After students have identified the English sources of these words, say: **De la misma manera, muchas palabras en inglés vienen del español. ¿Pueden Uds. explicar cuál es la palabra en español que dio origen a las siguientes palabras?** Words: lariat (**la riata**), vamoose (**vámonos**), hoosegow (**juzgado**), barbecue (**barbacoa**), buckaroo (**vaquero**), savvy (**sabe**), alligator (**el lagarto**), cockroach (**cucaracha**).

## De entrada 34 (page 259)

**Expansion:** Have students work in pairs to discuss immigration. Say: **Es cierto que todo país tiene que limitar la entrada de inmigrantes, pero no hay ningún acuerdo respecto al criterio para hacerlo. Trabajen en parejas para decidir qué aspectos son más importantes a la hora de admitir o rechazar a los posibles inmigrantes. Indiquen también qué aspectos, aunque hayan sido sugeridos recientemente, no son importantes.** Possible aspects: **la afiliación política, la preparación profesional, la edad, la salud, la raza, los antecedentes criminales, el país de origen, el nivel de educación, el tener parientes que ya viven en los Estados Unidos, la evidencia de ser víctima de persecución política o personal en su país de origen, las costumbres personales (preferencias sexuales, el uso de drogas, etcétera), la religión, el tener una habilidad especial, el estatus social.** When pairs have finished, have the class compare decisions. Ask: **¿Hay aspectos sobre los cuales se encuentra más acuerdo? ¿menos acuerdo? ¿Se puede formular una política que sea aceptable para todos?**
**Additional Activity:** Ask the class: **El problema de la inmigración ilegal se ha discutido mucho últimamente. ¿En qué consiste la inmigración ilegal? ¿Por qué hay tantos inmigrantes ilegales? ¿Qué ventajas proporcionan al país? ¿Qué problemas causan? ¿Qué problemas experimentan? ¿Qué política debe adoptar el gobierno frente al problema de los inmigrantes ilegales? ¿Debe deportarlos? ¿permitir que todos se naturalicen? ¿dejarlos tales como están?**

## Práctica (page 261)

**Answers:** **1.** ha sido creado (fue creado) **2.** sea adaptado **3.** sean perdidas **4.** ser aceptadas; mantenidas **5.** han sido admitidos (fueron admitidos)

## Práctica (page 263)

**Answers:** **1.** donde se cometan menos crímenes **2.** donde se ofrezcan mejores sueldos **3.** donde se tenga más libertad de expresión **4.** donde se ofrezcan muchas oportunidades para instruirse **5.** donde se disfrute de un mejor nivel de vida **6.** donde se pueda vivir cerca de la naturaleza **7.** donde no se paguen tantos impuestos **8.** donde se protejan los derechos humanos **9.** donde no se necesite prestar servicio militar **10.** donde se hable español

## Intercambios F (page 265)

**Expansion:** You may wish to include the following points in the activity.

- ¿Qué desventajas sociales y políticas puede tener una persona que se autodefine como «hispana»? ¿Cuáles son las ventajas que puede tener? ¿Creen Uds. que los hispanos son discriminados en este país? Expliquen.
- En años recientes, algunas organizaciones han adoptado el término «latino», en parte para evitar los estereotipos negativos que frecuentemente se asocian con el término «hispano». En su opinión, ¿qué razas y nacionalidades se incluyen bajo el término «latino»?

## De entrada 35 (page 267)

**Orden de los dibujos:** 2, 1, 3, 4

## Práctica (page 268)

**Answers:** **a.** 2 **b.** 3 **c.** 1 **d.** 4 **e.** 4 **f.** 3

## Intercambios A (page 268)

**Answers:** **1.** fueron **2.** están **3.** fueron **4.** estaban **5.** estaban **6.** fueron

## Práctica (page 271)

**Answers:** **1.** en **2.** a **3.** a, en **4.** a, a **5.** en

## Intercambios C (page 271)

**Answers:** **1.** Para **2.** por **3.** Por **4.** a **5.** por **6.** — **7.** a **8.** en **9.** a **10.** — **11.** Para **12.** en **13.** a **14.** Por **15.** —

## Pasaje cultural (page 276)

**Warm-Up:** Have students locate Mayagüez, Puerto Rico, on a map of the Caribbean islands. You may wish to preteach the following words and expressions from the footage: **mudarse a, acordarse de, la toronja, trasladarse a, el rascacielos, fijo, la lucha, la supervivencia, el esfuerzo, relajado, disfrutar de, la sintonía, la encuesta.**

## ¡Ojo! A Volviendo al dibujo (page 280)

**Answers:** **1.** trasladarse **2.** Como **3.** llevaron **4.** ahorrado **5.** tardaron **6.** ayudó **7.** tuvieran éxito **8.** ha llegado a ser **9.** Por **10.** logrado **11.** cuestiones **12.** extrañan **13.** echan de menos **14.** con **15.** regresar **16.** de

# Capítulo 10: La vida moderna

## Reflexiones (page 283)

**Suggestion:** Personalize the activity by adding items that touch on stereotypes associated with the young people in your region. Examples: **escuchar música a todo volumen al ir en coche, cambiarse de ropa más de dos veces al día, comer más de una comida al día en su coche, pasar mucho tiempo con sus amigos en el centro comercial.**

**Follow-Up:** Use pictures from magazines and newspapers to show common healthy or unhealthy activities. These might include sports, exercise, smoking, drinking alcoholic beverages, watching television, and so on. Have students describe the pictures and express their personal experiences regarding the behaviors. Ask: **¿Cuáles son algunos de los hábitos y dependencias en esta sociedad? ¿Y cuáles son algunas de las actividades saludables en esta sociedad? ¿Hay adicciones que con frecuencia no se reconocen como tales? ¿Cuáles son? ¿Creen que el número de adictos a alguna sustancia va subiendo hoy en día? ¿o va bajando? ¿Por qué? ¿Qué ayuda hay para tales personas?**

**Expansion:** Divide the class into small groups to compose their own survey questions relating to the habits of people their parents' or grandparents' age. Have students administer the survey in person or over the phone. Have them share the results with the rest of the class and then discuss the conclusions that can be drawn from them.

**Cultural Note:** In Hispanic countries, attitudes toward smoking and especially toward the dangers of exposure to second-hand smoke tend to differ from attitudes in many parts of the United States. Antismoking legislation is enforced less frequently, and smoking in public areas is common. In the case that one is bothered by someone else's smoking, it is often felt that the person who is bothered has the responsibility to move.

## Describir y comentar E Entre todos (page 284)

**Follow-Up:** Say: **Todos nos formamos opiniones de otras personas o las estereotipamos según sus hábitos. ¿Cómo serán los siguientes individuos física y psicológicamente?** Individuals: **un hombre que fuma cigarrillos, una mujer que fuma cigarrillos, una persona que mastica tabaco, una persona —hombre o mujer— que usa rapé, una fumadora de pipa, una persona que fuma con boquilla, una persona que siempre anda vestida con ropa para *jogging,* una persona con músculos enormes, un hombre vegetariano, una mujer vegetariana.**

## Práctica (page 289)

**Answers: 1.** La sacaré mañana. **2.** Dejaré de fumar (Lo dejaré) mañana. **3.** Los echaré mañana. **4.** Lo haré mañana. **5.** La pondré mañana. **6.** Te las traeré mañana. **7.** Te lo haré mañana. **8.** Saldré mañana.

## Pasaje cultural (page 291)

**Warm-Up:** Have students locate Chile on a map of South America. You may wish to pre-teach the following words and expressions from the footage: **la desnutrición, una amenaza, la obesidad, los protocoles de investigación, la prevención, el jardín infantíl, la fibra.**

## De entrada 39 (page 293)

**Answers: 1.** b **2.** d **3.** a **4.** c

## Intercambios C (page 295)

**Suggestion:** Assign this activity as homework.

## Intercambios F ¡Necesito compañero! (page 297)

**Follow-Up:** Have each pair rank the items discussed from the easiest to live without to the hardest to live without. Use a scale of 1 to 10, with 1 being the easiest and 10 being the hardest to live without. Then, poll the class, telling students to keep track of the numbers. Have them add up the totals to find the item that is hardest to live without for the class as a whole. Ask: **¿Por qué sería tan difícil la vida sin esta cosa?**

## Práctica (page 301)

**Answers: 1.** Paco es tan comilón como su hermana Celia. **2.** Se toma tanta cerveza aquí como vino. **3.** Marisa bajó de peso tan rápidamente como Felipe. **4.** Jorge hace tanto ejercicio como Berta. **5.** El alcohol le hace tanto daño al cuerpo como el tabaco. **6.** Juan se emborrachaba con tanta frecuencia como su padre. **7.** Los cigarrillos franceses son tan fuertes como los (cigarrillos) españoles.

## Intercambios A (page 302)

**Expansion:** Have small groups discuss the following topics. Say: **¿Qué es una droga? ¿Cuáles son las diferentes clases de drogas? ¿Cuáles son las más peligrosas? ¿y las menos peligrosas? ¿y las más usadas? ¿Hay alguna diferencia entre las drogas que se consiguen con receta y las que se compran sin receta? ¿Cuál es? ¿Por qué creen Uds. que la gente consume drogas? Si Ud. fuera padre o madre de un adolescente, ¿qué consejos le daría sobre el uso de las drogas? Si supiera que un hijo suyo fumaba marihuana, ¿qué haría Ud.? ¿Haría lo mismo con una hija o sería distinta su conducta con ella? ¿Y si su hijo o hija usara cocaína?** When groups have finished, have a spokesperson for each present the results. Encourage the class to comment. Say: **¿En qué puntos están todos de acuerdo? ¿Cuál es el punto sobre el que hay más acuerdo? ¿Y sobre cuál hay más desacuerdo? ¿Cuáles podrían ser las razones de este desacuerdo?**

## Intercambios D (page 303)

**Follow-Up:** As homework, have students list five of their greatest food "passions" and bring in magazine or newspaper photos of those foods (or labels from the packages they came in), mounted like a collage on construction paper. Have students share their passions with the class. Afterward, have students work in small groups to compare and contrast their favorite brands of chocolate, pizza, chewing gum, ice cream, yogurt, and so on.

## Sondeo (page 305)

**Suggestion:** Have the class create a similar survey on topics such as smoking, alcohol abuse, eating habits, shopping, credit card use, and so on. First, have small groups brainstorm five or six yes/no questions that they think should be included. Next, have each group present its questions to the whole class, which decides which ones to include and their exact phrasing. Have a volunteer write the final statements down in a specified order (for easy reference). Give students some time to survey other class members and record the results. As homework, they should also survey their friends in other Spanish classes and other Spanish-speaking persons they know. Tabulate and discuss the results during the next class meeting.
**Follow-Up:** As homework, have students write a letter to "Querida Consuelo" soliciting advice or resolution tactics for a vice or addiction that has affected the student's family. In class, have students work in small groups to read their letters and discuss solutions to the problems.

## ¡Ojo! A Volviendo al dibujo (page 308)

**Answers:** **1.** dejaremos de **2.** gran **3.** ofenderemos **4.** íntimos **5.** faltar a **6.** asistir **7.** Ya que **8.** hagan daño **9.** nos sintamos **10.** éxito **11.** de **12.** apoyemos **13.** en **14.** en **15.** impedirá **16.** fecha **17.** hora **18.** el tiempo **19.** hacernos **20.** breve **21.** larga **22.** llevar

# Capítulo 11: La ley y la libertad individual

## Reflexiones (page 311)

**Follow-Up:** Have students describe the photo on page 310 and discuss their own experiences in similar situations. Say: **Hoy en día se dice que el público respeta poco a las autoridades, ya sea la policía, los funcionarios elegidos o hasta las leyes. ¿Están Uds. de acuerdo con esto? En su opinión, ¿cuál es el origen de tal diminución de respeto? ¿Constituye esto un peligro para la estabilidad de nuestras instituciones? Expliquen. ¿Cuáles son algunas soluciones? ¿Pertenecen Uds. a algún partido político, alguna institución de caridad y de autoayuda o a alguna asociación religiosa?**
**Expansion:** Invite students to speak further about infractions that they might be tempted to commit (or actually have committed). Create a list of opportunities for and possible justifications of each. Write these headings on the board: **Infracción, ¿Por qué?, ¿Cuándo?, ¿Dónde?,** and **¿Cómo?** Write students' responses in the appropriate column. When students have suggested possible justifications for the infractions mentioned, use an overhead projector to show and discuss the cartoons on pages 320 and 321. Suggest that the perception of a growing disrespect for rules, disregard for civil behavior, and crimes committed by young people is common today. Have small groups discuss the origins and consequences of such behavior and suggest correctives.

## Describir y comentar D ¡Necesito compañero! (page 312)

**Expansion:** Have students discuss the effectiveness of several crime-control measures. Write the following on the board: **el control de las armas de fuego, la pena de muerte, la eliminación del desempleo, el fallo rápido del tribunal, castigar a los padres por los delitos cometidos por sus hijos menores de edad, la imposición de sentencias severas a quienes cometen ciertos delitos.** Say: **Hay muchas maneras de prevenir el crimen y así resolver el problema del alto índice de violencia existente en la cultura estadounidense. ¿Cuáles de las medidas escritas en la pizarra les parecen a Uds. efectivas para prevenir la delincuencia? ¿Pueden agregar otras? ¿Se aplican ya algunas de estas medidas en los Estados Unidos? ¿Han dado resultado en disminuir el número de delitos violentos? ¿Por qué no se aplican las demás?**

## Describir y comentar E Entre todos (page 314)

**Expansion:** Have students ask the same questions of several family members and then report to the class. After the presentations, have the class draw conclusions.

## De entrada 41 (page 315)

**Answers:** **1.** d **2.** h **3.** e **4.** g **5.** b **6.** c **7.** a **8.** f
**Persona todavía no atrapada:** D. B. Cooper

## Práctica (page 317)

**Answers:** **1.** habíamos pensado **2.** había recomendado **3.** había examinado **4.** había descubierto **5.** habían visto **6.** habían manipulado

## Intercambios B (page 318)

**Suggestion:** Assign as homework.
**Follow-Up:** Write on the board a current event, crime, or political movement that a high-profile personality is involved in. Give students five minutes working in small groups to list as many things as they can that had happened prior to that event and in which the personality was involved. When you call time, have a spokesperson from each group read that group's list. Write the incidents on the board.

## De entrada 42 (page 319)

**Answers:** **1.** a **2.** c **3.** d **4.** b **5.** e
**Expansion:** Divide the class into small groups and assign to each group one of the crimes depicted in the illustration on page 320 (**el robo de un banco por un empleado, el vandalismo, el hurto en una tienda, una riña ocasionada por un choque de coches**). Have each group decide the sentence of the criminal. Group members play the roles of judge, prosecutor, defense attorney, and convicted criminal, setting out arguments and asking questions appropriate to the sentencing stage of a trial. Class members not in the group help decide the punishment.

## Práctica (page 320)

**Answers:**
**1.** Dudaba que el estudiante hubiera mentido.
**2.** Negaba que su hija hubiera conducido a 80 millas por hora.
**3.** Les enfadó que los abogados no hubieran llegado a tiempo.
**4.** No le gustaba que los perros le hubieran seguido la pista.
**5.** Esperaba que su amiga le hubiera traído una lima.
**6.** Soñaban con que su hijo hubiera ganado un premio en la lotería.

## Intercambios C Entre todos (page 322)

**Expansion:** Have groups of three or more dramatize a courtroom situation. Say: **Usando el programa de «Judge Judy» como modelo, preparen una serie de casos para dramatizar ante la juez Judy. Para cada caso se necesitarán por lo menos tres personas: los dos individuos del caso y el/la juez.** Give the following example as a model situation to be adjudicated. Say: **Un joven ha sido atacado por los perros de su vecino. Acusa al vecino de tener perros feroces. Demanda que se le restituya el costo de un nuevo traje (los perros le destruyeron el que llevaba) y el pago de una visita al médico.** Have each group present its drama to the class.

## Pasaje cultural (page 328)

**Warm-Up:** Have students locate Bogotá on a map of Colombia. You may wish to preteach the following words and expressions from the footage: **el truco, pedir limosna, el gamín, sufrir un cambio, indebido, el taller, juguetes de madera, el entrenamiento vocacional, la meta, en el corto plazo, el dueño, la empresa, el andén, coger.**

## ¡Ojo! A Volviendo al dibujo (page 332)

**Answers:** **1.** buscaba **2.** porque **3.** Probó **4.** pero **5.** del **6.** ahorrado **7.** mucho tiempo **8.** una cuenta **9.** impedía **10.** puso **11.** con **12.** salió **13.** en **14.** echaba de menos **15.** mucho tiempo **16.** pidió **17.** detuviera **18.** pidió **19.** importaba **20.** buscó **21.** preguntó **22.** trató **23.** sino que

# Capítulo 12: El trabajo y el ocio

## Reflexiones (page 337)

**Follow-Up:** Have students describe the photo on page 336 and encourage them to describe their own hobbies and leisure-time activites. Ask: **¿En qué actividades participan Uds. en las horas libres? ¿Son actividades que hacen solos o con amigos? ¿Forman parte de algún equipo deportivo? ¿Son aficionados a algún deporte? ¿A cuál? ¿Son estas actividades relacionadas con su futura profesión o no tienen ninguna relación con ella? Expliquen. ¿Son actividades en las que participarán por el resto de su vida? ¿Requieren estas actividades destrezas especiales? Mencionen algunas.**
**Expansion:** Have students participate in the whole-class game **¡Adivine Ud.!** Mention several

recreational and volunteer activities, and encourage students to suggest the probable profession or occupation of the person who is inclined to participate in them. Have them explain their answers. Activities: **hacer alpinismo/paracaidismo/windsurf, competir en carreras de autos/motos, participar en una protesta en contra de ciertos abusos de las autoridades / el uso de ropa de pieles de animales / el abuso de las bebidas alcohólicas o del tabaco / una fábrica donde los trabajadores no son tratados bien, ofrecerse a cuidar huérfanos / desamparados / personas con enfermedades incurables, montar a caballo / jugar al polo.**

## **Describir y comentar** (page 338)

**Warm-Up:** Introduce vocabulary for **Profesiones y oficios** by showing pictures of people working at various occupations. Include some well-known figures, if possible. Use simple yes/no and tag questions to relate each image to a profession. For example, if you show a photo of Cokie Roberts, you might say: **Trabaja como reportera y analista de política en la radio y televisión. ¿Quién es?**

**Follow-Up:** Have students work in pairs to describe two or three character traits of the person who would select one of these professions or occupations: **torero/a, reportero/a, militar, boxeador(a), vaquero/a, instructor(a) de ejercicios aeróbicos, pintor(a), actor/actriz, juez(a).** When pairs have finished, have the class draw conclusions. Ask: **¿Cuáles son los rasgos de personalidad más comunes? Cuando una mujer y un hombre ejercen la misma profesión, ¿se diferencian los rasgos de personalidad que tiene cada uno de ellos?**

**Expansion:** Play the game **¿Quién es?** Have students work in pairs to create a description of a political, social, or historical figure whose personality, professional contributions, and success or failure are well-known to all students. Have one member of the pair present the description to the class without revealing the name of the person described. Students who are guessing may ask questions in Spanish, which the pair describing the figure must answer with accurate information. The pair that guesses the most figures correctly wins. Prepare descriptions of figures such as the following to serve as tie-breakers: Simón Bolívar, Eva Perón, Tito Puente, Gabriel García Márquez, Francisco Franco, Isabel la Católica.

## **Describir y comentar B** (page 340)

**Note:** In item 1, the relationship between **descanso** and **preparación** is that both refer to periods of time related to work. **Descanso** involves not working and **preparación** involves learning how to work.

## **Práctica** (page 342)

**Answers: 1.** se pusieron, quería; ejerciera, tuviera; ser **2.** lleven, salgas; pondrán **3.** terminó, estábamos; se puso, decidimos; le gustan **4.** se hubiera jubilado, soporta; haría, ha cumplido **5.** convenía, se relajara; contó, veía **6.** escoja; se habría especializado

## **Intercambios B ¡Necesito compañero!** (page 343)

**Expansion:** Divide the class into small discussion groups. Say: **La vida de la mayoría de los adultos podría dividirse en cuatro aspectos.** Write on the board: **la vida profesional (el trabajo), la vida social (los amigos), la vida familiar (la familia nuclear), la vida personal (actividades, pasatiempos e intereses personales).** Ask: **¿Qué porcentaje de su tiempo debe dedicar el individuo a cada aspecto de su vida? Expliquen. ¿Qué problemas puede causar la manera en que cada individuo divide su tiempo? ¿Es posible, hoy en día, dedicar el tiempo debido a otros aspectos que no sean la vida profesional? ¿Cuáles son los resultados de un desequilibrio? ¿Cuáles son algunas de las soluciones?**

## **Intercambios F ¡Necesito compañero!** (page 345)

**Follow-Up:** Poll the class to see if there are students who plan to enter one of the professions listed in the article. Have students who have chosen one of those professions state their reasons for wanting to do that sort of work, if they knew it was so stressful before they read the article, and what they might do in order to combat the inevitable stress. Invite the rest of the class to volunteer suggestions.

**Expansion:** Have students work in pairs to write an employment-offered ad for one of the careers listed in the article. Ask them to brainstorm the skills, experience, and personal characteristics that an employer would look for. Have them begin the ad with "**Se busca individuo...** " When pairs have finished, have them read their ad to the class to guess which profession is being solicited.

## De entrada 45 (page 346)

**Errores:** invierno → verano; la señora → el señor; se está divirtiendo en la playa → está nadando; varios niños peleándose → nadie está peleándose; muchas personas están leyendo → nadie está leyendo; Una pareja → sólo un buceador; las profundidades → está en la superficie del agua; equipo de buceo → sólo tiene esnórkel y visor; esté lloviendo → hace sol

## Práctica (page 348)

**Answers: 1.** está mirando **2.** estabas diciendo **3.** se estará despertando (estará despertándose) **4.** estarían muriendo **5.** está vistiendo **6.** estuvieran diciendo **7.** estuve poniendo **8.** estamos bañándonos (nos estamos bañando) **9.** estoy trayendo **10.** estés durmiendo **11.** estaban repitiendo **12.** esté viendo **13.** estarían leyendo **14.** te estás afeitando (estás afeitándote) **15.** lo estuviéramos oyendo

## Intercambios D Entre todos (page 352)

**Expansion:** Say: **En su opinión, ¿resultan ser los atletas profesionales buenos modelos de conducta para los jóvenes? ¿Por qué sí o por qué no? ¿Qué ejemplos pueden Uds. ofrecer en uno u otro caso? ¿Es probable que ocurra que el admirar a un atleta profesional conduzca al admirador / a la admiradora a participar en actividades deportivas? Expliquen.**

## De entrada 46 (page 354)

**Answers: 1.** A **2.** AD **3.** B **4.** B **5.** A **6.** A

## Práctica (page 355)

**Answers: 1.** que está leyendo, que trabaja **2.** que se relaja (que está relajándose / que se está relajando) **3.** que se trata **4.** que entrevista **5.** que entraba **6.** que lleva

## Práctica (page 355)

**Answers: 1.** tomar **2.** Viviendo **3.** meterse **4.** Sufrir **5.** mirando **6.** leyendo **7.** Escribir **8.** tener **9.** trabajar, relajarse

## Intercambios E (page 358)

**Expansion:** Divide the class into small discussion groups. Say: **Nombren cinco maneras en que su educación —pasada y presente— los ha preparado para la vida después de graduarse. ¿Pueden nombrar también algunos aspectos de la vida para los que su educación no los haya preparado bien? Expliquen. Actualmente, ¿cómo se ayuda a los estudiantes de escuela secundaria a eligir una carrera? ¿Cómo se podría mejorar ese sistema?** When groups have finished, have a spokesperson from each group share the group's conclusions. Ask: **¿Sobre qué aspectos están todos de acuerdo? En su opinión, ¿les han preparado bien o mal las escuelas a Uds.?**

## Pasaje cultural (page 358)

**Warm-Up for Segment 1:** Have students locate Chile on a map of South America. You may wish to preteach the following words and expressions from the footage: **las nostalgias, el sabor, el volcán, sureño, los antepasados, meticuloso.**
**Warm-Up for Segment 2:** You may wish to preteach the following words and expressions from the footage: **el rincón, el paisaje, la cordillera, el sendero, lejano, las orillas, peregrina, el rostro, los navegantes.**

## ¡Ojo! A (pages 361–362)

**Answers: 1.** parecía, pero, ahorró, logró **2.** Ya que / Como / Puesto que, se puso, pagar la cuenta; Tanto, como, porque, haría daño al **3.** Ambos / Los dos, asistían, vez; Como / Ya que / Puesto que se mudaron **4.** mantener, insisten en, cuidar a, porque se dan cuenta (de), llevarlos **5.** No me importa, falta a, me pongo, impide, asistan; se siente, no trate de **6.** salió de, no se dio cuenta (de), había dejado; Creo que regresó/volvió, para buscar

## ¡Ojo! B (page 362)

**Answers: 1.** en **2.** se movía; pero, hizo daño **3.** Perdieron, se dieron cuenta, la hora **4.** importa; tratado de, dejar, éxito **5.** probarse, llevárselo **6.** un hecho, de; salvarlos, dejar de **7.** tener éxito, prestar; cuestión

# PASAJES

## LENGUA

QUINTA EDICIÓN

# PASAJES

## LENGUA

QUINTA EDICIÓN

**Mary Lee Bretz**
Rutgers University

**Trisha Dvorak**
University of Washington

**Carl Kirschner**
Rutgers University

**Rodney Bransdorfer**
Central Washington University

**Contributing Writers:**

**Javier Martínez de Velasco**
Central Washington University

**Carmen M. Nieto**
Georgetown University

**Enrique Yepes**
Bowdoin College

Boston Burr Ridge, IL Dubuque, IA Madison, WI New York San Francisco St. Louis
Bangkok Bogotá Caracas Kuala Lumpur Lisbon London Madrid Mexico City
Milan Montreal New Delhi Santiago Seoul Singapore Sydney Taipei Toronto

*McGraw-Hill Higher Education*

A Division of The **McGraw-Hill** Companies

This is an  book.

*Pasajes: Lengua*



This book is printed on acid-free paper.

1 2 3 4 5 6 7 8 9 0 DOW/DOW 9 0 9 8 7 6 5 4 3 2

ISBN 0-07-232619-0 (Student Edition)
ISBN 0-07-248173-0 (Instructor's Edition)

Vice President/Editor-in-chief: *Thalia Dorwick*
Publisher: *William R. Glass*
Director of development: *Scott Tinetti*
Development editor: *Allen J. Bernier*
Marketing manager: *Nick Agnew*
Project manager: *David Sutton*
Production supervisor: *Richard DeVitto*
Senior supplement producer: *Louis Swaim*
Director of design: *Jeanne Schreiber*
Cover design: *Matthew Baldwin*
Photo research coordinator: *Nora Agbayani*
Compositor: *TechBooks*
Printer: *RR Donnelley Willard*



**Library of Congress Cataloging-in-Publication Data**
Bretz, Mary Lee.
Pasajes. Lengua / Mary Lee Bretz ... [et al.]; contributing writers, Carmen M. Nieto, Enrique Yepes, Javier Martínez de Velasco.—5. ed.
p. cm.
English and Spanish.
Includes index.
ISBN 0-07-232619-0
1. Spanish language—Textbooks for foreign speakers—English. 2. Spanish language—Grammar. I. Title.
PC4129.E5 B76 2002
468.2′421—dc21 2001057922

http://www.mhhe.com

# CONTENTS

## CAPITULO 3



## CAPITULO 4

# CAPITULO 7



# CAPITULO 8

CAPITULO

## LOS HISPANOS EN LOS ESTADOS UNIDOS 254



CAPITULO

## LA VIDA MODERNA 282

CAPITULO 11



CAPITULO 12

# APPENDICES

# PREFACE

Welcome to the fifth edition of *Pasajes*! To those of you who have used *Pasajes* in the past, we hope that you'll find this new edition even more exciting and interesting than the fourth edition. To those of you using *Pasajes* for the first time, we hope that you and your students will find teaching and learning Spanish with *Pasajes* to be a rewarding experience. We've been especially heartened by the enthusiasm of instructors who have told us that *Pasajes* has increased not only their satisfaction in teaching Spanish, but also their students' enjoyment in learning Spanish.

### The *Pasajes* Series

The fifth edition of *Pasajes* consists of three main texts and a combined workbook and laboratory manual developed for second-year college Spanish programs. The three main texts of the series—*Lengua* (the core grammar text), *Literatura* (a literary reader), and *Cultura* (a cultural reader)—share a common thematic and grammatical organization. By emphasizing the same structures and similar vocabulary in a given chapter across all three components, the series offers instructors a program with greater cohesion and clarity. At the same time, it allows more flexibility and variety than are possible with a single text, even when a reader is used as a supplement. The design and organization of the series have been guided by the overall goal of developing *functional, communicative* language ability, and are built around the three primary objectives of *reinforcement, expansion*, and *synthesis*.

Since publication of the first edition of *Pasajes* in 1983, interest in communicative language ability has grown steadily. The focus on proficiency, articulated in the *ACTFL Proficiency Guidelines*, and the growing body of research on the processes involved in each of the language skills have supported the importance of communicative ability as a goal of classroom language study, while suggesting activities that enable learners to develop specific skills in each of the four traditional areas. At the same time, the growing interest in cultural competence, which has been a focus of the *Pasajes* program from the beginning, has confirmed that instructional materials need to be not merely contextualized but also content-rich. The revisions of *Pasajes* have been shaped by these factors, as well as by the combined expertise of those who have used earlier versions of the materials and offered suggestions based on their experiences.

### Changes in the Fifth Edition

In response to extensive feedback from professors and student instructors, a number of changes for the fifth edition has been implemented without altering the essence of *Pasajes*.

- The central themes of Chapters 3 and 10 have been changed. Chapter 3 (**Costumbres y tradiciones**) has been expanded to include a wider and more upbeat range of customs, traditions, celebrations, and festivals. Chapter 10 (**La vida moderna**) now focuses on the broader theme of modern living: health, exercise, stress, and so on.
- A new chapter-opening section, **Reflexiones,** offers students several pair and group activities, as well as a Web-based activity, that serve as advance organizers of the chapter theme.
- The **Estrategias para la comunicación** sections have been simplified and reorganized to make them more meaningful and useful to students.
- The items listed in the **Vocabulario para conversar** sections have been reorganized according to part of speech (verbs, nouns, adjectives, adverbs/expressions) for easier identification and reference.
- Some of the more complex grammar explanations have been reorganized for clarity, and many of the form-focused **Práctica** activities have been expanded or augmented to offer students more defined practice of a grammar point where necessary.

- The communicative **Intercambios** activities have been updated and/or expanded to make them more meaningful to students of the new millennium.
- The *Video to accompany Pasajes* contains new, authentic video segments for Chapters 7, 10, and 12. The accompanying video feature, formerly **Viaje cultural,** has been renamed **Pasaje cultural.** Each **Pasaje cultural** segment now includes previewing activities, an activity to aid students while viewing, and post-viewing pair and group work activities as well as a Web-based activity for individual research outside of class.
- Finally, an updated, full-color design of *Pasajes* makes learning Spanish not only more enjoyable but also easier. The purposeful use of color highlights the various features of the text and draws attention to important material.

### Additional Multimedia Supplements for the Fifth Edition

Two exciting new multimedia supplements have been created for the fifth edition of the *Pasajes* series.

- The *Pasajes CD-ROM* contains interactive activities that students can use to practice the vocabulary and grammar material from each chapter.
- The *Pasajes Online Learning Center* Website brings students and instructors into direct contact with the Spanish-speaking world through vocabulary and grammar activities and cultural resources.

## GUIDED TOUR

Although the look of *Pasajes* has been updated, the chapter organization of the fifth edition remains fundamentally the same as that of the fourth edition. To enhance the utility of *Pasajes: Lengua*, we have made changes in some sections and features and have renamed them to reflect the new look and fresh content. Please browse through the fully illustrated Guided Tour of the fifth edition of *Pasajes: Lengua* on the following pages.

### ▲ Reflexiones

The new chapter-opening section, **Reflexiones,** functions as an advance organizer for the chapter theme. Its photo and accompanying activities are designed to activate students' prior knowledge and to encourage them to discuss their associations with the chapter theme at three distinct levels: **A nivel personal, A nivel regional,** and **A nivel global.**

Each **A nivel global** section also includes a Web-based activity to help students relate the focus of the section to the real world around them.

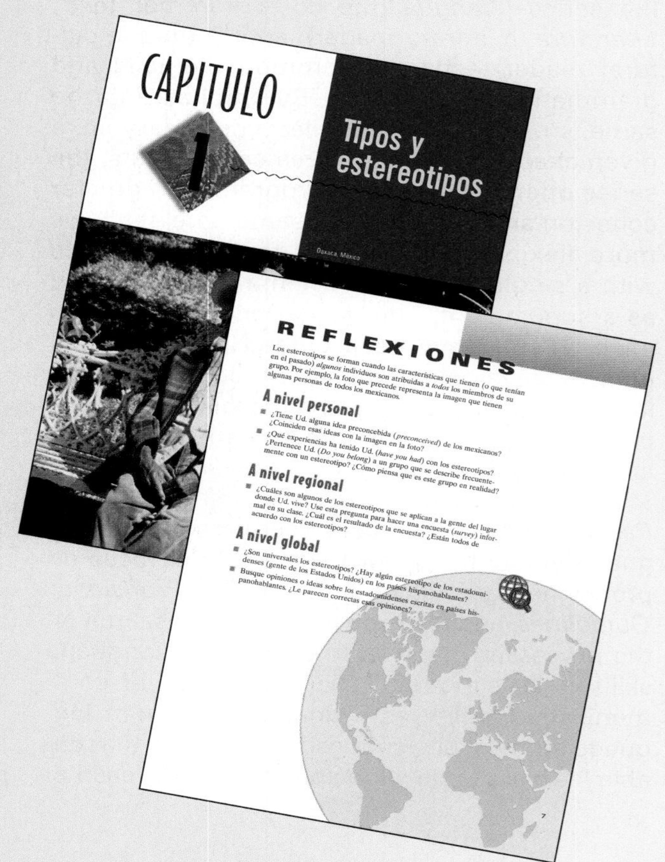

CAPITULO 1

Tipos y estereotipos

Oaxaca, México

REFLEXIONES

Los estereotipos se forman cuando las características que tienen (o que tenían en el pasado) *algunos* individuos son atribuidas a *todos* los miembros de su grupo. Por ejemplo, la foto que precede representa la imagen que tienen algunas personas de todos los mexicanos.

**A nivel personal**

- ¿Tiene Ud. alguna idea preconcebida (*preconceived*) de los mexicanos? ¿Coinciden esas ideas con la imagen en la foto?
- ¿Qué experiencias ha tenido Ud. (*have you had*) con los estereotipos? ¿Pertenece Ud. (*Do you belong*) a un grupo que se describe frecuentemente con un estereotipo? ¿Cómo piensa que es este grupo en realidad?

**A nivel regional**

- ¿Cuáles son algunos de los estereotipos que se aplican a la gente del lugar donde Ud. vive? Use esta pregunta para hacer una encuesta (*survey*) informal en su clase. ¿Cuál es el resultado de la encuesta? ¿Están todos de acuerdo con los estereotipos?

**A nivel global**

- ¿Son universales los estereotipos? ¿Hay algún estereotipo de los estadounidenses (gente de los Estados Unidos) en los países hispanohablantes?
- Busque opiniones o ideas sobre los estadounidenses escritas en países hispanohablantes. ¿Le parecen correctas esas opiniones?

7

## ▲ Describir y comentar

**Describir y comentar** opens with a large full-color drawing and concludes with a series of activities to help students practice the vocabulary in a more personalized manner. The new vocabulary in **Vocabulario para conversar** is organized according to part of speech (verbs, nouns, adjectives, adverbs/expressions) for easier identification and reference.

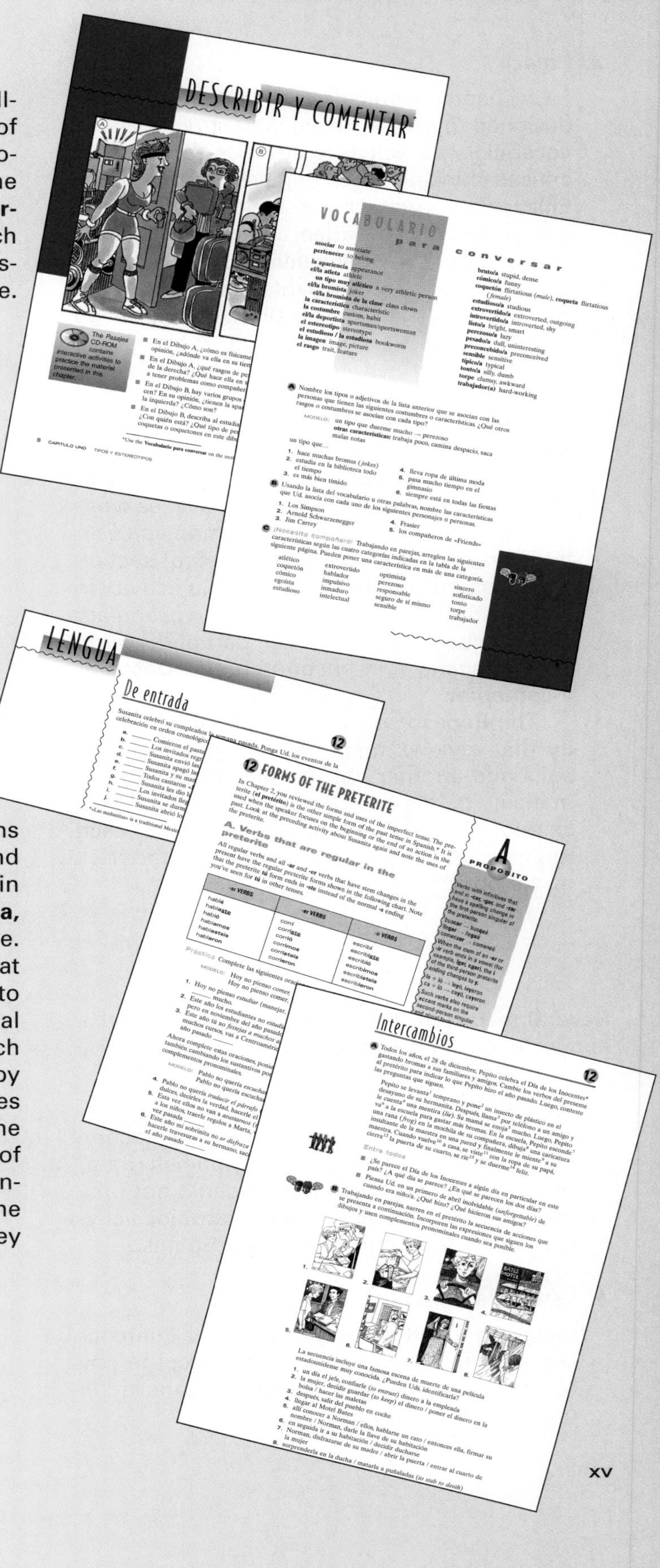


## ▲ Lengua

The core of each chapter, **Lengua** contains communicative activities developed around three to five grammar points. Each main grammar explanation opens with **De entrada,** a short activity tied to the chapter theme. Designed to preview the grammar point that follows, this activity stimulates students to use their inductive skills to arrive at an initial understanding of the grammar point. Each main grammar explanation is followed by **Práctica,** one or two form-focused activities that check students' comprehension of the grammar point, and by **Intercambios,** a set of communicative activities that provides meaningful contexts in which students use the grammatical structures and vocabulary they have just learned.

▲ **Enlace**

Each chapter culminates with **Enlace,** a section designed to review the chapter structures and vocabulary as well as to advance and develop critical thinking and linguistic skills. Each **Enlace** opens with one of the following pair or group activities: **Sondeo, Juego, Escenarios,** or **Pro y contra. Sondeo** invites students to explore aspects of the chapter theme through class polls and follow-up discussions. **Juego** and **Escenarios** include a variety of interactive activities designed to develop both critical thinking and linguistic ability. In **Pro y contra,** students are guided through the process of engaging in and managing a class debate.

The very popular **¡Ojo!** section, maintained from the fourth edition, practices word discrimination and teaches common and useful idiomatic expressions. Each **¡Ojo!** section also contains a **Volviendo al dibujo** activity in which students review chapter vocabulary and structures as they revisit part of the large color drawing first encountered in **Describir y comentar.**

The **Repaso** section consists of one activity that reviews material from previous lessons and another that focuses on the grammatical points presented in the current chapter. Answers to the first activity of each **Repaso** section are in Appendix 8 at the back of the book.

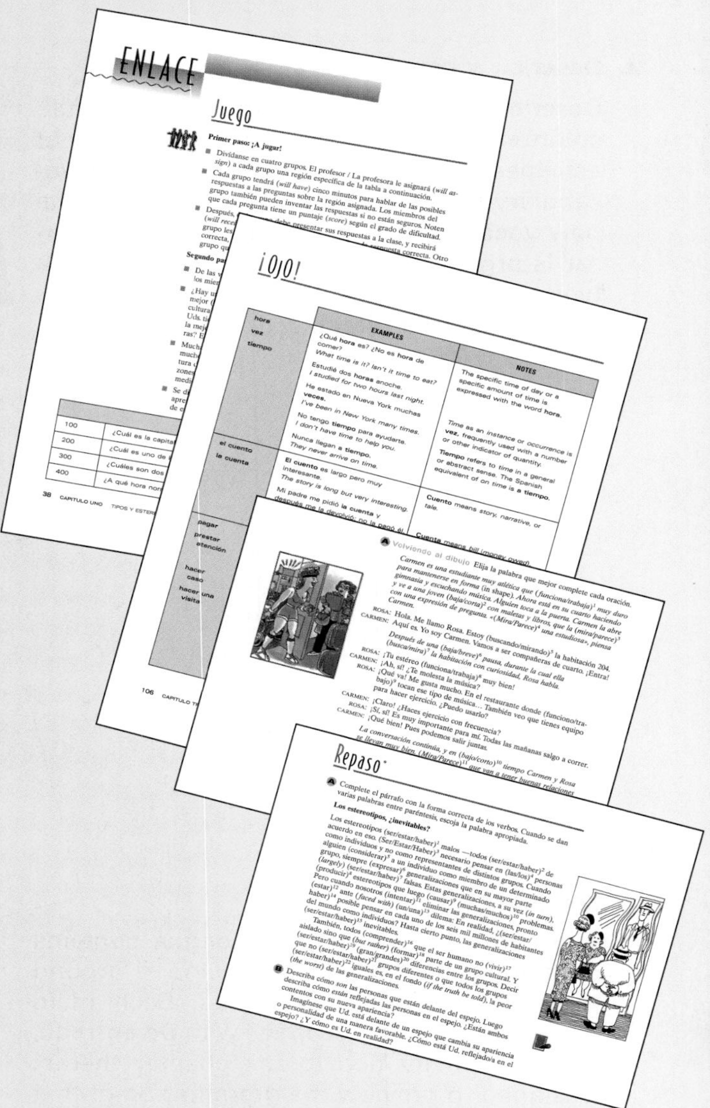


Several recurring features and special activities appear in each chapter of *Pasajes: Lengua*.

▲ **A propósito**

**A propósito** boxes in the **Lengua** section point out important aspects of Spanish grammar that will be helpful to students not only as they work through the **Intercambios** activities but throughout their study Spanish.

▲ **Lenguaje y cultura**

**Lenguaje y cultura** emphasizes the interconnectedness of language and culture, thereby helping students develop their appreciation of the Spanish language.

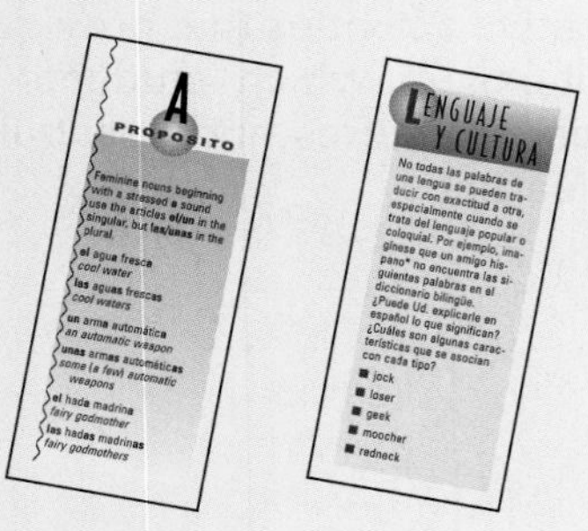

## ▲ Estrategias para la comunicación

Students often want to express ideas that are beyond their linguistic abilities. *Pasajes* encourages students to confront such situations head-on and not to avoid them. The **Estrategias para la comunicación,** which have been simplified and reorganized for the fifth edition to make them more meaningful and useful, teach students specific strategies for communicating more effectively in Spanish.

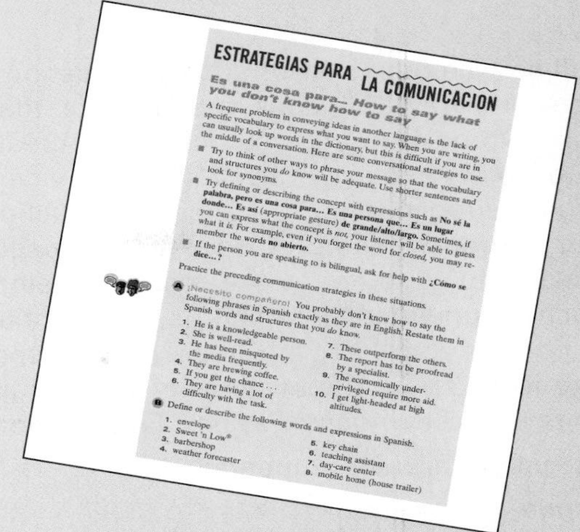

ESTRATEGIAS PARA LA COMUNICACION

**Es una cosa para... How to say what you don't know how to say**

A frequent problem in conveying ideas in another language is the lack of specific vocabulary to express what you want to say. When you are writing, you can usually look up words in the dictionary, but this is difficult if you are in the middle of a conversation. Here are some conversational strategies to use.

- Try to think of other ways to phrase your message so that the vocabulary and structures you *do* know will be adequate. Use shorter sentences and look for synonyms.
- Try defining or describing the concept with expressions such as **No sé la palabra, pero es una cosa para... Es una persona que... Es un lugar donde... Es así** (appropriate gesture) **de grande/alto/largo.** Sometimes, if you can express what the concept is *not,* your listener will be able to guess what it *is.* For example, even if you forget the word for *closed,* you may remember the words **no abierto.**
- If the person you are speaking to is bilingual, ask for help with **¿Cómo se dice...?**

Practice the preceding communication strategies in these situations.

**A** ¡Necesito compañero! You probably don't know how to say the following phrases in Spanish exactly as they are in English. Restate them in Spanish words and structures that you *do* know.

1. He is a knowledgeable person.
2. She is well-read.
3. He has been misquoted by the media frequently.
4. They are brewing coffee.
5. If you get the chance . . .
6. They are having a lot of difficulty with the task.
7. These outperform the others.
8. The report has to be proofread by a specialist.
9. The economically underprivileged require more aid.
10. I get light-headed at high altitudes.

**B** Define or describe the following words and expressions in Spanish.

1. envelope
2. Sweet 'n Low®
3. barbershop
4. weather forecaster
5. key chain
6. teaching assistant
7. day-care center
8. mobile home (house trailer)

## ▲ Pasaje cultural

The *Video to accompany Pasajes* provides additional opportunities for students to hear spoken Spanish in authentic contexts related to the chapter theme. With a new name (formerly **Viaje cultural**), and all new video segments for Chapters 7, 10, and 12, each **Pasaje cultural** now includes three different types of activities. The **Antes de ver** activities offer students advance organizers, the **Vamos a ver** exercises foster comprehension during viewing, and the **Después de ver** section consists of communicative follow-up activities for pair and small-group work and an activity for individual research on the World Wide Web.

Overall, this feature is designed so that each video segment need be viewed only once for general understanding, thus allowing more time for the in-class **Después de ver** activities.

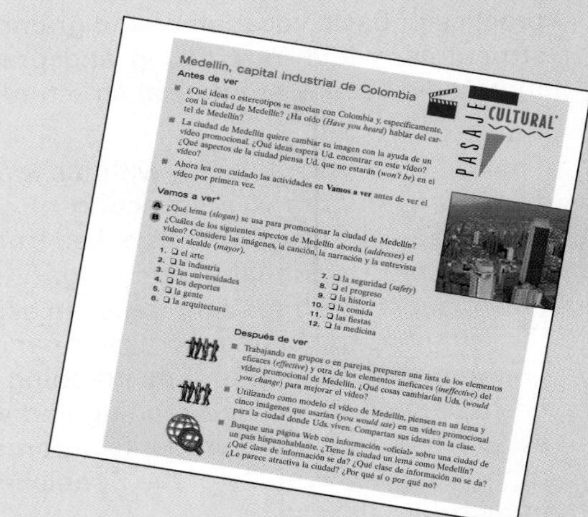

PASAJE CULTURAL*

**Medellín, capital industrial de Colombia**

**Antes de ver**

- ¿Qué ideas o estereotipos se asocian con Colombia y, específicamente, con la ciudad de Medellín? ¿Ha oído (*Have you heard*) hablar del cartel de Medellín?
- La ciudad de Medellín quiere cambiar su imagen con la ayuda de un vídeo promocional. ¿Qué ideas espera Ud. encontrar en este vídeo? ¿Qué aspectos de la ciudad piensa Ud. que no estarán (*won't be*) en el vídeo?
- Ahora lea con cuidado las actividades en **Vamos a ver** antes de ver el vídeo por primera vez.

**Vamos a ver***

**A** ¿Qué lema (*slogan*) se usa para promocionar la ciudad de Medellín?

**B** ¿Cuáles de los siguientes aspectos de Medellín aborda (*addresses*) el vídeo? Considere las imágenes, la canción, la narración y la entrevista con el alcalde (*mayor*).

1. ❑ el arte
2. ❑ la industria
3. ❑ las universidades
4. ❑ los deportes
5. ❑ la gente
6. ❑ la arquitectura
7. ❑ la seguridad (*safety*)
8. ❑ el progreso
9. ❑ la historia
10. ❑ la comida
11. ❑ las fiestas
12. ❑ la medicina

**Después de ver**

- Trabajando en grupos o en parejas, preparen una lista de los elementos eficaces (*effective*) y otra de los elementos ineficaces (*ineffective*) del vídeo promocional de Medellín. ¿Qué cosas cambiarían Uds. (*would you change*) para mejorar el vídeo?
- Utilizando como modelo el vídeo de Medellín, piensen en un lema y cinco imágenes que usarían (*you would use*) en un vídeo promocional para la ciudad donde Uds. viven. Compartan sus ideas con la clase.
- Busque una página Web con información «oficial» sobre una ciudad de un país hispanohablante. ¿Tiene la ciudad un lema como Medellín? ¿Qué clase de información se da? ¿Qué clase de información no se da? ¿Le parece atractiva la ciudad? ¿Por qué sí o por qué no?

## ▲ Special Activities

**¡Necesito compañero!** activities, identifiable by their icon, are specifically designed for partner or pair work.

**Entre todos** are activities designed for whole-class discussion.

**Improvisaciones** are role-playing activities that provide contextualized practice in grammatical structures and vocabulary as well as in conversational strategies.

In **Guiones,** students practice extended description of drawings and narration to create characters and stories.

## Components

As a full-service publisher of quality educational products, McGraw-Hill does much more than just sell textbooks to your students. We create and publish an extensive array of print, video, and digital supplements to support instruction on your campus. Orders of new (versus used) textbooks help us to defray the cost of developing such supplements, which is substantial. Please consult your local McGraw-Hill representative to learn about the availability of the supplements that accompany *Pasajes*, Fifth Edition.

For instructors *and* for students:

- ***Lengua***
  The core grammar text for the *Pasajes* program consists of a comprehensive review and practice of basic vocabulary and grammatical structures, while introducing and practicing more advanced grammatical structures.
- ***Cultura***
  Thematically coordinated with *Lengua* and *Literatura*, *Cultura* is a collection of cultural essays and authentic articles culled from contemporary Spanish-language magazines and newspapers. Each reading treats an aspect of the chapter topic and is accompanied by abundant prereading and postreading activities designed to develop reading and writing skills while furthering students' appreciation of the cultural diversity of the Spanish-speaking world.
- ***Literatura***
  Thematically coordinated with *Lengua* and *Cultura*, *Literatura* is a collection of more than twenty literary texts, including a variety of short stories and poetry, excerpts from longer works, and a legend. All texts have been selected both for their interest to students and for their literary value. Based on the valuable feedback from reviewers and users, approximately one half of the texts are new to the fifth edition, including a number of selections that represents the literary canon. Naturally, some texts from the fourth edition that were favorably reviewed have been retained in the fifth edition. Each text is accompanied by abundant prereading and postreading activities that develop reading and writing skills and further students' understanding of important literary devices.
- ***Cuaderno de práctica: Expresión oral, comprensión, composición***
  This combined workbook and laboratory manual is coordinated thematically with *Lengua*, *Literatura*, and *Cultura* and provides students with various controlled and open-ended opportunities to practice the vocabulary and grammatical structures presented in *Lengua*. The laboratory section promotes listening comprehension through many short narrative passages, and speaking skills through a variety of activities, including pronunciation practice. The **Voces** section includes authentic interviews with men and women from different areas of the Hispanic world. The chapter organization of the *Cuaderno* follows that of *Lengua*. The workbook section provides guided writing practice to help students develop expository writing skills. The **Pasaje cultural** section contains video-based activities for individual viewing of the *Video to accompany Pasajes*.
- ***Audio Program to accompany Pasajes***
  Corresponding to the laboratory portion of the *Cuaderno*, the *Audio Program* (available on cassette or CD) contains activities for review of vocabulary and grammatical structures, passages for extensive and intensive listening practice, guided pronunciation practice, and interviews with men and women from different areas of the Hispanic world. The *Audio Program*, provided free to adopters, is also available for student purchase.
- ***Voces Audio CD***
  This special listening comprehension CD, corresponding to **Voces**, the "testimonial" section of *Cultura*, contains recordings of inhabitants of Spanish-speaking countries. Ideal for in-class or for additional out-of-class listening comprehension, this CD helps develop proficiency in understanding a variety of accents and oral texts. The *Voces Audio CD* is provided free with every new copy of *Cultura*.
- ***Online Learning Center* Website**
  The new *Pasajes Online Learning Center* Website brings the Spanish-speaking world directly into students' lives and into their language-learning experience by means of vocabulary and grammar practice quizzes

and cultural resources and activities. Many resources are also available for instructors. The *Pasajes Online Learning Center* Website can be accessed at **www.mhhe.com/pasajes**.

- ***CD-ROM***
  Available in a multiplatform format, the *Pasajes CD-ROM* offers students the opportunity to review and practice vocabulary and grammar, as well as additional Spanish-language skills, in an engaging multimedia environment.
- ***MHELT*** (*McGraw-Hill Electronic Language Tutor*)
  This computer program, available for both PC and Macintosh, includes a broad selection of the form-focused grammar and vocabulary activities found in *Lengua,* Fifth Edition.
- **Ultralingua en español Spanish-English Dictionary on CD-ROM**
  This interactive bilingual dictionary, available for purchase, offers additional opportunities for students to enrich their vocabulary and improve their Spanish.

For instructors only:

- ***Lengua Instructor's Edition***
  This special edition of *Lengua,* specifically designed for instructors, contains a 32-page insert with helpful hints and suggestions for working with the many features and activities in *Lengua*.
- ***Instructor's Manual***
  Revised for the fifth edition, this handy manual includes suggestions for using all components of the *Pasajes* program, sample lesson plans and syllabi, sample chapter tests, and the transcript of the *Video to accompany Pasajes*.
- ***Audioscript***
  This is a complete transcript of the material recorded in the *Audio Program to accompany Pasajes*.
- ***Video to accompany Pasajes***
  A video consisting of authentic footage from Spanish-speaking countries accompanies the new edition of *Pasajes*. Topics are coordinated with the chapter themes of the *Pasajes* program. Video activities are found in *Lengua* as well as in the *Cuaderno*.
- **Instructional videos**
  A variety of videotapes is available to instructors who wish to offer their students additional perspectives on the Spanish language and Hispanic cultures and civilizations. A list of the videos is available through your local McGraw-Hill sales representative.

# ACKNOWLEDGMENTS

We are extremely grateful to be publishing the fifth edition of *Pasajes,* something we could not have predicted when we first began working on these materials many years ago. Over the years and throughout earlier editions, various people have helped shape the *Pasajes* program, keeping it contemporary and of interest to students and instructors. Rodney Bransdorfer (Central Washington University) brings a fresh voice and perspective to the fifth edition. Dr. Bransdorfer, informed by his classroom teaching experience and his expertise in the area of second language acquisition, was largely responsible for the revision of *Pasajes: Lengua.* One of the most significant changes implemented by Dr. Bransdorfer was the introduction of new chapter themes in Chapters 3 and 10, respectively. Javier Martínez de Velasco (Central Washington University) also contributed to the fifth edition, and we are thankful for his thoughtful insights and inspired writing.

We would also like to acknowledge the contributions of certain individuals who contributed in various ways to the previous edition. These include Constance Kihyet (Saddleback College), Carmen M. Nieto (Georgetown University), and Enrique Yepes (Bowdoin College).

Additionally, we wish to thank all of the instructors who participated in the development of the previous editions of *Pasajes.* Their comments, both positive and critical, were instrumental in the shaping of those editions. We would also like to express our gratitude to the many instructors who completed surveys indispensable to the development of the fifth edition. The appearance of their names does not necessarily constitute an endorsement of the texts or their methodology.

Dieudonne K. Afatsawo, University of Southern California
Tamara Al-Kasey, Carnegie Mellon University
Aleta Anderson, Westmont College
Cathy Barret, University of Arizona
Elizabeth S. Boyce, Houston Baptist University
Carmen Candal, Northampton Community College
Helen Child, Treasure Valley Community College
Ben Christiansen, San Diego State University
Linda DuRose, Santa Rosa Junior College
Christine Esperson, Cape Cod Community College
Julia Ferrell, Grand Valley State University
Phillip P. Flahive, North Central College
Diana Frantzen, Indiana University
Sonia E. García, College of Notre Dame of Maryland
Marisa Geisler, University of Minnesota
Gilberto Gómez, Wabash College
Mary C. Harges, Southwest Missouri State University
Steven Lee Hartman, Southern Illinois University, Carbondale
T. Edward Harvey, Brigham Young University, Hawaii
Marcia Hass, University of Montana
Sue Hintz, Germanna Community College

Mary Ellen Kohn, Mount Mary College
Virginia B. Levine, SUNY Cortland
Marie Cecile Lozedo, University of Chicago
Lynne Margolies, Southeast Missouri State University
Patti Marinelli, University of South Carolina, Columbia
Claudia Martínez, Diablo Valley College
Eugenio Matibag, Iowa State University
Bruce Gregory McCoy, Germanna Community College
Jose L. Mendoza, University of San Diego
Kelly Mueller, St. Louis Community College
Edward J. Mullen, University of Missouri, Columbia
Louis L. Ollivier, Western New Mexico University
Mary Ellen Page, Valencia Community College
Linda K. Parkyn, Messiah College
David A. Petreman, Wright State University
Jerrald Pfabe, Concordia University
Marie Poldoz-Baile, University of Missouri
Pilar Poldoz-Baile, University of Missouri
Rosalea Postma-Carttar, University of Kansas, Lawrence
Gus Puleo, Columbia University
Kay E. Raymond, Sam Houston State University
Mari Pino del Rosario, Greensboro College
Hildebrando Ruiz, University of Georgia
Virginia Santos, New York University
Martha Schaffer, University of San Francisco
Susan Schaffer, UCLA
Karen Smith, University of Arizona
Cheryl M. Strand, Western Oregon State College
Kirstin Summers, University of Arizona
Alain Swietlicki, University of Wisconsin
Edda Temocha-Weldele, Grossmont College
Katherine Thompson, University of Maryland, College Park
Carmen Urioste, Arizona State University
Hildebrando Villarreal, California State University, Los Angeles
Beth Vinkler, Illinois Benedictine College
Carol Wikerson, Gordon College
Darren Witwer, Minneapolis Community and Technical College
Philippa B. Yin, Cleveland State University

Many thanks are owed to the people who worked on the *Pasajes* program behind the scenes. William Glass was our Publisher, and was instrumental in shaping the revision plan for this edition. Laura Chastain once again brought her talents to the manuscript-development process, reading for linguistic and cultural authenticity throughout. Scott Tinetti's years of experience and contributions to the editorial process were indispensable to Allen J. Bernier, our Development Editor for this edition. Allen's previous classroom teaching experience is evident in his work and helped shape the materials with a fresh perspective. David Sutton served as Project Manager and was critical in overseeing the production process, while Rich Devitto handled the manufacturing process. Matthew Baldwin updated the interior design of the book, helping to keep it contemporary for an ever-changing market. We would like to thank Nick Agnew, Sr. Marketing Manager for World Languages, and the entire McGraw-Hill sales staff who have so actively promoted *Pasajes* over the past years.

Finally, we would like to recognize and thank Thalia Dorwick for her ongoing assistance and support throughout the years. She has been a champion of *Pasajes* since the beginning, and has contributed in countless ways to the materials.

To all of these people we again say thank you, and look forward to hearing your comments about the fifth edition.

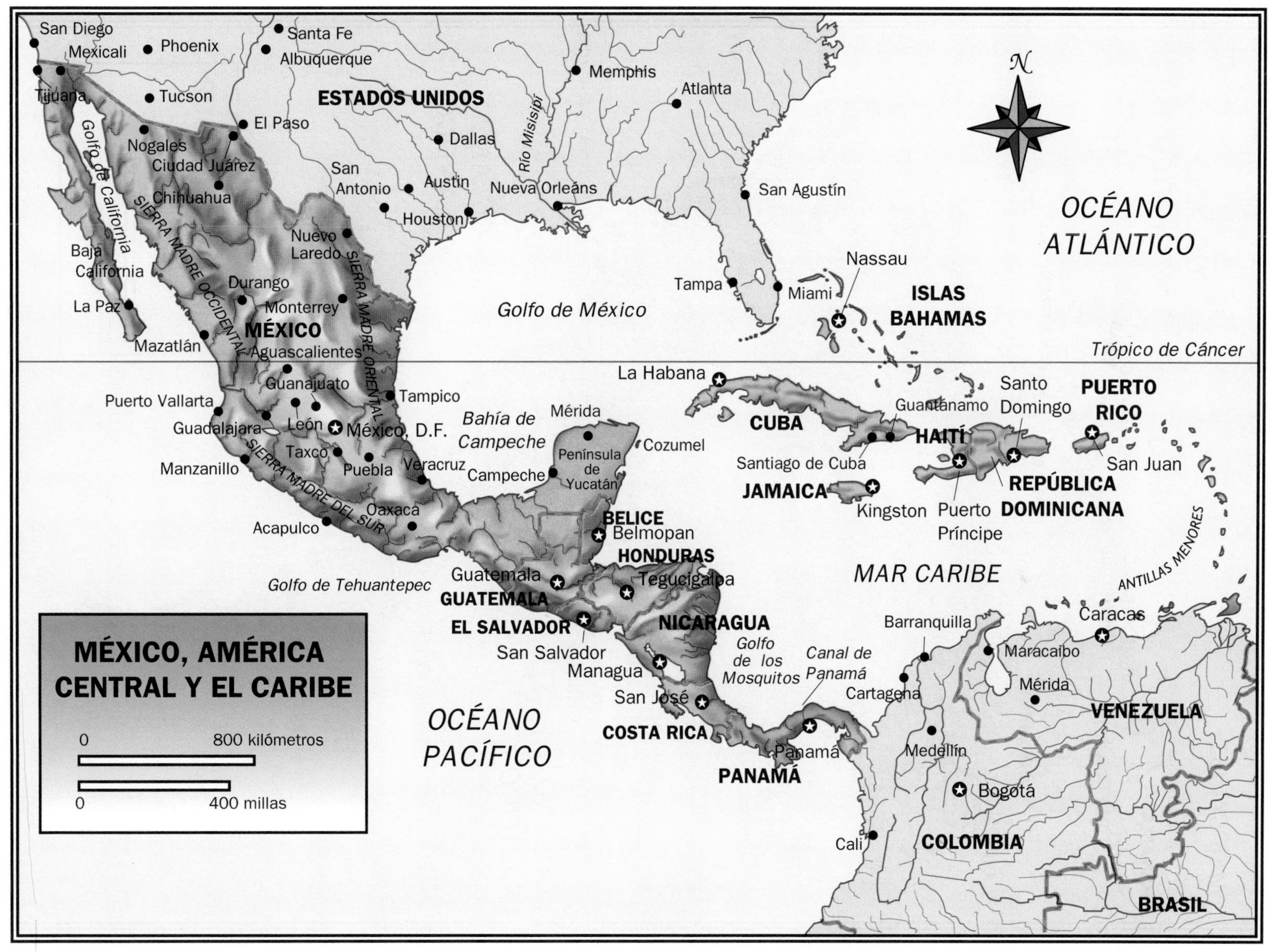
MÉXICO, AMÉRICA CENTRAL Y EL CARIBE
0
800 kilómetros
0
400 millas
N
OCÉANO ATLÁNTICO
OCÉANO PACÍFICO
Golfo de México
Golfo de California
Golfo de Tehuantepec
Bahía de Campeche
MAR CARIBE
Golfo de los Mosquitos
Canal de Panamá
Trópico de Cáncer
Río Misisipí
ANTILLAS MENORES
SIERRA MADRE OCCIDENTAL
SIERRA MADRE ORIENTAL
SIERRA MADRE DEL SUR
Península de Yucatán
Baja California
ESTADOS UNIDOS
MÉXICO
ISLAS BAHAMAS
CUBA
JAMAICA
HAITÍ
REPÚBLICA DOMINICANA
PUERTO RICO
BELICE
GUATEMALA
HONDURAS
EL SALVADOR
NICARAGUA
COSTA RICA
PANAMÁ
COLOMBIA
VENEZUELA
BRASIL
San Diego
Mexicali
Tijuana
Phoenix
Tucson
Santa Fe
Albuquerque
El Paso
Dallas
San Antonio
Austin
Houston
Nueva Orleáns
Memphis
Atlanta
San Agustín
Tampa
Miami
Nassau
Nogales
Ciudad Juárez
Chihuahua
Nuevo Laredo
Durango
Monterrey
La Paz
Mazatlán
Aguascalientes
Guanajuato
Tampico
Puerto Vallarta
León
México, D.F.
Guadalajara
Taxco
Puebla
Veracruz
Manzanillo
Oaxaca
Acapulco
Mérida
Campeche
Cozumel
La Habana
Guantánamo
Santiago de Cuba
Kingston
Puerto Príncipe
Santo Domingo
San Juan
Belmopan
Guatemala
Tegucigalpa
San Salvador
Managua
San José
Panamá
Barranquilla
Cartagena
Medellín
Bogotá
Cali
Maracaibo
Mérida
Caracas

MAR CARIBE
OCÉANO ATLÁNTICO
Maracaibo
Barranquilla
Caracas
PANAMÁ
GUYANA
VENEZUELA
Georgetown
Paramaribo
Medellín
Panamá
Río Orinoco
Cayena
Bogotá
SURINAME
GUYANA FRANCESA
Cali
COLOMBIA
Quito
Ecuador
ECUADOR
Río Amazonas
Belém
Guayaquil
Manaus
PERÚ
CORDILLERA DE LOS ANDES
BRASIL
Recife
Lima
Cuzco
La Paz
Brasília
Arequipa
BOLIVIA
Sucre
PARAGUAY
Antofagasta
Rio de Janeiro
Asunción
Trópico de Capricornio
CHILE
San Miguel de Tucumán
São Paulo
OCÉANO PACÍFICO
La Serena
Córdoba
Rosario
OCÉANO ATLÁNTICO
Valparaíso
URUGUAY
Santiago
ARGENTINA
Buenos Aires
Montevideo
Concepción
Río de la Plata
N
Bahía Blanca
Puerto Montt
Bariloche
Chiloé
AMÉRICA DEL SUR
Islas Malvinas
0
1500 kilómetros
Estrecho de Magallanes
Punta Arenas
Tierra del Fuego
0
1000 millas
Cabo de Hornos

N
MAR CANTÁBRICO
Bahía de Vizcaya
FRANCIA
ESPAÑA
0 200 kilómetros
0 100 millas
CANTABRIA
San Sebastián
Santander
La Coruña
Oviedo
ASTURIAS
Santiago de Compostela
Bilbao
PAÍS VASCO
LOS PIRINEOS
ANDORRA
Golfo de León
Pamplona
GALICIA
Vigo
León
Burgos
Logroño
NAVARRA
LA RIOJA
CASTILLA-LEÓN
CATALUÑA
Costa Brava
Zaragoza
Lérida
Valladolid
Zamora
ESPAÑA
Río Ebro
Oporto
Río Duero
Tarragona
Barcelona
SIERRA DE GUADARRAMA
Segovia
ARAGÓN
Salamanca
Ávila
Guadalajara
MADRID
PORTUGAL
El Escorial
Madrid
Menorca
Castellón
Mallorca
Río Tajo
Toledo
Cáceres
CASTILLA-LA MANCHA
Valencia
Palma
Lisboa
EXTREMADURA
COMUNIDAD VALENCIANA
Ibiza
ISLAS BALEARES
Ciudad Real
Badajoz
Mérida
Almadén
Albacete
Formentera
Río Guadiana
Alicante
SIERRA MORENA
MAR MEDITERRÁNEO
Murcia
Linares
Costa Blanca
Río Guadalquivir
MURCIA
Córdoba
Jaén
Lorca
Sevilla
ANDALUCÍA
Cartagena
Huelva
SIERRA NEVADA
Granada
Almería
Golfo de Cádiz
Jerez de la Frontera
Málaga
Cádiz
Costa del Sol
OCÉANO ATLÁNTICO
Gibraltar (R.U.)
Tánger
Ceuta (Esp.)
Orán
ISLAS CANARIAS
Santa Cruz de Tenerife
Lanzarote
Fuerte-ventura
La Palma
Tenerife
Las Palmas
Hierro
Gomera
Las Palmas de Gran Canaria
0 200 kilómetros
0 100 millas

# PASAJES

## LENGUA

QUINTA EDICIÓN

# Bienvenidos

San Miguel de Allende, México

At the beginning of an intermediate language course some of you may be intimidated by a grammar book—"You mean after all those tenses we learned the first year, there are still *more*?!" The Spanish language is indeed rich in verb forms, but one of the purposes of this book is to review what you have already learned and then expand on it, while at the same time helping you see that the numerous bits and pieces of grammar—the rules and the exceptions—do in fact form a single, coherent system. *Pasajes: Lengua* explains each grammar point carefully and gives numerous examples. **A propósito** boxes throughout each grammar section provide more information on various points. At the end of each chapter is an **¡Ojo!** section that helps you recognize and learn to avoid common vocabulary errors. It is unlikely that you will acquire a perfect or even near-perfect command of grammatical structures at this stage of language learning. Such command comes slowly; we hope that over the course of time the exercises, explanations, and activities in this text and in the *Cuaderno de práctica* will help you attain greater grammatical accuracy.

Review, expand, synthesize: this threefold goal is the purpose of many intermediate textbooks. *Pasajes: Lengua* wants this and something more. We not only want you to *understand* the system, we want you to *use* it. For us this second goal is actually the first and most important, since the desire to speak, read, or write Spanish is the main reason that many of you sit patiently through grammar lessons in the first place. *Pasajes: Lengua* was written to help you make the leap from conjugating to communicating.

Developing the ability to communicate is fun, but also challenging. It requires more than memorization or passive participation. It requires your active, involved participation in *real* communication with your instructor and fellow students. In real communication, people ask questions because they really want to know something about a topic or person. They follow up with more questions to discover in full detail whatever it is they need or want to know. And the person who is asked a question doesn't respond with a disinterested "yes" or "no"; he or she shows interest and adds information to keep the conversation going. If some participants in the conversation have a native language other than English, they don't lapse into their native language when they don't understand what is going on; they ask questions, or reword their statements, or draw pictures to clear up the confusion.

At this point, and probably for some time to come, your Spanish may seem "babyish" in comparison with the complexity of the ideas and opinions you want to express. Don't give up on your ideas or on your Spanish. Think of other ways to say what you mean: simplify, give examples, use whatever you *do* know to bridge the gap. From the **Describir y comentar** section that begins each chapter to the **Enlace** section at the chapter's end are exercises and activities designed to encourage you to think, react, and share your ideas with your instructor and your classmates.

Don't be afraid to make mistakes; don't think that they indicate some failure on your part. Mistakes are a normal, perhaps inevitable, part of language learning. Many of the activities in *Pasajes: Lengua* are deliberately designed to challenge you, to make you use all of your Spanish knowledge. We know you will make mistakes, and we want you to learn from them. You won't always be able to say exactly what you want to say, but you *can* learn to deal with that frustration creatively and effectively. In each chapter of *Pasajes: Lengua* and in this introduction are special sections called **Estrategias para la comunicación,** which give you hints about and practice in handling many of the problems that everyone faces in real-life communication.

To communicate successfully in Spanish, you will need a strong desire to communicate as well as certain basic skills. We have tried to provide interesting exercises and activities and numerous hints to help you acquire those skills. But in the long run your level of success will depend on *you*. The potential rewards for your efforts are indeed great. After Chinese, Spanish is spoken by more people as a native language than any other language in the world. Hispanics are an immensely friendly, interesting, and important people whose culture is rich and varied. Your skill in Spanish is the **pasaje** (*passage, ticket*) that will enable you to communicate with them and to appreciate their culture in a way that a person who knows no Spanish can never experience.

## ESTRATEGIAS PARA LA COMUNICACION

### ¿Quieres trabajar conmigo? *Getting started*

Do you know a lot of words in Spanish, but have trouble getting them out in the right order when you need to? Can you conjugate verbs fluently in the margins of your Spanish tests, but freeze up when the task is conversation? Can you follow the gist of what people have said to you in Spanish, but start stuttering and stammering when it's your turn to talk? Don't worry—you're more typical than you think! As a matter of fact, it is very likely that even your instructor remembers a time when he or she experienced the same problems in either Spanish or English.

Learning another language is hard work; it takes a long time. For most people, it is marked by periods of fast learning interspersed with plateaus during which no progress seems to take place. In a plateau stage, you may actually feel as if you are going downhill—making mistakes that you didn't used to make and confusing things that had previously been easy for you—instead of standing still! There isn't much that you can do to avoid plateaus, but you can make your progress through them easier and less frustrating if you keep the following tips in mind.

- *Relax.* Making mistakes is natural, not stupid. Anyone who has ever studied a foreign language has made mistakes—lots of them!—so don't waste time worrying about how to avoid them, or being afraid that other people will think you are stupid. The more relaxed you are, the easier it becomes to use a language actively.
- *Think about how to get your message across.* Remember that there is never just one way to say anything; if you run into a snag, back up and go at it from another direction. The more involved you are in communicating, the less self-conscious you will be about real or potential mistakes—which, by the way, are generally a lot less damaging to communication than you might think.
- *Be patient.* Learning another language takes considerable time and practice, but it does get easier. And you do get better—compare your present

abilities to those of a first-semester Spanish student, or think about how much you know now that you didn't know when you were just a beginner!

To help you feel more comfortable and confident, each chapter of *Pasajes* has a number of exercises specifically designed to be done with a classmate. You may find the following phrases useful for finding a partner (**un compañero, una compañera**) and getting down to work with him or her.

| | |
|---|---|
| ¿Quieres (Quisieras) trabajar conmigo? | *Do you want (Would you like) to work with me?* |
| Soy... ¿Y tú? | *I'm . . . Who are you?* |
| ¿Quién empieza? (¿Quién va a empezar?) | *Who goes first? (Who's going to start?)* |
| Te toca. (Ahora te toca a ti.) | *It's your turn. (Now it's **your** turn.)* |
| Un momento. (Espera.) | *Wait a minute.* |
| ¡Vamos! | *Let's go! Hurry up!* |
| ¿No será... ? | *Wouldn't it be . . . ?* |
| ¿Vale? | *OK? Is this all right with you?* |
| ¡Regio! (¡Fenomenal! ¡Fantástico!)* | *Good job!* |
| Gracias por tu ayuda. | *Thanks for your help.* |

Try practicing these expressions as you work through the following activities with a classmate. Do the best you can to speak in Spanish as much as possible, helping each other with any difficulties that you encounter.

### ¡Necesito compañero!

**A** You need to get the following information from someone who does not speak English. How many different ways can you think of to phrase your questions? Use single-word questions as well as complete sentences.

1. name
2. age
3. where the person is from
4. address
5. marital status
6. occupation
7. reasons for being here
8. hobbies and areas of interest

**B** When you and your partner have finished, compare your question strategies with those of the rest of the class. Then use your questions to interview a different classmate.

---

*Exclamations of approval (and disapproval) tend to be very regional in most languages. **¡Regio!** is common in Chile and other areas of Latin America; **¡fenomenal!** and **¡vale!** are a bit more common in Spain; **¡magnífico!** and **¡fantástico!** are widely used by Hispanics from all national backgrounds. Ask your instructor for other expressions of approval that he or she knows.

# CAPITULO

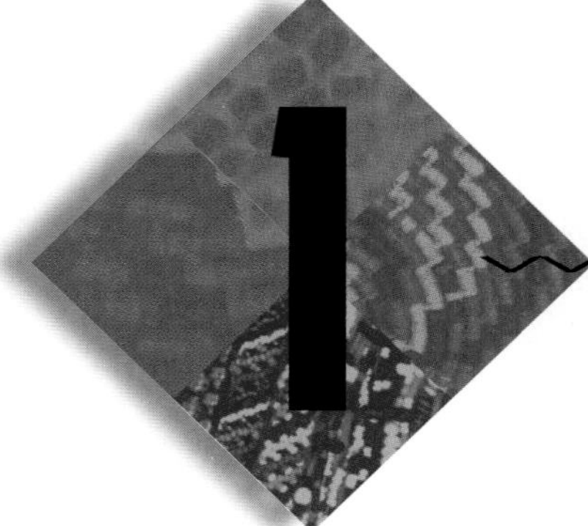

# Tipos y estereotipos

Oaxaca, México

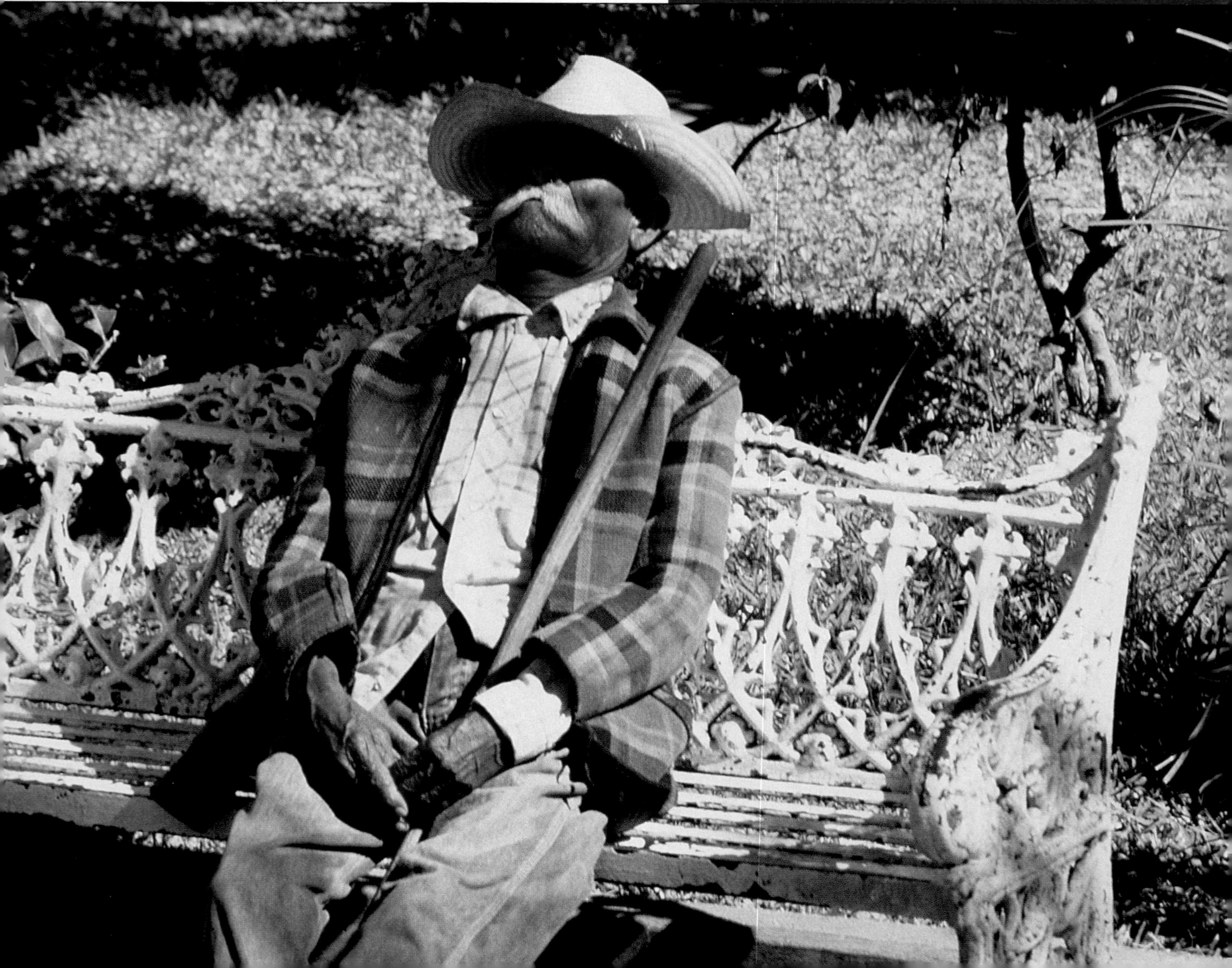

# REFLEXIONES

Los estereotipos se forman cuando las características que tienen (o que tenían en el pasado) *algunos* individuos son atribuidas a *todos* los miembros de su grupo. Por ejemplo, la foto que precede representa la imagen que tienen algunas personas de todos los mexicanos.

## A nivel personal

- ¿Tiene Ud. alguna idea preconcebida (*preconceived*) de los mexicanos? ¿Coinciden esas ideas con la imagen en la foto?
- ¿Qué experiencias ha tenido Ud. (*have you had*) con los estereotipos? ¿Pertenece Ud. (*Do you belong*) a un grupo que se describe frecuentemente con un estereotipo? ¿Cómo piensa que es este grupo en realidad?

## A nivel regional

- ¿Cuáles son algunos de los estereotipos que se aplican a la gente del lugar donde Ud. vive? Use esta pregunta para hacer una encuesta (*survey*) informal en su clase. ¿Cuál es el resultado de la encuesta? ¿Están todos de acuerdo con los estereotipos?

## A nivel global

- ¿Son universales los estereotipos? ¿Hay algún estereotipo de los estadounidenses (gente de los Estados Unidos) en los países hispanohablantes?
- Busque opiniones o ideas sobre los estadounidenses escritas en países hispanohablantes. ¿Le parecen correctas esas opiniones?

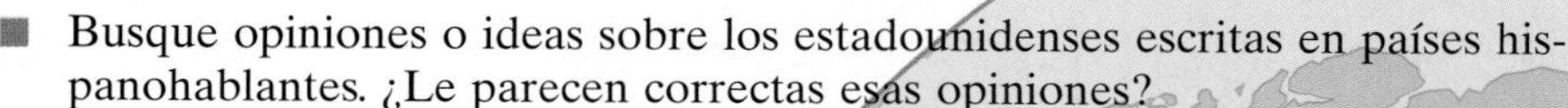

# DESCRIBIR Y COMENTAR*

The *Pasajes* CD-ROM contains interactive activities to practice the material presented in this chapter.

- En el Dibujo A, ¿cómo es físicamente la estudiante de la izquierda? En su opinión, ¿adónde va ella en su tiempo libre?
- En el Dibujo A, ¿qué rasgos de personalidad asocia Ud. con la estudiante de la derecha? ¿Qué hace ella en su tiempo libre? ¿Cree Ud. que ellas van a tener problemas como compañeras de cuarto? Explique.
- En el Dibujo B, hay varios grupos de estudiantes. ¿Dónde están? ¿Qué hacen? En su opinión, ¿tienen la apariencia de estudiosos los muchachos de la izquierda? ¿Cómo son?
- En el Dibujo B, describa al estudiante que está a la derecha. ¿Qué hace? ¿Con quién está? ¿Qué tipo de persona parece ser? ¿Hay estudiantes coquetas o coquetones en este dibujo? ¿Dónde? Imagínese qué dicen.

---

*Use the **Vocabulario para conversar** on the next page to discuss the drawings.

# VOCABULARIO para conversar

**asociar** to associate
**pertenecer** to belong

**la apariencia** appearance
**el/la atleta** athlete
  **un tipo muy atlético** a very athletic person
**el/la bromista** joker
  **el/la bromista de la clase** class clown
**la característica** characteristic
**la costumbre** custom, habit
**el/la deportista** sportsman/sportswoman
**el estereotipo** stereotype
**el estudioso / la estudiosa** bookworm
**la imagen** image, picture
**el rasgo** trait, feature

**bruto/a** stupid, dense
**cómico/a** funny
**coquetón** flirtatious (*male*), **coqueta** flirtatious (*female*)
**estudioso/a** studious
**extrovertido/a** extroverted, outgoing
**introvertido/a** introverted, shy
**listo/a** bright, smart
**perezoso/a** lazy
**pesado/a** dull, uninteresting
**preconcebido/a** preconceived
**sensible** sensitive
**típico/a** typical
**tonto/a** silly, dumb
**torpe** clumsy, awkward
**trabajador(a)** hard-working

**A** Nombre los tipos o adjetivos de la lista anterior que se asocian con las personas que tienen las siguientes costumbres o características. ¿Qué otros rasgos o costumbres se asocian con cada tipo?

MODELO: un tipo que duerme mucho → perezoso
**otras características:** trabaja poco, camina despacio, saca malas notas

un tipo que…

1. hace muchas bromas (*jokes*)
2. estudia en la biblioteca todo el tiempo
3. es más bien tímido
4. lleva ropa de última moda
5. pasa mucho tiempo en el gimnasio
6. siempre está en todas las fiestas

**B** Usando la lista del vocabulario u otras palabras, nombre las características que Ud. asocia con cada uno de los siguientes personajes o personas.

1. Los Simpson
2. Arnold Schwarzenegger
3. Jim Carrey
4. Frasier
5. los compañeros de «Friends»

**C** ¡Necesito compañero! Trabajando en parejas, arreglen las siguientes características según las cuatro categorías indicadas en la tabla de la siguiente página. Pueden poner una característica en más de una categoría.

| | | | |
|---|---|---|---|
| atlético | extrovertido | optimista | sincero |
| coquetón | hablador | perezoso | sofisticado |
| cómico | impulsivo | responsable | tonto |
| egoísta | inmaduro | seguro de sí mismo | torpe |
| estudioso | intelectual | sensible | trabajador |

| características que una persona puede controlar | atlético, estudioso, perezoso,... |
|---|---|
| características que una persona no puede controlar | |
| características típicas de los hombres | |
| características típicas de las mujeres | |

## LENGUAJE Y CULTURA

No todas las palabras de una lengua se pueden traducir con exactitud a otra, especialmente cuando se trata del lenguaje popular o coloquial. Por ejemplo, imagínese que un amigo hispano* no encuentra las siguientes palabras en el diccionario bilingüe. ¿Puede Ud. explicarle en español lo que significan? ¿Cuáles son algunas características que se asocian con cada tipo?

- jock
- loser
- geek
- moocher
- redneck

Después de clasificar las características, escojan las tres que Uds. consideran las más atractivas en sus amigos. Comparen sus respuestas con las de los otros miembros de la clase. ¿Tienen Uds. opiniones muy diferentes? ¿Están todos de acuerdo sobre algunas características? ¿Cuáles son? ¿Cuáles de estos rasgos asocian Uds. con sus compañeros de cuarto?

**D** Mire otra vez el dibujo de la página 8.

- ¿Cuál de las personas del Dibujo A se parece a (*resembles*) la «estudiante típica» de esta universidad? Si ninguna, ¿cómo es la «estudiante típica»? ¿el «estudiante típico»?
- ¿Tiene Ud. un compañero / una compañera de cuarto? ¿Son Uds. semejantes o diferentes? Explique.
- ¿Qué estereotipos se presentan en los Dibujos A y B? ¿Son falsas todas esas generalizaciones? ¿Cuáles cree Ud. que son más o menos verdaderas? ¿Hay otros tipos estudiantiles en esta universidad que no están representados en los dibujos? Descríbalos.

## ESTRATEGIAS PARA LA COMUNICACION

### ¿Cómo? What to do when you don't understand

BORN LOSER

*There are various terms in Spanish used to describe people and things from Spanish-speaking countries (**chicano/a, hispano/a, latino/a,** and so on), as there are in English (*Chicano, Hispanic, Latino,* and so on). In *Pasajes: Lengua,* **hispano/a** and *Hispanic* will be the preferred terms. You will learn more about these and the other terms in Chapter 9.

Cope with missed messages in spoken Spanish just as you do in English: let the other person know what part of the message you haven't understood. Request general information with **¿cómo?** (*what?*). Request specific information by using the appropriate interrogative.

| | |
|---|---|
| ¿cuándo? *when?* | ¿dónde? *where?* |
| ¿cuál(es)? *which one(s)?* | ¿adónde? *where to?* |
| ¿quién(es)? *who?* | ¿de dónde? *where from?* |
| ¿de quién(es)? *whose?* | ¿cuánto/a? *how much?* |
| ¿para quién(es)? *for whom?* | ¿cuántos/as? *how many?* |

Request a repetition with **más despacio, por favor** (*slower, please*) or **repita, por favor.** Often, a single unknown word or expression may be the key to your (mis)understanding. Ask **¿Qué quiere decir___?** for a definition or paraphrase of the unknown word or expression.

Practice the preceding communication strategies in these situations.

**A** While talking to someone, you have understood only part of the message. Here is what you heard. Which of the suggested strategies is the most useful? Sometimes more than one strategy will work.

1. «La primera clase es el jueves… a las… tarde.»
   **a.** ¿Cuándo es? **b.** ¿Cómo? **c.** ¿Habla inglés?
2. «Laestacióndetrenesestáaunastrescuadrasenlacalle-Colónalladodelmuseo.»
   **a.** Repita, por favor. **b.** ¿Eh? **c.** Más despacio, por favor.
3. «Ud. necesita hablar con la señora Gadrroullpdyezia.»
   **a.** ¿Puede Ud. escribírmelo?
   **b.** Repita, por favor.
   **c.** ¿Con quién?
4. «Lupe es de… »
   **a.** ¿Quién? **b.** No comprendo. **c.** ¿De dónde?
5. «Ud. debe comprar un clavo.»
   **a.** ¿Cómo?
   **b.** ¿Qué quiere decir «clavo»?
   **c.** Más despacio, por favor.

**B** Once again, you have understood only part of the message. Here is what you heard. Ask questions to discover what you missed.

1. «Mi familia vive en… »
2. «Se llama… , pero no lo conozco bien.»
3. «Esta carta es para el señor… »
4. «Salen de… a las… »
5. «Hay que pagar… pesos.»
6. «Esta tarde… llega a la ciudad de… y a las… de la noche toma el autobús.»

**C** ¡Necesito compañero! Work with a partner to create a dialogue for each of the following situations. One of the speakers doesn't understand

what the other is saying, and must ask for clarification. Use the communication strategies practiced in this section or others that you know.

1. You are standing at a bus stop. An elderly woman approaches you and asks a question.
2. You go into a clothing store. A clerk comes up to you and asks a question.
3. You are in history class, and you ask the instructor about something in her lecture (**conferencia**) that you didn't understand.
4. You are in Madrid, trying to mail a package (**enviar un paquete por correo**).
5. You are trying to order a hamburger in a restaurant that specializes in Mexican food.

## De entrada 1

Mire el texto a continuación y use la tabla que sigue para indicar si las palabras de la tabla son masculinas (**M**) o femeninas (**F**). ¿Qué claves (*clues*) lo/la ayudan a determinar el género (*gender*)?

Para muchas personas, «el hombre es un animal racional» y la intuición es cosa de mujeres. Sin embargo, algunos investigadores contemporáneos creen que la «intuición femenina» o el «sexto sentido» es una facultad de la inteligencia humana. El profesor Rob Rabbim y la psicóloga Lourdes Billingsley, miembros del instituto de estudios espirituales «Hamsa» en California, consideran que la intuición es un sistema de conocimiento que hombres y mujeres han usado desde tiempos prehistóricos. Para ellos, la intuición es una aptitud que complementa a la razón, aunque va en dirección contraria. Mientras que el pensamiento racional es útil para el análisis, la intuición es necesaria para la síntesis. La razón se preocupa de hacer distinciones, pero la intuición percibe los vínculos entre las cosas, entre las personas, entre los sentimientos y la inteligencia. Así pues, si tanto los hombres como las mujeres utilizamos la intuición, es posible que encontremos soluciones a muchos problemas sociales y personales que la razón no sabe resolver por sí sola.

| PALABRA | M/F | CLAVES | PALABRA | M/F | CLAVES |
|---|---|---|---|---|---|
| persona | F | termina en «-a» | psicóloga | | |
| hombre | M | sexo masculino | sistema | | |
| animal | M | artículo masc. «un» | análisis | | |
| mujeres | | | síntesis | | |
| inteligencia | | | sentimientos | | |
| profesor | | | problemas | | |

Recuerde que en español casi todos los sustantivos (*nouns*) tienen un género: masculino o femenino. A continuación hay algunas claves para reconocer el género de los sustantivos.

# 1 GENDER AND NUMBER OF NOUNS

## A. Gender of nouns

In Spanish, nouns are classified as masculine (used with the articles **el** and **un**) or feminine (used with the articles **la** and **una**).

**el** estereotipo *stereotype* | **la** imagen *image*
**un** rasgo *trait, feature* | **una** característica *characteristic*

Two primary clues can help you correctly identify the gender of most Spanish nouns.

1. **Meaning:** biological sex = grammatical gender

When a Spanish noun refers to a male being, it is masculine; when the noun refers to a female being, it is feminine.

el padre *father* | la madre *mother*
el toro *bull* | la vaca *cow*

When a noun refers to a being that can be of either sex, the corresponding article indicates gender. Sometimes the word will have a different form for masculine and feminine.

**el** artista / **la** artista *artist*
**el** estudiante / **la** estudiante *student*
**el** español / **la** español**a** *Spaniard*
**el** profesor / **la** profesor**a** *professor*

The following nouns are exceptions; they may refer to either men or women, but their grammatical gender is fixed.

el individuo *individual* | la persona *person*
el ángel *angel* | la víctima *victim*

Feminine nouns beginning with a stressed **a** sound use the articles **el/un** in the singular, but **las/unas** in the plural.

**el** agua fresc**a**
*cool water*

**las** agua**s** fresc**as**
*cool waters*

**un** arma automátic**a**
*an automatic weapon*

**unas** arm**as** automátic**as**
*some (a few) automatic weapons*

**el** hada madrin**a**
*fairy godmother*

**las** had**as** madrin**as**
*fairy godmothers*

**A PROPOSITO**

These nouns are feminine, although their popular, shortened forms do not end in **-a.**

la bicicleta → la bici *bicycle*

la fotografía → la foto *photograph*

la motocicleta → la moto *motorcycle*

2. **Word ending**

- Most nouns that end in **-l, -o, -n, -e, -r,** or **-s** are masculine.

  el pape**l** *paper*
  el libr**o** *book*
  el exame**n** *test*
  el caf**é** *coffee*
  el amo**r** *love*
  el lune**s** *Monday*

  Some common exceptions are

  la mano *hand*
  la imagen *image*
  la gente *people*
  la parte *part*

- Most nouns that end in **-a, -d, -ie, -ión, -is, -umbre,** or **-z** are feminine.

  la comid**a** *food*
  la actitu**d** *attitude*
  la ser**ie** *series*
  la televis**ión** *television*
  la cris**is** *crisis*
  la cost**umbre** *custom*
  la nari**z** *nose*

  Some common exceptions are

  el día *day*
  el avión *airplane*
  el sofá *sofa*
  el camión *truck*

  Another group of exceptions contains many words ending in **-ma, -pa,** and **-ta.**

  el atle**ta** *athlete*
  el dra**ma** *play*
  el ma**pa** *map*
  el poe**ma** *poem*
  el poe**ta** *poet*
  el proble**ma** *problem*
  el progra**ma** *program*
  el siste**ma** *system*
  el te**ma** *theme*

**Práctica** Indique el género de cada sustantivo con **el** o **la** según el caso. ¡Atención! En los casos de sustantivos que puedan ser o masculino o femenino, dé ambos (*both*) artículos. ¿Hay algunos que no sigan las reglas?

1. ______ madre
2. ______ bromista
3. ______ dólar
4. ______ vez
5. ______ rey (*king*)
6. ______ capacidad
7. ______ mundo
8. ______ detalle
9. ______ atleta
10. ______ superficie
11. ______ muchedumbre
12. ______ cliente
13. ______ día
14. ______ águila
15. ______ sistema
16. ______ tradición
17. ______ persona
18. ______ verdad
19. ______ jueves
20. ______ tesis
21. ______ traje

**A PROPOSITO**

Some words have the same form, but can change meaning by changing the article that precedes them. Here are a few common examples.

el cura *priest*
la cura *cure*

el Papa *the Pope*
la papa *potato*

el/la guía *guide* (*person*)
la guía *guidebook*

## B. Plural of nouns

There are three basic patterns for forming plural nouns in Spanish.

1. Nouns that end in a vowel add **-s.**

   el hombr**e** *the man* → los hombre**s** *the men*
   una cart**a** *a letter* → unas carta**s** *some (a few) letters*

2. Nouns that end in a consonant add **-es.**

   la muje**r** *the woman* → las mujer**es** *the women*
   la pare**d** *the wall* → las pared**es** *the walls*
   el re**y** *the king* → los rey**es** *the kings*
   el me**s** *the month* → los mes**es** *the months*

3. Nouns that end in unstressed **-es** or **-is** have identical singular and plural forms. Their article indicates number.

el lun**es** *Monday* → **los** lunes *Mondays*
la cris**is** *the crisis* → **las** crisis *the crises*

**Práctica** Dé las formas plurales de los sustantivos de Práctica en la sección anterior.

# Intercambios

**A** Complete el siguiente diálogo con el artículo correcto (**el, la, los, las**).* Se trata de (*It's about*) una manifestación en contra de la imagen negativa que muchos tienen de cierto grupo de personas.

ANA: Dicen por ______[1] televisión que hoy hay una protesta en ______[2] Plaza Mayor.
MANUEL: ¡Típico! ¿Quiénes protestan esta vez?
ANA: Un grupo de personas de ______[3] barrio San Nicolás.
MANUEL: ¡Ah, sí! ¡Allá viven todos ______[4] criminales de ______[5] ciudad!
ANA: Precisamente ése‡ es ______[6] problema. Están cansados de ______[7] estereotipos que muchos tienen sobre su barrio y van a hacer una manifestación con banderas blancas en ______[8] mano.
MANUEL: ¿Y quién organizó ______[9] manifestación?
ANA: ______[10] famoso padre García, que es un activista de ______[11] zona.
MANUEL: ¡Interesante! Vamos a ver qué comentarios e imágenes hay en ______[12] noticias.

- ¿Qué pasa hoy en la Plaza Mayor de la ciudad? ¿Quiénes protestan? ¿Por qué?
- ¿Sabe Ud. de grupos en los Estados Unidos que protestan en contra de los estereotipos negativos? ¿Cuál es su opinión sobre esos grupos?

**A PROPÓSITO**

Some nouns undergo a spelling change in the plural.† In nouns ending in **-z,** the **z** changes to **c.**

un lápi**z** → unos lápi**ces**
*a pencil* → *some (a few) pencils*

una ve**z** → unas ve**ces**
*one time* → *some (a few) times*

In some nouns, accents must be added or dropped to maintain the stress of the singular form.

el ex**a**men → los ex**á**menes
*exam* → *exams*

la j**o**ven → las j**ó**venes
*young woman* → *young women*

la naci**ó**n → las naci**o**nes
*nation* → *nations*

el inter**é**s → los inter**e**ses
*interest* → *interests*

**B** Juanita es la típica estudiante que lo sabe todo. Siempre le corrige los errores a Juan, el estudiante más perezoso de la clase. Invente su conversación, según el modelo. Nota importante: El nombre de pila (*first name*) de las personas aparece entre paréntesis para Ud.; supuestamente (*supposedly*) Juan sólo sabe los apellidos de las personas.

MODELO: (Oscar) De la Hoya / una pintora estupenda / ¡Qué va! →
JUAN: De la Hoya es una pintora estupenda, ¿verdad?
JUANITA: ¡Qué va! Es un boxeador estupendo.

1. (Fidel) Castro / un político español / ¡Claro que no!
2. (Arantxa) Sánchez Vicario / un atleta inglesa / ¡Qué ignorancia!
3. (Sammy) Sosa / un deportista regular / ¡Qué tonto!
4. (Homer) Simpson / un «hombre» muy trabajador / ¡Qué absurdo!
5. (Jennifer) López / un actor famoso / ¡Qué bruto!

---

*Remember that **de** + **el** → **del.**
†See Appendix 1 and Appendix 2 for more information about these kinds of changes.
‡See Appendix 6 for more information about demonstrative pronouns.

# De entrada 2

Hay cuatro estudiantes sentados juntos. Usando las ocho claves de abajo, ¿puede Ud. descubrir los nombres de estos estudiantes, los rasgos de su personalidad, su ropa y algunas características de su familia?

| | 1. (HOMBRE) | 2. (MUJER) | 3. (MUJER) | 4. (HOMBRE) |
|---|---|---|---|---|
| Nombre | | Margarita | | |
| Rasgo | | | | |
| Ropa | camisa amarilla | | | |
| Familia | | | | |

1. El primer estudiante lleva camisa amarilla y está sentado junto a Margarita.
2. La tercera estudiante es trabajadora y está sentada junto al artista.
3. Miguel es extrovertido y sus padres son franceses.
4. José lleva bufanda (*scarf*) verde y observa los zapatos negros de Gloria.
5. Margarita no tiene ningún hermano; Gloria tiene un hermano, pero no tiene ninguna hermana.
6. La estudiante de la falda azul es perezosa y está sentada junto a Gloria, que es trabajadora.
7. El artista tiene cuatro hermanos menores y se llama José.
8. La estudiante que no tiene ningún hermano está sentada junto al estudiante extrovertido.

Los adjetivos son palabras que indican las cualidades o características de los sustantivos, como el color, la nacionalidad, etcétera. ¿Puede Ud. identificar algunos adjetivos en las oraciones anteriores? Observe que varios adjetivos (por ejemplo, ningún hermano / ninguna hermana; sentado/sentada) tienen formas diferentes. ¿Recuerda Ud. por qué? A continuación puede repasar cómo se hacen estos cambios.

# 2 BASIC PATTERNS OF ADJECTIVE AGREEMENT

## A. Gender and number of adjectives

In Spanish, adjectives (**los adjetivos**) agree in gender and number with the noun they modify, according to the following patterns.

- Adjectives that end in **-o** have four different forms to indicate masculine, feminine, singular, and plural.

  **-o, -os:** el chico list**o** → los chicos list**os**
  *bright boy* → *bright boys*
  **-a, -as:** la chica list**a** → las chicas list**as**
  *bright girl* → *bright girls*

- Most adjectives that end in any other vowel or in a consonant have the same form for masculine and feminine. Like nouns, they show plural agreement by adding **-s** to vowels and **-es** to consonants.

| MASCULINE | FEMININE | PLURAL |
|---|---|---|
| el pantalón verd**e**<br>*the green pants* | la bufanda verd**e**<br>*the green scarf* | los zapatos verd**es**<br>*the green shoes* |
| el sombrero azu**l**<br>*the blue hat* | la falda azu**l**<br>*the blue skirt* | las medias azul**es**<br>*the blue stockings* |
| el hombre realist**a**<br>*the realistic man* | la mujer realist**a**<br>*the realistic woman* | las personas realist**as**<br>*the realistic people* |

Note, however, that adjectives of nationality that end in a consonant add **-a** to show feminine agreement.

el hombre francés → la mujer frances**a**
*the French man* → *the French woman*

Adjectives that end in **-dor, -ón,** and **-án** also add **-a.**

un niño encanta**dor** → una niña encantador**a**
*a charming (boy) child* → *a charming (girl) child*

- When an adjective modifies two nouns, one masculine and the other feminine, the adjective is masculine plural.

| | |
|---|---|
| Juan y María son baj**os.** | *Juan and María are short.* |
| Pedro y sus hermanas están cansad**os.** | *Pedro and his sisters are tired.* |

**Práctica** Complete estas oraciones con la forma correcta de los adjetivos indicados.

1. En esta clase (no) hay estudiantes (francés, perezoso, trabajador, listo, atlético).
2. Me caen bien/mal las personas (optimista, inmaduro, pesado, hablador, responsable).
3. (No) Me gustan las películas (cómico, complicado, fantástico, realista, triste).
4. En la televisión (no) hay programas (interesante, aburrido, educativo, español, estúpido).
5. Una opinión (absurdo, común, falso, simplista, típico) que tienen los norteamericanos de los hispanos es que son perezosos.

As with nouns, some adjectives undergo a spelling change in the plural. In adjectives ending in **-z,** the **z** changes to **c.**

un niño feliz → unos niños feli**c**es
*a happy child → some (a few) happy children*

una mujer capaz → unas mujeres capa**c**es
*a capable woman → some (a few) capable women*

When the masculine singular form of an adjective has a written accent on the last syllable, the accent is omitted in the feminine and plural forms.

el idioma ingl**é**s → la lengua ingl**e**sa
*the English language*

un problema com**ú**n → unos problemas com**u**nes
*a common problem → some (a few) common problems*

## B. Shortening of certain adjectives

- The following adjectives have a short form before masculine singular nouns, but follow the usual pattern in all other cases.

| | | |
|---|---|---|
| **bueno:** un **buen** hombre<br>*a good man* | *but* | **buenos** hombres, una(s) **buena(s)** mujer(es)<br>*good men, a good woman (some good women)* |
| **malo:** un **mal** día<br>*a bad day* | | **malos** días, una(s) **mala(s)** actitud(es)<br>*bad days, a bad attitude (some bad attitudes)* |
| **alguno: algún** síntoma<br>*some symptom* | | **algunos** síntomas, **alguna(s)** característica(s)<br>*some symptoms, some characteristic(s)* |
| **ninguno: ningún** problema*<br>*no problem* | | **ninguna** pregunta*<br>*no question* |
| **primero:** el **primer** programa<br>*the first program* | | los **primeros** programas, la(s) **primera(s)** clase(s)<br>*the first programs, the first class(es)* |
| **tercero:** el **tercer** piso<br>*the third floor* | | la **tercera** calle<br>*the third street* |

**A PROPOSITO**

When writing numbers in Spanish, commas are generally used where periods are used in English, and vice versa.

English: 2,343,000
Spanish: 2.343.000

English: 2.5%
Spanish: 2,5%

- The adjective **grande** becomes **gran** before both masculine and feminine singular nouns, but follows the usual pattern in the plural.

**grande:** un **gran** país, una **gran** ciudad
*a great country, a great city*

*but* los **grandes** países, las **grandes** ciudades
*great countries, great cities*

## C. Numbers

- Most numbers are invariable in form and do not agree with the nouns they precede.

Hay **treinta** hombres y **treinta** mujeres. — *There are **thirty** men and **thirty** women.*

**Uno** and **ciento,** however, have special forms, depending upon the gender and number of the noun they precede.

| | | | | |
|---|---|---|---|---|
| **un** hombre<br>*a (one) man* | **veintiún** hombres<br>*twenty-one men* | **cien** hombres<br>*a (one) hundred men* | *but* | **doscientos** hombres<br>*two hundred men* |
| **una** mujer<br>*a (one) woman* | **veintiuna** mujeres<br>*twenty-one women* | **cien** mujeres<br>*a (one) hundred women* | | **doscientas** mujeres<br>*two hundred women* |

**Ciento** becomes **cien** when it precedes numbers larger than itself.

**cien** mil libros
*a (one) hundred thousand books*

*but* **ciento** cincuenta libros
*one hundred fifty books*

- When used with a noun, the number **millón** always occurs with **de.**

**un millón de** habitantes
*a (one) million inhabitants*

**dos millones de** habitantes
*two million inhabitants*

*The forms of **ninguno** are used only with singular nouns.

- The number **mil** is not preceded by the indefinite article (**un/una**).

**mil** personas — *a (one) thousand people*

Práctica 1 Don Negativo siempre contradice las afirmaciones de don Positivo. Invente conversaciones según el modelo. ¡Cuidado! A veces el adjetivo *precede* al sustantivo.

MODELO: Buenos Aires es / ciudad / (grande / insignificante)
DON POSITIVO: Buenos Aires es una gran ciudad.
DON NEGATIVO: Ud. se equivoca. (*You are mistaken.*) Buenos Aires es una ciudad insignificante.

1. España es / país / (bello / sucio)
2. «60 minutos» es / programa / (bueno / aburrido)
3. Chile produce / vinos / (magnífico / barato)
4. el ruso es / idioma / (fácil / difícil)
5. los alemanes tienen / carácter / (alegre / serio)

Práctica 2 Practique leyendo en voz alta las siguientes combinaciones de números y sustantivos. Después, escríbalas, prestando atención a la ortografía.

1. 31 niños
2. 120 atletas
3. 200 sillas
4. 2.000.000 de víctimas
5. 51 coquetas
6. 300.000 kilómetros

# Intercambios

## A Entre todos

1. A veces, juzgamos (*we judge*) a la gente por su apariencia. ¿Qué características relacionadas con la personalidad se asocian con las siguientes personas?
   - una persona que lleva gafas oscuras
   - una persona que lleva gafas gruesas (*thick*)
   - una persona que tiene el pelo rojo
   - una persona que tiene el pelo rubio

   ¿Qué otros rasgos físicos se asocian generalmente con ciertas características de la personalidad?

2. ¿Puede revelar la ropa algo sobre la personalidad? Por ejemplo, ¿con qué nacionalidad o grupo étnico asocian algunos individuos las siguientes prendas (artículos) de ropa?
   - un paraguas
   - zapatos puntiagudos (*pointy*) y elegantes
   - la ropa de poliéster
   - un sombrero muy grande

3. ¿Revela la personalidad el tipo de vehículo que uno maneja? ¿Cuál es el estereotipo más común del conductor / de la conductora (*driver*) de los siguientes vehículos?
   - un Ferrari
   - un Cadillac
   - un camión pickup
   - una moto

**B** ¡Necesito compañero! Con frecuencia, tenemos opiniones e imágenes falsas de otros lugares y grupos de gente. Por ejemplo, muchos neoyorquinos (*New Yorkers*) creen que todos los que viven en Nebraska son agricultores. Trabajando en parejas, describan la imagen estereotipada que se tiene de los siguientes lugares o grupos. Después, presenten su descripción a la clase para que sus compañeros adivinen el grupo o la región que Uds. describen.

MODELO: Nueva York → La gente es descortés y un poco loca, y tiene una vida social muy activa. Todos viven apurados (*in a hurry*) y llevan pistola porque hay muchos criminales.

1. Texas
2. Maine
3. la Florida
4. este estado
5. los atletas
6. los miembros de una *fraternity* o *sorority*
7. las amas de casa
8. los políticos
9. los abogados

Entre todos Según lo que Ud. ha observado en estos intercambios, ¿qué piensa de las generalizaciones y los estereotipos? En su opinión, ¿son verdaderos o falsos? ¿Ayudan o son un obstáculo en las relaciones humanas? Explique.

# De entrada 3

Complete el siguiente párrafo con las palabras de la lista. Luego, llene el crucigrama con las palabras que corresponden a cada pista (*clue*).

| | | |
|---|---|---|
| cansados | familia | son |
| es | favorito | trabajo |
| están | ocho | |

Es sábado y ______[1] las seis de la tarde. Los Guzmán, una ______[2] chilena, están preparándose para ir a un concierto del Conjunto Céspedes, su grupo musical ______.[3] El concierto es a las ______,[4] pero el teatro está bastante lejos, así que todos ______[5] muy ansiosos por salir pronto. Pero el señor Guzmán, quien es médico, todavía no ha llegado del ______.[6] Los chicos están ______[7] de esperar y la señora Guzmán, quien normalmente ______[8] muy paciente, ya está un poco preocupada. Finalmente, se abre la puerta... ¡Es el señor Guzmán!

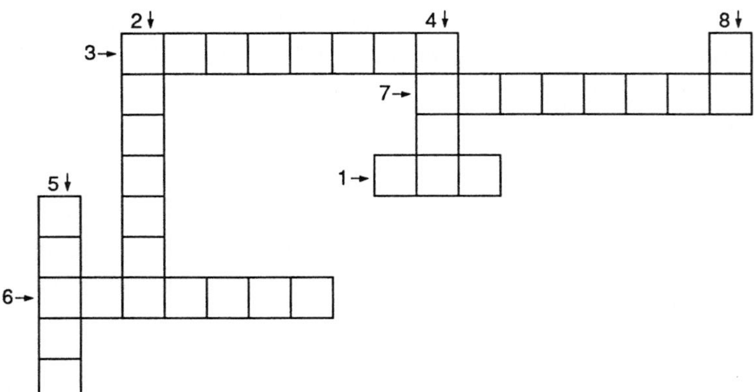

Ahora, conteste estas preguntas sobre el párrafo.

1. ¿Qué día es hoy? ¿Qué hora es?
2. ¿De dónde son los Guzmán? ¿Qué están haciendo ellos ahora?
3. ¿Cuál es la profesión del señor Guzmán?
4. ¿Cómo es la señora Guzmán normalmente? ¿Cómo está ahora? ¿Y cómo están los chicos? ¿Por qué?

¿Observó Ud. que algunas de estas preguntas contienen una forma del verbo **ser,** mientras que otras contienen una forma del verbo **estar**? ¿Puede explicar los diferentes usos de estos verbos? A continuación Ud. va a repasarlos.

# 3 EQUIVALENTS OF *TO BE: SER, ESTAR*

Sometimes, two or more words in one language are expressed by a single word in another. For example, English *to do* and *to make* are both expressed by Spanish **hacer.** Likewise, English *to be* has numerous equivalents in Spanish; among them are **ser** and **estar.**

| ser | | estar | |
|---|---|---|---|
| soy | somos | estoy | estamos |
| eres | sois | estás | estáis |
| es | son | está | están |

## A. Principal uses of *ser* and *estar*

In general, the uses of **ser** and **estar** are clearly defined, and you must use either one or the other. The following are the most common of these uses.

**Ser** is used to establish identity or equivalence between two elements of a sentence (nouns, pronouns, or phrases).

| | |
|---|---|
| Juan **es** médico.<br>Juan = médico. | *John **is** a doctor.* (profession) |
| El **es** mi amigo.<br>El = mi amigo. | *He **is** my friend.* (identification) |
| Dos y dos **son** cuatro.<br>Dos y dos = cuatro. | *Two and two **are** four.* (equivalence) |
| **Soy** mexicana.<br>Yo = mexicana. | ***I am** Mexican.* (nationality) |
| El reloj **es** de oro.<br>El reloj = de oro. | *The watch **is** (made of) gold.* (material) |

*There is/are* is expressed in Spanish with **hay** (**haber**). **Hay** is generally used before indefinite articles, numerals, and adjectives of quantity.

Hay **un** estudiante en el cuarto.
*There is a student in the room.*

Hay **muchos** (**diez**) estudiantes en el cuarto.
*There are many (ten) students in the room.*

The verbs **tener** and **hacer** can also express English *to be.**

**Hace** mucho calor, pero en estos edificios climatizados siempre **tengo** frío.
*It's very hot, but in these air-conditioned buildings I'm always cold.*

*To review the **tener** and **hacer** constructions, see Appendix 7.

**Ser** is also used to indicate

- origin (with **de**).

| | |
|---|---|
| Los Carrillo **son de** España. | *The Carrillos **are from** Spain.* |
| Esta falda **es de** Guatemala. | *This skirt **is from** Guatemala.* |

- time.

| | |
|---|---|
| **Son** las seis de la tarde. | ***It's** six o'clock in the evening.* |
| **Es** medianoche. | ***It's** midnight.* |

- dates.

| | |
|---|---|
| Mañana **es** el cuatro de agosto. | *Tomorrow **is** August fourth.* |
| Hoy **es** lunes. | *Today **is** Monday.* |

- possession (with **de**).

| | |
|---|---|
| Los libros **son del** profesor. | *The books **are** the professor's.* |
| Ese carro **es de** Marta. | *That car **is** Marta's.* |

- the time or location of an event.*

| | |
|---|---|
| El concierto **es** a las ocho. | *The concert **is** (takes place) at eight o'clock.* |
| ¿Dónde **es** el concierto? ¿en el estadio? | *Where **is** the concert? (Where does it take place?) In the stadium?* |

Finally, **ser** is used to form constructions with the passive voice (grammar section 34).

| | |
|---|---|
| Ese libro **fue escrito** por un autor bien conocido. | *That book **was written** by a well-known author.* |

**Estar** is used

- to indicate the location of an object.*

| | |
|---|---|
| La librería **está** en la esquina. | *The bookstore **is** on the corner.* |
| ¿Dónde **está** la biblioteca? | *Where **is** the library?* |

- to form the progressive tenses (grammar section 45).

| | |
|---|---|
| Pedro **está corriendo.** | *Pedro **is running.*** |

## B. *Ser* (norm) versus *estar* (change) with adjectives

In the preceding cases, you must use either **ser** or **estar.** Most adjectives, however, can be used with both verbs, and you must choose between the two.

**Ser** defines the norm with adjectives, whereas **estar** indicates a state or condition that is a change from the norm.

---

*Note the distinction between **¿Dónde es** (*event*)**?** and **¿Dónde está** (*object*)**?**

| **NORM: ser** | **CHANGE: estar** | **NOTES** |
|---|---|---|
| El león **es** feroz.<br>*The lion is ferocious.* | Ahora **está** manso.<br>*It is tame (behaving tamely) now.* | **Ser** indicates the lion's characteristic temperament (being ferocious). **Estar** indicates an atypical state or behavior (tameness). |
| El agua de Maine **es** fría.<br>*The water in Maine is cold.* | Hoy el agua **está** caliente.<br>*Today the water feels warm.* | **Ser** indicates the expected quality (coldness). **Estar** indicates a quality that the speaker did not expect (warmth). |

Similarly, **ser** establishes what is considered objective reality (the norm), and **estar** communicates a judgment or subjective perception on the part of the speaker. Whereas Spanish distinguishes between objective reality and subjective perception by the use of **ser** or **estar,** English often emphasizes the subjectivity of the speaker's observations with verbs such as *to seem, to taste, to feel,* and *to look.*

| **OBJECTIVE REALITY: ser** | **SUBJECTIVE JUDGMENT: estar** | **NOTES** |
|---|---|---|
| La niña **es** bonita.<br>*The child is pretty.* | La niña **está** bonita hoy.<br>*The child looks pretty today.* | **Ser** indicates that everyone considers her attractive. **Estar** reveals that the speaker perceives her as more attractive than usual today. |
| Los postres **son** muy ricos.<br>*Desserts are delicious.* | Este postre **está** muy rico.<br>*This dessert tastes delicious.* | **Ser** indicates that desserts in general are delicious. **Estar** expresses the speaker's opinion of this particular dessert. |

**Ser** establishes an inherent characteristic of someone or something, whereas **estar** describes a condition or state. English often uses entirely different words to express this contrast.

Note that the distinction between **ser** and **estar** is not a distinction between temporary and permanent characteristics. For example, the characteristic **joven** is transitory, yet it normally occurs with **ser;** and the words **está enfermo** describe even someone with a long-term or incurable illness.

| **CHARACTERISTIC: ser** | **CONDITION: estar** | **NOTES** |
|---|---|---|
| Concha **es** alegre.<br>*Concha is a happy person.* | Concha **está** alegre.<br>*Concha feels glad.* | **Ser** indicates that Concha's happiness is characteristic of her personality. **Estar** indicates that Concha's present state of cheerfulness is the result of some event or circumstance. |

| CHARACTERISTIC: ser | CONDITION: estar | NOTES |
|---|---|---|
| Ellos **son** aburridos.<br>*They are boring.* | Ellos **están** aburridos.<br>*They are bored.* | **Ser** indicates that they are boring by nature. **Estar** describes their current condition. |

Práctica Dé la forma correcta: **es** o **está.** Si existe más de una posibilidad, explique la diferencia.

Luis ______ (americano, alto, cansado, trabajador, aburrido, en casa, contento, mi hermano, de Cuba, guapo, aquí, estudiante, listo, perezoso, introvertido, bien hoy, sucio, tonto, enfermo, feliz).

## C. *Estar* + past participles: resultant condition

One type of adjective, the past or perfect participle (**el participio pasado**), occurs particularly frequently with **estar** to describe the state or condition that results when an event or circumstance causes a change.

| EVENT/CIRCUMSTANCE | RESULTANT CONDITION |
|---|---|
| Alguien cerró la puerta. →<br>*Someone closed the door.* → | La puerta **está cerrada.**<br>*The door **is closed.*** |
| Alguien rompió las sillas. →<br>*Someone broke the chairs.* → | Las sillas **están rotas.**<br>*The chairs **are broken.*** |
| La noticia preocupó a mis padres. →<br>*The news worried my parents.* → | Mis padres **están preocupados.**<br>*My parents **are worried.*** |

This type of adjective, like others, must agree in gender and number with the noun it modifies. It may also modify nouns directly.

las sillas **rotas** *the broken chairs*

The past participle is formed by adding **-ado** to the stem of **-ar** verbs and **-ido** to the stem of **-er** and **-ir** verbs.

cerrar → **cerrado** vender → **vendido** aburrir → **aburrido**

Many Spanish verbs have irregular past participles. Here are the most common ones.

| | | | | | |
|---|---|---|---|---|---|
| abrir: | **abierto** | hacer: | **hecho** | romper: | **roto** |
| cubrir: | **cubierto** | morir: | **muerto** | ver: | **visto** |
| decir: | **dicho** | poner: | **puesto** | volver: | **vuelto** |
| escribir: | **escrito** | resolver: | **resuelto** | | |

Compounds of these verbs have the same irregularity in the past participle.

describir: **descrito** descubrir: **descubierto** devolver: **devuelto**

**Práctica** Complete las siguientes oraciones con la forma correcta del participio pasado del verbo en letra cursiva (*in italics*).

1. Ayer trabajamos todo el día para *resolver* estos problemas. Esta mañana, por fin, todos los problemas están ______.
2. Los anuncios estereotípicos *enojaron* a los clientes; ahora no van a comprar nada porque están muy ______.
3. Mis amigas siempre *se pierden* (*get lost*). Llevo dos horas esperándolas. Creo que están ______ otra vez.
4. Dicen que cuando las personas *mueren,* van a un lugar hermoso. Mi tía está ______, y estoy seguro de que está en ese lugar.
5. Durante la Edad Media (*Middle Ages*), los europeos *escribían* los documentos importantes en latín. Por eso, estos documentos antiguos están ______ en latín.

# Intercambios

**A** Las siguientes oraciones representan generalizaciones (algunas falsas y otras ciertas) muy comunes. Complételas con la forma correcta de **ser** o **estar,** según el contexto. Luego, comente si Ud. está de acuerdo o no con cada generalización.

1. En los Estados Unidos, los republicanos ______ conservadores.
2. Las escuelas públicas no ______ bien financiadas; por eso, la educación que ofrecen no ______ buena.
3. Si una mujer ______ madre, debe ______ en casa con los niños.
4. Las personas viejas con frecuencia ______ más liberales que las personas jóvenes.
5. Los hombres que usan secador de pelo (*hair dryer*) y laca (*hair spray*) ______ poco masculinos.
6. Los mejores autos del mundo ______ de Detroit.
7. Los hombres no ______ muy observadores; normalmente no se dan cuenta (*realize*) si su casa ______ limpia o sucia; no notan si su ropa ______ en buenas o malas condiciones.
8. Los norteamericanos ______ más interesados en el dinero que los europeos.

**B** **Guiones** Nuestras expectativas acerca de una situación influyen nuestra percepción. A continuación hay un dibujo con dos posibles contextos; cada contexto sugiere una interpretación diferente de lo que (*what*) pasa en el dibujo. Trabajando en grupos de tres o cuatro personas, inventen por lo menos cinco oraciones con **ser** o **estar** para explicar lo que pasa en el dibujo según cada contexto distinto. Sigan el modelo que se ofrece.

MODELO: **Contexto:** turistas norteamericanos

**Vocabulario útil:** de vacaciones, diccionario bilingüe, encontrar la solución, bruto/a, restaurante

El hombre *es* Howard; la mujer *es* su esposa Louise. *Son* de Nueva York. *Están* de vacaciones en la Argentina. El restaurante *es* muy elegante. Howard *está* buscando su diccionario bilingüe porque no sabe mucho español. Louise no *está* preocupada todavía porque *está* segura que Howard va a encontrar la solución. El otro hombre *está* irritado; cree que todos los turistas *son* brutos.

1. **Contexto:** telenovela (*soap opera*)
   **Vocabulario útil:** el/la amante (*lover*), el anillo de compromiso (*engagement ring*), celoso/a (*jealous*), enamorado/a (*in love*), el ex esposo, proponer matrimonio, sorprendido/a
2. **Contexto:** novela de espionaje
   **Vocabulario útil:** el/la agente doble, el agente secreto / la agente secreta, asustado/a, el detective secreto / la detective secreta, la información robada, la pistola

**C** ¿Qué ocurre cuando Paul y Karen pasan su primer semestre en la universidad? Describa los siguientes dibujos para contar su historia. Use **ser** o **estar** según el contexto e incorpore el vocabulario indicado si le parece útil.

1. padres, conservador / hijos, obediente / familia, pequeño, feliz / todos, contento

2. hijos, mayor / dejar a los padres / ir a la universidad / separación difícil, triste

3. padres, triste / perro, triste / recordar a los hijos / extrañarlos (*to miss them*) / querer verlos

4. padres, sorprendido / perro, furioso / apariencia física de los hijos, diferente / hijos, ¿diferente interiormente (*on the inside*)?

¿Cómo se puede explicar la reacción de los padres cuando Karen y Paul vuelven a casa? ¿Se basa en algún estereotipo asociado con la apariencia física de sus hijos? Explique.

# De entrada 4

Lo siguiente es un diálogo muy común entre cierto tipo de programas de televisión. Después de leerlo, ¿puede decir qué tipo de programa suele incluir diálogos como éste?

EL: No podemos continuar en esta situación. Creo que debemos separarnos.
ELLA: ¿Estás loco? Yo te amo. ¿No piensas en mis sentimientos?
EL: Lo siento, Isabel, pero los sentimientos cambian. Ahora mi corazón pertenece a otra mujer. Ya no te quiero como antes.
ELLA: (*Llorando*) ¡Pero no puedes abandonarme ahora! Tú no sabes la noticia que tengo para ti...

Ahora, vuelva a leer el diálogo y subraye todos los verbos conjugados. ¿Cuáles de estos verbos están acompañados de un pronombre personal (**yo, tú,** etcétera)? ¿Cuáles no? ¿Sabe Ud. por qué? Las siguientes explicaciones van a ayudarlo/la a entender mejor este fenómeno.

# 4 SUBJECT PRONOUNS AND THE PRESENT INDICATIVE

## A. Subject pronouns

| SINGULAR | PLURAL |
|---|---|
| yo<br>tú<br>Ud., él, ella | nosotros, nosotras<br>vosotros, vosotras<br>Uds., ellos, ellas |

**Tú** is used with persons with whom you have an informal relationship: family members (in most Hispanic cultures), close friends, and children. **Usted** (abbreviated **Ud.** or **Vd.**) is used in more formal relationships or to express respect. The plural form of both **tú** and **usted** is **ustedes** (**Uds.** or **Vds.**), except in Spain, where **vosotros/as** is used in informal situations.

Subject pronouns (**los sujetos pronominales**) are not used as frequently in Spanish as they are in English, because Spanish verb endings indicate the person. For example, **comemos,** with its **-mos** ending, can only mean *we eat.* Spanish subject pronouns *are* used, however, for clarity, emphasis, or contrast.

**El** no come pescado, pero **ella** sí. — ***He** doesn't eat fish, but **she** does.*

In parts of Argentina, Colombia, and Central America, **tú** is replaced by the pronoun **vos.** The **vos** verb endings often differ from the **tú** endings (for example, **vos hablás** versus **tú hablas**) in the present indicative and the present subjunctive only. The **vos** verb endings may vary from region to region.

## B. Uses of the present indicative

The Spanish present indicative (**el presente de indicativo**) regularly expresses

- an action in progress or a situation that exists at the present moment.

| | |
|---|---|
| ¿Qué **haces**? | *What **are you doing**?* |

- an action that occurs regularly (although it may not be in progress at the moment), or a situation that exists through and beyond the current moment.

| | |
|---|---|
| Todos los días **voy** a la universidad. | ***I go** to the university every day.* |
| En Seattle **llueve** con frecuencia. | ***It rains** frequently in Seattle.* |

- an action or situation that will take place in the near future.

| | |
|---|---|
| Mañana **salimos** a las tres de la tarde. | *Tomorrow **we are leaving** (**going to leave**) at three in the afternoon.* |

## C. Forms of the present indicative of regular verbs

Here are the principal parts of stem-constant and stem-changing regular verbs.

| | -ar VERBS | -er VERBS | -ir VERBS |
|---|---|---|---|
| **No stem change** | **hablar**<br>hablo hablamos<br>hablas habláis<br>habla hablan | **comer**<br>como comemos<br>comes coméis<br>come comen | **vivir**<br>vivo vivimos<br>vives vivís<br>vive viven |
| **e → ie** | **cerrar**<br>cierro cerramos<br>cierras cerráis<br>cierra cierran | **querer**<br>quiero queremos<br>quieres queréis<br>quiere quieren | **sugerir**<br>sugiero sugerimos<br>sugieres sugerís<br>sugiere sugieren |
| **o → ue** | **recordar**<br>recuerdo recordamos<br>recuerdas recordáis<br>recuerda recuerdan | **volver**<br>vuelvo volvemos<br>vuelves volvéis<br>vuelve vuelven | **dormir**<br>duermo dormimos<br>duermes dormís<br>duerme duermen |
| **e → i** | | | **pedir**<br>pido pedimos<br>pides pedís<br>pide piden |

- The underlined segments in the chart are person/number endings.

| | |
|---|---|
| **tú** | **-s** |
| **nosotros/as** | **-mos** |
| **vosotros/as** | **-is** |
| **Uds./ellos/ellas** | **-n** |

With the exception of the preterite, you will see the same person/number endings in all of the Spanish verb forms that you will study.

- In the present tense, stem changes occur in all forms except **nosotros** and **vosotros.** There are three patterns: **e → ie, o → ue, e → i.** In vocabulary lists, stem changes are indicated in parentheses after the verb: **cerrar (ie), volver (ue), pedir (i, i).***
- Remember that the stem-changing verbs **decir (i), tener (ie),** and **venir (ie)** have an additional irregularity in the first-person singular (**yo**) forms: **digo, tengo, vengo.**

Práctica Laura y su hermano gemelo (*twin brother*) Luis son estudiantes superserios. ¿Cómo se compara Ud. con ellos? Conteste las siguientes preguntas.

1. Tenemos doce clases este semestre. ¿Y Ud.?
2. Nunca almorzamos. ¿Y Ud.?
3. Volvemos temprano de las vacaciones para estudiar. ¿Y Ud.?
4. Sólo dormimos de tres a cuatro horas cada noche. ¿Y Ud.?
5. Preferimos las clases a las ocho de la mañana. ¿Y Ud.?
6. Recordamos todo lo que (*that*) aprendemos. ¿Y Ud.?
7. Pasamos al ordenador (*computer*) nuestros apuntes (*notes*) de clase. ¿Y Ud.?
8. Nunca tomamos cerveza durante la semana. ¿Y Ud.?

**Jugar** is the only verb that changes **u → ue.**

| | |
|---|---|
| **ju**ego | jugamos |
| **ju**egas | jugáis |
| **ju**ega | **ju**egan |

**Nosotros/as** and **vosotros/as** forms never show a stem-vowel change in the present tense.

## D. Forms of the present indicative of irregular verbs

You have already reviewed the irregular conjugations of **ser** and **estar. Ir** and **oír** are two other common Spanish verbs whose conjugations are exceptions to the regular patterns.

| ir | | oír | |
|---|---|---|---|
| voy | vamos | oigo | oímos |
| vas | vais | oyes | oís |
| va | van | oye | oyen |

A number of other verbs have an irregular form only in the stem of the first-person singular, whereas their other forms follow the regular pattern. Here are several of the most common ones.

| | | | |
|---|---|---|---|
| caer: | **caigo,** caes, cae… | poner: | **pongo,** pones, pone… |
| conocer: | **conozco,** conoces, conoce… | saber: | **sé,** sabes, sabe… |
| dar: | **doy,** das, da… | salir: | **salgo,** sales, sale… |
| hacer: | **hago,** haces, hace… | traer: | **traigo,** traes, trae… |
| pertenecer: | **pertenezco,** perteneces, pertenece… | ver: | **veo,** ves, ve… |

**Conocer** means *to know* in the sense of *to be familiar with* (*a person, place, or thing*). **Saber** means *to know* (*facts*).

**Conozco** a Juan pero no **sé** dónde vive.
*I'm acquainted with Juan but I don't know where he lives.*

When followed by an infinitive, **saber** means *to know how to* (*do something*). As in English, it can be paraphrased using the verb ***poder*** (*to be able, can*).

**Sé** esquiar. (**Puedo** esquiar.)
*I know how to ski.* (*I can ski.*)

---

*A second vowel in parentheses after a verb in a vocabulary list refers to additional stem changes in the preterite and in the present participle: **preferir (ie, i), morir (ue, u), pedir (i, i).** These forms will be described inlater chapters.

The following verb groups are also sometimes classed as "irregular," although their changes are predictable according to normal rules of Spanish spelling (see Appendix 2).

| | |
|---|---|
| verbs that end in **-guir:** | si**g**o, si**gu**es, si**gu**e… |
| verbs that end in **-uir:** | constru**y**o, constru**y**es, constru**y**e… |
| verbs that end in **-ger:** | esco**j**o, esco**g**es, esco**g**e… |

## E. *Ir a, acabar de,* and *soler*

There are three verbs that, when followed by the infinitive of another verb, have special meanings.

- **ir** + **a** + *infinitive* expresses English *to be going to* (*do something*).

| | |
|---|---|
| **Voy a ver** una película. | ***I am going to watch*** *a movie.* |
| ¿Qué **vas a hacer** este fin de semana? | *What **are you going to do** this weekend?* |

- **acabar** + **de** + *infinitive* expresses English *to have just* (*done something*).

| | |
|---|---|
| **Acabo de ver** una película. | ***I have just watched*** *a movie.* |
| Mi mejor amiga **acaba de llegar.** | *My best friend **has just arrived.*** |

- **soler** + *infinitive* expresses English *to usually* (*do something*).

| | |
|---|---|
| ¿Dónde **sueles almorzar**? | *Where **do you usually have lunch**?* |
| **Suelo ir** al cine los miércoles. | ***I usually go*** *to the movies on Wednesdays.* |

**Práctica** Imagínese que Ud. y su familia están visitando al señor y a la señora de Tal, que son muy aficionados al turismo. Conteste las preguntas que ellos les hacen con la forma correcta de la primera persona (singular o plural), según el contexto.

1. Cuando viajamos, llevamos ropa de muchos colores. ¿Y Ud.?
2. Les damos muy buenas propinas (*tips*) a los meseros. ¿Y Ud.?
3. Solemos sacar fotos de todo. ¿Y Ud.?
4. Mi esposo consigue muchos mapas y folletos (*brochures*) de cada lugar. ¿Y Uds.?
5. Mi esposa oye todas las explicaciones de los guías. ¿Y Uds.?
6. Traemos muchos recuerdos (*souvenirs*). ¿Y Ud.?
7. Acabamos de regresar de las Islas Canarias. ¿Y Ud.?
8. Conocemos toda Europa y el Caribe. ¿Y Ud.?
9. El próximo año vamos a viajar muchísimo. ¿Y Ud.?

# Intercambios

**A** Complete las siguientes oraciones con frases usando verbos que Ud. considere apropiados según el contexto.

1. Soy un estudiante típico / una estudiante típica de esta universidad. Por las noches, yo normalmente (nunca) ______.
2. Generalmente, los fines de semana mis amigos y yo (nunca) ______.
3. El turista típico / La turista típica, cuando viaja, (nunca/siempre) ______.
4. Por lo general, los políticos (nunca) ______.
5. Ese chico / Esa chica se prepara para ser deportista profesional; por eso (nunca) ______.

**B** Haga conjeturas sobre lo que van a hacer y lo que acaban de hacer los siguientes individuos.

MODELO: Un estudiante típico está en la librería (*bookstore*) universitaria. →
Va a comprar una camiseta con el nombre de la universidad.
Acaba de vender todos los libros del semestre pasado.

1. Un estudiante típico está en el estadio.
2. Ud. y sus amigos están de vacaciones en Cancún.
3. Salimos de clase y estamos muy contentos.
4. El vecino / La vecina de Ud. regresa a casa a las tres de la mañana.
5. Un tipo muy atlético entra en un gimnasio.
6. Los padres de Ud. lo/la llaman por teléfono.
7. Una muchacha muy estudiosa sale de la biblioteca.
8. Dos novios están en el parque.

**C** Use las preguntas a continuación para entrevistar a ocho diferentes compañeros de clase. (Hágale una pregunta diferente a cada compañero/a.) En su cuaderno o en una hoja de papel aparte, escriba el nombre de cada persona que Ud. entrevista y los datos (información) que le da. Siga el modelo. Luego, compare sus respuestas con las de sus compañeros. ¿Qué tienen en común sus respuestas? ¿Qué diferencias hay?

MODELO: Nombre: Mary S.
Pregunta: 1
Ella suele escuchar música cuando va en carro, cuando viaja y mientras estudia. Prefiere la música clásica.

1. ¿Cuándo sueles escuchar música? ¿Qué clase de música prefieres?
2. ¿Qué sueles hacer cuando vas de viaje?
3. ¿Cuál es tu rutina cuando vuelves a casa después de las clases?
4. ¿Qué aficiones (*hobbies*) tienes? ¿Qué haces para divertirte (*for fun*)?
5. ¿Qué clase de películas (libros, comida,... ) prefieres?
6. ¿A qué grupos o asociaciones perteneces? ¿Qué actividades hacen Uds. allí?
7. ¿En qué circunstancias sueles practicar el español?
8. ¿Qué sueles hacer antes de esta clase? ¿Qué sueles hacer después?

**D** ¿Quiénes son los individuos que están en la foto de la página siguiente? ¿Dónde están? ¿Qué hacen?

- Use su imaginación para inventar un posible diálogo entre estas personas. ¿De qué hablan? ¿Por qué están allí? ¿En qué piensan? ¿Qué van a hacer después?
- Cuando Ud. sale con sus amigos, ¿es su manera de divertirse parecida a o diferente de la de este grupo? ¿Piensa que ésta es una buena forma de divertirse? ¿Por qué sí o por qué no?

Málaga, España

**E** Describa los siguientes dibujos con todos los detalles que pueda.

- ¿Quiénes están en cada dibujo? ¿Cómo son? ¿Qué relación existe entre los varios individuos? ¿Dónde están? ¿Qué hacen? ¿Qué acaba de pasar en cada dibujo? ¿Qué va a pasar después?
- Cada uno de los dibujos presenta una imagen estereotipada de un país o de un grupo de personas. Identifique el país o la nacionalidad de la gente en cada dibujo y explique en qué consiste el estereotipo: según algunas personas, ¿cómo suelen actuar los individuos de este grupo?

## Medellín, capital industrial de Colombia

### Antes de ver

- ¿Qué ideas o estereotipos se asocian con Colombia y, específicamente, con la ciudad de Medellín? ¿Ha oído (*Have you heard*) hablar del cartel de Medellín?
- La ciudad de Medellín quiere cambiar su imagen con la ayuda de un vídeo promocional. ¿Qué ideas espera Ud. encontrar en este vídeo? ¿Qué aspectos de la ciudad piensa Ud. que no estarán (*won't be*) en el vídeo?
- Ahora lea con cuidado las actividades en **Vamos a ver** antes de ver el vídeo por primera vez.

### Vamos a ver*

**A** ¿Qué lema (*slogan*) se usa para promocionar la ciudad de Medellín?

**B** ¿Cuáles de los siguientes aspectos de Medellín aborda (*addresses*) el vídeo? Considere las imágenes, la canción, la narración y la entrevista con el alcalde (*mayor*).

1. ❑ el arte
2. ❑ la industria
3. ❑ las universidades
4. ❑ los deportes
5. ❑ la gente
6. ❑ la arquitectura
7. ❑ la seguridad (*safety*)
8. ❑ el progreso
9. ❑ la historia
10. ❑ la comida
11. ❑ las fiestas
12. ❑ la medicina

*The video segments in **Pasaje cultural** are actual clips from Hispanic television and may be difficult to understand at first. As you watch them, don't try to understand every word but rather listen to get the general message—the gist—of each segment. The **Vamos a ver** activities are designed for general comprehension and assume that you have watched the video carefully just once. The *Cuaderno de práctica* contains other activities on the video that assume that you have watched it a second time.

### Después de ver

- Trabajando en grupos o en parejas, preparen una lista de los elementos eficaces (*effective*) y otra de los elementos ineficaces (*ineffective*) del vídeo promocional de Medellín. ¿Qué cosas cambiarían Uds. (*would you change*) para mejorar el vídeo?

- Utilizando como modelo el vídeo de Medellín, piensen en un lema y cinco imágenes que usarían (*you would use*) en un vídeo promocional para la ciudad donde Uds. viven. Compartan sus ideas con la clase.

- Busque una página Web con información «oficial» sobre una ciudad de un país hispanohablante. ¿Tiene la ciudad un lema como Medellín? ¿Qué clase de información se da? ¿Qué clase de información no se da? ¿Le parece atractiva la ciudad? ¿Por qué sí o por qué no?

# De entrada 5

Las siguientes ideas son comunes en nuestra cultura. ¿Cuáles le parecen ciertas y cuáles no? Combine las palabras de la izquierda con la creencia correspondiente de la derecha.

1. ______ la felicidad
2. ______ el dinero
3. ______ la televisión
4. ______ el tiempo
5. ______ a los amigos
6. ______ a los abogados
7. ______ a los latinoamericanos
8. ______ a las mujeres

a. Nadie las entiende.
b. Nadie lo puede detener (*stop*).
c. Los llevamos en el corazón.
d. Mucha gente los considera deshonestos.
e. Lo necesitamos para sobrevivir. Es importante tenerlo.
f. Todos la buscan, pero pocos parecen tenerla.
g. La miramos para divertirnos, pero no siempre funciona.
h. Algunos los consideran perezosos.

Para hacer las combinaciones de esta actividad, Ud. utiliza la información general expresada en las oraciones de la derecha. Pero en cada oración hay una pequeña palabra que le da una pista de la combinación correcta. ¿Cuál es? Además (*In addition*), hay cuatro frases de la izquierda que usan la preposición **a** y cuatro que no la usan. ¿Puede Ud. explicar por qué? A continuación va a repasar estos detalles.

# 5 DIRECT OBJECTS

Objects receive the action of the verb. The direct object (**el complemento directo**) is the primary object of the verbal action. It answers the question *whom?* or *what?* The direct object can be a single word or a complete phrase.

| | |
|---|---|
| David oye a **las chicas.** | *David hears* (whom?) ***the girls.*** |
| María va a pagar **la cuenta.** | *María is going to pay* (what?) ***the bill.*** |
| Javier sabe **que vienes mañana.** | *Javier knows* (what?) ***that you're coming tomorrow.*** |

## A. Direct object pronouns

Direct object pronouns (**los pronombres de complemento directo**) replace nouns or phrases that have been mentioned previously.

| | | | |
|---|---|---|---|
| me | *me* | nos | *us* |
| te | *you (informal)* | os | *you all (informal)* |
| lo (le)* | *him, it, you (formal)* | los (les)* | *them, you all (formal)* |
| la | *her, it, you (formal)* | las | *them, you all (formal)* |

| | | |
|---|---|---|
| | David oye a **las chicas** pero yo no **las** oigo. | *David hears* ***the girls,*** *but I don't hear* ***them.*** |
| | Javier sabe **que vienes mañana** pero Jorge no **lo** sabe. | *Javier knows* ***that you are coming tomorrow,*** *but Jorge doesn't know (**it**).* |
| | María va a pagar **la cuenta** porque Camila no **la** puede pagar. | *María is going to pay* ***the bill*** *because Camila can't pay* ***it.*** |
| *but* | Necesito **un lápiz.** ¿Tienes **uno**? | *I need* ***a pencil.*** *Do you have* ***one?*** |

In the last example, the direct object noun (**un lápiz**) is nonspecific (any pencil) and for this reason cannot be replaced by a direct object pronoun. Expressions that answer the question *how?* or *where?* are not direct objects and cannot be replaced by direct object pronouns.

| | |
|---|---|
| —¿Cuándo van a la fiesta? | —*When are you going* (where?) *to the party?* |
| —Vamos (allí) como a las 8:30. | —*We're going (there) around 8:30.* |
| —¿Hablan muy rápidamente? | —*Do they talk* (how?) *rapidly?* |
| —Sí, hablan rápidamente. (Sí, hablan así.) | —*Yes, they talk rapidly. (Yes, they talk that way.)* |

## B. Placement of direct object pronouns

In Spanish, object pronouns generally precede conjugated verbs. When the conjugated verb is followed by an infinitive or present participle, the object pronoun may attach to the end of either of these forms.

¿La casa? { ¿**La** puedes ver? / ¿Puedes ver**la**? } *The house? Can you see* ***it?***

*__Le(s)__ is used instead of **lo(s)** in many parts of Spain and in some parts of Spanish America as the direct object pronoun.

Direct objects that refer to specific persons (or animals) are preceded by the object marker **a** (the personal **a**).

Conozco **a su familia.** (specific persons)
*I know his family.*

Conozco su música.
*I know his music.*

No quiero ver **a mi amigo** nunca más. (specific person)
*I don't ever want to see my friend again.*

Necesito un nuevo amigo. (nonspecific person)
*I need a new friend.*

The question word **quién** and the pronouns **nadie** and **alguien** are preceded by **a** when used as direct objects. Answers to the question **¿A quién?** are preceded by **a.**

—**¿A quién** visita Roberto?
—*Who(m) is Roberto visiting?*
—**A sus hermanos.**
—*His brothers.*

—Debes buscar **a alguien** para ayudarte.
—*You should look for someone to help you.*

—No necesito **a nadie.**
—*I don't need anyone.*

**Lo** (*It*) is never used as the subject of a sentence. The English subject pronoun *it* has no equivalent in Spanish; it is simply not expressed.*

Llueve.
*It's raining.*
Está en la mesa.
*It's on the table.*

**Lo/La** correspond only to the English direct object pronoun *it.*

¿El libro? Debes leer**lo**.
*The book? You should read it.*
¿La película? Debes ver**la.**
*The movie? You should see it.*

¿El informe? { Está escribiéndo**lo** ahora. / **Lo** está escribiendo ahora. } *The report? She's writing **it** now.*

Direct object pronouns attach to affirmative commands, but precede negative commands.

| | |
|---|---|
| Este candidato parece muy trabajador. ¡Contráten**lo**! | *This candidate seems to be a hard worker. Hire **him**!* |
| El otro candidato parece perezoso. No **lo** contraten. | *The other candidate seems lazy. Don't hire **him.*** |

**Práctica** Juan el perezoso conversa sobre sus hábitos de estudio con Luis y Laura, los gemelos superestudiosos. Invente sus diálogos usando los pronombres de complemento directo.

MODELO: hacer los ejercicios del cuaderno →
JUAN: ¿Hacen siempre **los ejercicios** del cuaderno?
LAURA: ¡Claro que **los** hacemos siempre! ¿Y tú?
JUAN: No **los** hago nunca.

1. recordar la lección
2. seguir los consejos (*advice*) del profesor / de la profesora
3. soler usar el diccionario
4. escribir las composiciones
5. llevar el libro a clase
6. repasar los apuntes de clase
7. escuchar las cintas del laboratorio de lenguas
8. saber la fecha del examen

# Intercambios

**A** Describa las diferentes escenas que hay en el parque, usando las palabras y frases indicadas y los dibujos a continuación. Luego, imagínese lo que va a pasar después y conteste las preguntas. Utilice pronombres de complemento directo cuando sea posible. Nota importante: En este ejercicio y otros ejercicios similares en *Pasajes,* los diagonales dobles (//) significan: «iniciar una nueva oración».

MODELO: Una pareja de ancianos estar sentado // mirar gente y charlar (*chat*) // acabar de comprar pasteles
¿Qué van a hacer ellos con los pasteles? ¿comer en el parque? ¿dejar para los pájaros? ¿llevar a casa y comer allí? →

Una pareja de ancianos está sentada en el parque. Mira a la gente y charla. Ellos acaban de comprar pasteles. No los van a comer en el parque; no los van a dejar para los pájaros tampoco. Van a llevarlos a casa y comerlos allí.

1. José tener tortuga / sacar de paseo // los otros niños mirar y señalar // José no hacerles caso
¿Qué va a hacer José con la tortuga? ¿llevar a casa? ¿regalar? ¿dejar libre (*free*)?

---

*The subject pronouns **él** and **ella** are occasionally used to express the English subject *it,* but this usage is infrequent.

2. María pasear en bicicleta / perder cartera // su amigo ver y saludar // María no ver
   ¿Qué va a hacer su amigo? ¿recoger (*pick up*)? ¿guardar (*keep*)? ¿llamar?
3. jóvenes jugar al béisbol // Nora y Enrique tratar de coger (*try to catch*) pelota // Enrique no ver a Nora // Nora tampoco ver a Enrique // Jorge mirar alarmado
   ¿Qué va a pasar? ¿chocar (*collide*)? ¿coger?
4. ladrón correr con el maletín // policía seguir // la gente mirar
   ¿Qué va a pasar? ¿ladrón escapar? ¿policía atrapar? ¿gente ayudar?

**B** Los siguientes diálogos presentan dos actitudes muy comunes hoy en día. Cambie los sustantivos en letra cursiva por pronombres de complemento directo o por sujetos pronominales cuando sea posible, o simplemente elimine la expresión repetida. Luego, comente los diálogos usando las preguntas que siguen.

1. A: Quiero este sombrero y voy a comprar *este sombrero.*
   B: ¡Pero *ese sombrero* es muy caro! ¿Por qué no buscas *ese sombrero* en otra tienda?
   A: No, *este sombrero* es exclusivo y no tienen *este sombrero* en ningún otro lugar. Voy a comprar *este sombrero* a cualquier precio: yo merezco (*deserve*) *este sombrero*.
   - ¿Dónde están estas personas? ¿Qué quiere hacer la persona A? ¿Qué opina la persona B? ¿Cómo responde la persona A?
   - ¿Qué opina Ud.? ¿Asocia la actitud de la persona A con un hombre o con una mujer? Explique.
2. C: Todos los abogados son deshonestos. ¡Detesto *a los abogados*!
   D: Pero eso es un estereotipo. Los abogados pueden ayudarte. A veces necesitas *a los abogados.*
   C: No vas a convencerme. Simplemente no soporto (*I can't stand*) *a los abogados*.
   - ¿De qué hablan estas personas? ¿Qué opiniones tiene cada una sobre el tema?
   - ¿Está Ud. de acuerdo con la persona C o con la persona D? ¿Por qué?
   - ¿Qué percepción tiene la gente de los médicos? ¿de los mecánicos? ¿de los periodistas? ¿de los atletas profesionales? ¿Qué opina Ud.? Trabaje con un compañero / una compañera para inventar diálogos en que expresen opiniones generalizadas sobre las personas que tienen estas profesiones.

## Juego

**Primer paso: ¡A jugar!**

- Divídanse en cuatro grupos. El profesor / La profesora le asignará (*will assign*) a cada grupo una región específica de la tabla a continuación.
- Cada grupo tendrá (*will have*) cinco minutos para hablar de las posibles respuestas a las preguntas sobre la región asignada. Los miembros del grupo también pueden inventar las respuestas si no están seguros. Noten que cada pregunta tiene un puntaje (*score*) según el grado de dificultad.
- Después, cada grupo debe presentar sus respuestas a la clase, y recibirá (*will receive*) los puntos correspondientes por cada respuesta correcta. Otro grupo les puede decir «No es verdad». Si ese grupo sabe la respuesta correcta, recibirá los puntos que le corresponden. Al final del juego, gana el grupo que tenga más puntos.

**Segundo paso: Comentar e interpretar**

- De las varias regiones del mundo hispano, ¿cuál es la mejor conocida entre los miembros de la clase? ¿Cómo se puede explicar esto?
- ¿Hay un aspecto de los países del mundo hispano que Uds. suelen conocer mejor (por ejemplo, la geografía, la historia, la cultura popular, la «alta» cultura)? ¿De dónde viene esta información? ¿Determina la imagen que Uds. tienen del mundo hispano? ¿De qué manera? En su opinión, ¿cuál es la mejor manera de obtener información válida sobre otras gentes y culturas? Expliquen.
- Muchas personas creen que el norteamericano medio (*average*) no sabe mucho —ni tampoco tiene interés en saber mucho— sobre la vida y la cultura de los países de habla española. ¿Es válido este estereotipo? ¿Qué razones darían Uds. (*would you give*) para convencer al norteamericano medio de que debe aprender más sobre los hispanos?
- Se dice que los europeos y los latinoamericanos están más capacitados para aprender lenguas extranjeras que los norteamericanos. ¿Cuál es el origen de este estereotipo? ¿Es válido o no? Expliquen.

| ESPAÑA | |
|---|---|
| 100 | ¿Cuál es la capital de España? |
| 200 | ¿Cuál es uno de los bailes típicos de España? ¿Y uno de los platos típicos? |
| 300 | ¿Cuáles son dos de las regiones o ciudades de España (además de la capital)? |
| 400 | ¿A qué hora normalmente almuerzan los españoles? |

| | NORTEAMERICA |
|---|---|
| 100 | ¿Cuál es la capital de México? |
| 200 | ¿Cuáles son dos de las regiones o ciudades de los Estados Unidos que tienen una gran población mexicana? |
| 300 | ¿Cuáles son dos de los platos típicos mexicanos? (¡Atención! Tacos y burritos *no* valen.) |
| 400 | ¿Cómo se llama el tratado comercial entre los Estados Unidos y México? |
| | **CENTROAMERICA Y EL CARIBE** |
| 100 | ¿Cómo se llama el canal que une el océano Atlántico con el Pacífico? |
| 200 | ¿Cuáles son dos de los países centroamericanos? |
| 300 | ¿Cómo se llama un baile típico de esta región? |
| 400 | ¿Cuáles son tres de los países europeos que colonizaron (*colonized*) partes del Caribe? |
| | **SUDAMERICA** |
| 100 | ¿Qué país sudamericano es famoso por su café? |
| 200 | ¿Cómo se llama la cordillera de montañas (*mountain range*) que atraviesa Sudamérica? |
| 300 | ¿En qué país sudamericano se habla español como idioma oficial? |
| 400 | ¿Qué gran civilización indígena antigua floreció (*flourished*) en Sudamérica? |

## ¡OJO!

| | EXAMPLES | NOTES |
|---|---|---|
| **trabajar**<br>**funcionar** | Todos **trabajamos** mucho para vivir.<br>*We all work hard for a living.*<br><br>Mi reloj ya no **funciona**.<br>*My watch doesn't work* (*run*) *anymore.*<br><br>¿Sabes cómo **funciona** este aparato?<br>*Do you know how this gadget works?* | In Spanish, *to work* meaning *to do physical or mental labor* is expressed by the verb **trabajar.**<br><br>*To work* meaning *to run* or *to function* is expressed by the verb **funcionar.** |

| | EXAMPLES | NOTES |
|---|---|---|
| **bajo**<br>**corto**<br>**breve** | Mis padres son **bajos** y por eso yo sólo mido cinco pies.<br>*My parents are short, and so I'm only five feet tall.* | Shortness of height is expressed in Spanish with **bajo.** |
| | Tus pantalones son demasiado **cortos.**<br>*Your pants are too short.* | Shortness of length is expressed by **corto.** |
| | La conferencia fue muy **breve** (**corta**).<br>*The lecture was very brief* (*concise, short*). | *Short* in the sense of *concise* or *brief* is expressed with either **corto** or **breve.**<br>(Note that all these adjectives are generally used with **ser.**) |
| **mirar**<br>**buscar**<br>**parecer** | Quiero **mirar** la televisión.<br>*I want to watch TV.* | *To look* is expressed in Spanish by **mirar** when it means *to look at* or *to watch.* |
| | ¡**Mira**! Allí hay un Rolls Royce.<br>*Look! There's a Rolls Royce.* | The command form of **mirar** is often used to call someone's attention to something. |
| | ¿Qué **buscas**?<br>*What are you looking for?* | *To look for* is expressed by **buscar.** |
| | Esa chica **parece** muy simpática, ¿no?<br>*That girl seems very nice, don't you think?* | When *to look* expresses a hypothesis (*to look like, to seem,* or *to appear*), **parecer** is used. |
| | **Parece** que va a llover.<br>*It looks like it's going to rain.* | |

 **Volviendo al dibujo** Elija la palabra que mejor complete cada oración.

*Carmen es una estudiante muy atlética que (funciona/trabaja)*[1] *muy duro para mantenerse en forma* (in shape). *Ahora está en su cuarto haciendo gimnasia y escuchando música. Alguien toca a la puerta. Carmen la abre y ve a una joven (baja/corta)*[2] *con maletas y libros, que la (mira/parece)*[3] *con una expresión de pregunta. «(Mira/Parece)*[4] *una estudiosa», piensa Carmen.*

ROSA: Hola. Me llamo Rosa. Estoy (buscando/mirando)[5] la habitación 204.

CARMEN: Aquí es. Yo soy Carmen. Vamos a ser compañeras de cuarto. ¡Entra!

*Después de una (baja/breve)*[6] *pausa, durante la cual ella (busca/mira)*[7] *la habitación con curiosidad, Rosa habla.*

ROSA: ¡Tu estéreo (funciona/trabaja)[8] muy bien!

CARMEN: ¡Ah, sí! ¿Te molesta la música?

ROSA: ¡Qué va! Me gusta mucho. En el restaurante donde (funciono/trabajo)[9] tocan ese tipo de música... También veo que tienes equipo para hacer ejercicio. ¿Puedo usarlo?

CARMEN: ¡Claro! ¿Haces ejercicio con frecuencia?
ROSA: ¡Sí, sí! Es muy importante para mí. Todas las mañanas salgo a correr.
CARMEN: ¡Qué bien! Pues podemos salir juntas.

*La conversación continúa, y en (bajo/corto)*[10] *tiempo Carmen y Rosa se llevan muy bien. (Mira/Parece)*[11] *que van a tener buenas relaciones después de todo. Muchas veces las personas no son lo que (miran/parecen).*[12]

**B** Exprese en español las palabras y expresiones en letra cursiva.

1. *We aren't working* today because *it looks* as if it's going to rain.
2. My watch *looks* expensive, but *it doesn't work* very well.
3. *Look!* There's an insect in my soup!
4. *I'm looking for* a *short* man. His name is Pedro Ramírez.
5. Yes, I know him. He *works* at the university.
6. It's a very *short* movie, but it's boring.

# Repaso*

**A** Complete el párrafo con la forma correcta de los verbos. Cuando se dan varias palabras entre paréntesis, escoja la palabra apropiada.

**Los estereotipos, ¿inevitables?**

Los estereotipos (ser/estar/haber)[1] malos —todos (ser/estar/haber)[2] de acuerdo en eso. (Ser/Estar/Haber)[3] necesario pensar en (las/los)[4] personas como individuos y no como representantes de distintos grupos. Cuando alguien (considerar)[5] a un individuo como miembro de un determinado grupo, siempre (expresar)[6] generalizaciones que en su mayor parte (*largely*) (ser/estar/haber)[7] falsas. Estas generalizaciones, a su vez (*in turn*), (producir)[8] estereotipos que luego (causar)[9] (muchas/muchos)[10] problemas. Pero cuando nosotros (intentar)[11] eliminar las generalizaciones, pronto (estar)[12] ante (*faced with*) (un/una)[13] dilema: En realidad, ¿(ser/estar/haber)[14] posible pensar en cada uno de los seis mil millones de habitantes del mundo como individuos? Hasta cierto punto, las generalizaciones (ser/estar/haber)[15] inevitables.

También, todos (comprender)[16] que el ser humano no (vivir)[17] aislado sino que (*but rather*) (formar)[18] parte de un grupo cultural. Y (ser/estar/haber)[19] (gran/grandes)[20] diferencias entre los grupos. Decir que no (ser/estar/haber)[21] grupos diferentes o que todos los grupos (ser/estar/haber)[22] iguales es, en el fondo (*if the truth be told*), la peor (*the worst*) de las generalizaciones.

**B** Describa cómo *son* las personas que están delante del espejo. Luego describa cómo *están* reflejadas las personas en el espejo. ¿Están ambos contentos con su nueva apariencia?

Imagínese que Ud. está delante de un espejo que cambia su apariencia o personalidad de una manera favorable. ¿Cómo está Ud. reflejado/a en el espejo? ¿Y cómo es Ud. en realidad?

*The answers to Activity A in all **Repaso** sections are found in Appendix 8.

# CAPITULO

# 2

# La comunidad humana

Jóvenes de La Habana, Cuba

# REFLEXIONES

Todos pertenecemos a varias comunidades humanas, pero las categorías y factores que se usan para determinar esas comunidades son muy diversas y variadas.

## A nivel personal

- Para Ud., ¿qué significa la palabra «comunidad»? ¿Es lo mismo que «grupo» o significa otra cosa? ¿En qué se parecen o en qué se diferencian estos conceptos?
- A continuación hay una lista de algunos factores que se pueden usar para agrupar a las personas en distintas formas. ¿Cuáles de estos factores se pueden aplicar a las personas de la foto a la izquierda? ¿Pertenece Ud. a un grupo determinado por alguno(s) de estos factores? ¿Qué otros factores puede añadir a la lista?

  - ☐ la familia
  - ☐ el sexo
  - ☐ la profesión u ocupación
  - ☐ un interés especial (en los deportes, por ejemplo)
  - ☐ la religión
  - ☐ la raza
  - ☐ la nacionalidad
  - ☐ la generación
  - ☐ la región geográfica de origen
  - ☐ una habilidad (para el baile, por ejemplo)
  - ☐ una experiencia compartida
  - ☐ la orientación política

## A nivel regional

- Según Ud., ¿cuáles de los factores anteriores son más relevantes en la comunidad donde Ud. vive? ¿Cuántos de esos factores puede Ud. ilustrar con ejemplos específicos, como: «el sexo → hombre/mujer»?

## A nivel global

- ¿Son estos factores muy diferentes en otras partes del mundo o son similares? ¿Esperaría (*Would you expect*) encontrar en países hispanos tanta diversidad como en los Estados Unidos?
- Busque información demográfica sobre un país hispano y compárela con la de los Estados Unidos. Comparta su información con sus compañeros de clase.

# DESCRIBIR Y COMENTAR

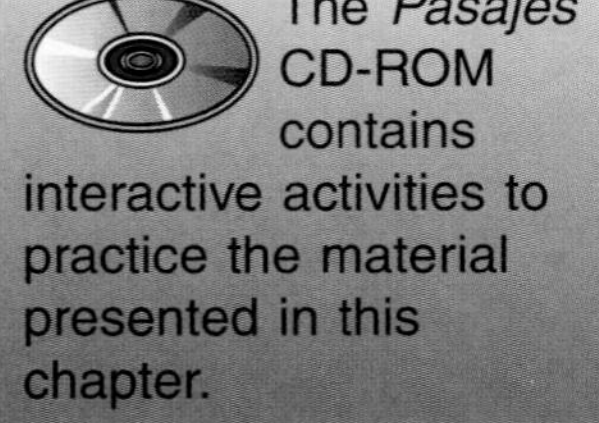

The *Pasajes* CD-ROM contains interactive activities to practice the material presented in this chapter.

- Describa a las personas del dibujo. ¿Cómo son? ¿Qué hacen? ¿Qué grupos puede Ud. identificar? ¿Qué semejanzas y diferencias nota Ud. entre los diversos grupos?
- ¿Observa Ud. en el dibujo ejemplos de conflicto entre los individuos? ¿Dónde? ¿Qué hacen? ¿Hay ejemplos de cooperación o colaboración entre las personas? ¿Dónde? ¿Qué pasa en estos intercambios?
- En el dibujo hay una mezcla de lo tradicional y lo moderno. ¿Qué cosas representan lo tradicional? ¿lo moderno? ¿Se puede ver algún aprecio por la cultura indígena? ¿Dónde, y en qué sentido? En este país, ¿existe la misma actitud hacia la cultura indígena? Explique.

# VOCABULARIO para conversar

**apreciar** to hold in esteem, think well of
**compartir** to share
**despreciar** to look down on
**discriminar (contra)** to discriminate (against)
**(no) llevarse bien (con)** (not) to get along well (with)
**respetar** to respect

**el antepasado** ancestor
**el aprecio** esteem
**el contraste** contrast
**el/la descendiente** descendant

**el desprecio** scorn, contempt
**el/la indígena** native (indigenous) inhabitant
**el indio / la india** Native American
**la mezcla** mixture
**la población** population
**la raza** race (*ethnic*)
**la tradición** tradition

**con respecto a** with respect to
**lo moderno*** modern things
**lo tradicional*** traditional things

**A** ¿Qué palabra o frase del cuadro asocia Ud. con cada palabra o frase de la lista? Explique en qué basa su asociación. ¿Son sinónimos? ¿antónimos? ¿Es una palabra o frase un ejemplo de la otra?

1. el antepasado
2. el/la descendiente
3. el/la indígena
4. apreciar
5. compartir
6. lo tradicional
7. la raza
8. la mezcla
9. el conflicto
10. la población

## LENGUAJE Y CULTURA

Hay muchas palabras y expresiones en inglés que tienen su origen en las culturas indígenas norteamericanas. Imagínese que un amigo hispano no conoce las siguientes palabras. ¿Cómo le explicaría Ud. (*would you explain*) su significado en español?

- kayak
- tepee
- papoose

Ciertas expresiones indígenas han adquirido (*have acquired*) un sentido especial para nosotros. ¿Cómo explicaría Ud. el significado de las siguientes expresiones?

- to bury the hatchet
- to have a pow-wow
- to pass the peace pipe

*Any adjective combined with **lo** expresses an abstract idea or quality. The English equivalent generally uses the adjective + *thing(s)* (in the sense of *aspect* or *part*).

| | |
|---|---|
| Prefiero lo tradicional a lo moderno. | *I prefer traditional things over modern ones.* |
| ¡Eso es lo más interesante! | *That's the most interesting part!* |

## Lenguaje y cultura

Creyendo que su viaje a través del océano Atlántico lo había llevado (*had taken him*) a la India, Cristóbal Colón llamó «indios» a los habitantes de las tierras recién descubiertas. En los Estados Unidos, hoy en día el término «indio» ha sido (*has been*) sustituido por el término «indígena norteamericano» (*Native American*). Asimismo (*Similarly*), en Latinoamérica se usa la palabra «indígena» en vez de «indio» en la mayoría de los contextos.

**B** En el pueblo donde vive Ud., ¿existen lugares como la plaza del dibujo de la página 44? En este país, ¿dónde se puede ver una situación como ésa? ¿Qué hace la gente en ese lugar? ¿Qué grupos (étnicos, generacionales, etcétera) suelen estar presentes? ¿Qué tiene Ud. en común con los miembros de esos grupos? ¿la cultura? ¿la religión? ¿la edad? ¿otra cosa?

**C** ¿Conoce Ud. a sus abuelos? ¿a sus bisabuelos (*great-grandparents*)? ¿Qué sabe Ud. de ellos? ¿De dónde son? ¿Es Ud. descendiente de indígenas norteamericanos? ¿de otro grupo étnico?

**D** ¿Se lleva Ud. bien con sus parientes? ¿Los visita con frecuencia? ¿Lo/La visitan ellos a Ud.? En general, entre los miembros de su familia, ¿de qué asuntos (*issues*) hablan y de qué asuntos *no* hablan? ¿políticos? ¿religiosos? ¿económicos? ¿sociales? ¿otros? Explique su respuesta.

# LENGUA

## De entrada 6

Observe el dibujo de la fiesta de aniversario de don Manuel y doña Isabel, e indique si las afirmaciones sobre lo que se hace en la fiesta son ciertas (**C**) o falsas (**F**).

| | C | F |
|---|---|---|
| **1.** Se baila sobre las mesas. | ☐ | ☐ |
| **2.** No se come nada. | ☐ | ☐ |
| **3.** Se canta en grupos. | ☐ | ☐ |
| **4.** Se discute sobre los negocios. | ☐ | ☐ |
| **5.** Se nada en la piscina. | ☐ | ☐ |
| **6.** Se fuman cigarros. | ☐ | ☐ |
| **7.** No se presentan regalos a don Manuel y a doña Isabel. | ☐ | ☐ |
| **8.** Se sacan fotos de los abuelos. | ☐ | ☐ |

Estas oraciones indican las acciones pero no especifican quién o quiénes las hacen, ¿verdad? A continuación Ud. va a repasar cómo construir oraciones semejantes a éstas.

# 6 IMPERSONAL *SE* AND PASSIVE *SE*

The pronoun **se** has many uses in Spanish. Here are two of the most frequent.*

| **IMPERSONAL *se*** | **PASSIVE *se*†** |
|---|---|
| **se** + third-person singular verb | **se** + third-person {singular / plural} verb + noun<br>noun + **se** + third-person {singular / plural} verb |
| 1. **Se dice** que la comunicación es clave.<br>***They say*** *that communication is key.*<br>2. En esta ciudad **se vive** muy bien.<br>***One lives*** *very well in this city.*<br>3. En algunos países no **se respeta** a los indígenas.<br>*In some countries,* ***people*** *don't* ***respect*** *the indigenous people.* | 4. Aquí **se venden** zapatos.<br>*Shoes* ***are sold*** *here.*<br>5. En Cataluña **se hablan** catalán y español.<br>*Catalan and Spanish* ***are spoken*** *in Catalonia.*<br>6. En general, **se utiliza** el catalán en las conversaciones familiares.<br>*In general, Catalan* ***is used*** *in family conversations.* |

In semantic terms, the impersonal **se** (**se impersonal**) and the passive **se** (**se pasivo**) are related in that in both constructions, the agent of an action is either unknown or unimportant. That is, the speaker merely wishes to communicate that an action took, is taking, or will take place. The grammatical differences between the two constructions are as follows.

In the impersonal **se** (**se impersonal**) construction, the **se** is acting as the indefinite (unknown or unimportant) subject. Some common English equivalents

*You will learn more uses of **se** in grammar sections 8, 32, and 36.

†You will learn more about the passive **se** construction (and another way to form the passive voice, using **ser**) in grammar section 34.

Many common expressions in Spanish incorporate the impersonal or passive **se.** Here are a few common ones that you can use to ask for information.

¿Cómo **se dice** ______ en español?
*How do you say ______ in Spanish?*

¿Cómo **se deletrea** ______?
*How do you spell ______?*

¿Cómo **se hace** ______?
*How do you make/do ______?*

of this **se** are: *one, you* (general), *people* (general), or *they* (general). In Spanish this **se** is always considered to be third-person singular, and therefore, the verb will always be in the third-person singular as well. Compare examples 1–3 in the preceding chart.

In the passive **se** (**se pasivo**) construction, the **se** is considered as an unchanging part of the verb, and the thing being acted upon becomes the subject (i.e., a passive construction). Since the subject (the thing being acted upon) can be either third-person singular or plural, the verb must also be in the third-person singular or plural in order to agree with its subject. Compare examples 4–6 in the preceding chart, paying special attention to the verb agreements.

Práctica 1 Las siguientes oraciones tienen un sujeto expresado. Cámbielas por oraciones impersonales, utilizando el **se impersonal** y haciendo otras modificaciones necesarias como en el modelo.

MODELO: Los indígenas luchan por mantener (*strive to maintain*) sus tradiciones. →
Se lucha por mantener las tradiciones indígenas.

1. Algunos jefes desprecian el buen servicio de sus empleados.
2. Aun en el siglo XXI, hay personas que discriminan contra otras razas.
3. Por lo general, los estudiantes respetan a los profesores de esta universidad.
4. Mucha gente aprecia lo que hicieron nuestros antepasados para mejorar la vida.
5. Algunos creen que todos deben compartir con los demás (*others*) lo que tienen.

Práctica 2 Cada una de las siguientes preguntas tiene un sujeto expresado. Primero, reformúlelas sustituyendo el sujeto por el **se pasivo** o **impersonal.** ¡Cuidado! A veces usará (*you will use*) un verbo en singular y otras veces uno en plural. Luego, indique con **P** (pasivo) o con **I** (impersonal) el tipo de construcción que Ud. ha utilizado (*you have used*) en cada caso.

MODELO: P (I) ¿Creen muchas personas que la vida estudiantil es fácil? →
¿Se cree que la vida estudiantil es fácil?

1. P I ¿Creen muchas personas que todos los estudiantes universitarios consumen drogas?
2. P I En este país, ¿consideran muchas personas la diversidad como algo positivo?
3. P I En esta universidad, ¿habla la gente mucho de asuntos políticos o sociales?
4. P I ¿Dan aquí fiestas en las residencias cada semana los estudiantes de primer año?
5. P I En esta universidad, ¿escriben los estudiantes composiciones en todas las clases o solamente en las clases de inglés?
6. P I Normalmente en esta universidad la gente no trabaja mucho, ¿verdad?
7. P I En esta universidad, ¿vende mucha gente sus libros al final del curso?
8. P I En esta universidad, ¿respetan muchos estudiantes a los profesores?

# Intercambios 

**A** Utilice el **se** pasivo o impersonal para contestar las preguntas de la actividad anterior (*previous*). Luego, diga si Ud. está de acuerdo o no con esas opiniones, y explique por qué.

MODELO: ¿Se cree que la vida estudiantil es fácil? →
Sí, se cree que la vida estudiantil es fácil, pero no es cierto.
Se presentan muchas dificultades y problemas.
Por ejemplo…

**B** ¡Necesito compañero! Trabajando en parejas, completen las siguientes oraciones con el **se** pasivo o impersonal. Luego, compartan sus opiniones con el resto de la clase.

MODELO: En Italia ______. →
En Italia se hacen muchos *westerns* y se come mucho espagueti.

1. En la clase de español ______.
2. En esta universidad ______.
3. En las calles de una ciudad grande ______.
4. En las escuelas secundarias ______.
5. En los países hispanos ______.
6. En los pasillos (*halls*) de mi residencia ______.
7. ¿ ?

**C** ¿Qué opina Ud.? Usando una expresión de la columna A y otra de la columna B, forme oraciones para completar las siguientes frases. Luego, explique sus respuestas.

En los Estados Unidos, con respecto {
1. a las relaciones interpersonales…
2. al mundo de los negocios…
3. al mundo académico…

| A | B | |
|---|---|---|
| se aprecia(n) | la paciencia | la cooperación |
| se desprecia(n) | los prejuicios | la disciplina |
| se tolera(n) | el espíritu competitivo | las reacciones emocionales |
| se fomenta(n) | la agresividad | la creatividad |
| (*is/are encouraged*) | las diferencias individuales | el sentido del humor |
| | la objetividad | la independencia |
| | las responsabilidades personales | el respeto |
| | la tolerancia | el egoísmo |

**D** Entre todos

- ¿En qué países del mundo se vive bien? ¿Qué se necesita para vivir bien? ¿Se puede vivir en los Estados Unidos sin coche? ¿sin saber inglés? ¿sin saber leer?

- ¿En qué residencia de esta universidad se dan muchas fiestas? ¿Qué se hace en esas fiestas?
- ¿Qué clase de comida se come en este país? ¿en el sur de los Estados Unidos? ¿en el oeste? ¿en los barrios asiáticos? ¿en los barrios latinos? ¿en su casa?

## De entrada

¿Cómo se puede reaccionar en las siguientes situaciones? Escoja la respuesta que mejor complete cada oración a continuación.

1. Unos miembros del Club Español venden entradas para su concierto anual. Por eso, yo ______.

a. les vendo dos entradas  b. les compro dos entradas

2. Un estudiante de mi clase no tiene nada con qué escribir. Por eso, yo ______.

a. le quito el libro  b. le presto un bolígrafo

3. Carmen y Laura van a una reunión, entran y ven a su mejor amiga. Están muy contentas y por eso ______.

a. le escriben una tarjeta postal

b. le dan un beso y un abrazo

Al pie de cada uno de los dibujos de la actividad anterior se encuentran los pronombres «le» o «les». ¿Puede Ud. identificar en cada dibujo la parte a que se refieren estos pronombres? En la siguiente sección va a repasar los usos de los pronombres de complemento indirecto (*indirect object pronouns*) «le» y «les».

# 7 INDIRECT OBJECTS

Remember that objects receive the action of the verb. The direct object is the primary object of the verbal action, answering the question *what?* or *whom?*

| | |
|---|---|
| Los niños llevan **regalos** a la fiesta. | *The children take* (what?) ***gifts*** *to the party.* |
| ¿Conocen Uds. a **la señora**? | *Do you know* (whom?) ***the lady****?* |

The indirect object (**el complemento indirecto**) is the person or thing involved in or affected by the action in a secondary capacity. The indirect object frequently answers the question *to whom?, for whom?,* or *from whom?*

| | |
|---|---|
| Los niños le llevan regalos a **su amigo.** | *The children take gifts* (to whom?) *to* ***their friend.*** |
| Ellos le piden dinero al **gobierno.** | *They request money* (from whom?) *from* ***the government.*** |
| Paula les abre la puerta a **los niños.** | *Paula is opening the door* (for whom?) *for* ***the children.*** |

Note that in Spanish the indirect object noun is preceded by the preposition **a,** regardless of the corresponding English preposition.

## Indirect object pronouns

The Spanish indirect object pronouns are identical to the direct object pronouns, except in the third-person singular and plural.

A PROPÓSITO

Since third-person object pronouns may have more than one meaning, the ambiguity is often clarified by using a prepositional phrase with **a.**

**Le** doy el libro { **a él. / a ella.**

*I'm giving the book* { *to him. / to her.*

**Les** escribo { **a ellos. / a Uds.**

*I'm writing* { *to them. / to you all.*

The prepositional phrase with **a** is also used for emphasis.

Me da el libro **a mí,** no **a ella.**

*He's giving the book to me, not to her.*

| | | | |
|---|---|---|---|
| me | *me, to me* | nos | *us, to us* |
| te | *you, to you* | os | *you all, to you all* |
| **le** | *him, to him* / *her, to her* / *you, to you* | **les** | *them, to them* / *you all, to you all* |

| | |
|---|---|
| Mis padres **me** prestan dinero. | *My parents lend* ***me*** *money.* |
| Los señores García **le** escriben a **su hijo** con frecuencia. | *Mr. and Mrs. García write to* ***their son*** *frequently.* |
| «Dear Abby» **les** da consejos a **muchas personas.** | *"Dear Abby" gives advice to* ***many people.*** |

In sentences with **le** or **les,** as in the latter two examples, both the indirect object pronoun and its corresponding noun appear in the sentence together when the indirect object is mentioned for the first time. Once the meaning of the indirect object pronoun is clear, however, the indirect object noun can be dropped.

| | |
|---|---|
| —¿Qué **le** escribes **a tu madre**? | *—What are you writing* ***to your mother****?* |
| —**Le** escribo una carta. | *—I'm writing* ***her*** *a letter.* |

Like direct object pronouns, indirect object pronouns

- precede conjugated verbs and negative commands.

| | |
|---|---|
| Siempre **me** escriben a principios del mes. | *They always write (to)* ***me*** *at the beginning of the month.* |
| No **me** escriba a esta dirección. | *Don't write (to)* ***me*** *at this address.* |

- attach to affirmative commands.

| | |
|---|---|
| Escríba**me** a mi nueva dirección. | *Write (to)* ***me*** *at my new address.* |

- can precede or attach to infinitives and present participles.*

| | |
|---|---|
| No **le** voy a prestar el dinero.<br>No voy a prestar**le** el dinero. | *I'm not going to lend* ***him*** *the money.* |
| **Les** estoy escribiendo ahora mismo.<br>Estoy escribiéndo**les** ahora mismo. | *I'm writing (to)* ***them*** *right now.* |

**Práctica 1** Forme oraciones nuevas utilizando los diferentes sujetos entre paréntesis.

MODELO: *Yo* te comprendo bien. ¿Por qué no *me* cuentas tu problema? (Juan) →
*Juan* te comprende bien. ¿Por qué no *le* cuentas tu problema?

1. Allí viene *Pablo*. ¿Por qué no *le* pides ayuda? (María y Juan)
2. Aquí estoy *yo,* pues. ¿Por qué no *me* dicen nada Uds.? (Fernando)
3. *Juan* tiene las entradas. ¿Por qué no *le* compran algunas Uds.? (yo)
4. *Ellos* salen pronto para España. ¿Vas a escribir*les*? (nosotros)

---

*All object pronouns *must* be attached to infinitives and present participles when these are not accompanied by a conjugated verb; for example, with an infinitive that follows a preposition: **Voy a su casa para *darle* el dinero.**

**Práctica 2** Conteste las siguientes preguntas con las palabras entre paréntesis.

MODELO: ¿Qué les das a los niños? (dulces) →
Les doy dulces.

1. ¿Qué te dan tus padres (hijos, amigos)? (dinero)
2. ¿Qué le explicas a tu amiga? (mis problemas)
3. ¿Qué nos dice el profesor / la profesora? («Buenos días.»)
4. ¿Qué me traen mis hermanos? (libros)

# Intercambios 

**A** En este dibujo se hace una crítica a la sociedad. Se presenta a un grupo de consumidores de un producto especial. Examine el dibujo para poder contestar las preguntas que siguen.

1. ¿Quiénes son los clientes de esta fábrica? ¿Qué «producto» les ofrece la fábrica?
2. ¿Por qué están el hombre y la mujer al fondo (*background*) con el técnico de computadoras? ¿Qué le explican? ¿Qué les muestra el técnico en la pantalla (*screen*) de la computadora?
3. ¿Qué crea el científico en su laboratorio que las personas esperan con tanto interés?
4. Cuando los bebés llegan a la sala de espera de los clientes, ¿qué les hace inmediatamente cada una de las empleadas? (curar el ombligo, poner talco, poner el pañal [*diaper*])
5. Al final, ¿qué le dan los nuevos padres a la empleada? ¿y qué les da ella a ellos a cambio (*in return*)?

### Entre todos

- ¿Qué opina Ud. del mensaje de este dibujo? ¿Es cómico? ¿triste? ¿prometedor (*hopeful*)? ¿aterrador (*frightening*)? ¿Por qué?
- ¿Qué problemas le puede traer a una sociedad una «fábrica de niños»? ¿Qué beneficios le puede traer? ¿Cómo sería (*would be*) la comunidad resultante? ¿Sería más diversa o más uniforme? Explique.

**B** Trabajando en grupos de tres o cuatro personas, contesten las preguntas generales a continuación para describir los dibujos. Incorporen complementos pronominales cuando sea posible. ¡Usen la imaginación y recuerden las estrategias para la comunicación!

- ¿Quiénes son estas personas?
- ¿Cuál es la relación entre ellas?
- ¿Cómo son físicamente?
- ¿Dónde están?
- ¿Qué hacen?
- ¿Por qué lo hacen?

1. escuchar, explicar, hacer una pregunta, pasar un recado (*note*)

2. acabar de, dar las gracias, escribir, mandar

3. gritar, hacer la tarea, jugar

4. dar, leer, pedir

**C** Una comunidad depende de la ayuda mutua, la cual refleja las necesidades y las capacidades de sus miembros. Por ejemplo: Yo te presto mis discos de jazz y tú me llevas al partido en tu coche. ¿En qué consiste la ayuda mutua en los siguientes casos? ¡Cuidado! En la mayoría de los casos hay que usar un pronombre de complemento directo o de complemento indirecto. Recuerde usar las estrategias para la comunicación si necesita expresar una palabra que no recuerda o que no sabe.

MODELO: el pueblo y el gobierno →
El pueblo le da dinero al gobierno. El gobierno le da servicios al pueblo.

1. el perro (o el gato) y el ser humano
2. los jóvenes y los mayores
3. la nación en general y un grupo con el cual Ud. se identifica o al cual pertenece
4. los estudiantes y los profesores
5. Ud. y su hermano/a o compañero/a de cuarto
6. los atletas y la universidad

Comparta algunas de sus ideas con su compañero/a de clase.

**D ¡Necesito compañero!** 

Miren el anuncio de la derecha y examinen el texto con cuidado. Después, comenten las siguientes preguntas. Luego compartan sus respuestas con los otros grupos de la clase. ¿Hay mucha diferencia de opiniones?

1. Según Uds., ¿cuál es la profesión de esta persona? ¿Qué les da esa impresión?
2. ¿Qué le aceleró el corazón a este hombre? ¿Por qué le aceleró el corazón? ¿Por qué él le habló por teléfono y no en persona? ¿Cuándo va a volver a verla? ¿Qué piensan Uds. que le va a decir?
3. Usen la imaginación y describan a la hija de este hombre. ¿Cómo es ella? ¿Creen Uds. que él le va a llevar un regalito? ¿Qué le va a llevar?
4. ¿A quién va dirigido (*is directed*) este anuncio? ¿Cómo lo saben Uds.? ¿Qué les ofrece esta compañía a los consumidores? ¿Qué piensan Uds. del anuncio? ¿Les atrae el mensaje? Expliquen.

# De entrada 8

Mire con atención el siguiente dibujo y escoja la respuesta correcta para cada pregunta.

**Vocabulario útil:** el desamparado (*homeless person*), el juguete (*toy*), el mesero (*waiter*), el truco (*trick*)

1. ¿El niño le da el juguete a su hermanita?
   a. Sí, se lo da.
   b. No, no se lo da; se lo quita.
2. ¿La mujer le enseña los trucos a su perro?
   a. Sí, se los enseña.
   b. No, no se los enseña; se los escribe.
3. ¿El hombre le pide dinero al desamparado?
   a. Sí, se lo pide.
   b. No, no se lo pide; se lo da.
4. ¿El mesero le echa encima el almuerzo a la cliente?
   a. Sí, se lo echa.
   b. No, no se lo echa; se lo sirve.

Todas las respuestas contienen dos pronombres: el primero hace referencia a una persona y el segundo hace referencia a una cosa. ¿Recuerda Ud. la diferencia entre estos tipos de pronombres? En la siguiente sección repasará (*you will review*) los usos de ambos.

## 8 SEQUENCE OF OBJECT PRONOUNS

When both a direct and an indirect object pronoun appear in a sentence, the indirect object pronoun (which usually refers to a person) precedes the direct object pronoun (which usually refers to a thing).

| | |
|---|---|
| —No entiendo el problema. ¿**Me lo** puedes explicar? | *—I don't understand the problem. Can you explain **it to me**?* |
| —Sí, **te lo** explico ahora mismo. | *—Yes, I'll explain **it to you** right now.* |

When the direct and indirect object pronouns are both in the third person, the indirect object pronoun (**le/les**) is replaced by **se.**

| | | | | | |
|---|---|---|---|---|---|
| | | lo | | | lo |
| **le/les** | + | la | → **se** | + | la |
| | | los | | | los |
| | | las | | | las |

| | |
|---|---|
| —María todavía no tiene los papeles.<br>—Bien. **Se los** envío. | *—María still doesn't have the papers.*<br>*—Fine. I'll send **them to her.*** |
| —Los Rodríguez se mudan a una casa más grande.<br>—Ya lo sé. Mi compañía **se la** está construyendo. | *—The Rodríguezes are moving to a bigger house.*<br>*—I know. My company is building **it for them.*** |
| —Esas familias necesitan comida y medicinas.<br>—De acuerdo. La agencia puede mandár**selas.*** | *—Those families need food and medicine.*<br>*—Fine. The agency can send **them to them.*** |

**Práctica 1** En los siguientes diálogos entre Voz y Eco, hay una repetición innecesaria de algunos sustantivos. Cambie los sustantivos repetidos por los complementos pronominales adecuados.

MODELO: VOZ: ¿Les venden los indígenas su artesanía a los turistas?
ECO: Sí, les venden su artesanía a los turistas. →
Sí, se la venden.

1. VOZ: ¿Les explican los indígenas sus costumbres a los europeos?
   ECO: Sí, les explican sus costumbres a los europeos.
2. VOZ: ¿Les quitan las tierras a los indígenas?
   ECO: Sí, les quitan las tierras a los indígenas.

*When two object pronouns attach to an infinitive, a written accent must be added to the infinitive so that the stress remains on the correct syllable.

3. VOZ: ¿Prometen los europeos devolverles las tierras a los indígenas?
ECO: Sí, prometen devolverles las tierras a los indígenas pero nunca les entregan las tierras a los indígenas.
4. VOZ: ¿Le piden los indígenas cambios al gobierno?
ECO: Sí, le piden cambios al gobierno, pero éste (*the latter*) no quiere hacer los cambios muy pronto.

Práctica 2 Conteste las siguientes preguntas con las palabras entre paréntesis. Elimine la repetición innecesaria utilizando los complementos pronominales apropiados.

MODELO: ¿Quién le da regalos a Gloria? (sus padres) → Sus padres se los dan.

1. ¿Quién les explica los complementos pronominales a los estudiantes? (la profesora)
2. ¿Quién te manda las cartas? (mi novia)
3. ¿Quién nos presta el dinero? (el banco)
4. ¿Quién le dice mentiras a Alicia? (su compañera)

# Intercambios

**A** Imagínese que un amigo / una amiga le pregunta a Ud.: «¿A quién puedo darle las siguientes cosas? ¿A ti o a mi mejor amigo/a?» Contéstele según su preferencia, pero ¡cuidado! Es preferible guardar lo mejor para sí mismo/a (*yourself*) y darle el resto a la otra persona, como se hace en los modelos.

MODELOS: ¿mucho trabajo? → Se lo puedes dar a él/ella.
¿un día de vacaciones? → Me lo puedes dar a mí.

**Cosas:** un boleto de lotería, una botella de champaña, un diccionario bilingüe, dinero, unos discos compactos de música clásica, una foto del presidente, los libros de física, un pasaje de ida (*one-way*) a Universal Studios, un reloj despertador (*alarm clock*)

Y ahora, imagínese que el mismo amigo / la misma amiga le pregunta: «¿A quiénes les puedo hacer los siguientes favores? ¿A ti y a tu mejor amigo/a o a otras dos personas?» Conteste según los modelos.

MODELOS: ¿lavar la ropa? →
Nos la puedes lavar a nosotros.

¿regalar un disco de Frank Sinatra? →
Se lo puedes regalar a ellos.

**Favores:** conseguir entradas para la última (*latest*) película, dar una casa en Acapulco, enviar unas flores, limpiar el cuarto, preparar la cena, regalar unos calcetines morados (*purple*), servir pulpo (*octopus*)

**B** La comunicación entre la gente permite el intercambio de opiniones diversas. También permite apreciar las diferencias que existen entre todos. Trabajando con dos o tres compañeros de clase, háganse las siguientes preguntas y contéstenlas para averiguar cómo se comunican con otras personas. Luego compartan lo que han aprendido con los demás grupos. Usen los complementos pronominales siempre que puedan.

1. ¿Qué le dices a una persona en el momento de conocerla? ¿Le estrechas la mano o le das un beso en la mejilla (*cheek*)? ¿Cómo saludas a las personas cuando llegas a una fiesta? ¿A quiénes sueles saludar dando uno o dos besos?
2. ¿Tienes amigos de otros países? ¿De dónde son? ¿Les hablas en su propio idioma? ¿Te hablan ellos en inglés? ¿Te hablan de su país? ¿Qué te cuentan? ¿Qué información sobre este país compartes con ellos? ¿Qué clase de información les interesa más? ¿Les mandas mensajes de correo electrónico (*e-mail*) o los llamas por teléfono? ¿Por qué?
3. ¿A quién le pides ayuda cuando tienes un problema de salud? ¿un problema económico? ¿un problema en tus estudios? ¿un problema sentimental? ¿Para qué clase de problema te piden ayuda tus amigos?
4. ¿Cómo reaccionas si una persona desamparada te pide dinero en la calle? ¿si te pide comida? ¿si un miembro de una secta religiosa te pide dinero? ¿si un predicador o predicadora de barricada (*soapbox preacher*) te ofrece consejos?

### C Entre todos

- ¿Ud. le da sus discos compactos favoritos a su mejor amigo/a si se los pide? ¿Le da su suéter más nuevo? ¿Qué más le pide él/ella? ¿Se lo da? ¿Qué *no* le da en ninguna circunstancia? ¿Qué le da él/ella a Ud.?
- ¿Le compra flores a su novio/a? ¿Le canta canciones de amor? ¿Le compra diamantes? ¿Le escribe cartas románticas? ¿Se las escribe en español? ¿Qué le va a regalar para su cumpleaños?
- ¿Siempre les hablo a Uds. en español? ¿En qué circunstancias no les hablo en español? Explíquenme por qué. Cuando Uds. me hacen preguntas, ¿me las hacen en español? ¿Eso está bien? ¿Por qué sí o por qué no? ¿Siempre me entregan (*hand in*) la tarea a tiempo? ¿En qué circunstancias no me la entregan a tiempo? ¿Y cuáles son algunas buenas excusas que saben para esos momentos? Si me entregan algo tarde, ¿me piden disculpas? ¿Cómo me las piden? Denme algunos ejemplos.

## La lengua española y su historia

El español es la lengua romance que cuenta con mayor número de hablantes. Hoy en día más de 400 millones de personas lo hablan en el mundo. La historia del español revela el contacto con muchas otras lenguas y culturas. El rey Alfonso X el Sabio (*the Wise*) (1221–1284) es el primer rey que inicia el uso del español, en vez del latín, como la lengua de cultura.* Poco a poco, el **castellano** (de la región de **Castilla**) o sea, el español, se enriquece con aportaciones (*contributions*) de otras lenguas mientras se sigue formando. En 1492 Antonio de Nebrija, cuyo retrato (*picture*) aparece en la próxima página, publica la primera *Gramática Castellana,* y así el español llega a ser la primera lengua que se estudia científicamente. Para los siglos XVI y XVII, el español se impone como lengua internacional.

¿Qué lenguas contribuyen directamente al desarrollo del español? ¿Qué vocablos (palabras) de esas otras lenguas todavía se usan en español? Lea

*Es decir, la lengua que se habla en las cortes y en las iglesias, y en que se escriben los libros y otros documentos.

Alfonso X el Sabio, rey de España 1221–1284

con cuidado las siguientes afirmaciones acerca de la historia del español, y luego mire el vídeo y escuche el texto que lo acompaña para descubrir esta información.

### Antes de ver

- ¿Sabía Ud. que todas las lenguas toman prestadas (*borrow*) palabras de otras lenguas? ¿Sabe Ud. algunas palabras en inglés que vienen del español? ¿Sabe Ud. algunas palabras en español que vienen del inglés? ¿de otras lenguas?
- Ahora, lea con cuidado la actividad en **Vamos a ver** antes de ver el vídeo por primera vez.

### Vamos a ver

Escoja la respuesta que mejor conteste cada oración.

1. En España, las tres lenguas que coexisten actualmente con el español son ______.
   a. el latín, el quechua y el rumano
   b. el catalán, el gallego y el vascuence (el euskera)
   c. el árabe, el náhuatl y el latín
2. A partir del siglo XV, ¿cuál de los siguientes grupos de lenguas tiene mayor impacto en el desarrollo del español?
   a. las lenguas romances
   b. las lenguas indígenas
   c. las lenguas norteamericanas
3. Aproximadamente el diez por ciento de las palabras españolas tiene origen ______.
   a. latín b. portugués c. árabe
4. El acontecimiento (*event*) que ayuda más a la expansión del español es ______.
   a. la llegada (*arrival*) de los españoles al continente americano
   b. la fundación de la Real Academia Española
   c. la independencia de los países hispanoamericanos

### Después de ver

- Cada una de las palabras inglesas modernas *campus, naïve, broccoli* y *democracy* viene de una de las siguientes lenguas: italiano, griego, francés o latín. ¿Pueden Uds. adivinar (*guess*) a qué lengua pertenece cada una? ¿Qué opinan de las aportaciones que otras lenguas hacen al inglés? ¿Creen que es bueno que las lenguas sigan evolucionando (*keep evolving*) o que es mejor que no cambien con el tiempo y que resistan las influencias externas (*external*)? Expliquen.

- En el vídeo se mencionan varias palabras en español que vienen del árabe y de las lenguas indígenas. Busque información sobre esas influencias externas en el desarrollo del español. ¿Cuántas palabras más puede encontrar? Comparta esta información con sus compañeros de clase. ¡A ver quién puede traer a clase la lista más extensa!

# De entrada 9

El párrafo a continuación fue tomado del cuento «El indulto (*pardon*)», de la escritora española Emilia Pardo Bazán. Léalo y decida si este segmento representa (a) un diálogo, (b) una descripción o (c) una lista de acciones. Luego, explique su decisión.

> Era medianoche y no había nadie en la pequeña plaza. Julia caminaba lentamente. Era una mujer alta y delgada. No parecía ni muy joven ni muy vieja. Tenía el pelo negro, ni muy largo ni muy corto. Mientras caminaba, pensaba en las actividades que había compartido (*she had shared*) allí con sus amiguitas (*childhood friends*). Durante el año escolar siempre venían a la plaza para almorzar. Compartían sus secretos y chismeaban (*gossiped*) de los asuntos que pasaban en el pequeño pueblo. Luego, como adolescentes, venían a la plaza con sus novios y hablaban de las cosas que iban a hacer y se reían y se divertían.

¿Piensa Ud. que la escena del párrafo se observaba regularmente en ese pueblo o que se vio una sola vez? En su opinión, ¿es una escena típica de todas las comunidades hispanas? Ahora subraye todos los verbos del párrafo. ¿En qué tiempo verbal están conjugados? ¿Sabe Ud. por qué?

# 9 THE IMPERFECT INDICATIVE

Events or situations in the past are expressed in two simple past tenses in Spanish: the imperfect (**el imperfecto**) and the preterite.*

## A. Forms of the imperfect

Almost all Spanish verbs have regular forms in the imperfect tense.

| -ar VERBS | | -er/-ir VERBS | | | |
|---|---|---|---|---|---|
| tom**aba** | tom**ábamos** | quer**ía** | quer**íamos** | escrib**ía** | escrib**íamos** |
| tom**abas** | tom**abais** | quer**ías** | quer**íais** | escrib**ías** | escrib**íais** |
| tom**aba** | tom**aban** | quer**ía** | quer**ían** | escrib**ía** | escrib**ían** |

In the imperfect, the first- and third-person singular forms are identical. There is no stem change or **yo** irregularity in any verb. Note the placement of accents.

---

*You will review the forms and uses of the preterite in grammar sections 12 and 14.

The imperfect form of **hay** (**haber**) is **había** (*there was/were*).

Only three Spanish verbs are irregular in the imperfect.

| ser | | ir | | ver | |
|---|---|---|---|---|---|
| era | éramos | iba | íbamos | veía | veíamos |
| eras | erais | ibas | ibais | veías | veíais |
| era | eran | iba | iban | veía | veían |

The verb **ver** is irregular only in that its stem retains the **e** of the infinitive ending in all persons.

## B. Uses of the imperfect

The imperfect tense derives its name from the Latin word meaning *incomplete.* It is used to describe actions or situations that were not finished or that were in progress at the point of time in the past that is being described. The use of the imperfect tense to describe the past closely parallels the use of the present tense to describe actions in the present.

When the imperfect tense is used, attention is focused on the action in progress or on the ongoing condition, with no mention made of, or attention called to, the beginning or end of that situation. For this reason, the imperfect is used to describe the background for another action: the time, place, or other relevant information.

| DESCRIPTION OF | PRESENT | PAST |
|---|---|---|
| an action or condition in progress | **Leo** el periódico.<br>*I'm reading the paper.* | **Leía** el periódico.<br>*I was reading the paper.* |
| an ongoing action or condition | La casa **está** en la esquina.<br>*The house is on the corner.* | La casa **estaba** en la esquina.<br>*The house was on the corner.* |
| the hour (telling time) | **Son** las ocho.<br>*It is eight o'clock.* | **Eran** las ocho.<br>*It was eight o'clock.* |
| habitual or repeated actions | **Salgo** con mi novio los viernes.<br>*I go out with my boyfriend on Fridays.*<br><br>**Estudio** por la mañana.<br>*I study in the morning.* | **Salía** con mi novio los viernes.<br>*I used to go out with my boyfriend on Fridays.*<br><br>**Estudiaba** por la mañana.<br>*I used to study in the morning.* |
| an anticipated action | Mañana **tengo** un examen.<br>*Tomorrow I have an exam.*<br><br>**Vamos** a ir a la playa.<br>*We're going to go to the beach.* | Al día siguiente **tenía** un examen.<br>*On the next day I had (was going to have) an exam.*<br><br>**Ibamos** a ir a la playa.<br>*We were going to go to the beach.* |

**Práctica** Cambie los verbos en el presente al imperfecto.

Durante el siglo (*century*) pasado y la primera parte de éste, las diferencias entre la vida urbana y la rural son[1] más notables que en la época actual ya que (*since*) hay[2] menos contacto entre las dos zonas. En aquel entonces (*Back then*), la gente que vive[3] en el campo no tiene[4] la ventaja de los rápidos medios de comunicación; no ve[5] la televisión, ni escucha[6] la radio ni va[7] al cine. Estos tres medios de comunicación todavía no existen.[8] Muchos no saben[9] leer y por eso no leen[10] ni periódicos ni revistas. Las noticias culturales, políticas y científicas que reciben[11] los habitantes de las ciudades llegan[12] al campo con mucho retraso (*delay*). Los campesinos, especialmente si están[13] a bastante distancia de una ciudad, no se dan[14] cuenta de (*don't realize*) los cambios sociales que ocurren[15] en los centros urbanos. Al mismo tiempo, los de la ciudad muchas veces no entienden[16] ni pueden[17] apreciar los asuntos que les preocupan[18] a las personas que viven[19] en el campo.

# Intercambios

**A** Trabajando con un compañero / una compañera de clase, completen las siguientes oraciones. Primero cambien los verbos indicados al imperfecto y luego digan si las oraciones expresan sus recuerdos personales cuando tenían diez años.

Cuando yo *era* un niño / una niña de diez años…

1. la vida me (parecer) muy complicada.
2. (tener) los mismos intereses que tengo ahora.
3. (ser) consciente de ser miembro de un grupo étnico.
4. (obedecer) a mis padres en todo.
5. (preferir) estar con otros; no me (gustar) estar solo/a.
6. (buscar) aventuras con mis amigos.
7. (tener) miedo de los animales.
8. me (interesar) la historia de mis antepasados.

Y ahora ¿cómo son Uds.? Identifiquen por lo menos una oración que les inspira diferentes sentimientos ahora.

**B** **Entre todos**

- ¿Qué no podía hacer la mujer en 1900 que sí puede hacer ahora? ¿Qué otros grupos tienen más derechos/oportunidades ahora que tenían en 1900? ¿los indígenas norteamericanos? ¿los grupos inmigrantes? ¿los afroamericanos? ¿los obreros? ¿los viejos? ¿los jóvenes? ¿los hombres? ¿la policía? Justifique su opinión con ejemplos concretos.
- ¿Qué no sabíamos en 1900 que sabemos ahora? ¿Qué inventos tenemos ahora que no teníamos entonces? ¿Qué problemas tenemos que no teníamos? ¿Qué problemas teníamos entonces que no tenemos ahora?

**C** **¡Necesito compañero!** Hágale preguntas a su compañero/a para averiguar a quién acudía él/ella (*he/she turned to*) a la edad indicada en los siguientes casos y por qué. Se debe usar el imperfecto del verbo señalado y tratar de incorporar complementos pronominales en las respuestas.

MODELO: pedir dinero (13)
¿A quién le pedías dinero cuando tenías trece años? →
Se lo pedía a mi hermano mayor porque él siempre lo tenía y no les decía nada a mis padres.

1. pedir dinero (13)
2. pedir consejos (académicos/sentimentales) (16)
3. dar consejos (académicos/sentimentales) (16)
4. contar chistes (10)
5. hacer favores especiales (10)
6. pedir protección/ayuda en caso de peligro (*danger*) o injusticia (8)

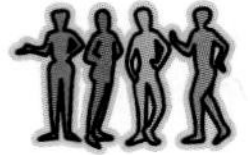

**Entre todos** Hagan una tabla de las respuestas más frecuentes. ¿Qué indican los resultados?

**D** Los siguientes dibujos representan los recuerdos de cuatro adultos cuando eran niños. Describa los recuerdos usando las palabras sugeridas. No olvide que se usa el imperfecto para describir en el pasado.

1. jugar / estar contento / tener amigos / ser popular / llevar ropa vieja

2. estar sola / leer / ser triste / llevar gafas / no tener amigos

3. estar con familia / ser feliz / llevar ropa nueva / ir a la iglesia

4. ser malo / tirar bolas de papel / asustar a otros niños / no respetar

## ESTRATEGIAS PARA LA COMUNICACION

### ¿Y tú? *Keeping a conversation going*

You may find yourself having trouble maintaining a conversation in Spanish. However, you must be an active participant in order to carry on a conversation. A useful strategy is to ask questions that stimulate further conversation. Often, a simple **«¿Y tú?»** or **«¿Y Ud.?»** will be enough to keep the conversation going. Ask more specific questions as the situation requires.

Practice the preceding communication strategy in these situations.

**A** ¡Necesito compañero! Use the following questions—or similar ones—as the point of departure for a conversation. Remember that each response should *go further than the minimum necessary.* Every time you answer a question, try to add another question or further information to the conversation. How much time can you spend fleshing out one question before going on to the next?

1. ¿Vas a estudiar en la biblioteca esta noche?
2. ¿Sabes hablar francés?
3. ¿Vives en un apartamento o en una residencia?
4. ¿Qué deportes practicas?
5. ¿Quieres conocer a una persona famosa?

**B** Imagine that while you were doing Activity A some words and phrases arose that you didn't know exactly how to express in Spanish. How can you express the following ideas without knowing the exact words?

1. I don't usually study at the library because I live a couple of blocks away and the bus schedule is inconvenient.
2. I speak it quite fluently.
3. I live in a co-op.
4. I'm more of a spectator than a player.
5. My parents already know a number of celebrities.

**C** ¡Necesito compañero! Use the following questions—or others if you prefer—to strike up a conversation. Remember to use the strategies (1) to resolve linguistic difficulties and (2) to turn an interview into a conversation.

1. ¿Cuál es tu día favorito de la semana?
2. ¿Por qué estudias en esta universidad y no en ______?
3. ¿Cómo es tu familia?
4. ¿Qué piensas hacer este fin de semana?
5. ¿Tienes novio/a o esposo/a?

## De entrada

¿Sabe Ud. quiénes son? En la página siguiente, busque en la columna de la derecha lo que hacen o hacían los personajes de la lista de la izquierda. ¿Qué acción los caracteriza o caracterizaba?

1. ______ El lobo de *Caperucita Roja* (*"Little Red Riding Hood"*)
2. ______ Poncio Pilato
3. ______ Robin Williams en *Mrs. Doubtfire*
4. ______ Drácula
5. ______ La Madrastra de *La Bella Durmiente* (*"Sleeping Beauty"*)
6. ______ Sansón (el compañero de Dalila)

a. Se pone ropa de mujer.
b. Se lavó las manos.
c. Se miraba en el espejo constantemente.
d. Se pone la ropa de la abuelita.
e. No se cortaba el pelo.
f. Nunca se mira en un espejo.

¿Quién hace o realiza cada acción? ¿Y a quién afecta la acción? En todos estos casos, el individuo que realiza la acción también se ve afectado por ella. En la siguiente sección Ud. va a repasar estas construcciones reflexivas.

# 10 REFLEXIVE STRUCTURES

A structure is reflexive (**reflexivo**) when the subject and object of the action are the same.

**Yo** puedo ver**me** en el espejo. *I can see **myself** in the mirror.*

## A. Reflexive pronouns

The reflexive concept is signaled in English and in Spanish by a special group of pronouns. The English reflexive pronouns end in *-self/-selves;* the Spanish reflexive pronouns (**los pronombres reflexivos**) are identical to other object pronouns except in the third-person singular and plural.

| SUBJECT | REFLEXIVE | SUBJECT | REFLEXIVE |
|---|---|---|---|
| yo | me | *I* | *myself* |
| tú | te | *you* | *yourself* |
| él / ella / usted | se | *he* / *she* / *you* | *himself* / *herself* / *yourself* |
| nosotros/as | nos | *we* | *ourselves* |
| vosotros/as | os | *you* | *yourselves* |
| ellos / ellas / ustedes | se | *they* / *you* | *themselves* / *yourselves* |

Like other object pronouns, reflexive pronouns

- precede conjugated verbs and negative commands.

**Me** levanto. *I get up (I'm getting up).*
No **te** levantes. *Don't get up.*

- attach to affirmative commands.

Levánte**se**, por favor. *Get up, please.*

Reflexive pronouns *must* be used when the subject does some action to a part of his or her own body.

¡Cuidado! Vas a cortar**te el dedo.**
*Careful! You're going to cut your finger.*

Since reflexive actions, by definition, indicate that the subject is doing something to himself/herself, the definite article —not the possessive adjective— is used with the body part or the possession in this structure.

- can attach to or precede infinitives and present participles.

| | |
|---|---|
| Voy a levantar**me** ahora.<br>**Me** voy a levantar ahora. | *I'm going to get up now.* |
| ¿Por qué estás levantándo**te** ahora?<br>¿Por qué **te** estás levantando ahora? | *Why are you getting up now?* |

## B. Reflexive meaning

Many verbs in Spanish may be used reflexively* or nonreflexively, depending on the speaker's intended meaning. Compare the following pairs of sentences.

| NONREFLEXIVE | REFLEXIVE |
|---|---|
| El niño **mira** el juguete.<br>*The child is looking at the toy.* | El niño **se mira.**<br>*The child is looking at himself.* |
| Los pacientes **aprecian** a los médicos.<br>*The patients think highly of the doctors.* | Los médicos **se aprecian**.<br>*The doctors think highly of themselves.* |
| **Corto** el papel.<br>*I cut the paper.* | **Me corto** un pedazo de manzana.<br>*I'm cutting myself a piece of apple.* |
| **Le escribiste** a Carlos, ¿no?<br>*You wrote to Carlos, didn't you?* | **Te escribiste** un recado, ¿no?<br>*You wrote yourself a note, right?* |

Here are some of the most common reflexive verbs used for talking about daily routines.

| | |
|---|---|
| afeitarse *to shave* | peinarse *to comb one's hair* |
| bañarse *to bathe* | pintarse *to put on makeup* |
| (des)vestirse *to (un)dress* | ponerse *to put on (clothing)* |
| ducharse *to shower* | quitarse *to take off (clothing)* |
| lavarse *to wash* | secarse *to dry* |

| | |
|---|---|
| Los hombres **se afeitan** todos los días. | *Men **shave** every day.* |
| ¿Por qué no **te pones** el suéter? | *Why don't you **put on** your sweater?* |

Some reflexive verbs may take a direct object in addition to the reflexive pronoun. Thus, you may need to use two pronouns together. The reflexive pronoun will always precede the direct object pronoun.

—¿Manuel va a **quitarse los zapatos**?
—*Is Manuel going to take off **his shoes**?*

—Sí, va a **quitárselos.**
—*Yes, he's going to take **them** off.*

—¿Gloria **se corta el pelo** aquí?
—*Does Gloria get **her hair** cut here?*

—Sí, siempre **se lo corta** aquí.
—*Yes, she always gets **it** cut here.*

---

*Many verbs and expressions that use reflexive pronouns, such as **llevarse mal,** do *not* convey the idea of the subject doing something to or for itself. This section focuses on the use of reflexive pronouns to express (1) true reflexive actions and (2) reciprocal actions. You will study other functions of reflexive pronouns in grammar section 32.

## A PROPÓSITO

When context is not sufficient to determine whether a construction is reciprocal or reflexive, the reciprocal is indicated by the clarifying phrase **uno a otro** (**una a otra / unos a otros / unas a otras**).

Jorge y Olga se respetan **(el) uno a(l) otro.***
*Jorge and Olga respect each other.*

Paloma y Olga se respetan **(la) una a (la) otra.***
*Paloma and Olga respect each other.*

## C. The reciprocal reflexive

The plural reflexive pronouns (**nos, os,** and **se**) can be used to express mutual or reciprocal actions, expressed in English with *each other.*

| | |
|---|---|
| Nosotros **nos** escribimos muy a menudo. | *We write **to each other** very frequently.* |
| Vosotros **os** veis con frecuencia, ¿no? | *You (all) see **each other** a lot, don't you?* |
| Van a encontrar**se** en el bar. | *They're going to meet (**each other**) in the bar.* |

Many sentences can be interpreted as having either reciprocal or reflexive meanings, as in this example.

Leonardo y Estela **se miran** en el espejo.
- *Leonardo and Estela **look at each other** in the mirror.* (reciprocal)
- *Leonardo and Estela **look at themselves** in the mirror.* (reflexive)

**Práctica 1** Conteste cada pregunta, primero según el dibujo y luego según los demás sujetos indicados.

**Vocabulario útil:** el pañuelo, el jabón, el espejo

1. ¿Qué hace? (la mujer, yo, tú)
2. ¿Qué hacían? (ellos, Uds., nosotros)
3. ¿Qué va a hacer? (la señora, tú, Ud.)

**Práctica 2** Conteste las siguientes preguntas negativamente como si fuera (*as if you were*) Manuel, un papá moderno con tres hijos. Indique que las personas mencionadas en las preguntas se hacen la acción. Recuerde usar los pronombres de complemento directo cuando pueda.

MODELO: –¿Siempre despiertas a tu esposa Olga? →
–No, ella se despierta.

1. ¿Siempre bañas a Luisito?
2. ¿Siempre le quitas el pijama a Alfonsito?
3. ¿Siempre le pones los calcetines a Carmencita?
4. ¿Siempre les preparas el desayuno a tus hijos?

*Masculine forms are used unless both subjects are feminine, and use of definite articles in the clarifying phrase is optional.

# Intercambios 10

**A** Describa los siguientes dibujos con la forma correcta —o reflexiva o no reflexiva— usando los verbos indicados.

**Vocabulario útil:** la reina, la serpiente, la nevada, la bota, el vaquero

1. matar
2. poner
3. quitar
4. bañar

Ahora, elija uno de los dibujos e invente una historia explicando por qué el individuo del dibujo hace lo que hace y describiendo las consecuencias de lo que hace.

**B** ¡Necesito compañero! Todos tenemos costumbres muy particulares, ¿verdad? Trabajando en parejas, háganse preguntas para averiguar en qué circunstancias cada uno de Uds. hace las siguientes acciones. Usen la forma de **tú** en las preguntas y los complementos pronominales para evitar la repetición innecesaria en las respuestas.

1. lavarse la cara con agua muy fría / muy caliente
2. comprarse un regalito
3. ponerse ropa vieja
4. ponerse ropa muy elegante
5. escribirse recados para recordar algo
6. darse un baño largo y caliente
7. darse palmadas en la espalda (*pats on the back*)
8. gritarse

¿Son Uds. muy similares o muy diferentes? Cuando compartan su información con la clase, mencionen por lo menos *una* acción que *los dos* hacen cuando están en circunstancias semejantes.

**C** Describa estos dibujos usando los verbos indicados. Luego elija uno de los dibujos e invente una «catástrofe» que resulta de la acción descrita.

1. ladrar, mirar
2. abrochar
3. dar de comer
4. servir

**D** Examine los dibujos a continuación y haga oraciones usando el vocabulario indicado. ¿Cuáles de las acciones son reflexivas? ¿Cuáles no son reflexivas? ¿Hay también acciones recíprocas?

1. el vendedor / la cliente / pelear, gritar

2. los chicos / las chicas / saludar, abrazar

3. la mujer / bañar, relajar

4. las muchachas / mirar, hablar

5. la niña / las uñas / pintar

6. el mesero / el cliente / servir, devolver

## De entrada

¿Cuál podría (*might*) ser el regalo perfecto para las siguientes personas? Lea lo que dice (o lo que se dice de) cada persona, y luego busque en la sopa de letras a continuación el regalo o regalos ideales para cada una.

Venus Williams afirma: «Me gusta jugar al tenis.»
Albert Einstein comenta: «Me gustan las matemáticas.»
Lucille Ball y Desi Arnaz dicen: «Nos gusta mirar la televisión.»
Un amigo (hablándote a ti): «A ti te gusta estudiar español, ¿no?»
El doctor Watson (hablando de Sherlock Holmes): «A él le gusta resolver los casos de crímenes misteriosos.»

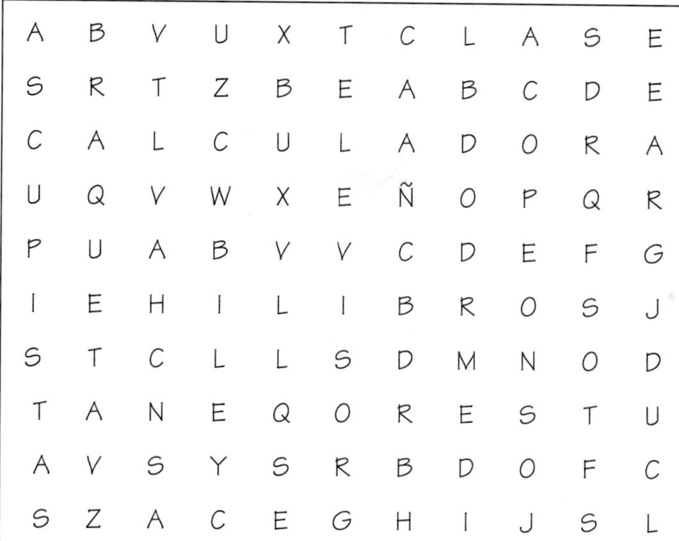


A continuación hay más sobre el verbo **gustar** y otros verbos (por ejemplo, **interesar, preocupar** e **importar**) que tienen la misma construcción gramatical.

## 11 *GUSTAR* AND SIMILAR VERBS

English has several verb pairs in which one verb expresses a positive feeling and the other a related negative feeling.

| POSITIVE | NEGATIVE |
|---|---|
| *I like that.* | *I dislike that.* |
| *That pleases me.* | *That displeases me.* |

Occasionally, in any given language, a positive form exists without the corresponding negative form, or vice versa. For example, English has no direct opposite for *disgust.* Following the pattern of the other word pairs, however, we could invent such a word: **gust,* meaning *to cause a positive reaction* (the opposite of *disgust*).

| | |
|---|---|
| *That *gusts me.* | *That disgusts me.* |
| *He *gusts you.* | *He disgusts you.* |

In the hypothetical sentence *That *gusts me,* the pronoun *that* is the subject, and *me* is the object.

### A. Use of *gustar*

Spanish actually has such a word pair: **disgustar** has a counterpart, **gustar,** the equivalent of our invented English verb **to gust.* The Spanish sentence that corresponds to *That *gusts me* is **Eso me gusta.** Here, **eso** is the subject and **me** is the object. Changing the subject to **libro** produces the following sentence.

| | |
|---|---|
| El libro me gusta. | *The book *gusts me.* |

A number of Spanish verbs follow the same pattern as **gustar.** Some of the ones you will hear and use most frequently are **caer bien/mal, disgustar, importar, interesar,** and **preocupar.**

Me caen muy bien todos mis vecinos.
*I really like all of my neighbors.*

Me disgusta la música «heavy».
*Heavy metal music annoys me.*

No me importa su reacción.
*I don't care about his reaction.*

Me interesa muchísimo la política.
*I find politics very interesting.*

Me preocupan los estudios.
*I'm worried about my studies.*

If the subject changes from **libro** to **libros,** the verb also changes from singular to plural, just as you would expect.

| | |
|---|---|
| Los libros me gustan. | *The books *gust me.* |

In contrast to the English construction, in which the verb generally follows the subject, in the Spanish **gustar** construction the usual word order is to have the subject following the verb. The meaning, however, remains the same.

| | |
|---|---|
| Me gusta eso. | *That *gusts me.* |
| Me gustan los libros. | *The books *gust me.* |

The indirect object pronouns are used with **gustar.** As in other sentences that contain indirect objects, a prepositional phrase may be used to clarify or emphasize the object pronoun. This phrase may either follow or precede the verb.

| | |
|---|---|
| A ti te gusta el libro. | *The book *gusts you.* |
| A nosotros nos gusta esquiar.† | *Skiing *gusts us.*† |
| A Lupe no le gustan los perros. | *Dogs don't *gust Lupe.* |

When a noun is the subject of **gustar** or verbs like **gustar,** the definite article is always used even though you are not referring to any specific item. If you want to indicate a specific item that you like, use demonstrative adjectives (**este, esa, esos,** and so on).

Me gusta **la** música.
*I like music.*

Me gusta **esta** canción.
*I like* ***this*** *song.*

### B. Meaning of *disgustar, gustar,* and *caer bien/mal*

There are some important differences in the meaning of the verbs **disgustar** and **gustar. Disgustar** is not as emphatic as English *to disgust;* the verbs *to annoy* or *to upset* express its meaning more accurately. When referring to individuals, **gustar** expresses a strongly positive reaction or physical attraction. The expressions **caer bien** and **caer mal** are more commonly used to refer to individuals that one likes or dislikes.

| | |
|---|---|
| Ese hombre **me cae bien,** pero esos tipos de allí **me caen** muy **mal.** | *That man over there* ***strikes me positively,*** *but those folks over there* ***strike me all wrong*** *(**rub me the wrong way**).* |
| En serio, Diego no **me cae bien.** | *Really,* ***I*** *just* ***do*** *not* ***like*** *Diego.* |

Práctica Forme oraciones nuevas, sustituyendo las palabras en letra cursiva por las que aparecen entre paréntesis.

1. Me gusta *la película.* (los libros de historia, comer, los deportes, lo moderno, las vacaciones, escribir composiciones en español)
2. *A nosotros nos* gustan las fiestas. (ella, ti, Ud., mí, ellos, él)
3. Me cae bien *tu primo.* (tus hermanos, mis compañeros de cuarto, el profesor, Antonio)

# Intercambios

**A** Conteste cada pregunta a continuación, y también añada algunas otras, según sus propias preferencias y experiencias.

† When the subject is an action, Spanish uses the infinitive (**esquiar**), whereas English uses the gerund (*skiing*).

1. ¿Qué (no) le gusta a Ud.? (los libros de historia, comer chiles, la gente mentirosa, la comida de la cafetería universitaria, las películas románticas, ¿ ?)
2. ¿Qué (no) le preocupa? (las notas en la clase de español, el futuro, la cuenta telefónica, ¿ ?)
3. ¿Qué (no) le interesa? (el programa «Friends», los clubes exclusivos, aprender otro idioma, los deportes en la televisión, ¿ ?)

Entre todos

- ¿Le gustan las fiestas? ¿Qué le gusta hacer en las fiestas?
- ¿Le gustan las personas honestas? ¿el presidente de los Estados Unidos? ¿los políticos en general? ¿los atletas profesionales?
- ¿A quién(es) en la clase le(s) gustan las personas ruidosas? ¿chistosas? ¿serias?

**B** Describa la reacción de cada persona hacia la cosa indicada. Use los verbos **gustar, disgustar, caer bien/mal, importar, preocupar** e **interesar** para hablar de las reacciones. Luego, justifique sus opiniones.

MODELO: yo: los deportes →
Me interesan mucho los deportes porque juego en el equipo universitario de baloncesto.

1. mi mejor amigo/a: el invierno
2. Papá Noel: los niños
3. mi amigo/a y yo: los exámenes finales
4. mis abuelos (padres): la música moderna
5. mi novio/a (esposo/a): los animales
6. yo: lo tradicional
7. tú: los regalos
8. los bibliotecarios: el ruido

**C** De pequeño/a, ¿era Ud. un niño típico / una niña típica o era diferente de sus amigos/as? Conteste las siguientes preguntas, indicando su propia reacción y también la de otros de su edad. Use las formas apropiadas de **gustar, interesar, disgustar** y **preocupar** en el imperfecto.

MODELOS: De niño/a, ¿le gustaba dormir la siesta por la tarde? →
Era un niño típico / una niña típica: a mí no me gustaba y a los otros niños tampoco les gustaba.

Era un niño / una niña diferente: a mí me gustaba pero a los otros niños no les gustaba.

1. ¿las verduras (*vegetables*)?
2. ¿las películas animadas de Disney?
3. ¿la escuela?
4. ¿la tarea?
5. ¿tomar lecciones de música o de baile?
6. ¿leer?
7. ¿estar solo/a?
8. ¿las tiras cómicas con Batman?
9. ¿hacer cosas peligrosas?
10. ¿ponerse ropa elegante?

Ahora, nombre dos preferencias más: una que lo/la *diferenciaba* de los otros de su edad y otra que lo/la *identificaba* con ellos.

**D** ¡Necesito compañero! Háganse y contesten preguntas para describir su vida, sus gustos y sus preferencias de niño/a. Usen verbos en el imperfecto. Pueden incluir también sus propios detalles. ¡No se olviden de usar las estrategias para la comunicación!

MODELO: vivir: el campo / la ciudad →
—¿Vivías en el campo?
—Sí, y me gustaba mucho porque…

1. vivir: con quién
2. llevarte bien: con los otros miembros de tu familia
3. gustar: ir al cine / al parque
4. tener: un perro / un gato; llamarse: el animal
5. gustar: asistir a la escuela
6. preferir: estar con tus amigos / estar solo/a
7. practicar: deporte; tomar: lecciones de baile o de música
8. apreciar más que nadie (*more than anyone*): a quién

Entre todos En general, ¿era Ud. más feliz cuando era niño/a? ¿Era su vida más fácil o más difícil? ¿En qué sentido? ¿Cree Ud. que su vida era más interesante que ahora? Explique.

# ENLACE

## Sondeo

Con respecto a los asuntos sociales, ¿había en el pasado menos conflictos en el mundo? Hagan un sondeo entre los miembros de la clase para saber sus opiniones al respecto.

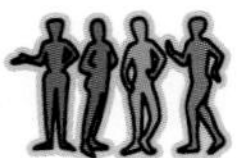

**Primer paso: Recoger los datos (*data*)**

- Divídanse en grupos de tres y escojan un número para determinar su grupo: Grupo 1, Grupo 2 ó Grupo 3. Cada grupo se encargará de tres de las preguntas del cuestionario a continuación: los Grupos 1 → las preguntas 1, 2 y 3; los Grupos 2 → las preguntas 4, 5 y 6; los Grupos 3 → las preguntas 7, 8 y 9.
- Háganse las preguntas en el imperfecto, empezando cada pregunta con: «¿Estás de acuerdo o no? En los años cincuenta… ».
- Cada persona debe explicar sus opiniones con una razón lógica. Por ejemplo: «Yo creo que… porque… ».
- Utilicen la siguiente escala para anotar la opinión de cada miembro del grupo (A, B y C).

0 = No estoy de acuerdo. 1 = No sé.; No estoy seguro/a. 2 = Estoy de acuerdo.

¿Estás de acuerdo o no? En los años cincuenta…

| | | A | B | C | TOTAL |
|---|---|---|---|---|---|
| —GRUPO 1— | **1.** *haber* menos tensiones raciales. | □ | □ | □ | □ |
| | **2.** los indígenas norteamericanos *recibir* mejor trato. | □ | □ | □ | □ |
| | **3.** los inmigrantes *integrarse* mejor a la cultura norteamericana. | □ | □ | □ | □ |
| —GRUPO 2— | **4.** los afroamericanos *tener* más derechos. | □ | □ | □ | □ |
| | **5.** las relaciones entre padres e hijos *ser* más estables. | □ | □ | □ | □ |
| | **6.** el problema de los desamparados no *existir.* | □ | □ | □ | □ |
| —GRUPO 3— | **7.** la mujer *tener* más derechos. | □ | □ | □ | □ |
| | **8.** los gobiernos del mundo *ser* más democráticos. | □ | □ | □ | □ |
| | **9.** *haber* más tensiones y violencia entre los diferentes grupos étnicos. | □ | □ | □ | □ |

**Segundo paso: Análisis de los datos**

- Después de hacerse las preguntas y explicarse las opiniones, hagan una tabla de resumen para sus datos. Una persona de cada grupo debe servir de secretario/a para apuntar los resultados.
- Sumen (*Add up*) el valor de las opiniones y anoten el total para cada pregunta (mínimo = 0, máximo = 6).
- Finalmente, el secretario / la secretaria de cada grupo debe poner su tabla de resumen en la pizarra para mostrarle los resultados a la clase.

# ¡OJO!

| | EXAMPLES | NOTES |
|---|---|---|
| **pensar**<br>**pensar en**<br>**pensar de**<br>**pensar que** | **Pienso;** luego existo.<br>*I think; therefore, I am.* | Used alone, **pensar** means *to think,* referring to mental processes. |
| | **Piensa** (**Cree**) **que** se ha asimilado muy bien.<br>*He thinks (He believes) that he is very well assimilated.* | **Pensar** is also synonymous with **creer,** meaning *to have an opinion about something.* |
| | ¿**Piensan venir** con nosotros?<br>*Are they planning to come with us?* | Followed by an infinitive, **pensar** means *to intend* or *to plan* (*to do something*). |
| | **Pensaba en** mi novio todo el día.<br>*I thought about my boyfriend all day.* | **Pensar en** means *to have general thoughts* (*about someone or something*). |

| | EXAMPLES | NOTES |
|---|---|---|
| | ¿Qué **piensas de** mi familia?<br>*What do you think of (about) my family? (What is your opinion of it?)*<br><br>**Pienso que** es una familia divertida.<br>*I think it's a fun family.* | **Pensar de** indicates an opinion or point of view; it is generally used in questions, and frequently is answered with **pensar que.** |
| **consistir en**<br><br>**depender de** | La clase **consiste en** ejercicios prácticos.<br>*The class consists of practical exercises.*<br><br>**Dependen de** sus hijos económica y emocionalmente.<br>*They depend on their children financially and emotionally.* | The English expression *to consist of* is expressed in Spanish with **consistir en.**<br><br>*To depend on* corresponds to Spanish **depender de.** |
| **enamorarse de**<br><br>**casarse con**<br><br>**soñar con** | **Se enamoró de** la hija de unos exiliados chilenos.<br>*He fell in love with the daughter of Chilean exiles.*<br><br>Mi abuelo **se casó** por segunda vez **con** una rusa.<br>*My grandfather got married for the second time to a Russian woman.*<br><br>**Soñó con** su esposo muerto.<br>*She dreamed about (of) her dead husband.* | *To fall in love with someone* is expressed by **enamorarse de alguien.**<br><br>*To marry* is expressed by **casarse,** followed by **con** when the person one marries is specified.<br><br>English *to dream about (of)* is expressed in Spanish with **soñar con.** |

Volviendo al dibujo El dibujo que aparece en esta página es el mismo que Ud. vio en la sección Describir y comentar. Examínelo y luego escoja la palabra que mejor complete cada oración de acuerdo con el contexto. ¡Cuidado! También hay palabras del capítulo anterior.

1. El chico en el centro mira a las chicas que pasan. El se enamora (a/con/de) una de ellas y quiere casarse (a/con/de) ella en el futuro. El piensa (de/en/que) ella todo el día. Sus amigos dicen que (busca/mira/parece) enfermo porque no come ni duerme bien. Su vida consiste (con/de/en) ir al trabajo y pensar (a/de/en) su novia.

El chico dice que su felicidad depende (a/de/en) ella y por eso él sueña (con/de/en) ella todas las noches. ¡Vaya chico!

2. Los hombres detrás del joven enamorado juegan al ajedrez. El juego consiste (a/de/en) mover las piezas para hacer un jaque mate al rey. Cada persona piensa (de/en/que) sus jugadas y las analiza con cuidado porque la victoria puede depender (a/de/en) su decisión.
3. Por generaciones, la gente de esta ciudad usó el reloj del ayuntamiento (*town hall*) para organizar su vida. Ahora el reloj ya no (funciona/trabaja), y desde entonces todos siempre llegan atrasados a sus citas. En este momento, ellos piensan (de/en/que) son las seis y diez de la tarde y por eso, nadie (funciona/trabaja). En realidad, son las tres y diez.

# Repaso*

**A** Complete las oraciones con la forma correcta de **ser** o **estar** en el tiempo presente.

**Nuestra imagen de los indígenas norteamericanos**

Para muchos estadounidenses, los indígenas norteamericanos ______[1] figuras muy conocidas (*well-known*) y misteriosas a la vez. Cuando los jóvenes todavía ______[2] en la escuela primaria, estudian la historia de estos «primeros americanos». Pocahontas, Hiawatha y Sitting Bull ______[3] nombres tan familiares como George Washington, Betsy Ross y Abraham Lincoln. Para ellos, los indígenas norteamericanos ______[4] solamente personajes (*characters*) históricos, románticos; ______[5] en los libros pero no en la vida real. Por eso ellos se sorprenden cuando leen sobre los conflictos entre los indígenas norteamericanos y el gobierno federal. Aunque muchos indígenas norteamericanos prefieren ______[6] invisibles, no todos ______[7] contentos con el estatus inferior que esto implica, y algunos lo rechazan. ______[8] triste notar que los conflictos de hoy ______[9] los mismos que los conflictos de años pasados: tierra y libertad.

**B** ¡Necesito compañero! Trabajando en parejas, háganse y contesten preguntas sobre su origen étnico. Luego compartan con la clase lo que han aprendido. Usen los siguientes puntos como guía y recuerden usar las formas de **tú.**

- el origen étnico de sus padres y otros parientes
- si algunos parientes todavía viven en otro país
- si conoce a alguno de ellos
- si tiene un antepasado famoso o interesante y cómo era
- si se habla o hablaba otro idioma en su casa
- si toda su familia suele o solía reunirse con frecuencia
- las costumbres —fiestas, comidas, etcétera— que hay o había en su familia que conservan rasgos de un grupo étnico determinado

---

*Activity A focuses on material from previous lessons; Activity B reviews structures in the current lesson.

# CAPITULO

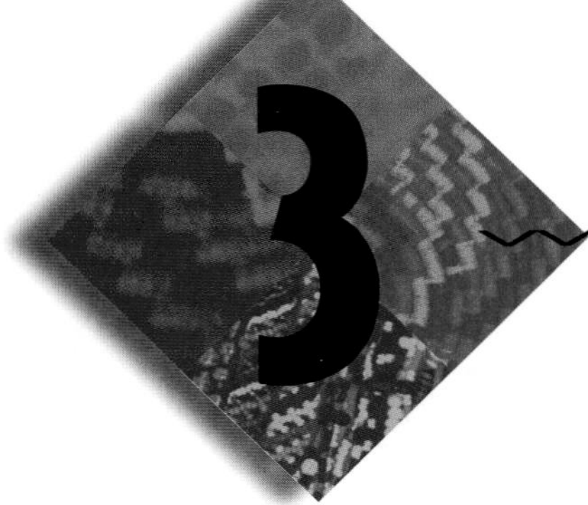

# Costumbres y tradiciones

Pamplona, España

# REFLEXIONES

Las costumbres y tradiciones son experiencias compartidas por todos los seres humanos, pero la manera en que se responde a estas experiencias y las imágenes que se asocian con ellas varían mucho de cultura a cultura y de individuo a individuo. De hecho, es en las costumbres y tradiciones donde más se revelan las profundas diferencias culturales entre los hispanos y los estadounidenses: Lo que se acepta como natural y normal en una cultura se ve como algo extraño y, a veces, hasta desagradable en otra.

## A nivel personal

- ¿Qué costumbres y tradiciones se observan en su familia o con su grupo de amigos? ¿Por qué son importantes?
- ¿Qué le parecerían (*would seem*) estas tradiciones a una persona de otra cultura? Por ejemplo, ¿cómo se sienten sus parientes (amigos) al morir alguien especial? ¿Hay alguna manera especial de honrar a los antepasados?

## A nivel regional

- ¿Cuáles son algunas de las celebraciones importantes en su comunidad o ciudad? ¿Participa toda la población o solamente ciertos grupos? ¿Cuáles? ¿Por qué?
- ¿Se celebra el Día de los Muertos donde Ud. vive? ¿Y el Cinco de Mayo?

## A nivel global

- ¿Qué costumbres, tradiciones o celebraciones del mundo hispano conoce Ud.? ¿Cómo le parecen?
- ¿Piensa Ud. que en otras culturas hay más tradiciones relacionadas con la muerte que en la cultura de este país?
- Busque información sobre las tradiciones y costumbres de un país hispanohablante. Haga una lista de éstas y dé la forma en que se observan. Comparta su lista con sus compañeros de clase.

# DESCRIBIR Y COMENTAR

The *Pasajes* CD-ROM contains interactive activities to practice the material presented in this chapter.

- ¿Qué están celebrando los niños a la izquierda? ¿Qué objetos son importantes en esta celebración? ¿Cómo celebraba Ud. este evento y cómo lo celebra ahora?
- ¿Qué hacen las personas al fondo (*in the back*)? ¿Sabe Ud. con qué religión se asocia esta tradición?
- ¿Qué celebran los jóvenes a la derecha? ¿Qué actividades asocia Ud. con esta celebración?
- ¿Cuáles de las actividades de las tres escenas le parecen normales a Ud.? ¿Cuáles le parecen un poco extrañas? ¿Hacía Ud. o hace cosas parecidas?

# VOCABULARIO
## para conversar

**aceptar** to accept
**asustar** to frighten
**cumplir** to complete, fulfill
  **cumplir _____ años** to turn _____ years old
**disfrazarse** to disguise oneself
**festejar** to celebrate; to "wine and dine"
**gastar una broma** to play a prank
**morir (ue, u)** to die
**rechazar** to reject
**tener miedo** to be afraid

**la bruja** witch
  **el Día de las Brujas*** Halloween
**el cementerio** cemetery
**el cumpleaños** birthday
**el Día de los Muertos (de los Difuntos)*** All Souls' Day
**el Día de todos los Santos*** All Saints' Day
**el disfraz** costume, disguise
**los dulces** candy, sweets
**el esqueleto** skeleton
**el fantasma** ghost
**el más allá** the hearafter; life after death
**el miedo** fear
**el monstruo** monster
**la muerte** death
**el muerto / la muerta** dead person
**la Semana Santa** Holy Week (*week prior to Easter*)
**la vela** candle

**lo sobrenatural** the supernatural

**A** ¿Qué palabra no pertenece al grupo? Explique por qué. ¡Cuidado! A veces hay más de una respuesta.

1. el Día de los Difuntos, la Navidad, el cumpleaños, las Pascuas (*Easter*)
2. apreciar, aceptar, despreciar, querer
3. asustar, el miedo, los dulces, el monstruo

**B** ¡Necesito compañero! Sigan el modelo de la página siguiente para hacer un cuadro o mapa semántico para cada una de las palabras indicadas a continuación. Primero, pongan en el centro la palabra objeto (*target*), y luego completen el cuadro con todas las palabras o ideas que asocien con ella según las categorías indicadas. No es necesario limitarse a las palabras de la lista del vocabulario.

1. lo sobrenatural
2. disfrazarse
3. el cumpleaños
4. la muerte

*The customs associated with these celebrations in the United States and in Hispanic countries are quite different. All Saints' Day (November 1) and All Souls' Day (November 2) are days when Hispanic Catholics, in general, honor the memory of dead friends and relatives by visiting the cemetery and placing flowers on their graves, celebrating Mass, and lighting candles to pray for their souls. These are solemn occasions, but in some countries they include elements that would seem out of place in this country: for instance, taking children to the cemetery to have a picnic there. It is important to remember that, even though many religious beliefs are shared throughout the Hispanic world, the specific customs celebrated during these days vary from country to country.

While the disguises and pranks of Halloween have long been a peculiarly U.S. tradition, they have begun to appear among the middle and upper-middle classes in parts of the Hispanic world. In Puerto Rico, Peru, and Colombia, for example, children celebrate **el Día de las Brujas** just like their U.S. counterparts. In many parts of the Hispanic world, particularly in the Caribbean, it is common to celebrate **Carnaval** (Mardi Gras) with several days of street dancing, large meals, and costume parties.

MODELO: asustar →

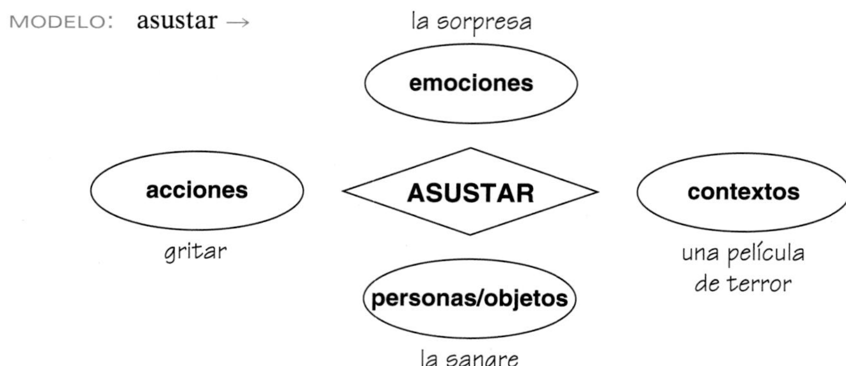


Ahora, comparen sus cuadros con los de los demás grupos. ¿Revelan experiencias muy semejantes o muy diferentes?

**C** Conteste las siguientes preguntas.

- Cuando Ud. era niño/a, ¿celebraba el Día de las Brujas? ¿de qué manera? ¿Salía disfrazado/a? ¿Qué disfraz solía llevar? ¿Prefería salir disfrazado/a de personaje real o ficticio? ¿Por qué? ¿Cuál era su disfraz favorito?
- ¿Gastaba Ud. bromas el 31 de octubre? ¿de qué tipo? ¿Sabían sus padres lo que hacía?
- Ahora que Ud. es mayor, ¿se celebra el 31 de octubre entre su grupo de amigos? ¿Cómo lo celebran Uds.?

## De entrada

**12**

Susanita celebró su cumpleaños la semana pasada. Ponga Ud. los eventos de la celebración en orden cronológico.

**a.** ______ Comieron el pastel.
**b.** ______ Los invitados regresaron a sus casas.
**c.** ______ Susanita envió las invitaciones.
**d.** ______ Susanita apagó las velas.
**e.** ______ Susanita y su mamá decoraron la casa.
**f.** ______ Todos cantaron «Las mañanitas».*
**g.** ______ Susanita les dio las gracias a sus amigos.
**h.** ______ Los invitados llegaron.
**i.** ______ Susanita se durmió feliz.
**j.** ______ Susanita abrió los regalos.

*«Las mañanitas» is a traditional Mexican song sung to someone on his or her birthday.

¿Reconoce Ud. las formas verbales que se encuentran en esta actividad? A continuación Ud. repasará (*will review*) cómo hablar de los sucesos en el pasado.

# 12 FORMS OF THE PRETERITE

In Chapter 2, you reviewed the forms and uses of the imperfect tense. The preterite (**el pretérito**) is the other simple form of the past tense in Spanish.* It is used when the speaker focuses on the beginning or the end of an action in the past. Look at the preceding activity about Susanita again and note the uses of the preterite.

**PROPÓSITO**

Verbs with infinitives that end in **-car, -gar,** and **-zar** have a spelling change in the first-person singular of the preterite.

bus**car** → bus**qué**
lle**gar** → lle**gué**
comen**zar** → comen**cé**

When the stem of an **-er** or **-ir** verb ends in a vowel (for example, **leer, caer**), the **i** of the third-person preterite ending changes to **y.**

le + **ió** → le**yó**, le**y**eron
ca + **ió** → ca**yó**, ca**y**eron

Such verbs also require accent marks on the second-person singular and plural forms and on the first-person plural of the preterite.†

leíste, leísteis, leímos
caíste, caísteis, caímos

## A. Verbs that are regular in the preterite

All regular verbs and all **-ar** and **-er** verbs that have stem changes in the present have the regular preterite forms shown in the following chart. Note that the preterite **tú** form ends in **-ste** instead of the normal **-s** ending you've seen for **tú** in other tenses.

| -ar VERBS | -er VERBS | -ir VERBS |
|---|---|---|
| habl**é** | corr**í** | escrib**í** |
| habl**aste** | corr**iste** | escrib**iste** |
| habl**ó** | corr**ió** | escrib**ió** |
| habl**amos** | corr**imos** | escrib**imos** |
| habl**asteis** | corr**isteis** | escrib**isteis** |
| habl**aron** | corr**ieron** | escrib**ieron** |

Note the written accents on the first- and third-person singular forms. The **nosotros/as** forms of **-ar** and **-ir** verbs are identical in the present tense and in the preterite; context will determine meaning. **-Er** verbs, however, do show a present/preterite contrast in the **nosotros/as** form (**corremos/corrimos**).

## B. *-Ir* stem-changing verbs

In grammar section 4 you reviewed the forms of **-ir** stem-changing verbs in the present tense. These verbs show a slightly different stem change in the preterite, but *in the third-person singular and plural forms only.*

| PRESENT TENSE e → ie<br>PRETERITE e → i | | PRESENT TENSE o → ue<br>PRETERITE o → u | | PRESENT TENSE e → i<br>PRETERITE e → i | |
|---|---|---|---|---|---|
| preferí | preferimos | dormí | dormimos | pedí | pedimos |
| preferiste | preferisteis | dormiste | dormisteis | pediste | pedisteis |
| prefirió | prefirieron | durmió | durmieron | pidió | pidieron |

*The uses of the preterite and the imperfect tenses are contrasted in grammar section 14.

†These spelling changes and accent rules are practiced in the *Cuaderno de práctica.* They are also discussed in more detail in Appendices 1 and 2.

The verbs **reír(se)** and **sonreír** drop the **i** of the stem in the third-person singular and plural forms of the preterite.

(son)**ri** + ió → (son)rió

They also have a written accent in the second-person singular and plural and first-person plural forms.

(son)re**í**ste, (son)re**í**steis, (son)re**í**mos

The third-person singular form of **hacer** has an irregular spelling in the preterite: **hizo.**

Verbs whose preterite stem ends in **-j** drop the **i** from the third-person plural endings.

dij + **i**eron → dijeron
produj + **i**eron → produjeron
traduj + **i**eron → tradujeron
traj + **i**eron → trajeron

Here are some of the most common verbs of this type. The first vowel(s) in parentheses refer(s) to the stem change in the present tense. The second vowel in parentheses refers to the stem change in the preterite.

| | | |
|---|---|---|
| divertirse (ie, i) (*to have a good time*) | morir (ue, u) | seguir (i, i) |
| dormir (ue, u) | pedir (i, i) | servir (i, i) |
| medir (i, i) | preferir (ie, i) | sonreír (i, i) (*to smile*) |
| mentir (ie, i) | reír(se) (i, i) (*to laugh*) | sugerir (ie, i) |
| | repetir (i, i) | vestir(se) (i, i) |

## C. Verbs with irregular preterite stems and endings

All verbs in this category have irregular stems and share the same set of irregular endings. Note that these forms have *no written accents.* The preterite forms of **tener** and **venir** are examples of verbs of this category.

| tener | | venir | |
|---|---|---|---|
| tuve | tuv**imos** | vine | vin**imos** |
| tuv**iste** | tuv**isteis** | vin**iste** | vin**isteis** |
| tuv**o** | tuv**ieron** | vin**o** | vin**ieron** |

The following verbs—and any compounds ending in these verbs (**poner** → ***com*poner, hacer** → ***des*hacer,** and so on)—share the same endings as **tener** and **venir.**

| | | | | | |
|---|---|---|---|---|---|
| andar: | **anduv-** | hacer: | **hic-** | querer: | **quis-** |
| decir: | **dij-** | poder: | **pud-** | saber: | **sup-** |
| -ducir: | **-duj-*** | poner: | **pus-** | traer: | **traj-** |
| estar: | **estuv-** | | | | |

The preterite of **hay** (**haber**) is **hubo** (*there was/were*).

## D. *Dar, ir,* and *ser*

**Dar** is an **-ar** verb that uses the regular **-er** verb preterite endings. **Ser** and **ir** have identical preterite forms; context will determine meaning.

| dar | | ir/ser | |
|---|---|---|---|
| di | dimos | fui | fuimos |
| di**ste** | disteis | fui**ste** | fuisteis |
| dio | dieron | fue | fueron |

*Verbs with this form include **traducir** (**traduje, tradujiste,...** ), **conducir** (**conduje, condujiste,...** ), and **reducir** (**redujo, redujiste,...** ), among others.

**Práctica** Complete las siguientes oraciones según el modelo.

MODELO: Hoy no pienso *comer,* pero ayer ______ mucho. →
Hoy no pienso comer, pero ayer comí mucho.

1. Hoy no pienso *estudiar* (manejar, correr, leer, dormir), pero ayer ______ mucho.
2. Este año los estudiantes no *estudian* (ganan, juegan, pierden, salen), pero en noviembre del año pasado ______ mucho.
3. Este año tú no *festejas a muchos amigos* (gastas muchas bromas, sigues muchos cursos, vas a Centroamérica, vienes a clase conmigo), pero el año pasado ______.

Ahora complete estas oraciones, poniendo los verbos en el pretérito y también cambiando los sustantivos por la forma correcta de los complementos pronominales.

MODELO: Pablo no quería *escuchar las cintas,* pero ayer ______. →
Pablo no quería escuchar las cintas, pero ayer las escuchó.

4. Pablo no quería *traducir el párrafo* (repetir las palabras, darme los dulces, decirles la verdad, hacerle el favor, reírse), pero ayer ______.
5. Esta vez ellos no van a *asustarnos* (rechazar las ideas, servirles cerveza a los niños, traerle regalos a Marta, ver los disfraces, sonreírnos), pero la vez pasada ______.
6. Este año mi sobrinita no *se disfraza* (pedirles dulces a los vecinos, hacerle travesuras a su hermano, sacarles fotos a los amiguitos), pero el año pasado ______.

# Intercambios

**A** Todos los años, el 28 de diciembre, Pepito celebra el Día de los Inocentes* gastando bromas a sus familiares y amigos. Cambie los verbos del presente al pretérito para indicar lo que Pepito hizo el año pasado. Luego, conteste las preguntas que siguen.

Pepito se levanta[1] temprano y pone[2] un insecto de plástico en el desayuno de su hermanita. Después, llama[3] por teléfono a un amigo y le cuenta[4] una mentira (*lie*). Su mamá se enoja[5] mucho. Luego, Pepito va[6] a la escuela para gastar más bromas. En la escuela, Pepito esconde[7] una rana (*frog*) en la mochila de su compañera, dibuja[8] una caricatura insultante de la maestra en una pared y finalmente le miente[9] a su maestra. Cuando vuelve[10] a casa, se viste[11] con la ropa de su papá, cierra[12] la puerta de su cuarto, se ríe[13] y se duerme[14] feliz.

---

*The origin of the **Día de los Inocentes** stems from when King Herod, upon hearing of the birth of Jesus, ordered the death of every child under the age of two. (Note the proximity in dates between the celebration of Christmas and the **Día de los Inocentes:** December 25 and 28, respectively). Arguably, it would be rather gruesome to commemorate the death of thousands of innocent children with a special holiday. However, the word **inocente** has a double meaning in Spanish: It can mean *not guilty*, or it can mean *naive*. Thus in modern times, the **Día de los Inocentes** is set aside for playing tricks on others in order to take advantage of the naivete in everyone.

## Entre todos

- ¿Se parece el Día de los Inocentes a algún día en particular en este país? ¿A qué día se parece? ¿En qué se parecen los dos días?
- Piensa Ud. en un primero de abril inolvidable (*unforgettable*) de cuando era niño/a. ¿Qué hizo? ¿Qué hicieron sus amigos?

**B** Trabajando en parejas, narren en el pretérito la secuencia de acciones que se presenta a continuación. Incorporen las expresiones que siguen los dibujos y usen complementos pronominales cuando sea posible.

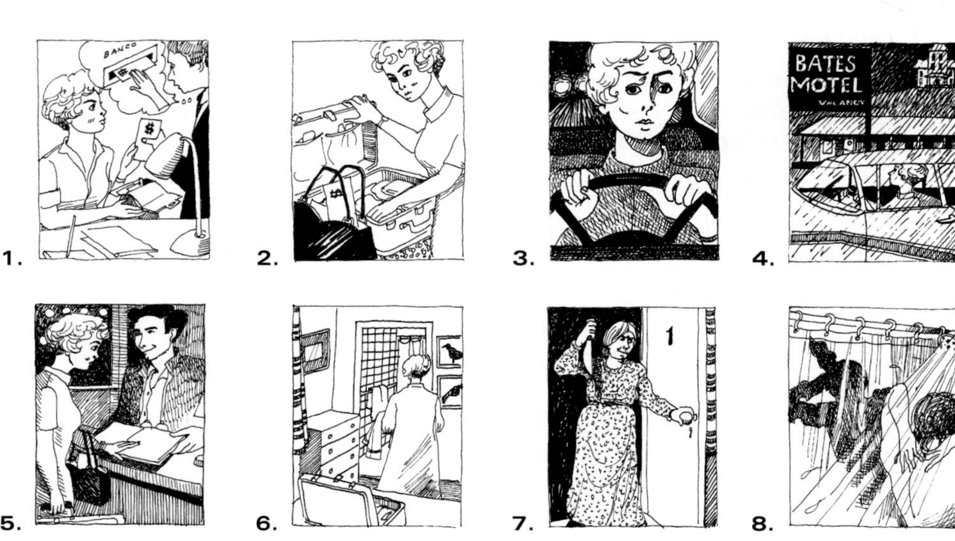


La secuencia incluye una famosa escena de muerte de una película estadounidense muy conocida. ¿Pueden Uds. identificarla?

1. un día el jefe, confiarle (*to entrust*) dinero a la empleada
2. la mujer, decidir guardar (*to keep*) el dinero / poner el dinero en la bolsa / hacer las maletas
3. después, salir del pueblo en coche
4. llegar al Motel Bates
5. allí conocer a Norman / ellos, hablarse un rato / entonces ella, firmar su nombre / Norman, darle la llave de su habitación
6. en seguida ir a su habitación / decidir ducharse
7. Norman, disfrazarse de su madre / abrir la puerta / entrar al cuarto de la mujer
8. sorprenderla en la ducha / matarla a puñaladas (*to stab to death*)

## C Entre todos

- ¿Qué hizo Ud. ayer? ¿Hizo algo interesante el mes pasado? ¿el año pasado? Piense en un día festivo como el Cuatro de Julio o el Día de Acción de Gracias. ¿Qué sucedió? Ahora piense en un día terrible. ¿Qué pasó?
- ¿Miró Ud. la televisión anoche? ¿Qué programas vio? ¿Cuál le gustó más? ¿menos? ¿Por qué? ¿Qué pasó en el programa? ¿Qué más hizo anoche?

- Piense Ud. en la primera vez que salió con un chico / una chica. ¿Con quién salió? ¿Adónde fueron? ¿Cómo llegaron allí? ¿Qué hicieron? ¿Quién pagó la cuenta? ¿A qué hora volvieron a casa? ¿Besó Ud. al chico / a la chica? ¿Salió con él/ella otra vez? ¿Por qué sí o por qué no?

**D** Guiones Trabajando en grupos de tres o cuatro personas, narren en el pretérito la secuencia de acciones que se presenta a continuación. Usen el vocabulario indicado y otras palabras que Uds. crean necesarias. Cuando sea posible, traten de evitar la repetición innecesaria, usando complementos pronominales.

**Una noche de Brujas**

1. vestirse, peinarse, disfrazarse de

2. vestirla, pintarle la cara, disfrazarla de

3. ir de casa en casa, pedirles dulces a los vecinos, darles dulces a los vecinos

4. asustar a los vecinos, hacer travesuras, divertirse mucho

5. volver a casa, comer demasiados dulces, ponerse enfermos

# ESTRATEGIAS PARA LA COMUNICACION

## Es una cosa para... *How to say what you don't know how to say*

A frequent problem in conveying ideas in another language is the lack of specific vocabulary to express what you want to say. When you are writing, you can usually look up words in the dictionary, but this is difficult if you are in the middle of a conversation. Here are some conversational strategies to use.

- Try to think of other ways to phrase your message so that the vocabulary and structures you *do* know will be adequate. Use shorter sentences and look for synonyms.
- Try defining or describing the concept with expressions such as **No sé la palabra, pero es una cosa para... Es una persona que... Es un lugar donde... Es así** (appropriate gesture) **de grande/alto/largo.** Sometimes, if you can express what the concept is *not,* your listener will be able to guess what it *is.* For example, even if you forget the word for *closed,* you may remember the words **no abierto.**

- If the person you are speaking to is bilingual, ask for help with **¿Cómo se dice...?**

Practice the preceding communication strategies in these situations.

**A** ¡Necesito compañero! You probably don't know how to say the following phrases in Spanish exactly as they are in English. Restate them in Spanish words and structures that you *do* know.

1. He is a knowledgeable person.
2. She is well-read.
3. He has been misquoted by the media frequently.
4. They are brewing coffee.
5. If you get the chance . . .
6. They are having a lot of difficulty with the task.
7. These outperform the others.
8. The report has to be proofread by a specialist.
9. The economically under-privileged require more aid.
10. I get light-headed at high altitudes.

**B** Define or describe the following words and expressions in Spanish.

1. envelope
2. Sweet 'n Low®
3. barbershop
4. weather forecaster
5. key chain
6. teaching assistant
7. day-care center
8. mobile home (house trailer)

# De entrada

Dos compañeros están preparando la casa para una celebración de fin de año mientras hablan de algunos recuerdos del año que acaba de pasar. Antes del diálogo hay cuatro expresiones para indicar el tiempo que ha pasado (*has gone by*) desde que ocurrió cada uno de los sucesos que describen. Lea el diálogo y luego identifique la expresión que se relaciona mejor con cada suceso.

a. Ocurrió hace una hora.
b. Ocurrió hace un mes.
c. Ocurrió hace seis meses.
d. Ocurrió hace un año.

RAMON: ¿Recuerdas que el pasado 31 de diciembre te robaron el coche[1]?
LUIS: ¡Claro que sí! Fue el mismo día en que mi prima te tiró las uvas porque tú la intentaste besar.[2]
RAMON: Oye, ¿sabes que poco después empezamos a salir juntos y el pasado junio nos hicimos novios[3]? Estamos muy contentos.
LUIS: ¡Anda! Ella te dejó un mensaje a la 1:00.[4]
RAMON: ¡Ya son las 2:00! ¿Por qué no me lo dijiste antes?

Los eventos ocurrieron en el pasado, ¿no? Pero ¿en qué forma está el verbo (hacer) que indica el tiempo que ha pasado? ¿presente o pasado? Ahora Ud.

va a repasar cómo se expresa cuánto tiempo ha pasado desde el momento en que ocurrió una acción.

# 13 *HACER* IN EXPRESSIONS OF TIME

The verb **hacer** is used in two different constructions related to time: to describe the duration of an action or event and to describe the amount of time elapsed since the end of an action or event.

## A. *Hacer:* Duration of an action in the present

To describe the length of time that an action has been in progress, Spanish uses either of two constructions.

| |
|---|
| **hace** + *period of time* + **que** + *conjugated verb in present tense* |
| OR |
| *conjugated verb in present tense* + **desde hace** + *period of time* |

**Hace** dos años **que trabajo** aquí.
**Trabajo** aquí **desde hace** dos años.
} ***I've been working*** (***I've worked***) *here* ***for*** *two years.*

Questions about the duration of events can be phrased in two ways.*

**¿Cuánto tiempo hace que** trabajas aquí?
**¿Hace cuánto tiempo que** trabajas aquí?
} ***How long have*** *you* ***been*** *working here?*

Other time expressions may be used to ask more specific questions.

**¿Hace mucho tiempo / poco tiempo que** trabajas aquí? — ***Have*** *you* ***been*** *working here* ***for a long / short time****?*

## B. *Hacer:* Time elapsed since completion of an action

To describe the amount of time that has passed since an action ended (corresponding to English *ago*), Spanish uses either of two patterns. Both are very similar to those used for actions in progress.

| |
|---|
| **hace** + *period of time* + **que** + *conjugated verb in preterite* |
| OR |
| *conjugated verb in preterite* + **hace** + *period of time* |

Since the focus is on a completed action, the verb for that action is conjugated in the preterite. **Hace**—present tense—is always used to measure the time.

*Note that English uses a perfect-tense form to describe the same situation: *I have been working, I have worked.*

To describe an action, condition, or event that was ongoing at some point in the past—but is no longer—Spanish uses a version of the **hace** construction with a verb in the imperfect.

**Hace** cien años las mujeres no **tenían** el derecho de votar.
*One hundred years ago women didn't have the right to vote (but they do now).*

**Hace** dos años yo **estudiaba** en la universidad.
*Two years ago I was studying (I studied) at the university (but I don't anymore).*

| | |
|---|---|
| **Hace** cuatro años **que vi** esa película.* / **Vi** esa película **hace** cuatro años. | ***I saw** that film four years **ago.*** |

Questions with the *ago* structure can be phrased in two ways.

| | |
|---|---|
| ¿**Cuánto tiempo hace que** viste esa película? / ¿**Hace cuánto tiempo que** viste esa película? | ***How long ago** did you see that movie?* |

Other time expressions may be used to ask more specific questions.

| | |
|---|---|
| ¿**Hace mucho tiempo / poco tiempo que** viste esa película? | *Did you see that movie **a long time / a short while ago**?* |

**Práctica** Combine las dos oraciones de dos formas, usando expresiones con **hacer.**

MODELOS: Tengo diez años. Aprendí a leer a los seis años. →
Hace cuatro años que sé leer. (Sé leer desde hace cuatro años.)
Hace cuatro años que aprendí a leer. (Aprendí a leer hace cuatro años.)

1. Tengo veinticinco años. Empecé a asistir a la universidad cuando tenía veinte años.
2. Raúl tiene doce años. Aprendió a montar en bicicleta a los seis años.
3. Berenice fue a España en 1994 y todavía está allí.
4. La clase empezó a las once y ya son las doce menos diez.
5. El padre de Rafael se murió cuando Rafael tenía doce años. Ahora Rafael tiene veinte años.
6. Su único hijo se enfermó en 1992. Todavía está enfermo.

## Intercambios 13

**A** Use información personal, o información sobre sus amigos o gente conocida, para formar oraciones según el contexto. Use una expresión de tiempo con **hacer.** Luego explique brevemente cada oración.

MODELOS: una experiencia con lo sobrenatural →
Leí un libro de cuentos de Edgar Allan Poe hace varios años. Los cuentos son buenos, pero ¡no me gusta lo sobrenatural!
una preferencia personal →
Hace muchos años que me gustan las alcachofas (*artichokes*). De niña, no me gustaban para nada.

1. una experiencia con lo sobrenatural
2. un episodio de gran importancia personal
3. una preferencia personal
4. una habilidad o capacidad común y corriente

*In spoken Spanish, **que** is frequently omitted in this structure: **Hace cuatro años vi esa película.**

5. un talento especial
6. la muerte de alguien importante
7. una experiencia feliz
8. una experiencia que Ud. prefiere olvidar
9. un episodio de gran importancia política o económica
10. ¿ ?

**B** ¡Necesito compañero! Háganse y contesten preguntas para descubrir la siguiente información. Luego, compartan lo que han aprendido con la clase.

1. ¿Cuánto tiempo hace que (tú) *aprendiste a leer*? (leer una buena novela, sacar la licencia de conducir, aprender a cocinar, conocer a una persona realmente estupenda, darle un regalo a alguien, llevar disfraz, hacer un viaje en avión)
2. ¿Cuánto tiempo hace que (tú) *vives en este estado*? (vivir en esta ciudad, no hacer un viaje, no tomar vacaciones, conocer a tu mejor amigo/a, tener esa ropa que llevas, asistir a esta universidad, estudiar español, no ver a tus padres)

**C** ¡Necesito compañero! A continuación se presentan cuatro esquelas (*death notices*), dos típicas de la cultura estadounidense y dos típicas de la hispana. ¿Qué semejanzas y contrastes pueden Uds. notar?

- Primero, examinen con cuidado las esquelas en inglés, marcando en la tabla de la página siguiente los datos que se encuentran en por lo menos una de ellas.
- Después examinen las esquelas en español, marcando en la tabla los datos que se encuentran en por lo menos una de ellas.

**Jane Anderson Stone**

A graveside service for Jane Anderson Stone, 58, will be held at 1 p.m. Friday at the Smalltown Cemetery. A resident of Smalltown, Mrs. Stone died Sunday at Smalltown Hospital.

Born June 17, 1939, in Kingsland, the daughter of John J. Anderson and the late Mary Burns Anderson, Mrs. Stone graduated from the University of Ourstate and taught in the Clearlake School District for 20 years.

Her survivors include her husband of 33 years, Peter M. Stone; her son William B. Stone of Shelton; daughters Roberta Crandall of Riverside and Margaret Westrick of Smalltown; and 7 grandchildren.

The family suggests that remembrances in Mrs. Stone's name be made to the National Cancer Foundation.

American Memorial is in charge of arrangements.

1.

**Mark Brown**

***Gooden's sales manager***

On Tuesday, Mark Brown, 73, died in Sunflower Hospital after a long battle with cancer.

Born in Chicago on December 15, 1924, he served in the U.S. Navy and was a longtime employee of Gooden's.

An avid golfer, Mr. Brown also enjoyed playing cards and was devoted to his family.

Mr. Brown was preceded in death by his wife, Louise Morrow Brown, and was the beloved father of Richard A. Brown of Albuquerque, N.M.

Friends may call at the Roses Funeral Home, 11234 Blues Ave. in Sunflower, on Thursday from 2 to 4 and 7 to 9 p.m. Funeral services will be held at 1 p.m. Friday at St. Paul's Church in Sunflower. Interment will be in St. Paul's Cemetery.

2.

†

EL SEÑOR

**DON JOSE MOCHON SANTIAGO**

HA FALLECIDO EN LEON

**EL DIA 29 DE JULIO DE 1990**

a los sesenta y tres años de edad

Habiendo recibido los Santos Sacramentos y la bendición de Su Santidad

**D. E. P.**

Su esposa, doña Carmen Toha Abella; hijos, don Popi, don Paco, doña Marisa, doña María del Carmen y don Juanjo Mochón Toha; hijos políticos, don Amador, doña Lía y don Yeyo; madre política, doña María Rebull; hermanas, doña Anita, doña María Luisa y doña Consuelo; hermanos políticos, don Pedro, doña Monse, doña Conchita, doña Toñeta, doña Daidi, don Juan, doña María José, doña Teresa, don Alvaro, doña Adriana, don Manuel, don Rafael y don Vicente; nietos, tíos, sobrinos, primos y demás familia.

Suplican a usted asistan a las exequias y misa de funeral que tendrán lugar hoy, lunes, día 30 del corriente, a las doce de la mañana, en la iglesia parroquial de Santa Marina la Real, y seguidamente a dar sepultura al cadáver.

Capilla ardiente: Sala número 3. Calle Julio del Campo.

Casa doliente: San Juan de Prado, 3.

3.

†

**DON ENRIQUE CRIADO CRESPO**

**NOTARIO JUBILADO**

FALLECIO CRISTIANAMENTE EN BARCELONA

a los setenta y tres años de edad

**EL DIA 29 DE JULIO DE 1990**

**D. E. P.**

Sus afligidos esposa, hijos y demás familia, al participar a sus amigos y conocidos tan sensible pérdida, les suplican un recuerdo en sus oraciones y la asistencia al acto del entierro, que tendrá lugar mañana, día 31, a las once de la mañana, en las capillas del I.M.S.F., área de Collserola (provincia de Barcelona), donde se celebrará la ceremonia religiosa. No se invita particularmente.

4.

| ¿Qué información se incluye? | EEUU 1 | 2 | ESPAÑA 3 | 4 |
|---|---|---|---|---|
| **1.** el nombre de la persona que murió | ☐ | ☐ | ☐ | ☐ |
| **2.** su dirección | ☐ | ☐ | ☐ | ☐ |
| **3.** la fecha en que murió | ☐ | ☐ | ☐ | ☐ |
| **4.** el lugar donde falleció (murió) | ☐ | ☐ | ☐ | ☐ |
| **5.** la causa de su muerte | ☐ | ☐ | ☐ | ☐ |
| **6.** la edad que tenía cuando murió | ☐ | ☐ | ☐ | ☐ |
| **7.** el lugar de su nacimiento | ☐ | ☐ | ☐ | ☐ |
| **8.** la profesión de sus hijos | ☐ | ☐ | ☐ | ☐ |
| **9.** el nombre de sus parientes cercanos | ☐ | ☐ | ☐ | ☐ |
| **10.** alguna información sobre su vida | ☐ | ☐ | ☐ | ☐ |
| **11.** la hora y el lugar del entierro | ☐ | ☐ | ☐ | ☐ |
| **12.** la hora y el lugar de la ceremonia fúnebre | ☐ | ☐ | ☐ | ☐ |
| **13.** otros datos o características: | | | | |
| ■ ¿ ? | ☐ | ☐ | ☐ | ☐ |
| ■ ¿ ? | ☐ | ☐ | ☐ | ☐ |

Ahora, analicen su tabla. ¿Qué información encontraron Uds. en las esquelas de ambas culturas? ¿Hay información o elementos que encontraron sólo en las esquelas de una cultura? Expliquen.

### Entre todos

- ¿Nota Ud. algún vocabulario especial en estas esquelas? Con respecto al estilo o formato, ¿qué semejanzas y diferencias nota entre las esquelas de ambas culturas?
- En su opinión, ¿qué sugieren estas semejanzas y diferencias con respecto a las culturas estadounidense e hispana?

## De entrada 14

Empareje cada individuo de la lista a la izquierda con las tradiciones a la derecha.

1. ______ un judío (*Jew*) argentino
2. ______ un estadounidense
3. ______ una mexicana
4. ______ un joven español
5. ______ una puertorriqueña

a. Era el 5 de mayo. Estaba en una fiesta cuando cantó una canción patriótica.
b. Era el 7 de julio. Corría delante de un toro cuando se cayó.
c. Era marzo. Cenaba en la sinagoga cuando un niño leyó las cuatro preguntas tradicionales.
d. Era febrero. Bailaba en el Carnaval de Ponce cuando vio a alguien disfrazado de vampiro.
e. Era el 4 de julio. Estaba en un picnic cuando empezaron los fuegos artificiales.

En las oraciones anteriores se encuentran diferentes usos del pretérito y del imperfecto. ¿Puede Ud. identificar algunos? A continuación Ud. va a repasar detalladamente estos usos de los tiempos del pasado.

# 14 PRETERITE/IMPERFECT CONTRAST

When describing events or situations in the past, Spanish speakers must choose between the preterite and the imperfect. The choice depends on the aspect of the event or situation that the speaker wants to describe.

## A. Beginning/end versus middle

In theory, every action has three phases or aspects: a beginning (**un comienzo**), a middle (**un medio**), and an end (**un fin**). When a speaker focuses on the beginning or the end of an action, the preterite is used. When he or she focuses on the middle (a past action in progress, a repeated past action, or a past action that has not yet happened), the imperfect is used. Read the following text carefully, paying attention to the uses of the preterite and the imperfect.

**Era**[1] marzo, y toda Sevilla **celebraba**[2] el Jueves Santo. **Era**[3] una noche estrellada, **hacía**[4] un poco de fresco y **había**[5] tantos turistas como sevillanos. Algunos, los que **venían**[6] a participar en las celebraciones todos los años, **estaban**[7] muy emocionados, pero los otros simplemente **querían**[8] ver las actividades de ese día tan especial.

El evento **comenzó**[9] cuando varios grupos de hombres **sacaron**[10] figuras religiosas de las iglesias y **empezaron**[11] a llevarlas en procesión por las calles de Sevilla. Mientras los hombres **caminaban,**[12] la gente que **orillaba**[13] las calles **gritaba:**[14] «¡Guapa!». Al momento en que la procesión **pasaba**[15] enfrente de la catedral, todas las campanas **sonaron.**[16]

Después de la procesión, los hombres **devolvieron**[17] las figuras a las iglesias y cada quien **se encontró**[18] con su familia. Muchos **fueron**[19] a tomar algo en algún bar o restaurante, pero otros **regresaron**[20] a su casa donde **tuvieron**[21] una reunión familiar. Como siempre, **fue**[22] un día lleno de emociones para toda la ciudad.

***It was***[1] *March, and all of Seville* ***was celebrating***[2] *Holy Thursday.* ***It was***[3] *a starry night,* ***it was***[4] *a little cool, and* ***there were***[5] *as many tourists as Sevillians. Some, the ones that* ***came***[6] *to participate in the celebrations every year,* ***were***[7] *very excited, but the others merely* ***wanted***[8] *to see the activities of that special day.*

*The event* ***started***[9] *when several groups of men* ***removed***[10] *religious figures from the churches and* ***started***[11] *to take them in a procession through the streets of Seville. While the men* ***walked,***[12] *the people that* ***lined***[13] *the streets* ***shouted,***[14] *"Beautiful!". At the moment that the procession* ***was passing***[15] *in front of the cathedral, all the bells* ***rang.***[16]

*After the procession, the men* ***returned***[17] *the figures to the churches and each one* ***joined***[18] *his family. Many* ***went***[19] *to have something in a bar or restaurant, but others* ***returned***[20] *to their home where they* ***had***[21] *a family gathering. As always,* ***it was***[22] *an exciting day for the whole city.*

---

[1]middle: in progress [2]middle: in progress [3]middle: in progress [4]middle: in progress [5]middle: in progress [6]middle: repeated [7]middle: in progress [8]middle: in progress [9]beginning [10]end [11]beginning [12]middle: simultaneous [13]middle: in progress [14]middle: simultaneous [15]middle: in progress [16]end [17]end [18]end [19]end [20]end [21]end [22]end

Although English sometimes uses a progressive verb form—*was approaching, was wagging*—to signal an action in progress, the simple past tense—*it seemed, it had, it wore*—may also have this meaning, depending on the context. Learning to use the preterite and imperfect correctly does not involve matching English forms to Spanish equivalents but rather paying attention to contextual clues that signal middle (imperfect) or nonmiddle (preterite).

## B. Context of usage

The contrast between middle and non-middle helps to explain why certain meanings are usually expressed in the preterite whereas others are generally expressed in the imperfect.

- Emotions, mental states, and physical descriptions are generally expressed in the imperfect. This information is usually included as background or explanatory material—conditions or circumstances that were *ongoing* or *in progress* at a particular time.

  Algunos, los que venían a participar en las celebraciones todos los años, **estaban** muy emocionados, pero los otros simplemente **querían** ver las actividades de ese día tan especial.

  Descriptions of weather and feelings are often included as background "circumstances" or "explanations."*

  **Era** una noche estrellada, **hacía** un poco de fresco y había tantos turistas como sevillanos.

- When a story is narrated, several successive actions in the past are expressed in the preterite. Here the focus is usually on each individual action's having *taken place* (i.e., having begun or been completed) before the next action happens.

  El evento **comenzó** cuando varios grupos de hombres **sacaron** figuras religiosas de las iglesias y **empezaron** a llevarlas en procesión por las calles de Sevilla.

- Actions that are considered simultaneous are expressed in the imperfect: the focus is on two (or more) actions *in progress* at the same time.

  Mientras los hombres **caminaban,** la gente que orillaba las calles **gritaba:** «¡Guapa!».

- When an ongoing action in the past is interrupted by another action, the ongoing action is expressed in the imperfect. The interrupting action is expressed in the preterite.

  Al momento en que la procesión **pasaba** enfrente de la catedral, todas las campanas **sonaron.**

- When the endpoint or the duration of an action is indicated, the preterite is used, regardless of whether the action lasted a short time or a long time.

  Como siempre, **fue** un día lleno de emociones para toda la ciudad.

## C. Meaning changes with tense used

In a few cases, two distinct English verbs are needed to express what Spanish can express by the use of the preterite or the imperfect of a given verb. Note that, in all of the following examples, the preterite expresses an action at either its beginning or ending point, and the imperfect expresses an ongoing condition.

---

*See Appendix 7 for a review of some of these common idiomatic expressions with **hacer** and **tener.**

| | PRETERITE: ACTION | IMPERFECT: ONGOING CONDITION |
|---|---|---|
| **conocer** | **Conocí** a mi mejor amigo en 1999.<br>***I met*** (action that marked the beginning of our friendship) *my best friend in 1999.* | Ya **conocía** a mi mejor amigo en 2000.<br>*I already* ***knew*** (ongoing state) *my best friend in 2000.* |
| **pensar** | De repente, **pensé** que era inocente.<br>*Suddenly* ***it dawned on me*** (action that marked the beginning of the thought) *that he was innocent.* | **Pensaba** que era inocente.<br>***I thought*** (ongoing opinion) *that he was innocent.* |
| **poder** | **Pude** dormir a pesar del ruido de la fiesta.<br>***I managed*** (***was able***) *to sleep* (action of sleeping took place) *despite the noise from the party.* | **Podía** hacerlo pero no tenía ganas.<br>***I was able*** (had the ability) *to do it but I didn't feel like it.* (Being able to do something and actually doing it are two separate things.) |
| **no querer** | Me invitó al teatro, pero **no quise** ir.<br>*She invited me to the theater, but* ***I refused*** *to go.* (Action—saying no—took place.) | Me invitó al teatro, pero **no quería** ir.<br>*She invited me to the theater, but* ***I didn't want*** *to go.* (This describes only what your mental state was; wanting or not wanting to do something and actually doing it are separate things.) |
| **querer** | El vendedor **quiso** venderme seguros; me costó mucho trabajo deshacerme de él.<br>*The salesman* ***tried*** *to sell me insurance* (act of trying to sell took place); *it took a lot of hard work to get rid of him.* | El vendedor **quería** venderme seguros, pero se le olvidaron los formularios.<br>*The salesman* ***wanted*** *to sell me insurance* (mental state only), *but he forgot the forms.* |
| **saber** | Elvira **supo** que Jaime estaba enfermo.<br>*Elvira* ***found out*** (action that marked the beginning of knowing) *that Jaime was sick.* | Elvira **sabía** que Jaime estaba enfermo.<br>*Elvira* ***knew*** (ongoing awareness) *that Jaime was sick.* |
| **tener** | **Tuve** una fiesta ayer.<br>***I had*** (action took place) *a party yesterday.* | **Tenía** varios buenos amigos mientras estaba en la escuela.<br>***I had*** (ongoing situation) *several good friends while I was in school.* |
| **tener que** | **Tuve que** ir a la oficina anoche.<br>***I had*** *to go* (and did go) *to the office last night.* | **Tenía que** ir a la oficina.<br>***I was supposed*** *to go* (mental state of obligation, no action is implied one way or the other) *to the office.* |

**Práctica** Lea el siguiente párrafo y decida si los verbos entre paréntesis indican el medio de la acción o no. Luego dé la forma correcta de cada verbo (pretérito o imperfecto) según el caso.

**La historia de un ex novio**

I used to have (**tener**)[1] a boyfriend named Hector. He was (**ser**)[2] very tall and handsome, and we used to spend (**pasar**)[3] a lot of time together. We would go (**ir**)[4] everywhere together. That is, until he met (**conocer**)[5] a new girl, Jane. He talked to her (**hablarle**)[6] once and then invited her (**invitarla**)[7] to a big dance. He told me (**decirme**)[8] that it was because he felt sorry for her (**tenerle compasión**),[9] but I didn't believe him (**creérselo**).[10] I wanted (**querer**)[11] to kill him! But I decided (**decidir**)[12] to do something else. Since I knew (**saber**)[13] where she lived (**vivir**),[14] I went (**ir**)[15] over to her house to tell her what a rat Hector was (**ser**).[16] But when I got there (**llegar**),[17] I saw (**ver**)[18] that his car was (**estar**)[19] parked in front. I got (**ponerme**)[20] so angry that I started (**empezar**)[21] to slash his tires. Just then, Hector came out (**salir**)[22] of the house. When he saw me (**verme**),[23] he yelled (**gritar**)[24] and ran (**correr**)[25] toward me. . . .

(*Continúa en Repaso, Capítulo 6.*)

# Intercambios 

**A** La siguiente historia describe los recuerdos de una puertorriqueña acerca del Día de los Muertos durante los primeros años de su vida, antes de mudarse (*moving*) a los Estados Unidos. Lea la historia por completo y luego escoja la forma correcta del verbo según el contexto. Al final, conteste las preguntas que siguen.

Hace trece años que vivo en los Estados Unidos, pero los primeros diecisiete años de mi vida los viví en una casa grande de madera frente al cementerio. Desde una de las ventanas de mi cuarto siempre (pude/podía)[1] ver los portones (*gates*) del cementerio. Casi cada día, había uno o dos entierros y desde mi ventana (conté/contaba)[2] las coronas (*wreaths*) de flores y (observé/observaba)[3] a mucha gente llorar.

Una costumbre de mi abuela paterna (fue/era)[4] ir al cementerio el Día de los Santos o el Día de los Muertos. Ella siempre (puso/ponía)[5] flores y velas en las tumbas de los parientes muertos, parientes que yo nunca (conocí/conocía)[6] porque (murieron/morían)[7] antes de nacer (*was born*) yo. Frente a alguna tumba, yo (vi/veía)[8] que los labios de mi abuela se (movieron/movían).[9] Ella (rezó/rezaba)[10] (*would be praying*) por el descanso de las almas de sus parientes pues (fue/era)[11] muy devota.

Recuerdo una vez, cuando yo (tuve/tenía)[12] ocho años, mis primos, e inclusive mi padre, (compraron/compraban)[13] velas. Pero ellos no las (pusieron/ponían)[14] en las tumbas ni tampoco (rezaron/rezaban).[15] Sin que nadie los observara, las (pusieron/ponían)[16] en el mismo medio de la carretera (*road*), se (escondieron/escondían)[17] detrás de las murallas (*walls*) del cementerio y (empezaron/empezaban)[18] a hacer ruidos extraños. La gente que esa noche pasó por allí y (vio/veía)[19] las velas encendidas y (oyó/oía)[20] los ruidos (comenzó/comenzaba)[21] a correr asustada, mientras que detrás de las murallas del cementerio, mis primos y mi papá se (rieron/reían)[22] sin parar. Todavía nos reímos cuando recordamos esa noche.

- ¿A Ud. le han contado sus padres la historia de alguna travesura que ellos hicieron cuando eran jóvenes? ¿Qué travesura hicieron?
- Cuando Ud. escuchó esa historia por primera vez, ¿pensó que era cómica? ¿Qué piensa ahora?

**B** Lea el siguiente párrafo y conjugue los verbos indicados según el contexto.

Cuando yo (ser)[1] más joven, (gustarme)[2] mucho ir a leer a la vieja biblioteca de mi pueblo. Yo (creer)[3] que la biblioteca (ser)[4] un lugar misterioso porque (haber)[5] muchos libros antiguos y porque todo el mundo (hablar)[6] en voz baja. En días lluviosos y oscuros, el edificio (parecer)[7] embrujado (*bewitched*). Generalmente yo (ir)[8] por las tardes porque entonces (ver)[9] al Sr. Panteón, un bibliotecario muy extraño y algo lúgubre (*gloomy*), tan flaco (*skinny*) que (parecer)[10] un esqueleto. Me (hablar)[11] de la historia de la biblioteca y me (ayudar)[12] a alcanzar los libros en los estantes más altos.

Un día cuando yo (llegar),[13] (notar)[14] que el Sr. Panteón no (estar).[15] (Poner)[16] mi mochila en una mesa; (ir)[17] a pedirle ayuda a otro bibliotecario. Pero todos (estar)[18] ocupados y nadie (poder)[19] ayudarme. Frustrado, yo (decidir)[20] regresar a casa, y (volver)[21] a la mesa para recoger mi mochila. Pero, ¡qué raro! Al lado de la mochila, amontonados (*piled up*) con cuidado, (estar)[22] los libros... ¿Cómo (llegar)[23] allí?

### Entre todos

- ¿Qué pasó? ¿Cómo explica Ud. que los libros que los otros bibliotecarios no pudieron encontrar estaban en la mesa? ¿Quién los puso allí?
- ¿A quién en la clase le ha pasado algo semejante? Cuénteselo a la clase.

**C** ¿Recuerda Ud. la secuencia de acciones que se describió en la página 86? En la página siguiente, se han agregado (*have been added*) algunos detalles descriptivos que sirven de fondo (*background*) a las acciones principales. Narre el cuento de nuevo, cambiando los verbos en letra cursiva al imperfecto o al pretérito, según sea apropiado. Si puede, añada más detalles a la historia.

1.

2.

3.

4.

5.

6.

7.

8.

1. un día, el jefe, *confiarle* dinero a la empleada / ella, *llamarse* Marian / *ser* una mujer joven y ambiciosa / pero no *estar* satisfecha / *querer* un cambio en su vida
2. la mujer, *deber* depositar el dinero / *decidir* guardarlo / ya que *tener* miedo de las autoridades / *necesitar* salir del pueblo inmediatamente / *poner* el dinero en la bolsa / *hacer* las maletas
3. después, ella, *salir* del pueblo en coche / *estar* nerviosa
4. la mujer, *estar* cansada / *llegar* al Motel Bates / en el motel, *haber* habitaciones vacantes / ella, *pensar* que allí *poder* descansar un poco antes de continuar su viaje / *haber* una enorme casa cerca / *llover* y *hacer* mal tiempo
5. en el hotel, la mujer, *conocer* a Norman / él, *ser* un joven guapo y tímido / *parecer* simpático / ellos, *hablarse* un rato / entonces ella, *firmar* su nombre en el registro / no *haber* otros huéspedes (*guests*) en el motel / Norman, *darle* la llave de su habitación
6. en seguida, ella, *ir* a su habitación / *tener* hambre / *pensar* salir a comer algo más tarde / por eso, *decidir* ducharse
7. Norman, *vivir* solo con su madre / madre, *estar* muerta / Norman, *estar* un poco demente (loco) / *tener* dos personalidades / *disfrazarse* de su madre / *abrir* la puerta / *entrar* al cuarto de la mujer mientras ella *ducharse*
8. ella, no *darse* cuenta del peligro / Norman, *sorprenderla* en la ducha / *matarla* a puñaladas

**D** ¡Necesito compañero! Usando los verbos indicados, y añadiendo otros detalles necesarios, narren una pequeña historia para cada uno de los dibujos a continuación. (Para el número 6, tienen que hacer un dibujo e inventar su propia historia.) Antes de empezar, decidan qué aspecto de cada acción (el medio de la acción o no) quieren indicar y conjuguen cada verbo en el pretérito o en el imperfecto según el caso.

1. ser las doce / jugar / llamar / no tener hambre / preferir jugar

2. recibir corbata de su tía / ser muy fea / no gustarle / decidir devolverla / hablar con la dependienta / ver a su tía

3. tener unos diez años / ser un muchacho travieso (*mischievous*) / siempre hacer cosas que no deber hacer / encontrar unos cigarrillos / fumar / llegar su madre

**4.** ser una noche oscura / hacer muy mal tiempo / estar solos en la casa / leer / oír unos ruidos extraños / estar asustados / no querer ir a investigar

**5.** ser su aniversario / ir a comer a un restaurante elegante / pedir una gran comida / estar muy contentos / abrir la cartera para pagar la cuenta / descubrir / no tener / no aceptar tarjetas de crédito / tener que lavar los platos

**6.** ¿ ?

**E** ¡Necesito compañero! Háganse y contesten preguntas para obtener la siguiente información sobre la niñez. Recuerden usar las formas de **tú** en las preguntas. ¡No se olviden de usar las estrategias para la comunicación! Luego, compartan con la clase lo que han aprendido sobre la niñez de su compañero/a.

1. una cosa que le gustaba muchísimo
2. un lugar que le parecía especial
3. una persona que influía mucho en su vida de una manera positiva
4. algo que tenía que hacer todos los días y que no le gustaba
5. algo que hizo sólo una vez pero que le gustó mucho
6. una cosa con la que siempre tenía mucho éxito
7. una ocasión en que estaba muy orgulloso/a de sí mismo/a
8. una cosa buena que hizo para otra persona

## El Día de los Difuntos en Oaxaca, México

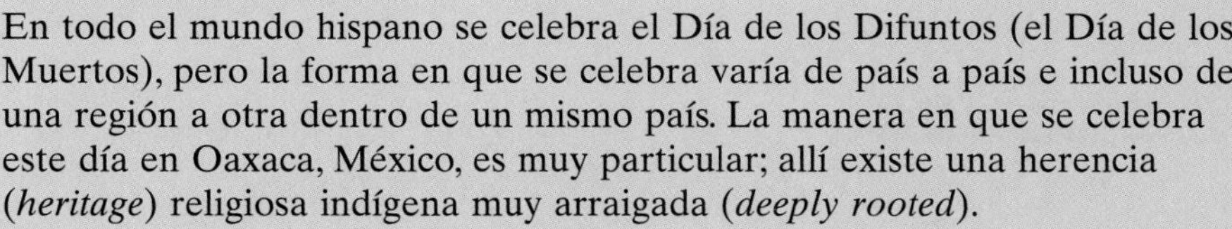

En todo el mundo hispano se celebra el Día de los Difuntos (el Día de los Muertos), pero la forma en que se celebra varía de país a país e incluso de una región a otra dentro de un mismo país. La manera en que se celebra este día en Oaxaca, México, es muy particular; allí existe una herencia (*heritage*) religiosa indígena muy arraigada (*deeply rooted*).

### Antes de ver

- ¿Cuánto sabe Ud. de la celebración del Día de los Difuntos en México? ¿Qué clase de ritos piensa Ud. que forman parte de esta celebración en Oaxaca?

Oaxaca, México

■ Ahora lea con cuidado la actividad en **Vamos a ver** antes de ver el vídeo por primera vez.

### Vamos a ver

¿Cuáles de las siguientes costumbres y creencias del Día de los Difuntos puede Ud. identificar como propias de los oaxaqueños?

1. □ La gente pone velas y flores en las tumbas y reza (*pray*) por las almas (*souls*) de los muertos.
2. □ Se dedican dos días del mes de noviembre a la memoria de los muertos.
3. □ Los adultos, igual que los niños, visitan el cementerio por la noche.
4. □ Todos se disfrazan de brujas y fantasmas.
5. □ Se cree que los muertos regresan a la vida el primer día de noviembre.
6. □ La creación de los altares demuestra el amor que se les tiene a los difuntos.
7. □ Los niños van de tumba a tumba pidiéndole dulces a la gente en el cementerio.
8. □ Se hacen altares para los difuntos frente a casas y restaurantes.

### Después de ver

■ Trabajando en grupos, hagan una lista de por lo menos cuatro características de la celebración del *Memorial Day* y otra del Día de los Difuntos en Oaxaca. Comparen sus listas con las de los otros grupos. De estas listas, ¿se puede llegar a una conclusión sobre algunos de los valores culturales de los dos países?

■ Busque Ud. información sobre otras fiestas o tradiciones en México. ¿Cuáles son parecidas a las de este país? ¿Cuáles son distintas? ¿Cuáles le parecen más interesantes a Ud.? Comparta esta información con sus compañeros de clase.

## De entrada

Mire el siguiente dibujo. ¿Por qué cree Ud. que este ser (*being*) anda vestido de esta manera? A continuación hay algunas conjeturas acerca de cómo era mientras vivía. Indique cuáles de éstas le parecen a Ud. probables (**P**) y cuáles le parecen improbables (**I**).

1. ______ Era un individuo que se preocupaba mucho por su posición social.
2. ______ Dedicaba su tiempo a los pobres y los enfermos.
3. ______ Su esposa, con quien vivió por veinte años, tenía obsesión por economizar electricidad.
4. ______ Era un hombre tímido a quien no le gustaba nada atraer la atención de los demás.
5. ______ Su casa, que era muy humilde, tenía un sistema de energía solar.
6. ______ Era una persona que se miraba en el espejo con frecuencia.

¿En qué estarán pensando los otros ángeles con gafas oscuras? Les parecerá que hay mucha luz, ¿verdad? A continuación Ud. va a ser iluminado/a (*enlightened*) con los usos de **que** y **quien(es)** para hacer oraciones complejas.

# 15 RELATIVE PRONOUNS: *QUE, QUIEN*

A series of short sentences in a row sounds choppy; often there are no smooth transitions from one idea to another. By linking several short sentences together to make longer ones, you can form sentences that have a smoother, more fluid sound.

## A. Simple versus complex sentences

A *simple sentence* consists of a subject and a predicate (verb with or without a complement).

| | |
|---|---|
| David compró el disfraz.<br>El disfraz estaba en la tienda. | *David bought the costume.*<br>*The costume was in the store.* |
| El muerto era médico.<br>Enterraron al muerto ayer. | *The deceased was a doctor.*<br>*They buried the deceased man yesterday.* |

A *complex sentence* is really two sentences: a main sentence (**la oración independiente/principal**) and a second sentence (**la oración dependiente/subordinada**) set inside (embedded in) the main sentence. The two sentences are joined by a relative pronoun (**un pronombre relativo**).

| | | |
|---|---|---|
| **Two Sentences** | David compró **el disfraz.**<br>**El disfraz** estaba en la tienda. | **El muerto** era médico.<br>Enterraron **al muerto** ayer. |
| **Embedded Element** | **que** estaba en la tienda | **que** enterraron ayer |
| **Complex Sentence** | David compró **el disfraz que** estaba en la tienda.<br>*David bought* ***the costume that*** *was in the store.* | **El muerto, que** enterraron ayer, era médico.<br>***The deceased man, that*** *they buried yesterday, was a doctor.* |

Note that the same noun is present in both sentences. When the two are joined, the repeated noun is replaced by a relative pronoun. The embedded sentence is then inserted into the main sentence following the noun to which it refers.

Relative pronouns are often omitted in English.

The car (that) we bought isn't worth anything.

He doesn't know the man (that) we were talking with.

In contrast, the relative pronouns are never omitted in Spanish.

El coche que compramos no vale nada.

No conoce al hombre con quien hablábamos.

## B. *Que* versus *quien*

There are three principal relative pronouns in English: *that, which,* and *who/whom.* In Spanish, all three are usually expressed by the relative pronoun **que.**

| | |
|---|---|
| Laura leyó el libro **que** compró. | *Laura read the book* ***that*** *she bought.* |
| Mi coche, **que** está estacionado allí, es azul. | *My car,* ***which*** *is parked there, is blue.* |
| Este es el artículo de **que** te hablé. | *This is the article* ***that*** *I spoke to you about.* |
| Vi al hombre **que** estaba aquí ayer. | *I saw the man* ***who*** *was here yesterday.* |

Although *who/whom* is usually expressed in Spanish by **que,** in two cases *who/whom* may be expressed by **quien(es).**

1. When *who/whom* introduces a nonrestrictive clause.

| | |
|---|---|
| Julia, **quien** (**que**) no estuvo ese día, fue el líder del grupo. | *Julia,* ***who*** *was not there that day, was the leader of the group.* |
| Carmen y Loren, **quienes** (**que**) hoy viven en Newark, son de Cuba. | *Carmen and Loren,* ***who*** *today live in Newark, are from Cuba.* |

Nonrestrictive clauses, which are always set off by commas, are embedded in sentences almost as an afterthought or an aside. If they are removed, the essential meaning of the sentence remains unchanged. When the replaced element is a person, either **que** or **quien(es)** may be used to introduce the clause. Although **que** is more common in spoken language, **quien(es)** is preferred in writing.

**2.** When *whom* follows a preposition or is an indirect object.*

| | |
|---|---|
| No conozco al hombre **de quien** hablaba. | *I don't know the man he was talking* ***about*** *(****about whom*** *he was talking).* |
| La persona **a quien** vendimos el auto nos lo pagó en seguida. | *The person we sold the car* ***to*** *(****to whom*** *we sold the car) paid us for it immediately.* |

In colloquial English we often end sentences and clauses with prepositions: *I don't know the man he was talking* ***about;*** *The person we sold the car* ***to*** *paid us for it immediately.* In Spanish, however, *a sentence may never end with a preposition.* When a prepositional object is replaced by a relative pronoun, the preposition and pronoun are both moved to the front of the embedded sentence, as in the following examples from more formal English: *I don't know the man* ***about whom*** *he was talking; The person* ***to whom*** *we sold the car paid us for it immediately.*

### En resumen

- If it is *possible* to use a relative pronoun in English, it is *necessary* to use one in Spanish.
- Unless there is a preposition or a comma, always use **que.**

**Práctica** Complete las siguientes oraciones con **que** o **quien(es)** según el contexto.

1. Mucha gente desprecia a las personas ______ son algo diferentes.
2. Las películas ______ más me asustan son las de Stephen King.
3. Hay muchos rasgos ______ compartimos con esos grupos étnicos.
4. Estoy segura de que la mujer con ______ hablan es una bruja.
5. ¿Cuáles son las características ______ se asocian con lo sobrenatural?
6. Los indígenas de ______ hablábamos son descendientes de los primeros habitantes del continente.
7. La noche del 31 de octubre muchos niños, ______ llevan disfraces distintos, van de casa en casa pidiendo dulces.
8. Los esqueletos y calaveras con ______ se decora la casa simbolizan la muerte.

## Intercambios

**A** Junte los siguientes pares de oraciones, omitiendo la repetición innecesaria por medio de pronombres relativos apropiados.

*When *whom* is a direct object, **quien** can be used, but in contemporary speech it is more common to omit the object marker and introduce the embedded element with **que: La persona a quien vimos allí es muy famosa.** → **La persona que vimos allí es muy famosa.**

### Lenguaje y cultura

Hay muchas expresiones en inglés en que se usa la palabra *dead* pero que no tienen nada que ver con la muerte. Explique en español el significado de las siguientes frases.

1. dead wrong
2. dead set against
3. a dead ringer for . . .
4. a deadbeat
5. dead center
6. the dead of winter

En cambio, muchas frases que sí se relacionan con la muerte y la vejez (*old age*) disfrazan su verdadero significado. Ahora explique la relación que tiene cada una de las siguientes expresiones con la muerte.

1. funeral home/parlor
2. to buy the farm
3. rest home
4. memorial park

MODELO: El cementerio es el famoso Forest Lawn. Hablaron del cementerio. →
El cementerio de que hablaron es el famoso Forest Lawn.

1. Los disfraces representan brujas, piratas y animales. Los jóvenes llevan los disfraces en Carnaval.
2. En México hay mucha gente. Esta gente celebra el Día de la Independencia el 16 de septiembre.
3. Pienso invitar a la fiesta a todas las personas. Trabajo con estas personas.
4. La edad es un tema. La edad asusta a mucha gente en las fiestas de cumpleaños.
5. Todas las personas eran parientes del niño. Estas personas asistieron a su cumpleaños.
6. La mezcla de razas constituye un elemento característico de la cultura nacional. Esta mezcla resultó de la conquista.

**B** Guiones Trabajando en grupos de tres o cuatro personas, narren una breve historia para la secuencia de dibujos a continuación. Utilicen el pretérito y el imperfecto, y traten de usar complementos pronominales y los pronombres relativos para evitar la repetición innecesaria. ¡No se olviden de utilizar las estrategias para la comunicación!

**Vocabulario útil:** la bibliotecaria, darse cuenta, llamar, el equipo antifantasma, proteger, medir, combatir, los rayos láser, estar satisfecho

1. 

2. 

3. 

4. 

5. 

6. 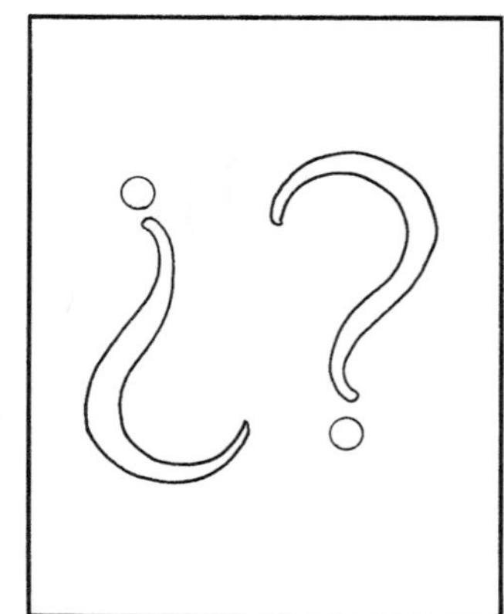

# ENLACE

## Escenarios

Imagínese que Ud. acaba de morir, la reencarnación del alma es un hecho y tiene la oportunidad de volver a la vida, *si quiere.* Es posible regresar a la Tierra con la misma identidad que se tenía o con una nueva.

**¡Necesito compañero!** Use las siguientes preguntas para entrevistar a un compañero / una compañera de clase para averiguar cómo esa persona va a reaccionar frente a esta situación. No se olviden de usar las estrategias para la comunicación.

1. ¿Vas a regresar o no? (Si él/ella dice que no, pídale que le explique el motivo de su decisión; si dice que sí, continúe con la pregunta número 2.)
2. Examina la lista a continuación de identidades que puedes asumir en tu segunda vida. ¿Cuál prefieres? ¿Por qué? (Si él/ella no encuentra ninguna alternativa aceptable, puede inventar otra.) ¿Y cuál no quieres en ninguna circunstancia? ¿Por qué no?

- alguien que va a cambiar la historia del mundo
- un delfín
- alguien que va a ser requeterrico (muy, muy rico) y famoso
- alguien con un talento extraordinario que podrá hacer algo mejor que nadie (*better than anyone else*)
- un ser humano del sexo opuesto
- una rosa
- un árbol
- un individuo admirado y querido por todos los que lo conocen
- una persona inmortal
- un pájaro

**Entre todos** Comparen los resultados de su entrevista con el resto de la clase. ¿Cómo reacciona la mayoría de los miembros de la clase ante la posibilidad de volver a la vida después de morir? ¿Hay alguna identidad escogida por la mayoría? ¿Cuál es? ¿Y cuál es la identidad que menos escogieron?

# ¡OJO!

| | EXAMPLES | NOTES |
|---|---|---|
| **hora**<br>**vez**<br>**tiempo** | ¿Qué **hora** es? ¿No es **hora** de comer?<br>*What time is it? Isn't it time to eat?* | The specific time of day or a specific amount of time is expressed with the word **hora.** |
| | Estudié dos **horas** anoche.<br>*I studied for two hours last night.* | |
| | He estado en Nueva York muchas **veces.**<br>*I've been in New York many times.* | *Time* as an *instance* or *occurrence* is **vez,** frequently used with a number or other indicator of quantity. |
| | No tengo **tiempo** para ayudarte.<br>*I don't have time to help you.* | **Tiempo** refers to *time* in a general or abstract sense. The Spanish equivalent of *on time* is **a tiempo.** |
| | Nunca llegan **a tiempo.**<br>*They never arrive on time.* | |
| **el cuento**<br>**la cuenta** | **El cuento** es largo pero muy interesante.<br>*The story is long but very interesting.* | **Cuento** means *story, narrative,* or *tale.* |
| | Mi padre me pidió **la cuenta** y después me la devolvió; no la pagó él.<br>*My father asked me for the bill and then gave it back to me; he didn't pay it.* | **Cuenta** means *bill* (*money owed*), *calculation,* or *account.* |
| **pagar**<br>**prestar atención** | Tuvimos que **pagar** todos los gastos de su educación.<br>*We had to pay for all the expenses related to his education.* | The verb **pagar** expresses *to pay for* (*something*). Note that the preposition is included in the meaning of the verb; it is not necessary to add **por** or **para.** |
| **hacer caso**<br>**hacer una visita** | Algunos estudiantes nunca **prestan atención** a sus maestros.<br>*Some students never pay attention to their teachers.* | To *pay attention* (and *not let one's mind wander*) is expressed with **prestar atención.** |
| | No le **hagas caso;** es tonto.<br>*Don't pay any attention to him; he's a fool.* | *To pay attention* in the sense of *to heed* or *to take into account* is **hacer caso (de).** |
| | Vamos a **hacerle una visita** este verano.<br>*We're going to pay her a visit this summer.* | The equivalent of *to pay a visit* is **hacer una visita.** |

**A** **Volviendo al dibujo** Los siguientes párrafos se refieren al dibujo que se ve a continuación. Elija la palabra o expresión que mejor complete cada oración. ¡Cuidado! También hay palabras de los capítulos anteriores.

1. El niño que celebraba su cumpleaños recibió un robot, pero no (funcionaba/trabajaba). La niña no (pagaba/prestaba) atención porque leía y soñaba (en/de/con) el príncipe (del cuento/de la cuenta). Ella estaba enamorada (en/de/con) él y quería casarse (en/de/con) él. La madre del niño pensaba (de/en/que) era tarde. Ya era (hora/tiempo/vez) de regresar a casa.
2. Los tres jóvenes se divertían tanto que no (realizaron/se dieron cuenta de) que su amiga no estaba con ellos. Ella (miraba/parecía) muy confundida y (buscaba/miraba) a sus amigos. Ella pensó: «Ya me perdí (otro tiempo/otra vez/otra hora).»
3. La procesión consistía (en/de/con) un grupo de hombres que llevaban figuras religiosas. El recorrido (*route*) dependía (en/de/con) las circunstancias. Si estaba lloviendo, el recorrido iba a ser más (bajo/corto). Durante la procesión, un turista quería sacar una foto pero los hombres no le (prestaban/pagaban) atención. Los hombres (miraban/parecían) muy serios y no tenían (hora/vez/tiempo) para distracciones.

**B** **Entre todos**

- De niño/a, ¿le leían cuentos sus padres (abuelos, tíos,... ) en voz alta a Ud.? ¿Qué cuentos le gustaban más: los de hadas, los de acción y de aventuras, los de fantasmas o los de terror? ¿Todavía le gusta ese tipo de cuento? ¿Le gusta escuchar los cuentos narrados (por ejemplo, en «books on tape») o prefiere leerlos?
- Cuando Ud. era más joven, ¿pagaban sus padres todos sus gastos? En general, ¿qué tipo de gasto tenía que pagar Ud. personalmente? En su opinión, ¿quién debe pagar la cuenta cuando un hombre y una mujer salen juntos? Cuando Ud. quiere pagar (o insiste en *no* pagar), ¿qué hace su pareja? ¿Se molesta o le da igual (*do you care*)? En los siguientes casos, ¿quién debe pagar, Ud. o la persona que está con Ud.? ¿Por qué?

| | |
|---|---|
| la primera cita | una cita con unos amigos íntimos |
| una cita con su novio/a (de hace algún tiempo) | una cita con sus padres |

¿Hay situaciones en que el uno o el otro *deba* pagar? Explique.

# Repaso

**A** En el siguiente diálogo, hay mucha repetición innecesaria de complementos. Léalo por completo y luego elimine los complementos innecesarios, sustituyéndolos por los pronombres y adjetivos apropiados.

**Una conversación en la clase de español del profesor O'Higgins**

O'HIGGINS: Bueno, estudiantes, es hora de entregar (*turn in*) la tarea de hoy. Todos tenían que escribirme una breve composición sobre la originalidad, ¿no es cierto? ¿Me escribieron la composición?

JEFF: Claro. Aquí tiene Ud. la composición mía.

O'HIGGINS: Y Ud., señora Chandler, ¿también hizo la tarea?

CHANDLER: Sí, hice la tarea, profesor O'Higgins, pero no tengo la tarea aquí.

O'HIGGINS: Ajá. Ud. dejó la tarea en casa, ¿verdad? ¡Qué original!

CHANDLER: No, no dejé la tarea en casa. Sucede que mi hijo tenía prisa esta mañana, el coche se descompuso (*broke down*) y mi marido llevó el coche al garaje.

O'HIGGINS: Ud. me perdona, pero no veo la relación. ¿Me quiere explicar la relación?

CHANDLER: Bueno, anoche, después de escribir la composición, puse la composición en mi libro como siempre. Esta mañana salimos, mi marido, mi hijo y yo, en el coche. Siempre dejamos a Paul —mi hijo— en su escuela primero, luego mi marido me deja en la universidad y entonces él continúa hasta su oficina. Esta mañana, como le dije, mi hijo tenía mucha prisa y cogió mi libro con sus libros cuando bajó del coche. Desgraciadamente no vi que cogió mi libro. Supe que cogió mi libro cuando llegamos a la universidad. Como ya era tarde, no pude volver a la escuela de mi hijo. Así que mi marido se ofreció a buscarme el libro. Pero el coche se descompuso y…

O'HIGGINS: Bueno, Ud. me puede traer la tarea mañana, ¿no?

CHANDLER: Sin duda, profesor.

**B** Imagínese que acaban de morirse las siguientes personas.

1. un hombre muy rico y muy tacaño (*stingy*)
2. un don Juan
3. una mujer que miente mucho
4. el dictador de un país muy pobre
5. una mujer que no cree en Dios

Al llegar al más allá, tienen que justificar, frente a San Pedro, su comportamiento en la Tierra para poder entrar al cielo. Es necesario comentar lo bueno… y también lo malo. Para comenzar, complete las oraciones a continuación de la forma en que lo harían (*would do*) estas personas recién muertas. Añada información para completar las historias.

Yo siempre ______, pero una vez ______.
Yo nunca ______, pero un día ______.
Yo solía ______, pero en 1999 ______.

Y Ud., ¿qué le diría (*would you say*) a San Pedro sobre su vida para que él le permitiera entrar al cielo?

# CAPITULO

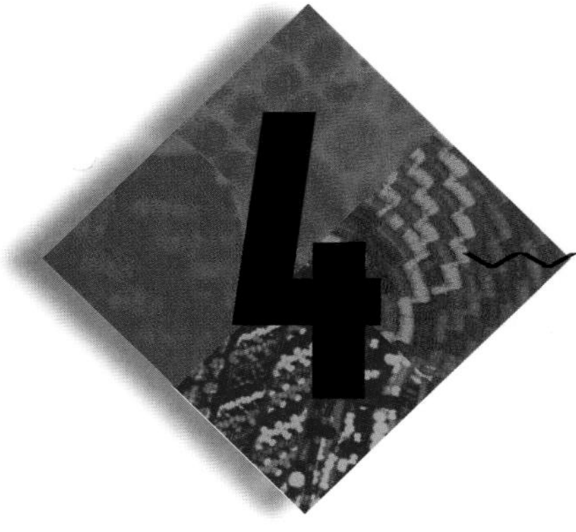

# La familia

San Miguel de Allende, México

# REFLEXIONES

Según muchos sociólogos, la familia es la unidad social fundamental, la primera y la más básica de todas las relaciones humanas. Todos tenemos una familia, y también sentimos imágenes, sensaciones y emociones siempre que (*every time*) pensamos en la idea de «familia». ¿Pero tenemos todos las mismas imágenes?

## A nivel personal

- En su opinión, ¿qué elementos son fundamentales en una familia? ¿Qué elementos son deseables pero no necesarios? ¿Tienen sus compañeros de clase ideas parecidas? ¿Hay un elemento particular o distintivo de su familia?

## A nivel regional

- ¿Piensa Ud. que la importancia que tiene la familia como unidad social es diferente entre distintos sectores? Por ejemplo, ¿entre el campo y la ciudad? ¿Entre diferentes barrios o áreas de su ciudad? ¿Entre diferentes grupos étnicos? Explique.

## A nivel global

- ¿Piensa Ud. que la importancia que tiene la familia como unidad social es diferente entre este país y los países hispanos? ¿En qué basa Ud. su opinión?
- Busque artículos sobre la importancia de la familia en algún país hispanohablante que le interese a Ud. (Sugerencia: Vaya a la sección social de un periódico electrónico de ese país o a una revista electrónica que se dedique a esos temas familiares.) Según los artículos que Ud. encuentre, ¿qué importancia tiene la familia en el país que escogió? ¿Es la importancia de la familia en ese país mayor o menor de lo que Ud. esperaba? Explique sus impresiones. Luego, compare la importancia de la familia en ese país hispano con la importancia de la familia en la comunidad donde Ud. vive. Finalmente, compare sus impresiones y observaciones con las de sus compañeros de clase.

# DESCRIBIR Y COMENTAR

The *Pasajes* CD-ROM contains interactive activities to practice the material presented in this chapter.

- ¿Qué pasa en cada uno de estos dibujos? ¿Dónde están las personas y qué hacen? ¿En qué dibujos aparecen parientes viejos? ¿En qué dibujos hay conflictos generacionales? ¿Cómo se van a resolver? Compare y contraste las emociones que se presentan en los dibujos.
- Identifique a cada uno de los parientes que aparecen en el Dibujo C. ¿Qué pasa en la reunión? ¿Qué hacen las personas? ¿Ocurren en la familia de Ud. escenas similares? ¿Cuándo?

# VOCABULARIO para conversar

**casarse con** to marry
**castigar** to punish
**criar** to raise, bring up
**cuidar** to take care of
**disciplinar** to discipline
**discutir** to argue
**divorciarse de** to divorce
**enamorarse (de)** to fall in love (with)
**estar a cargo (de)** to be in charge (of)
**golpear** to hit
**llevar una vida (feliz/difícil)** to lead a (happy/difficult) life
**mimar** to indulge, spoil (*a person*)
**pelear(se)** to fight
**portarse bien/mal** to behave/misbehave

**el cariño** affection
**el castigo** punishment
**la crianza** childrearing
**la disciplina** discipline
**el divorcio** divorce
**el hijo único / la hija única** only child
**el huérfano / la huérfana** orphan
**el matrimonio** matrimony; married couple
**el noviazgo** courtship
**el novio / la novia** boyfriend/girlfriend; fiancé(e)
**la pareja** couple; partner
**la sangre** blood
**el viudo / la viuda** widower/widow

### Los parientes

**el abuelo / la abuela** grandfather/grandmother
**el bisabuelo / la bisabuela** great-grandfather/great-grandmother
**el bisnieto / la bisnieta** great-grandson/great-granddaughter
**el cuñado / la cuñada** brother-in-law/sister-in-law
**el esposo / la esposa** husband/wife; spouse
**el hermano / la hermana** brother/sister
**el marido** husband
**la mujer** wife
**el nieto / la nieta** grandson/granddaughter
**la nuera** daughter-in-law
**los padres** parents
**el primo / la prima** cousin
**el sobrino / la sobrina** nephew/niece
**el suegro / la suegra** father-in-law/mother-in-law
**el tío / la tía** uncle/aunt
**el yerno** son-in-law

**bien educado/a, mal educado/a*** well-mannered, ill-mannered
**cariñoso/a** affectionate
**malcriado/a** bad-mannered, ill-mannered

**A** ¡Necesito compañero! Trabajando en parejas, creen un cuadro o mapa semántico para las palabras y expresiones en la página siguiente. Sustituyan la palabra **mimar** del modelo por cada palabra o expresión, y completen el cuadro con todas las ideas que asocien con el nuevo concepto. No es necesario limitarse a las palabras de la lista de vocabulario para hacer sus asociaciones.

*Many native Spanish speakers from Spain use **estar** with **educado/a;** many Latin Americans use **ser.**

MODELO: mimar →

1. enamorarse
2. pelearse
3. portarse bien

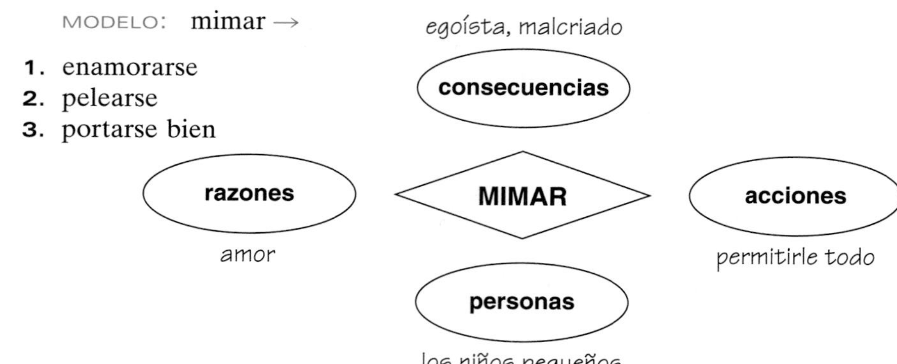

**B** ¡Necesito compañero! Es fácil ver que varias de las palabras y expresiones de la lista del vocabulario sugieren un orden cronológico: el noviazgo, el matrimonio, el divorcio. De las 46 palabras y expresiones de la lista de vocabulario, ¿cuántas pueden Uds. poner en orden cronológico? Trabajando en parejas, hagan una cronología para todas las palabras que puedan. Pero, ¡prepárense para explicarle sus decisiones a la clase!

**C** Explique la diferencia entre cada par de palabras.

1. el noviazgo / el matrimonio
2. los padres / los parientes
3. los suegros / los sobrinos
4. un huérfano / un viudo
5. el padre o la madre / los padres
6. la cuñada / la nuera

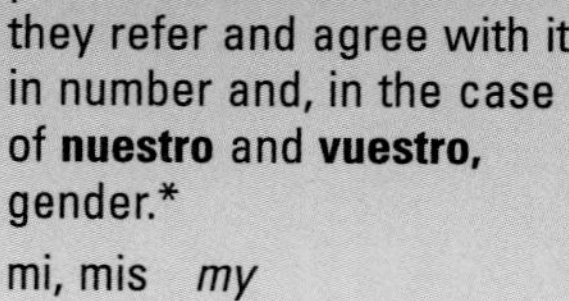

**A PROPOSITO**

Possessive adjectives precede the noun to which they refer and agree with it in number and, in the case of **nuestro** and **vuestro,** gender.*

mi, mis *my*
tu, tus *your*
su, sus *his, her, your, its*
nuestro/a/os/as *our*
vuestro/a/os/as *your*
su, sus *their, your*

**D** Defina brevemente en español cada uno de los términos de la lista de vocabulario que se refieren a «los parientes».

MODELO: el abuelo →
Mi abuelo es el padre de mi padre o de mi madre.

Describa la conversación que tiene lugar en este dibujo. ¿Quiénes son los dos individuos que hablan? ¿Es cómico o triste el dibujo? ¿Por qué?

**E** Entre todos

- Cuando Ud. era niño/a, ¿qué actividades se hacían con frecuencia en su familia? ¿Había muchas actividades en que participaba toda la familia? ¿Puede dar un ejemplo?
- ¿Qué actividades eran típicas del verano? ¿del fin de semana?
- ¿Había tareas domésticas de las que Ud. y sus hermanos estaban a cargo? ¿Cuáles?

*See Appendix 5 for more information about patterns of agreement.

# De entrada 16

Muchos sociólogos creen que la televisión y la radio tienen tanta influencia como la familia (o incluso mayor) sobre la conducta de los jóvenes de hoy. Observe este dibujo y conteste las preguntas.

1. ¿Quién desea un lavaplatos? ¿Quién quiere un auto deportivo?
2. ¿Qué desea la hija? ¿Qué piensa el padre?
3. ¿Por qué desean y piensan estas cosas los miembros de esta familia? ¿Cuál (es) de ellos representa(n) estereotipos?
4. ¿Qué efecto tiene la televisión en la vida familiar? ¿Tiene consecuencias económicas? ¿de comunicación e integración? ¿de valores (*values*) y deseos? Explique.

Ahora, mire los verbos que salen del televisor. ¿Qué verbos corresponden a cada deseo de la familia? ¿En qué forma están? Y ¿dónde van los complementos pronominales con estas formas verbales? A continuación hay una explicación de estas formas verbales, comunes en los anuncios y también en la vida familiar.

## Lenguaje y cultura

Las siguientes expresiones se utilizan con bastante frecuencia cuando se trata de la experiencia familiar norteamericana. ¿Puede Ud. explicar cada una en español?

- to be grounded
- allowance
- crybaby
- tattletale
- teenager

¿Hay otras expresiones que Ud. agregaría (*would add*) a la lista? ¡Explíquelas en español!

# 16 IMPERATIVES: FORMAL DIRECT COMMANDS

The imperative (**el imperativo**) is used to express direct commands (**los mandatos directos**). It has four basic forms in Spanish: third-person formal **Ud.** (**Uds.**) commands, and second-person informal **tú** (**vosotros/as**) commands.*

## A. Forms of formal commands

To form singular formal (**Ud.**) commands, start with the **yo** form of the present indicative. Change the **-o** ending to **-e** for **-ar** verbs, and to **-a** for **-er** and **-ir** verbs. To form plural formal (**Uds.**) commands, add the **-n** ending to the singular command.

*You will review the forms and uses of informal commands in grammar section 19.

Verbs that end in **-car, -gar,** and **-zar** have a spelling change in the formal command form.

**-car:** buscar → bus**co** → bus**que**
**-gar:** llegar → lle**go** → lle**gue**
**-zar:** empezar → empie**zo** → empie**ce**

For more information on this type of spelling change, see Appendix 2.

| | PRESENT INDICATIVE | COMMANDS | |
|---|---|---|---|
| | YO | UD. | UDS. |
| **-ar VERBS** | habl**o** →<br>piens**o** → | habl**e**<br>piens**e** | habl**en**<br>piens**en** |
| **-er VERBS** | com**o** →<br>teng**o** → | com**a**<br>teng**a** | com**an**<br>teng**an** |
| **-ir VERBS** | viv**o** →<br>oig**o** → | viv**a**<br>oig**a** | viv**an**<br>oig**an** |

The use of **Ud./Uds.** makes the command more formal or more polite, but this use is optional.

**Hable** más despacio, por favor. — ***Speak** more slowly, please.*
¡No **coman** Uds. esa fruta! — *Don't **eat** that fruit!*

If the present indicative **yo** form of a verb does *not* end in **-o** (for example, **sé** or **voy**), the verb will have an irregular command stem. The endings, however, follow the same pattern as those for regular verbs.

| INFINITIVE | PRESENT INDICATIVE | COMMANDS | |
|---|---|---|---|
| | YO | UD. | UDS. |
| dar | doy → | dé | den |
| estar | estoy → | esté | estén |
| ir | voy → | vaya | vayan |
| saber | sé → | sepa | sepan |
| ser | soy → | sea | sean |

In modern Spanish, the infinitive is increasingly used for impersonal commands, such as those on signs in public places.

No fumar.
*No smoking.*

No entrar.
*Do not enter.*

## B. Placement of pronouns with formal commands

Object and reflexive pronouns attach to affirmative commands and precede negative commands.

¿Esos libros? Pónga**los** allí. — *Those books? Put **them** over there.*
¿Esas cosas viejas? No **las** ponga aquí. — *Those old things? Don't put **them** here.*
¡No **se** bañe con cualquier jabón! ¡Báñe**se** con Cristal! — *Don't bathe with just any soap! Bathe with Cristal!*

If two object pronouns are used, the indirect or reflexive pronoun precedes the direct object pronoun.

Este vino está muy bueno. Sírva**noslo** ahora, por favor. — *This wine tastes very good. Serve **it to us** now, please.*
Este vino está muy bueno, pero no **nos lo** sirva ahora. — *This wine tastes very good, but don't serve **it to us** now.*

Attaching a pronoun or pronouns to the command form changes the number of syllables in the word. For this reason, a written accent is required on the penultimate (next-to-last) syllable of the basic command form.*

**ponga → póngalo, póngamelo**

Práctica Los señores Gambas están en la oficina del consejero familiar. Cambie las siguientes sugerencias del consejero por mandatos formales directos. ¡Atención! Hay mandatos en singular y en plural.

MODELO: Señores Gambas, Uds. deben leer mi libro sobre la crianza de los niños. →
Lean Uds. mi libro sobre la crianza de los niños.

1. Señor Gambas, Ud. nunca debe gritarles a sus hijos.
2. Señores Gambas, Uds. deben enseñarles a ser responsables.
3. Señora Gambas, Ud. no debe mimarlos.
4. Señores Gambas, Uds. no deben comprarles pistolas ni otros juguetes violentos.
5. Señora Gambas, Ud. debe obligarlos a tomar clases de música y de gimnasia.
6. Señores Gambas, Uds. no deben discutir delante de los niños.
7. Señores Gambas, Uds. deben darles igual trato (*treatment*) a los niños y a las niñas.
8. Señor Gambas, Ud. debe pasar más tiempo con los hijos porque la relación entre padre e hijos es muy importante.

# Intercambios

**A** ¿Qué sugerencias ofrece Ud. para resolver las siguientes situaciones? Use mandatos formales y dé por lo menos un mandato afirmativo y un mandato negativo para cada situación.

MODELO: Tengo hambre. →
Cómase un biftec con patatas fritas. Pero si Ud. está a dieta, haga algún ejercicio físico y no piense en la comida.

1. Tengo un examen mañana.
2. Tengo dolor de cabeza.
3. Estamos casados pero no estamos contentos.
4. Tenemos que ir a Nueva York.
5. No sé qué llevar a una fiesta elegante.
6. No tengo dinero y necesito pagar el alquiler (*rent*) de la casa.
7. Mi esposo/a está muy enfadado/a conmigo.

*The one-syllable **dar** commands are exceptions to this rule. The **Ud.** command has an accent to distinguish it in spelling from the preposition **de** (*of, from*): **dé.**

**B** ¡Necesito compañero! Imagínese que Ud. y su compañero/a trabajan para la revista mensual española *Mamás y Papás* en la sección que les ofrece consejos a los nuevos padres, contestando sus cartas en la revista. Han llegado las siguientes cartas. ¿Qué les recomiendan Uds. a los padres en cada caso? Traten de ofrecer por lo menos dos sugerencias, en forma de mandato, para cada caso. ¿Qué dicen las otras parejas al respecto?

### Nietos imposibles

Los hijos de mi nuera son insoportables. Aunque los quiero mucho —al fin y al cabo son mis nietos— me molesta que no tengan ningún sentido de la responsabilidad ni de sus obligaciones ni deberes. Su madre les hace todo, y cuando le digo que les debe pedir que la ayuden con los quehaceres domésticos, me dice que ella, de niña, odiaba este tipo de trabajo y que no quiere someter a sus hijos a la misma situación. ¿Cómo puedo convencerla de que los niños sí deben compartir el trabajo de casa aunque lo odien?

### Mi hijo se deja dominar

Supongo que no escriben muchos hombres a este consultorio, pero no soporto más observar cómo mi hijo Jaime, de tres años, se deja dominar por otro chico, uno o dos años mayor que él, hijo de unos vecinos. ¿Qué les parece, por ejemplo, la siguiente escena? Mi hijo está tranquilamente jugando con su caja de construcciones; cuando aparece el otro, acapara todos los tacos y se pone a construir un garaje. Y Jaime no sólo se lo permite, sino que incluso le mira embelesado y le alcanza los taquitos. ¿Se convertirá en un ser sin voluntad propia?

### Un niño difícil

Nuestro hijo Aaron es muy cariñoso y colaborador en casa, pero en el colegio va siempre mal, y ya ha repetido el 2° año. Al principio de cada curso, los profesores nos dicen que es aplicado, aunque le cuesta aprender, y al final nos dicen que es problemático, malhablado y que no se esfuerza. ¿Por qué es tan diferente en casa y en el colegio? ¿Debemos ser más severos con él? ¿Debemos cambiarle de centro?

**C** Entre todos De nuevo les toca a los miembros de la clase ser consejeros. ¿Qué línea de conducta (*course of action*) les sugieren Uds. a las personas en las siguientes circunstancias? ¡Atención! Las respuestas deben hacerse con mandatos formales.

1. Un amigo quiere algo más que amistad conmigo y yo no quiero eso. Hoy me compró un regalo muy caro. ¿Lo guardo (guardar: *to keep*) o se lo devuelvo?
2. Quiero salir con un chico que todavía no parece saber que existo. ¿Lo llamo yo o espero hasta que él se fije en mí (*he notices me*)?
3. Mi novia fuma mucho y esto me irrita terriblemente. Hemos hablado de esto muchas veces pero la situación no cambia. ¿Lo aguanto (aguantar: *to put up with*) o hago algo más drástico?
4. Este semestre mis notas son terribles. ¿Se lo explico a mis padres o no les digo nada?
5. Mis padres no me comprenden para nada y siempre tenemos tensiones y conflictos. ¿Busco ayuda profesional para toda la familia o no hago nada?
6. Cuando estoy en casa de mis padres, ellos me imponen reglas de conducta estrictas. ¿Obedezco sus reglas o sigo mis propias preferencias?
7. Tengo un hermano menor que me ha dicho, en confianza, que está experimentando con las drogas. ¿Se lo digo a mis padres o le guardo el secreto?
8. Mi hermana menor tiene dieciséis años; es muy mala estudiante y quiere abandonar la escuela para buscar trabajo. ¿La animo (animar: *to encourage*) o la desanimo?

# De entrada 17

Mire otra vez los dibujos de la página 112. ¿Con cuáles de ellos asocia Ud. las siguientes oraciones? ¿Quién las dice en cada escena? ¿Está Ud. de acuerdo con estas oraciones? Explique sus respuestas.

1. No me gusta que *se peleen.* Voy a castigarlos para que *se porten* bien.
2. Ya es tarde, y queremos que nuestra hija *se acueste.* Tú la mimas demasiado.
3. Te recomiendo que *cambies* de apariencia si quieres llevar una vida normal.
4. Mis hijos ya son adultos y tienen su propia vida. Es natural que no me *visiten.*

Los verbos en letra cursiva están conjugados en el modo subjuntivo. ¿Observa Ud. alguna similitud entre estas formas y los mandatos formales? ¿Cuál es? ¿Sabe Ud. por qué se usa el subjuntivo en los casos anteriores? La siguiente explicación puede aclarar sus dudas al respecto.

# 17 THE SUBJUNCTIVE MOOD: CONCEPT; FORMS; USE IN NOUN CLAUSES

## A. The subjunctive mood: Concept

As you know, one way to indicate that you want someone to do something is to give a direct command.

| | |
|---|---|
| —Tóquelo de nuevo, Sam. | —*Play it again, Sam.* |

Commands are not always stated directly, however.

| | |
|---|---|
| —¿Cómo? | —*What?* |
| —Quiero que Ud. lo toque de nuevo. | —*I want you to play it again.* |

The idea of a command is present in the last sentence, but it is now part of (embedded in) a longer sentence that begins with **Quiero que.** Embedded commands can be used to give orders to anyone.

| | |
|---|---|
| Quiere que **nosotros estemos** aquí. | *She wants **us to be** here.* |
| Es necesario que **yo hable** con el jefe primero. | *It's necessary for **me to talk** to the boss first.* |
| Prefieren que **los niños lleven** botas. | *They prefer (that) **the children wear** boots.* |

The forms used to express both direct and embedded commands are part of a general verbal system called the subjunctive mood (**el modo subjuntivo**).

A *mood* designates a particular way of perceiving an event. (A *tense,* in contrast, indicates when—present, past, future—an event takes place.) The

The subjunctive occurs in some English sentences, too.

I prefer that *she be* home by twelve o'clock.

We insist that *he turn in* the keys.

There are few direct correspondences, however, between the use of the subjunctive in English and in Spanish. In most cases, the subjunctive in Spanish is expressed in English by the indicative or an infinitive.

Esperamos que **esté** en casa para las doce.

*We hope that she is home by twelve o'clock.*

Quiere que las **mandemos.**

*He wants us to send them.*

present, preterite, and imperfect forms you have studied thus far are part of the indicative mood (**el modo indicativo**), which signals that the speaker perceives an event as fact or objective reality. In contrast, the subjunctive mood describes what is beyond the speaker's experience or knowledge, what is unknown. In the preceding Spanish sentences, note that the information conveyed by the subjunctive forms—**estemos, hable, lleven**—is not fact, but rather someone's wish that an event take place, with the possible fulfillment of that wish still in the future.

The spelling changes indicated for the formal direct commands appear in all forms of the present subjunctive.

bus**qu**e, bus**qu**es...
lle**gu**e, lle**gu**es...
empie**c**e, empie**c**es...

See Appendix 2 for more information.

## B. The present subjunctive: Forms

To form the present subjunctive, start with the **yo** form of the present indicative. Remove the **-o** ending, and add **-e, -es, -e, -emos, -éis, -en** for **-ar** verbs and **-a, -as, -a, -amos, -áis, -an** for **-er** and **-ir** verbs.

| INFINITIVE | PRESENT INDICATIVE: yo | PRESENT SUBJUNCTIVE |
|---|---|---|
| hablar | habl**o** → | habl**e**, habl**es**, habl**e**,... |
| comer | com**o** → | com**a**, com**as**, com**a**,... |
| vivir | viv**o** → | viv**a**, viv**as**, viv**a**,... |

Most verbs that have a spelling change in the **yo** form of the present indicative show that change in all forms of the present subjunctive.

| INFINITIVE | PRESENT INDICATIVE: yo | PRESENT SUBJUNCTIVE |
|---|---|---|
| conocer | cono**z**co → | cono**z**ca, cono**z**cas, cono**z**ca,... |
| poner | pon**g**o → | pon**g**a, pon**g**as, pon**g**a,... |
| tener | ten**g**o → | ten**g**a, ten**g**as, ten**g**a,... |

In **-ar** and **-er** stem-changing verbs, the pattern of stem change is the same as in the present indicative: all forms change except **nosotros/as** and **vosotros/as.**

| pensar | | volver | |
|---|---|---|---|
| piense | pensemos | vuelva | volvamos |
| pienses | penséis | vuelvas | volváis |
| piense | piensen | vuelva | vuelvan |

Since the first- and third-person singular forms of the present subjunctive are identical, subject pronouns are used when necessary to avoid ambiguity.

¿Quieres que vaya **yo** o prefieres que vaya **ella**?
*Do you want me to go, or do you prefer that she go?*

**-Ir** stem-changing verbs show the present indicative stem change in the same persons in the present subjunctive. In addition, they show the preterite stem change (**e → i, o → u**) in the **nosotros/as** and **vosotros/as** forms.

| pedir | | dormir | |
|---|---|---|---|
| pida | pidamos | duerma | durmamos |
| pidas | pidáis | duermas | durmáis |
| pida | pidan | duerma | duerman |

All verbs whose present indicative **yo** form does not end in **-o** have irregular present subjunctive stems. The endings, however, follow the same pattern as those of regular verbs.

| dar | estar | ir | saber | ser |
|---|---|---|---|---|
| dé* | esté | vaya | sepa | sea |
| des | estés | vayas | sepas | seas |
| dé* | esté | vaya | sepa | sea |
| demos | estemos | vayamos | sepamos | seamos |
| deis | estéis | vayáis | sepáis | seáis |
| den | estén | vayan | sepan | sean |

The present subjunctive of **hay** is **haya.**

Práctica[†] Cambie los infinitivos por la forma indicada del presente de subjuntivo.

1. La profesora prefiere que yo (hablar español, escribir una composición, no dormirse sobre el escritorio, estar contento/a, venir a clase todos los días).
2. Nuestros padres quieren que nosotros (portarse bien, comer muchas legumbres, volver temprano, ser alegres, no decir mentiras).
3. Yo sugiero que Ud. (lavarse las manos antes de comer, cerrar la puerta, pedir la paella, hacer mucho ejercicio, ir a casa de sus padres).
4. Es importante que ellos (respetar las leyes, leer muchos libros, abrir la puerta, dar una caminata, ver una buena película).
5. Espero que tú (mandarle una carta a tu abuela, no discutir con tus parientes, sugerir un buen restaurante, salir con ese chico / esa chica interesante de tu clase, saber las conjugaciones del presente de subjuntivo).
6. Quizás Uds. (beber demasiado alcohol, asistir a muchos conciertos, recordar el pasado, seguir las reglas de la sociedad, reírse mucho).

## C. The subjunctive mood: Requirements for use in noun clauses

In order for the subjunctive to be used in noun clauses, three conditions must be met: (1) the sentence must contain a main clause and a subordinate clause; (2) the main clause and the subordinate clause must have different subjects; and (3) the main clause must communicate certain messages. Compare the following sentences.

Quiero **agua.** — *I want **water.***
Quiero **que me traigas agua.** — *I want **you to bring me water.***

In the first sentence, **agua** is a noun describing what the speaker wants (*water*). In the second sentence, **que me traigas agua** is a clause, acting as a noun, describing what the speaker wants (*you to bring me water*).

1. Every clause (**cláusula**) contains a subject and a conjugated verb. The first of the previous example sentences has only one clause (a simple sentence), whereas the second (a complex sentence) has both a main (independent) clause and a subordinate (dependent) clause.

The subjunctive, with few exceptions, occurs only in subordinate clauses. The exceptions include sentences that begin with **tal vez, quizá(s),** and **ojalá,** which are followed by the subjunctive even though there is no subordinate clause.

Tal vez (Quizás) **llueva** mañana.
*Maybe it will rain tomorrow.*

Ojalá **traiga** el impermeable.
*I hope he brings his raincoat.*

*As with the formal command, the first- and third-person singular form **dé** has a written accent to distinguish it from the preposition **de.**

[†]There are more exercises on this grammar point in subsequent sections.

2. The subjunctive is used in a subordinate clause when its subject is different than the subject of the main clause.* In the first of the following examples, there is no change of subject, so the infinitive is used. In the second sentence, there is a change of subject, so the subjunctive is used in the subordinate noun clause.

| | |
|---|---|
| No quiero **mimar a mis hijos.** | *I don't want* ***to spoil my children.*** |
| No quiero **que mi marido mime a nuestros hijos.** | *I don't want* ***my husband to spoil our children.*** |

3. The subjunctive occurs in a subordinate clause only when the main clause communicates certain messages such as persuasion, doubt, or emotional reactions.

| | |
|---|---|
| Mamá **espera** que **me case** algún día. | *Mom hopes (that) I get married someday.* |
| **Dudo** que esos dos **se enamoren.** | *I doubt (that) those two will fall in love.* |
| **Me alegro** que no **nos peleemos** así. | *I'm glad (that) we don't fight like that.* |

Some verbs like **decir** and **escribir**, can either transmit information or convey a request. When information is transmitted, the indicative is used in the subordinate clause; when a request is conveyed, the subjunctive is used in the subordinate clause.

INFORMATION:
El les dice que **van** al parque.
*He tells them (that) they are going to the park.*

REQUEST:
El les dice que **vayan** al parque.
*He tells them to go to the park.*

## 18 USES OF THE SUBJUNCTIVE: PERSUASION

As you know, the subjunctive occurs in subordinate clauses only when the main clause communicates certain messages. One of these is *persuasion:* a request that someone else do something. The action that may or may not occur as a result of the request is expressed with the subjunctive because it is outside the speaker's experience or reality.

| | |
|---|---|
| **Esperan** que llevemos una vida feliz. | ***They hope*** *(that) we lead a happy life.* |
| **Prefiero** que no me visiten con tanta frecuencia. | ***I prefer*** *(that) they not visit me so frequently.* |
| **Es necesario** que disciplinen a sus hijos. | ***It is necessary*** *that you discipline your children.* |

It is impossible to provide a list of all the verbs that express persuasion; remember that it is the *concept* of persuasion in the main clause that results in the use of the subjunctive in the subordinate clause. The following expressions of persuasion occur in the exercises in this chapter. Make sure you know their meanings before beginning the exercises.

| | | |
|---|---|---|
| es importante que | aconsejar que | pedir (i, i) que |
| es (im)posible que | decir (i, i) que | permitir que |
| es (in)admisible que | desear que | preferir (ie, i) que |
| es necesario que | escribir que | prohibir que |
| es obligatorio que | esperar que | querer (ie) que |
| es preferible que | insistir en que | recomendar (ie) que |
| importa que | mandar que | sugerir (ie, i) que |

*An exception to this rule is found with the expressions of doubt, which will be explained in grammar section 22.

Práctica Escoja uno de los verbos del cuadro anterior y conjúguelo para crear una oración lógica como en el modelo. Puede haber (*There may be*) varias respuestas posibles.

MODELOS: Todos los padres ______ que sus hijos se porten bien. →
Todos los padres **esperan** que sus hijos se porten bien.
Todos los padres **desean** que sus hijos se porten bien.

1. Todas las mamás ______ que su hija se case con un hombre bueno.
2. Cada esposa recién (*recently*) casada ______ que su marido se lleve bien con su suegra.
3. Un buen padre nunca ______ que su hija de doce años esté fuera de la casa toda la noche.
4. A veces los abuelos ______ que los nietos hagan cosas que no deben hacer.
5. Se (impersonal) ______ que cada pareja tenga un largo noviazgo antes de casarse.

# Intercambios

**A** En el párrafo a continuación un adolescente expresa sus opiniones sobre la crianza de los hijos. ¿Cuántos ejemplos del subjuntivo para persuadir puede Ud. identificar?

¿Jóvenes alguna vez? ¿Los padres? ¡Imposible! Les encuentran defectos a mis amigos; me critican la ropa, el peinado (*hairstyle*), la música... En fin, me lo critican todo. Me prohíben salir durante la semana pero no me dejan hablar mucho por teléfono. No hacen caso de mis problemas e incluso me critican delante de mis amigos.

Definitivamente no voy a ser como ellos. Voy a dejar que mis hijos hablen todo lo que quieran por teléfono porque la comunicación es importante. Voy a dejar que se vistan como quieran y que se peinen a su gusto. Al fin y al cabo (*After all*), ¡es su pelo! Si tienen problemas, quiero que me los cuenten y que tengan confianza en mí. Es imprescindible (absolutamente necesario) que nunca los critique delante de sus amigos y que les dé mucha libertad personal, pues así aprenderán (*they will learn*) a ser personas felices e independientes.

Mi madre me dice que ella se hizo las mismas promesas a mi edad, pero no me lo creo. Todas las madres dicen eso.

- ¿Está Ud. de acuerdo con los puntos de vista de este adolescente? ¿Por qué sí o por qué no?
- ¿Qué cosas les permiten sus padres a Ud. y a sus hermanos? ¿Qué cosas les prohíben o les critican? Si Ud. ya tiene hijos, ¿qué cosas les permite, les prohíbe o les critica?
- Y Ud., ¿va a permitirles y prohibirles las mismas cosas a sus hijos? Si Ud. ya tiene hijos, ¿cree Ud. que ellos van a permitirles y prohibirles las mismas cosas a sus propios hijos (a los nietos de Ud.)? Explique.

**B** María Luisa se prepara para su primera cita. Todos sus parientes y amigos le dan consejos. Explique los consejos que le dan, siguiendo el modelo.

MODELO: padre: decir / volver temprano →
Su padre le dice que vuelva temprano.

1. madre: aconsejar / ir con otra pareja
2. hermano menor: pedir / no volver temprano
3. hermana mayor: decir / ponerse una falda larga y botas
4. abuela: recomendar / tener cuidado porque hay mucho tráfico
5. mejor amiga: sugerir / llevar un perfume exótico
6. chico con quien va a salir: pedir / traer dinero

Y ¿qué le aconseja Ud. a María Luisa que haga para prepararse para su primera cita?

**C** Los padres siempre les dan consejos a sus hijos para ayudarles a resolver sus problemas. ¿Qué consejos típicos le dan sus padres a Ud. en las siguientes situaciones?

MODELO: Si alguien me golpea, me dicen que ______. →
Si alguien me golpea, me dicen que le devuelva la bofetada (*hit him or her back*).

1. Si voy a llegar tarde a casa, me piden que ______.
2. Si una persona desconocida me habla, me dicen que ______.
3. Si mi hermano/a menor me molesta, me recomiendan que ______.
4. Si voy a entrar en una tienda de porcelanas, me piden (¡por favor!) que ______.
5. Si voy a pasar la noche en casa de un amigo / una amiga, me mandan que ______.
6. *Invente Ud. una situación para que sus compañeros sugieran consejos.*

**D** **Guiones** Trabajando en grupos de tres o cuatro personas, describan lo que quieren las personas en los dibujos a continuación. Usen las preguntas que siguen como guía y añadan todos los detalles que necesiten. Después, inventen un breve diálogo para acompañar cada dibujo.

1. **Vocabulario útil:** el chicle, hacer cola, pagar la cuenta, el supermercado

2. **Vocabulario útil:** espiar, no querer, la pareja, pedir la mano

3. **Vocabulario útil:** dejarlos solos, hablar sin parar, los novios

4. **Vocabulario útil:** dejar en paz, jugar al fútbol, ocupado

- ¿Cómo son las personas?
- ¿Quiénes son? (¿Cuál parece ser la relación entre ellos?)
- ¿Dónde están?
- ¿Cuál es el dilema?
- ¿Cómo van a resolverlo?

La mujer de esta tira cómica parece seguir las reglas y los papeles de una esposa en una familia tradicional. ¿Cuáles son los «mandamientos» para las mujeres y para los hombres en este tipo de familia? ¿Hay otros papeles y reglas en la familia de Ud.?

**E** Por lo general, en cada familia hay reglas que obedecer y papeles que los miembros de la familia adoptan. Utilizando las expresiones entre paréntesis y formando oraciones con el subjuntivo, explique las siguientes reglas de una familia tradicional. Después, explique cómo es la situación en su propia familia, o cómo piensa que va a ser cuando Ud. tenga hijos.

MODELO: (es preferible) los hombres hacer las reparaciones de la casa →
En la familia tradicional, es preferible que los hombres hagan las reparaciones de la casa. En mi propia familia, es importante que todos —hombres y mujeres— ayudemos a reparar la casa. Cuando yo tenga hijos, voy a permitir que las muchachas participen en todos los trabajos de la casa.

1. (es preferible) las mujeres hacer toda la limpieza de la casa
2. (es necesario) los hermanos menores obedecer a los mayores
3. (es importante) los hermanos mayores dar buen ejemplo a los menores
4. (es deseable) la madre quedarse (*stay*) en casa para criar a los hijos
5. (es obligatorio) los hijos estar en casa por la noche a cierta hora (*a specific time*)
6. (es preferible) los padres escoger la ropa y el peinado de los hijos
7. (es inadmisible) los hijos imponer reglas a los padres

**F** **Entre todos** Divídanse en grupos de tres o cuatro estudiantes. Su profesor(a) les asignará (*will assign*) uno de los siguientes temas para comentar. Después, compartan sus conclusiones con el resto de la clase.

1. La vida familiar está llena de conflictos entre sus miembros. Por ejemplo, ¿creen Uds. que hay riñas (*quarrels*) y peleas en todas las familias? ¿Es normal o natural esto? ¿O indica un problema grave? ¿Qué pueden hacer los padres para evitar los conflictos entre sus hijos? ¿Cómo pueden fomentar (*promote*) la cooperación entre ellos? ¿Es importante que haya autoridad y disciplina? ¿Por qué sí o por qué no?
2. ¿Hasta qué punto presenta la televisión a la familia norteamericana tal como es en realidad? Identifiquen algunas comedias, series y telenovelas que tratan el tema de la vida familiar. ¿Qué tipos de familia se representan en esos programas? ¿Qué tipos de familia *no* se representan, normalmente? ¿Qué pueden Uds. inferir de esto?
3. ¿Hay realmente una separación entre las generaciones? Señalen las actitudes típicas de los miembros de la generación de sus padres con

respecto a temas como la educación sexual, la homosexualidad, el matrimonio interracial, la pena capital, el aborto, etcétera. ¿Cuál es la actitud más común de su propia generación hacia estos temas? Si algún día Uds. tienen hijos, ¿cuál va a ser la actitud de ellos hacia estos temas? Si Uds. ya tienen hijos, ¿cuál es la actitud de ellos y cuál va a ser la actitud de sus hijos (los nietos de Uds.) hacia estos temas?

4. Muchos políticos hoy día utilizan el tema de los valores familiares como punto clave de sus campañas. Pero ¿se refieren todos a las mismas ideas? Hagan una lista de esos valores y pónganlos en orden según la importancia que les dan Uds. ¿Es deseable que los gobiernos (nacionales o estatales) fomenten o regulen esos valores? ¿Hasta qué punto? ¿Cómo deben hacerlo? ¿O es necesario que otros grupos (la comunidad, la familia o incluso el individuo mismo) asuman esa responsabilidad? Expliquen.

# ESTRATEGIAS PARA LA COMUNICACION

## Por favor *How to get people to do things*

You have practiced the use of formal direct commands, polite questions, and embedded (*implied*) commands (**Es necesario que... , Quiero que...** ) to convey requests to others. Another way to communicate a request is to use an expression of obligation. One such expression is **deber** + *infinitive,* which suggests that a person has a duty to perform a certain action. A more forceful expression that indicates personal or individual obligation is **tener que** + *infinitive.* **Hay que** + *infinitive* indicates necessity in a general or impersonal sense. It may also express *to have to do something* when no specific person is indicated as performing the action.

| | |
|---|---|
| Debes decirme la verdad. | *You should (ought to) tell me the truth.* |
| No deben estar afuera a estas horas. | *They shouldn't (ought not to) be outside at this hour.* |
| Ud. tiene que hacerlo. | *You have to (must) do it.* |
| Uds. tienen que ayudarme. | *You have to (must) help me.* |
| Hay que tomar el autobús número cinco. | *It's necessary to (One must) take bus number five.* |
| Hay que estudiar mucho para aprobar el examen. | *One has to (It is necessary to) study a lot in order to pass the test.* |

**A** Practice these expressions by rephrasing each of the following formal direct commands in at least two ways.

1. Salga Ud. por esta puerta.
2. Entregue el trabajo inmediatamente.
3. Baje Ud. en la avenida Juárez.
4. Compre los libros para mañana.
5. Beba Ud. menos alcohol.
6. Lleve siempre el carnet (*card*) de identidad.

**B** **¡Necesito compañero!** Work with a partner to prepare a brief dialogue for one of the following situations. Based on the context, decide whether it is more appropriate to use the subjunctive, the expressions of obligation you just learned, or formal direct commands.

1. A foreigner wants to know what to do in order to be admitted to a university in the United States.
2. You are instructing the babysitter (**el niñero / la niñera**) on what to do with your child while you are out.
3. You are giving a talk to a group of young parents about how to raise their children.
4. You are doctors instructing an elderly patient on how to maintain good health.

PASAJE CULTURAL

## La «Casa de la Madre Soltera (*Single*)» en Guayaquil, Ecuador

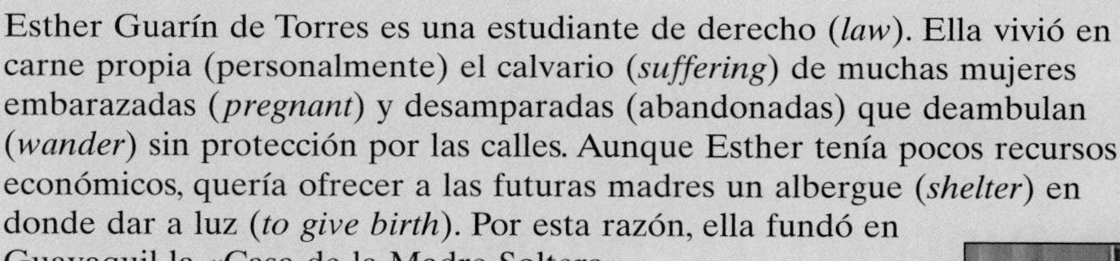

Esther Guarín de Torres es una estudiante de derecho (*law*). Ella vivió en carne propia (personalmente) el calvario (*suffering*) de muchas mujeres embarazadas (*pregnant*) y desamparadas (abandonadas) que deambulan (*wander*) sin protección por las calles. Aunque Esther tenía pocos recursos económicos, quería ofrecer a las futuras madres un albergue (*shelter*) en donde dar a luz (*to give birth*). Por esta razón, ella fundó en Guayaquil la «Casa de la Madre Soltera».

«Casa de la Madre Soltera», Guayaquil, Ecuador

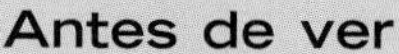

### Antes de ver

- ¿Qué tipos de servicios y beneficios espera Ud. que ofrezca este tipo de albergue?
- ¿Piensa Ud. que la «Casa de la Madre Soltera» se parecerá (*will resemble*) a sitios similares en las ciudades de este país o será muy distinta?
- Ahora lea con cuidado la actividad en **Vamos a ver** antes de ver el vídeo por primera vez.

### Vamos a ver

Según este segmento de vídeo, ¿cuáles de los siguientes servicios o beneficios reciben las mujeres que se albergan en la «Casa de la Madre Soltera»?

1. □ un ambiente familiar de comprensión y cariño
2. □ ayuda de la policía contra los parientes abusivos
3. □ orientación maternal
4. □ entrenamiento (*training*) en carreras artesanales (*handcrafting*) y técnicas
5. □ ayuda económica para asistir a la universidad
6. □ un lugar seguro en donde dar a luz

7. ☐ alimentación y albergue
8. ☐ ayuda legal para arreglar la adopción de los hijos

### Después de ver

- ¿Piensa Ud. que las necesidades de una madre soltera en Guayaquil son diferentes de las necesidades de una madre soltera en la comunidad donde Ud. vive? Explique.

- Trabajando en pequeños grupos, hagan una lista parecida a la de la sección **Vamos a ver** para un centro para madres solteras en la comunidad donde Uds. viven. Luego, comparen sus listas con las de sus compañeros de clase.

- Busque Ud. información sobre los servicios sociales en un país hispano. ¿Qué servicios están orientados a la familia? ¿Qué le parecen estos servicios?

## 19 IMPERATIVES: INFORMAL DIRECT COMMANDS

Unlike formal (**Ud./Uds.**) commands, the informal **tú** and **vosotros/as** commands have two different forms: one for affirmative and one for negative.

With only a few exceptions, affirmative **tú** commands are identical to the third-person singular present indicative forms. Meaning is made clear by context.

| AFFIRMATIVE tú COMMANDS | | |
|---|---|---|
| **-ar VERBS** | **-er VERBS** | **-ir VERBS** |
| hablar: habl**a**<br>pensar: piens**a** | comer: com**e**<br>entender: entiend**e** | vivir: viv**e**<br>pedir: pid**e** |

The following verbs have irregular affirmative **tú** command forms.

| | | | | | | | |
|---|---|---|---|---|---|---|---|
| decir: | **di** | ir: | **ve** | salir: | **sal** | tener: | **ten** |
| hacer: | **haz** | poner: | **pon** | ser: | **sé** | venir: | **ven** |

The negative **tú** command for all verbs is the same as the second-person singular form of the present subjunctive.

| NEGATIVE **tú** COMMANDS | | |
|---|---|---|
| **-ar VERBS** | **-er VERBS** | **-ir VERBS** |
| hablar: no habl**es**<br>pensar: no piens**es**<br>almorzar: no almuerc**es** | comer: no com**as**<br>entender: no entiend**as**<br>hacer: no hag**as** | vivir: no viv**as**<br>pedir: no pid**as**<br>salir: no salg**as** |

The **vosotros/as** affirmative commands for all verbs are formed by replacing the **-r** ending of the infinitive with **-d.**

| AFFIRMATIVE **vosotros/as** COMMANDS | | |
|---|---|---|
| **-ar VERBS** | **-er VERBS** | **-ir VERBS** |
| hablar: habl**ad**<br>pensar: pens**ad**<br>almorzar: almorz**ad** | comer: com**ed**<br>entender: entend**ed**<br>hacer: hac**ed** | vivir: viv**id**<br>pedir: ped**id**<br>salir: sal**id** |

Negative **vosotros/as** commands, like negative **tú** commands, are the same as the corresponding form of the present subjunctive.

| NEGATIVE **vosotros/as** COMMANDS | | |
|---|---|---|
| **-ar VERBS** | **-er VERBS** | **-ir VERBS** |
| hablar: no habl**éis**<br>pensar: no pens**éis**<br>almorzar: no almorc**éis** | comer: no com**áis**<br>entender: no entend**áis**<br>hacer: no hag**áis** | vivir: no viv**áis**<br>pedir: no pid**áis**<br>salir: no salg**áis** |

### En resumen

Remember that, with the exception of affirmative **tú** and affirmative **vosotros/as** commands, all command forms are identical to the corresponding forms of the present subjunctive.

| COMMAND FORMS OF **hablar** | | | |
|---|---|---|---|
| **PERSON** | **SUBJUNCTIVE** | **NEGATIVE COMMANDS** | **AFFIRMATIVE COMMANDS** |
| tú | hables | no hables | habl**a** |
| vosotros/as | habléis | no habléis | habl**ad** |
| Ud. | hable | no hable | hable |
| Uds. | hablen | no hablen | hablen |

Práctica 1 A veces los padres no están de acuerdo sobre lo que debe o no debe hacer su hijo/a. Cuando este niño / esta niña le hace las siguientes

preguntas a su mamá, recibe una respuesta negativa, pero cuando se las hace a su papá, recibe una respuesta afirmativa. Escriba cómo contestarían (*would answer*) la madre y el padre cada pregunta, incorporando los complementos pronominales cuando sea posible. Siga el modelo.

MODELO: ¿Puedo mirar *Viaje a las estrellas*? →
(madre): No, no lo mires.
(padre): Sí, míralo.

1. ¿Puedo poner los discos?
2. ¿Puedo comer estos chocolates?
3. ¿Tengo que hacer la cama?
4. ¿Puedo beber esta cerveza?
5. ¿Puedo ir al cine?
6. ¿Puedo cortarme el pelo?
7. ¿Puedo salir a jugar?
8. ¿Puedo ponerme mi mejor ropa ahora?

**Práctica 2** Conchita y su abuelo, don Tomás, tienen problemas similares. Lea los problemas y luego, usando las palabras entre paréntesis, escriba mandatos informales (para Conchita), mandatos formales (para don Tomás) y mandatos en plural para los dos. Use la forma de Uds. o de vosotros según le indique su profesor(a). La primera serie ya está hecha como modelo.

| PROBLEMA | CONCHITA | DON TOMÁS | LOS DOS |
|---|---|---|---|
| Me duele la cabeza. (tomar una aspirina) | Toma una aspirina. | Tome (Ud.) una aspirina. | Tomen (Tomad) una aspirina. |
| Estoy muy cansado/a. (acostarse) | | | |
| Tengo hambre. (comer algo) | | | |
| Quiero ir a mi casa. (irse) | | | |
| Necesito ropa nueva. (comprarla) | | | |
| No sé qué regalarle a Miguel. (darle dinero) | | | |
| Tengo frío. (ponerse el abrigo) | | | |

# Intercambios 

**A** Complete las siguientes oraciones con las recomendaciones que Ud. considere adecuadas para su hermano/a menor. Utilice la forma apropiada del mandato familiar (*informal*).

1. Si quieres tener muchos amigos, (no) ______.
2. Si no quieres tener problemas con papá y mamá, (no) ______.
3. Si no quieres enfermarte, (no) ______.
4. Si quieres llevarte bien conmigo, (no) ______.
5. Si quieres evitar problemas románticos, (no) ______.

**B** ¡Necesito compañero! Es posible que el mandato sea la forma verbal que los niños escuchan con más frecuencia. Trabajando en parejas, hagan una lista de los mandatos (por lo menos *dos* para cada situación) que los niños suelen oír en las siguientes situaciones. Traten de usar tantos verbos diferentes como puedan.

1. en la escuela
2. en una tienda elegante
3. en la iglesia, la sinagoga, el templo, etcétera
4. en un restaurante o una cafetería
5. en un vehículo (coche, tren, autobús, avión, etcétera)

**C** Pablo es un joven típico. Como todos los jóvenes, tiene que aguantar los regaños (*nagging*) y críticas de sus padres y demás parientes sobre su conducta y sus modales (*manners*). ¿Qué les responde Pablo a sus parientes cuando le hacen los comentarios a continuación? Contésteles por él, usando tantos mandatos diferentes como pueda. Siga el modelo.

MODELO: EL HERMANO MENOR: ¡No tienes ninguna paciencia conmigo y además eres demasiado mandón (*bossy*)! →
PABLO: ¡Déjame en paz! ¡No te quejes tanto! ¡Sal de mi cuarto!

1. LA MADRE: ¡Con esos modales nunca te van a invitar a ningún lado, Pablito!
2. EL PADRE: ¡¿Cómo vas a hacerte abogado con estas notas tan desastrosas?!
3. LA HERMANA MAYOR: ¡Pareces un payaso (*clown*) perdido con esa ropa y ese peinado!
4. LA ABUELA: ¡Nunca puedes encontrar nada porque tu habitación está hecha un lío (*mess*)!

Ahora invente los comentarios o quejas que le hacen a Pablo otras dos personas, dejando que sus compañeros de clase les contesten con los mandatos apropiados.

**D** Guiones Trabajando en grupos de tres o cuatro personas, describan lo que pasa en los dibujos a continuación. Usen las preguntas que siguen

como guía para expresar el mandato más común que se usaría (*would use*) en cada situación. ¡Atención! En cada caso es necesario decidir si el mandato más apropiado es para **Ud., Uds.** o **tú.**

1. 

2. 

3. 

4. 

**Vocabulario útil:** el periódico, el sillón, fumar, el humo, toser (*to cough*), la biblioteca, hacer ruido, molestar, el camarero, una cena elegante, una cena informal, pedir

- ¿Quiénes son las personas?
- ¿Dónde están?
- ¿Cuál es el dilema?
- ¿Cómo se va a resolver?
- ¿Qué mandato van a usar?

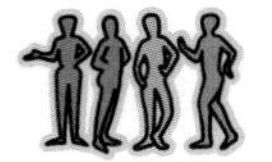

Entre todos

- ¿Pueden Uds. expresar los mensajes *de otra manera sin usar un mandato directo?* Recuerden usar las estrategias para la comunicación.

# ENLACE

## Escenarios

**Primer paso: Leer y comentar**

Lea el siguiente texto sobre la importancia de los hermanos para aprender a vivir en la sociedad. No es necesario que Ud. entienda todas las palabras, sino que capte la idea general. Después de leer, trabaje con tres compañeros de clase para contestar las preguntas que siguen el texto.

# Hermanos

## MAESTROS, RIVALES, AMIGOS...

**A través de los hermanos se aprende a compartir y a defender lo propio; a ganar y a perder; a escuchar y a ser oído. Con los hermanos se aprende, ante todo, a vivir en sociedad.**

La palabra *hermano* implica ante todo, solidaridad. Pero también la rivalidad y los celos son actitudes propias del vínculo fraternal. No cabe duda de que nuestro primer campo de experimentación de lo que podríamos llamar el «vivir en sociedad», es la familia, y los vínculos que en ella se establezcan van a ser el «molde» que utilizaremos posteriormente para tomar contacto y relacionarnos con las demás personas que nos rodeen. Es algo así como una primera toma de contacto con algo nuevo, que sin duda, marcará la pauta futura de nuestras relaciones sociales en todos los ámbitos.

- Según el texto, ¿cómo contribuyen los hermanos al desarrollo (*development*) de una persona? ¿Están Uds. de acuerdo con esta teoría? ¿Por qué sí o por qué no?
- ¿Cuáles son algunas de las ventajas de ser hijo único o hija única? Y ¿cuáles son algunas de las desventajas?
- El texto menciona tres papeles que desempeñan los hermanos: el de maestro/a, el de rival y el de amigo/a. ¿Cuál de éstos consideran Uds. el más característico? ¿Por qué?

**Segundo paso: Representar**

Trabajando en los mismos grupos, preparen una dramatización del papel que Uds. consideran el más característico. También pueden incluir otros aspectos de la vida familiar que les parezcan polémicos (*controversial*), interesantes o divertidos. Pueden representar una familia tradicional o no tradicional. Empleen los mandatos, el subjuntivo y las estrategias para la comunicación siempre que sea posible.

Entre todos Después de que cada grupo presente su dramatización ante el resto de la clase, coméntenla. Utilicen como guía las preguntas a continuación.

- ¿Cuál es el papel que este grupo escogió como el más característico de los hermanos (maestros, rivales o amigos)?
- ¿Qué otros conflictos o situaciones de la vida familiar representó este grupo? ¿Cómo se pueden resolver?
- ¿Qué tipo de familia representó el grupo? ¿En qué es «típica» esa familia? ¿En qué es «atípica»?
- ¿Qué valores familiares presentó el grupo? ¿Qué tipo de autoridad observaron en esa familia? ¿Cómo eran las relaciones entre los varios miembros de la familia? ¿Es éste el tipo de familia que Uds. desean formar en el futuro? ¿Por qué sí o por qué no?

# ¡OJO!

| | EXAMPLES | NOTES |
|---|---|---|
| **soportar**<br>**mantener**<br>**apoyar**<br>**sostener** | No puedo **soportar** su actitud.<br>*I can't stand her attitude.* | **Soportar** means *to tolerate* or *to put up with.* |
| | Mi tío rico **mantiene** a toda la familia.<br>*My rich uncle supports the whole family.* | **Mantener** means *to support financially.* |
| | La **apoyo** en la campaña política actual.<br>*I'm supporting her in the current political campaign.* | **Apoyar** means *to support* in the sense of *to back* or *to favor.* |
| | El **sostiene** al niño en sus brazos.<br>*He holds the child in his arms.* | *To support* in the physical sense of *hold* or *hold up* is expressed by **sostener.** |
| **cerca**<br>**cercano/a**<br>**íntimo/a**<br>**unido/a** | Nuestra casa está muy **cerca de** la playa.<br>*Our house is very close to the beach.*<br>La ciudad más **cercana** es Albuquerque.<br>*The closest city is Albuquerque.* | When *close* refers to the physical proximity of people or objects, Spanish uses **cerca** (adverb), **cerca de** (preposition), or **cercano/a** (adjective). |
| | Mi pariente más **cercano** es mi padre.<br>*My closest relative is my father.* | **Cercano/a** can also describe the degree of blood relationship between relatives. |
| | Elena y Mercedes son amigas **íntimas.**<br>*Elena and Mercedes are close friends.* | When *close* describes friendship or emotional ties, **íntimo/a** is used. |
| | En general, la familia hispanoamericana es muy **unida.**<br>*In general, the Latin American family is very close-knit.* | **Unido/a** expresses the closeness of family ties (but not blood relationships). |
| **importar**<br>**cuidar** | ¿Te **importa** si abro la ventana?<br>*Do you care (mind) if I open the window?*<br>—¿A qué hora salimos?<br>—No me **importa.**<br>—*What time shall we leave?*<br>—*I don't care.* (*It doesn't matter to me.*) | When *to care* has the meaning of *to be interested in,* it is expressed in Spanish by **importar.** This construction works just like **gustar:** the person who is interested is expressed by an indirect object pronoun, and the subject of the verb is the item that causes the interest. This construction is often equivalent to the English expressions *to matter to* (*someone*). |

| | EXAMPLES | NOTES |
|---|---|---|
| **importar**<br>**cuidar**<br>(*continued*) | La señora Pérez **cuidó** a su madre por muchos años.<br>*Mrs. Pérez cared for her mother for many years.*<br><br>Si no **te cuidas,** te vas a enfermar.<br>*If you don't take care of yourself, you're going to get sick.* | *To care for* or *to take care of* is expressed with **cuidar.** When used reflexively, it means *to take care of oneself.* |

**A** Volviendo al dibujo Elija la palabra que mejor complete cada oración. ¡Cuidado! También hay palabras de los capítulos anteriores.

Toda mi familia estuvo presente cuando me gradué de la universidad. Esto no me sorprendió, porque somos muy (cercanos/unidos)[1] y siempre nos (apoyamos/mantenemos)[2] mutuamente. Mi hermano, que también es mi amigo (íntimo/unido),[3] (miraba/parecía)[4] un loco sacando fotos de todo. ¡Mis padres estaban tan emocionados! Ellos (funcionaron/trabajaron)[5] muy duro para (mantenerme/soportarme)[6] y pagar mis estudios, pues les (cuida/importa)[7] mucho que sus hijos reciban una educación universitaria. Creo que todos soñábamos (con/de/en)[8] ese momento tan especial. También mi hermanita, quien asiste a una escuela (cercana/íntima)[9] a mi universidad, participó con mucho interés en el acontecimiento.

Cuando pienso (de/en)[10] todo el afecto que mi familia expresó en ese momento, me considero muy afortunada. Es normal que a veces tengamos problemas, y hay días en que no puedo (mantener/soportar)[11] el carácter de mi madre o los chistes de mi hermano. También tengo que sacrificar algunas noches para (cuidar/importar)[12] a mi hermanita cuando mis padres salen. Sin embargo, todos ellos me han enseñado que la vida familiar consiste (de/en)[13] dar y recibir apoyo y comprensión.

**B** Entre todos

- ¿Quién es su pariente más cercano? ¿Vive Ud. cerca de él/ella? Si no, ¿lo/la visita con frecuencia? ¿Tiene Ud. una familia grande? ¿muy unida? ¿Tiene un amigo íntimo / una amiga íntima entre sus parientes?
- ¿Cree Ud. que se ha hecho (*has become*) más difícil ser padre/madre en la actualidad? ¿Es más difícil criar a una familia hoy que en el pasado? Explique. ¿Cuáles son algunos de los problemas que tienen los padres actuales que no tenían los padres de antes?
- En su opinión, ¿cuál de sus compañeros de clase va a ser famoso/a? ¿rico/a? ¿abogado/a? ¿vagabundo/a (*bum*)? ¿inventor(a)? En este momento, ¿a sus padres les importan sus planes para el futuro? ¿Están ellos de acuerdo con sus planes?

# Repaso

**A** Complete la siguiente historia, dando la forma correcta del verbo. Cuando se dan varias palabras entre paréntesis, escoja la palabra apropiada.

**Los paseos (*walks*) con mi abuelo**

Durante los últimos años de su vida, mi abuelo vivió con mi tía Georgina, su única hija soltera. Cuidar de mi abuelo (ser)[1] una labor difícil, y mi tía siempre (mirar/parecer)[2] cansada. Un día, ellos dos (llegar)[3] a mi casa con una maleta.

—Norah, yo (ser/estar)[4] muy cansada, y el médico me recomienda que tome unas vacaciones. Por favor, cuida a papá durante esta semana. No olvides darle su medicina. También es importante que salga a caminar todos los días —(decirle)[5] mi tía a mi madre.

—Papá, pórtese bien, y no hable demasiado —le dijo a mi abuelo—. Nos vemos en una semana.

Sin mucho entusiasmo, mi madre (recibir)[6] a mi abuelo, con (que/quien)[7] no se llevaba muy bien. Mi madre (decidir)[8] darle mi habitación y yo (tener)[9] que dormir en el cuarto de mi hermano. Así que a mí tampoco (gustarme)[10] la idea.

A la mañana siguiente, después del desayuno, mi madre (decirme):[11]
—Miguel, tu abuelito quiere que vayas al parque con él. ¡No te preocupes! Va a ser un paseo (bajo/corto).[12]

Yo no (querer)[13] salir con un anciano (que/quien)[14] me era prácticamente desconocido, pero (ponerme)[15] la chaqueta y (salir)[16] con él.

Esa mañana, (hacer)[17] sol, y el parque (ser/estar)[18] lleno de vida. Al principio, (nosotros: caminar)[19] en silencio, pero después mi abuelo (comenzar)[20] a hablarme de sus viajes y aventuras y (él: preguntarme)[21] sobre mis amores. Descubrí con sorpresa que él (ser/estar)[22] más comprensivo (*understanding*) que mis padres, y que (escucharme)[23] con interés. Además, siempre (él: tener)[24] una historia interesante que se relacionaba con mis propias experiencias.

Durante esa semana, salí de paseo todas las mañanas con mi abuelo, mi nuevo amigo. Después, cuando (él: volver)[25] a casa de mi tía, yo (visitarlo)[26] con frecuencia.

—Abuelo, ¡cuénteme una historia! —yo (pedirle)[27] cada (tiempo/vez)[28] que salíamos a caminar.

**B** ¡Necesito compañero! Trabajando en parejas, háganse preguntas con el subjuntivo para averiguar qué tipo de padres/madres Uds. serán (*may be*) en el futuro o son ahora. Háganse otras preguntas para explicar las respuestas de «Depende».

¿Vas a permitir (Permites) que tus hijos... ?

| | | | | |
|---|---|---|---|---|
| **1.** | fumarse (*to cut*) las clases | Sí | No | Depende |
| **2.** | usar drogas alucinógenas | Sí | No | Depende |
| **3.** | ver mucho la televisión | Sí | No | Depende |
| **4.** | ponerse aretes y hacerse tatuajes (*tattoos*) | Sí | No | Depende |
| **5.** | llevar la ropa que quieran | Sí | No | Depende |

¿Vas a insistir (Insistes) en que tus hijos... ?

| | | | | |
|---|---|---|---|---|
| **6.** | asistir a la universidad | Sí | No | Depende |
| **7.** | trabajar desde la adolescencia | Sí | No | Depende |
| **8.** | ayudar en casa | Sí | No | Depende |
| **9.** | tener buenos modales | Sí | No | Depende |
| **10.** | aprender otro idioma | Sí | No | Depende |

# CAPITULO

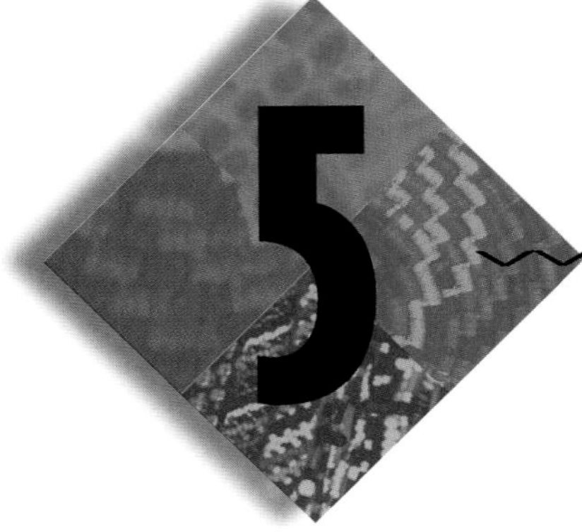

# Geografía, demografía, tecnología

Medellín, Colombia

# REFLEXIONES

La geografía influye mucho en el estilo y en el nivel de vida de los habitantes de un lugar. En las ciudades, los sistemas de transporte público, así como (*as well as*) los medios de comunicación (el teléfono y la televisión, por ejemplo), suelen ser mejores y más avanzados que los de las zonas rurales. Por otro lado, el ambiente rural ofrece una vida más tranquila, con menos crimen y contaminación.

## A nivel personal

- ¿Dónde prefiere vivir Ud., en una ciudad grande o en el campo (*countryside*)?
- ¿Qué aspectos de la vida urbana le agradan (gustan) más? ¿Cuáles le desagradan? ¿Por qué?
- ¿Qué le gusta de la vida rural? ¿Qué no le gusta? ¿Por qué?

## A nivel regional

- ¿Es la región donde Ud. vive predominantemente rural o urbana? ¿Hay diferencias notables entre el campo y la ciudad en su región?
- ¿Qué tipo de vida asocia Ud. con las siguientes regiones: la ciudad de Nueva York, el sur de California, Nebraska, Florida, Alabama, Seattle?

## A nivel global

- En Latinoamérica, hay varias grandes metrópolis como Buenos Aires y la Ciudad de México. ¿Qué ventajas o desventajas puede tener la vida diaria en estas grandes metrópolis? ¿Qué diferencias piensa Ud. que puede haber entre una ciudad grande de los Estados Unidos y una ciudad grande de un país en vías de desarrollo (*developing*)?
- Busque información sobre una gran metrópolis latinoamericana como Buenos Aires, Bogotá, Caracas, Santiago de Chile o la Ciudad de México. Después, busque información sobre una ciudad pequeña (también de Latinoamérica) como Pátzcuaro (México), Bahía Blanca (Argentina), Valdivia (Chile), Cuenca (Ecuador) o Ponce (Puerto Rico). Basándose en la información que Ud. encontró, ¿dónde preferiría (*would you prefer*) vivir? ¿Cuál preferiría visitar? ¿Por qué? Compare sus resultados con los de sus compañeros de clase.

# DESCRIBIR Y COMENTAR

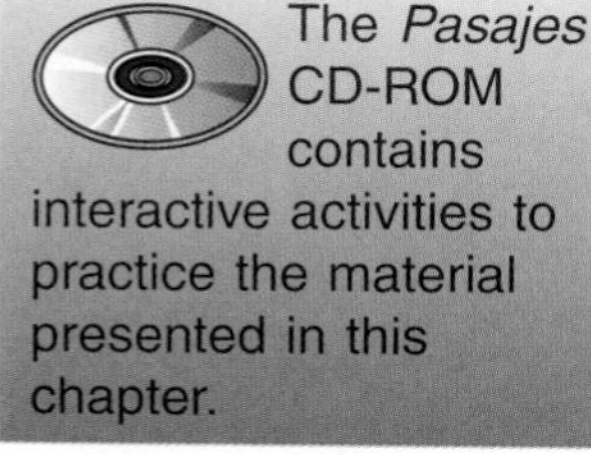
The *Pasajes* CD-ROM contains interactive activities to practice the material presented in this chapter.

- En el Dibujo A, ¿qué le propone el urbanista al arquitecto? ¿Cómo reacciona el arquitecto? ¿Qué problemas piensan resolver o eliminar? Para ellos, ¿cómo es la vivienda ideal?
- ¿Quiénes son las personas que se ven en los Dibujos B y C? ¿Qué necesidades tienen? Para ellos, ¿cómo es la vivienda ideal? ¿Cómo cambia la situación al mudarse a su nuevo apartamento (Dibujo C)? ¿Están todos contentos? ¿Por qué sí o por qué no?
- ¿Qué pasa en el Dibujo D? ¿Cree Ud. que el nuevo diseño va a responder mejor a las necesidades de los clientes? ¿Por qué sí o por qué no? ¿Qué información deben tener en cuenta la arquitecta y el urbanista para mejorar el diseño?

# VOCABULARIO para conversar

**diseñar** to design
**reciclar** to recycle
**resolver (ue)** to solve, resolve
**tener en cuenta** to take into account; to keep in mind

**urbanizar** to urbanize
**la alfabetización** literacy
**el analfabetismo** illiteracy
**el arquitecto / la arquitecta** architect
**el barrio bajo** slum
**la desnutrición** malnutrition
**la despoblación rural** movement away from the countryside
**el diseño** design
**el edificio** building
**el hambre** (*but f.*) hunger
**el medio ambiente** environment
**la modernización** modernization
**la población** population
**la pobreza** poverty
**el reciclaje** recycling
**los recursos** resources
**el agotamiento de los recursos naturales** exhaustion/consumption of natural resources
**la sobrepoblación** overpopulation
**el suburbio** slum
**la tecnología** technology
**el urbanismo** urban development; city planning
**el/la urbanista** developer; city planner
**la urbanización** migration into the cities; subdivision or residential area
**el vecindario** neighborhood
**la vivienda** housing; dwelling place

**analfabeto/a** illiterate
**culto/a** well-educated*
**desnutrido/a** undernourished
**en vías de desarrollo** developing

### Las computadoras†

**almacenar** to store
**imprimir** to print
**navegar la red** to "surf the net"
**programar** to program (*with a computer*)
**trabajar en red** to be networked

**las aplicaciones** (computer) applications
**la autoedición** desktop publishing
**la autopista de la información** information superhighway
**la base de datos** database
**el correo electrónico** e-mail
**el disco, el disquete** diskette
**el disco duro** hard drive
**el hardware** hardware
**la hoja de cálculo** spreadsheet
**la informática** computer service
**la impresora** printer
**el Internet** Internet
**la memoria** memory
**el mensaje (de correo electrónico)** (e-mail) message
**el módem** modem
**el monitor** monitor
**la multimedia** multimedia
**la pantalla** screen
**el procesador de textos** word processor
**la programación** programming
**el ratón** mouse
**la red** net(work)
**la red local** local area network (LAN)
**el software** software
**el teclado** keyboard

**en línea, on-line** on-line

---

*Remember that **educado/a** means *educated* in the sense of *well-mannered.*

†The vocabulary for computers, like that for many specialized fields, varies from country to country. In Spain, for example, the word for *computer* is **el ordenador;** in Latin America, **la computadora** is more frequent. In addition, a number of terms are commonly expressed with the English term: **el hardware, el software.**

**A** Trabajando en grupos de cuatro, inventen definiciones en español para algunas de las palabras de la lista de vocabulario. Cada persona debe inventar por lo menos una definición y los otros miembros del grupo deben adivinar (*guess*) la palabra.

MODELO: Es una persona que diseña edificios. Algunos ejemplos son Frank Gehry, Frank Lloyd Wright… (el arquitecto)

**B** A continuación hay una serie de oraciones que intentan definir algunas de las palabras del vocabulario. ¿Son exactas o inexactas las definiciones? ¿Qué modificaciones puede Ud. sugerir para las que encuentra inexactas?

1. Carlos tiene cuatro años. No sabe leer ni escribir. Es analfabeto.
2. Una persona desnutrida no come mucho.
3. Pilar acaba de graduarse de la escuela secundaria. Es muy inteligente. Es una persona culta.
4. Un país en vías de desarrollo es muy pobre; no tiene muchos recursos económicos.
5. El hambre es lo que tiene una persona antes de comer; después de comer, ya no tiene hambre.

**C** ¡Necesito compañero! Estudien cada palabra de la primera columna y expliquen la relación que tiene con cada una de las palabras de la segunda columna. Puede haber varias relaciones posibles para cada pareja.

MODELO: los arquitectos / el urbanismo →
El urbanismo crea trabajos para los arquitectos.

1. los arquitectos
   - el diseño
   - el edificio
   - la tecnología
   - el urbanismo
2. la sobrepoblación
   - la despoblación rural
   - el hambre
   - la urbanización
   - el agotamiento de los recursos naturales
3. el analfabetismo
   - la inmigración
   - la pobreza
   - la instrucción
   - el desarrollo económico

**D** ¿Cuánto saben Ud. y sus compañeros sobre las computadoras? ¡Vamos a ver! Escoja cinco palabras de la lista del vocabulario que se relacionan con las computadoras y escriba una breve definición, en español, de cada una. Luego, lea sus definiciones en voz alta para que sus compañeros puedan adivinar las palabras. ¿Quién puede adivinar el mayor número de palabras?

**E** ¿Cree Ud. que el ambiente en que se vive afecta mucho a las personas? ¿En qué sentido (*sense*)? ¿Nos afecta la arquitectura? ¿Cómo se siente Ud. en los siguientes lugares?

1. un cuarto sin ventanas
2. un lugar donde todos los muebles son de metal, vidrio (*glass*) o plástico

## LENGUAJE Y CULTURA

En español, «slum» se expresa con una frase descriptiva como «barrio bajo» o «barrio muy pobre». También, y en esto se ve un interesante contraste cultural, se puede usar la palabra «suburbio».

En los Estados Unidos, los barrios pobres generalmente se encuentran dentro de las ciudades, a veces en el centro mismo de la ciudad, en los sectores más viejos y deteriorados; en cambio, los suburbios son los distritos residenciales más nuevos, se encuentran en las afueras de la ciudad, y es allí donde suele vivir la gente más adinerada. En contraste, en muchas partes del mundo hispano las direcciones de más prestigio están en el centro de la ciudad, mientras que los barrios donde vive la gente pobre están en las afueras, en los suburbios.

3. un lugar donde todos los muebles son de madera
4. un cuarto pintado de rojo/amarillo/azul/blanco

### F Entre todos

- ¿Tiene Ud. una computadora personal? ¿Cuánto tiempo hace que la tiene? ¿Por qué la compró? Si no tiene computadora, ¿adónde va para usar una?

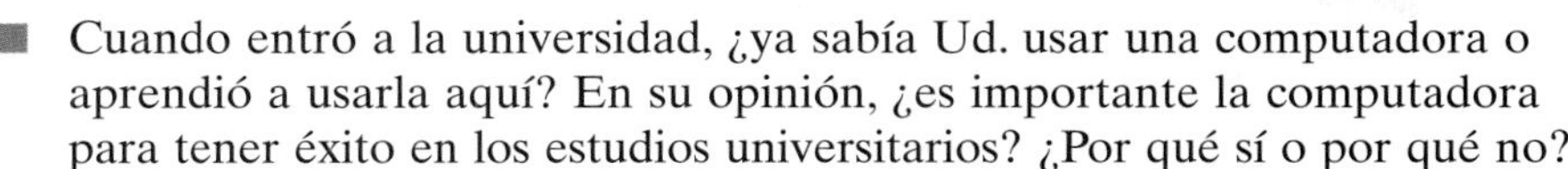

- Cuando entró a la universidad, ¿ya sabía Ud. usar una computadora o aprendió a usarla aquí? En su opinión, ¿es importante la computadora para tener éxito en los estudios universitarios? ¿Por qué sí o por qué no?
- ¿Para qué clases utiliza Ud. la computadora? ¿La utiliza también para fines (*purposes*) *no* académicos? Explique.
- En general, cuando Ud. trabaja en la computadora, ¿prefiere estar solo/a o le gusta estar con otra gente? ¿Por qué?
- Algunos expertos dicen que la computadora puede crear una dependencia (*addiction*) psicológica en algunos usuarios. ¿Está Ud. de acuerdo? ¿Cuánto tiempo pasa Ud. en la computadora cada día?

# LENGUA

## De entrada 20

Hay quienes opinan que la tecnología es una maravilla, una de las grandes contribuciones de la edad moderna a la humanidad, mientras que otros opinan que es una fuerza deshumanizante y enemiga. ¿Qué opinan los diferentes hombres del dibujo a continuación?

¿Está Ud. de acuerdo con ellos? Utilice la siguiente escala para indicar su opinión.

0 = No estoy de acuerdo. 1 = No sé. No estoy seguro/a. 2 = Estoy de acuerdo.

1. ______ Los tecnólogos, de quienes dependemos mucho hoy en día, con frecuencia actúan sin considerar las consecuencias de sus inventos.

2. ______ La computadora es un aparato que todo el mundo debe saber utilizar.
3. ______ La tecnología es útil, pero el arte es indispensable: algo sin el cual una cultura no puede sobrevivir.
4. ______ Las relaciones humanas se fortalecen (*get stronger*) a causa de la tecnología, la cual facilita el contacto y la comunicación entre los individuos.
5. ______ Los individuos que critican la tecnología en realidad no la entienden.

En las oraciones anteriores hay varios ejemplos de pronombres relativos. ¿Puede Ud. identificarlos todos? Si no, no se preocupe; en la siguiente sección, va a repasar las formas y los usos de los pronombres relativos.

# 20 MORE RELATIVE PRONOUNS

## A. Review of *que* and *quien*

Remember that complex sentences are frequently formed in Spanish by combining two simple sentences with the relative pronouns **que** and **quien** (grammar section 15).

David compró **la computadora. La computadora** estaba en la tienda. →
David compró **la computadora que** estaba en la tienda.

- English *that, which,* and *who* are generally expressed in Spanish by **que.**

| | |
|---|---|
| Hay muchos problemas **que** la tecnología ayuda a resolver. | *There are many problems* ***that*** *technology helps to solve.* |
| La memoria de una computadora, **que** funciona más o menos como la nuestra, es probablemente su aspecto más importante. | *A computer's memory,* ***which*** *functions more or less like our own, is probably its most important part.* |
| Todos los arquitectos **que** colaboraron en el diseño recibieron un premio. | *All the architects* ***who*** *collaborated on the design received a prize.* |

- **Quien,** which can refer only to people, *may* be used after a comma (that is, in a nonrestrictive clause) and *must* be used after a preposition to express *who* or *whom.*

| | |
|---|---|
| Los programadores, **que** (**quienes**) trabajaron todo el fin de semana, por fin pudieron resolver el problema. | *The programmers,* ***who*** *worked all weekend, finally managed to solve the problem.* |
| ¡Ese es el actor de **quien** hablábamos! | *That's the actor we were talking about (about* ***whom*** *we were (talking)!* |

**A PROPOSITO**

**Lo que** can be used as a subject, predicate nominative, or direct object to express *that which* or the noninterrogative *what.*

**Lo que** Ud. dice es verdad.
*What you say is true.*

Es **lo que** ella me escribió.
*It's what she wrote me.*

Remember that the interrogative *what* is expressed by **¿qué?, ¿cuál?,** or **¿cómo?**

**¿Qué** es esto?
*What is this?*

**¿Cuál** es la capital?
*What is the capital?*

**¿Cómo?** No entiendo **lo que** Uds. dicen.
*What? I don't understand what you're saying.*

## B. *Que* and *cual* forms: Referring to people and things more formally

The simple relative pronouns **que** and **quien** are preferred in speaking in most parts of the Hispanic world. But after a preposition or a comma, English *that,* *which,* and *who* can also be expressed by compound forms, which are used in writing and in more formal situations by many native speakers.*

- As these examples show, the compound relatives, or "long forms," can refer to *both* people and things. Through the definite article they show gender and number agreement with the noun to which they refer.

| | TO REFER TO PEOPLE | TO REFER TO THINGS |
|---|---|---|
| | **After a Preposition** | |
| *informal*<br>quien<br>que | Acaba de llegar el arquitecto **con quien** trabajamos el año pasado.<br>*The architect (that) we worked with last year just arrived.* | ¿Cuáles son los recursos **con que** podemos contar?<br>*What are the resources (that) we can count on?* |
| *formal*<br>el/la que<br>los/las que<br>el/la cual<br>los/las cuales | Acaba de llegar el arquitecto **con el que** (**con el cual**) trabajamos el año pasado.<br>*The architect with whom we worked last year just arrived.* | ¿Cuáles son los recursos **con los que** (**con los cuales**) podemos contar?<br>*What are the resources on which we can count?* |
| | **After a Comma** | |
| *informal*<br>quien<br>que | Van a mandarles la comida a los pobres, **quienes** (**que**) la necesitan más.<br>*They're going to send the food to the poor, who need it most.* | Los problemas, **que** se plantearon ayer, fueron comentados por todos.<br>*The problems, which were posed yesterday, were discussed by all.* |
| *formal*<br>el/la que<br>los/las que<br>el/la cual<br>los/las cuales | Van a mandarles la comida a los pobres, **los que** (**los cuales**) la necesitan más.<br>*They're going to send the food to the poor, who need it most.* | Los problemas, **los que** (**los cuales**) se plantearon ayer, fueron comentados por todos.<br>*The problems, which were posed yesterday, were discussed by all.* |

- Like the relative pronoun **quien(es),** the long forms can occur *only* after a preposition or a comma. When there is no preposition or comma, only **que** can be used.
- In many cases, **que** and **cual** variants of the long forms are interchangeable; choosing between them is a matter of personal preference.

Práctica 1 Complete las siguientes oraciones con **que** o **quien(es),** según el contexto. ¡Cuidado! A veces puede haber más de una respuesta correcta.

1. Los jóvenes _____ acaban de entrar son mis vecinos.
2. ¿Cuáles son los recursos a _____ te refieres?
3. El dueño es un individuo _____ posee algunos recursos.
4. Mis bisabuelos, _____ llegaron a este país en 1920, vinieron de Italia.

*Since the **que** and **cual** forms are largely limited to written Spanish and to use in formal situations, the majority of practice with them in the *Pasajes* series is in the *Cuaderno de práctica.*

5. Las personas para ______ se construyeron estos apartamentos merecen (*deserve*) mucho más.
6. Esa no es la manera en ______ Ud. debe hablarme.

Práctica 2 Complete las siguientes oraciones con **lo que** o con la forma apropiada de **el que / el cual** haciendo los cambios de número y género necesarios, según el contexto.

1. Esos edificios, ______ son parte del proyecto de modernización, se van a tumbar (*are going to be knocked down*) la semana que viene.
2. ______ me estás diciendo me parece un consejo muy bueno. Voy a tenerlo en cuenta.
3. La despoblación rural y la sobrepoblación de las ciudades grandes, dos problemas de ______ han hablado (*they have spoken*) mucho en algunos países de Latinoamérica, van a ser difíciles de resolver.
4. Es sorprendente (*surprising*) que el reciclaje y la conservación de los recursos naturales, dos ideas con ______ mucha gente está de acuerdo en este país, no tenga mayor importancia en las campañas (*campaigns*) políticas.
5. Aquellas viviendas, ______ están en la colina (*hill*) más alta, siguen en vías de desarrollo desde hace dos años.
6. Parece que los trabajadores no comprenden ______ dicen los urbanistas y los urbanistas no entienden ______ dicen los arquitectos.

# Intercambios

**A** Junte los siguientes pares de oraciones usando **que, quien(es)** o la forma apropiada de **el que / el cual,** según el contexto. ¡Cuidado con la colocación (*placement*) de las preposiciones! Luego, indique si Ud. está de acuerdo o no. Siga el modelo.

MODELO: El hambre y la desnutrición son problemas graves. Encontramos estos problemas principalmente en los países en vías de desarrollo. →
El hambre y la desnutrición son problemas graves que encontramos principalmente en los países en vías de desarrollo. No estoy de acuerdo; es verdad que son problemas graves, pero los encontramos en casi todo el mundo.

1. Los individuos tienen miedo del futuro. Esos individuos pueden perder su trabajo por causa de la tecnología.
2. Los avances tecnológicos «pequeños» nos afectan más que ningún otro invento. Utilizamos los avances pequeños todos los días.
3. Los ambientalistas (*environmentalists*) son unos extremistas. Es muy difícil trabajar con ellos.
4. Los individuos odian la tecnología. Esos individuos pueden ser realmente peligrosos.
5. Sueño con un mundo ideal. En ese mundo los seres humanos respetan y protegen la naturaleza y el medio ambiente.

**B** Defina las siguientes palabras y frases en español. ¡Cuidado con los pronombres relativos!

1. una impresora
2. un(a) urbanista
3. un disco duro
4. una vivienda
5. un barrio bajo
6. un arquitecto / una arquitecta

**C** ¡Necesito compañero! ¿Qué (no) les gustaría a Uds. (*would you* [*not*] *like*) en el futuro? Trabajando en parejas, háganse y contesten preguntas para averiguar sus preferencias, y la razón por ellas. Luego compartan con la clase lo que han aprendido. Cuidado con las formas de los pronombres relativos, y recuerden que en español nunca se puede terminar una oración o cláusula con una preposición.

MODELO: persona / hablar con →
—¿Quién es la persona con quien te gustaría hablar algún día?
—El presidente, porque quiero hacerle algunas sugerencias.

1. persona / hablar con
2. lugar / hacer un viaje a
3. problema / resolver
4. película / ver
5. compañía / trabajar para
6. libro / leer
7. persona / conocer a
8. lugar / vivir en
9. lugar / *no* vivir en
10. invento / vivir sin
11. invento / *no* vivir sin
12. persona / salir con

# De entrada 21

En su opinión, ¿cómo va a ser la sociedad en el año 2025? Indique si las siguientes afirmaciones le parecen probables (**P**) o improbables (**I**).

| | P | I |
|---|---|---|
| 1. La gente se lleva bien; nunca hay conflictos ni guerras. | □ | □ |
| 2. Algunas personas fuman cigarrillos, pero nadie bebe bebidas alcohólicas. | □ | □ |
| 3. Los estudiantes ya no viajan a las universidades ni visitan las bibliotecas: desde su casa, obtienen electrónicamente toda la información que necesitan. | □ | □ |
| 4. Todavía hay sobrepoblación pero hay menos analfabetismo. | □ | □ |
| 5. Nadie que no tenga título universitario puede encontrar trabajo ya que los autómatas (*robots*) hacen todos los trabajos que antes hacían los obreros. | □ | □ |
| 6. Apenas existen las enfermedades graves (ni siquiera el SIDA), pero el resfriado (*common cold*) es todavía problemático. | □ | □ |

¿Reconoce Ud. las expresiones positivas y negativas que se encuentran en las oraciones anteriores? En la siguiente sección va a poder repasarlas todas.

## 21 POSITIVE, NEGATIVE, AND INDEFINITE EXPRESSIONS

### A. Patterns for expressing negation

Negation is expressed in Spanish with one of two patterns.

1. **no** + *verb*
   **No** trabajaron. — *They did**n't** work.*
   **no** + *verb* + *negative word*
   **No** hicieron **nada.** — *They did **nothing.** (They did**n't** do **anything.**)*
2. *negative word* + *verb*
   **Nadie** se presentó. — ***Nobody** showed up.*
   *negative word* + *verb* + *negative word*
   Yo **tampoco** veo a **nadie.** — *I do**n't** see anyone **either.***

There must always be a negative before the verb: either **no** or another negative word such as **nadie** or **tampoco.** Additional negative words may follow the verb. Unlike standard English, Spanish can have two or more negative words in a single sentence and maintain a negative meaning. Once a negative is placed before the verb, all indefinite words that follow the verb must also be negative.

**No** vi a **nadie.** — *I did**n't** see **anyone.***
**Nunca** hace **nada** por **nadie.** — *He **never** does **anything** for **anyone.***

The following chart shows the most common positive and negative expressions.

| POSITIVE | | NEGATIVE | |
|---|---|---|---|
| algo | *something* | nada | *nothing* |
| alguien | *someone* | nadie | *no one* |
| algún (alguno/a/os/as) | *some* | ningún (ninguno/a) | *none, no* |
| también | *also* | tampoco | *neither* |
| siempre | *always* | nunca, jamás | *never* |
| a veces | *sometimes* | | |
| o | *or* | ni | *nor* |
| o... o | *either . . . or* | ni... ni | *neither . . . nor* |
| aun | *even* | ni siquiera | *not even* |
| todavía, aún | *still* | ya no | *no longer* |
| | | todavía no | *not yet* |
| | | apenas | *hardly* |

## B. Alguno/Ninguno and alguien/nadie

- **Alguno/Ninguno** means *someone / no one* or *something/nothing* from a particular group; **alguien/nadie** expresses *someone / no one* without reference to a group.

| | |
|---|---|
| **Alguien/Nadie** llama a la puerta. | ***Someone / No one*** *is knocking at the door.* |
| Hay tres niños en casa. **Alguno** (de ellos) va a abrir la puerta. | *There are three children at home.* ***Someone*** *(one of them) will open the door.* |
| La compañía ha probado varios diseños nuevos, pero **ninguno** (de ellos) funciona bien. | *The company has tried various new designs, but* ***none*** *(of them) works very well.* |

- As adjectives, **alguno** agrees in number and gender, and **ninguno** agrees in gender with the nouns they modify. They shorten to **algún/ningún** before masculine singular nouns.

| | |
|---|---|
| Hay **algunos chicos** de España en esa clase. | *There are* ***some guys*** *from Spain in that class.* |
| No tengo **ningún amigo.** | *I don't have* ***any friends.*** |

- Because they always refer to people, the words **alguien** and **nadie** must be preceded by the personal **a** when they function as direct objects. **Alguno/a/os/as (algún)** and **ninguno/a (ningún)** also require the personal **a** when they function as direct objects that refer to people.

| | |
|---|---|
| Veo **a alguien** en el pasillo. | *I see* ***someone*** *in the hall.* |
| No vimos **a nadie** anoche. | *We did**n't** see* ***anyone*** *last night.* |
| No conozco **a ningún** escritor chileno. | *I do**n't** know* ***any*** *Chilean authors.* |
| No conozco **ninguna** novela chilena. | *I'm* ***not*** *familiar with* ***any*** *Chilean novels.* |

## C. Other positive, negative, and indefinite expressions

- When two subjects are joined by **o... o** or **ni... ni,** the verb may be either singular or plural. Native speakers of Spanish tend to make the verb plural when the subject precedes the verb and singular when the subject follows.

| | |
|---|---|
| **Ni** mi padre **ni** mi madre me visitan.<br>No me visita **ni** mi padre **ni** mi madre. | ***Neither*** *my father* ***nor*** *my mother visits me.* |

- **Algo/Nada** can be used as adverbs to modify adjectives.

| | |
|---|---|
| Pues, sí, es **algo** interesante. | *Well, yes, it's* ***somewhat*** *interesting.* |
| No, no es **nada** interesante. | *No, it isn't interesting* ***at all.*** |

- English *more than* (*anything, ever, anyone*) is expressed with negatives in Spanish: **más que (nada, nunca, nadie).**

| | |
|---|---|
| Más que **nada,** me gusta leer. | *More than* ***anything,*** *I like to read.* |

**A PROPÓSITO**

Since **ninguno** conveys the concept of *not one* or *none,* it is used in the singular.

No tengo **ningún** lapiz.
*I don't have a pencil.* (*I have no pencils.*)

Note that Spanish **no** cannot be used as an *adjective.*

*no child* = **ningún** niño
*no person* = **ninguna** persona

**Práctica 1** Algunas de las siguientes oraciones son afirmativas y otras son negativas. Siguiendo el modelo, modifíquelas para que las afirmativas sean negativas y viceversa.

MODELO: Nadie viene mañana. →
Alguien viene mañana.

1. Nadie quiere que tú te vayas.
2. Todavía tengo el regalo que mi ex novio me dio.
3. Los viejos no viven aquí tampoco.
4. ¡No voy jamás a conciertos de música rock!
5. ¿Conoces a alguien que me pueda ayudar?
6. Ninguna casa es perfecta.
7. Todavía están buscando una computadora; no les gusta ninguna de éstas.
8. La modernización y la tecnología siempre son la respuesta.

**Práctica 2** El alcalde (*mayor*) de Puerto Dorado es muy optimista y piensa que todo está bien en su ciudad. Un periodista le hace preguntas sobre los problemas urbanos. Conteste las preguntas del periodista usando las palabras negativas.

MODELO: ¿Conoce Ud. a alguien que no tenga vivienda?
No, no conozco a nadie que no tenga vivienda.

1. ¿Hay algún problema con el agua de la ciudad?
2. ¿A veces hay cortes de electricidad (*blackouts*)?
3. ¿Todavía usan máquinas de escribir en su oficina?
4. ¿Hay muchos robos (*robberies*) o asesinatos (*murders*) en la ciudad?
5. ¿Hay algo sospechoso en la política municipal?
6. ¿Hay alguna resistencia a reciclar en la ciudad?

## Intercambios

**A** Siempre hay opiniones pesimistas y optimistas sobre cualquier tema. ¿Qué diría (*would say*) un(a) pesimista con respecto a los temas a continuación? Y ¿qué diría un(a) optimista? Trate de usar diferentes expresiones positivas y negativas en cada oración.

MODELO: el hambre en el mundo →
UN(A) PESIMISTA: Nunca vamos a resolver el problema del hambre.
UN(A) OPTIMISTA: Algún día vamos a encontrar una solución.

1. el agotamiento de los recursos naturales
2. la energía solar
3. la medicina alternativa
4. la pobreza
5. la tecnología y la industrialización

**B** ¿Se preocupa Ud. por el medio ambiente? ¿Es activista? ¿Cuáles de las siguientes oraciones describen sus sentimientos y opiniones al respecto? Coméntelas, cambiando el adverbio o el adjetivo si es necesario para que la oración sea más exacta.

MODELO: *A veces* trato de comprar productos que no contaminan el medio ambiente. → No es cierto para mí. *Siempre* trato de comprar productos que no contaminan el medio ambiente.

1. *Siempre* estoy dispuesto/a a pagar más por productos que no contaminan el ambiente.
2. Trato de reciclar *todo* el papel que utilizo.
3. No voy a comprar *ningún* producto desechable (*disposable*), *ni siquiera* los pañales.
4. Cuando veo artículos sobre la ecología en algún periódico o alguna revista, *a veces* los leo.
5. *Ya no* reciclo los envases de vidrio y de lata (*jars and cans*).
6. *Todavía no* estoy dispuesto/a a conducir menos (y menos rápido) para reducir la contaminación del aire.

**C** ¡Necesito compañero! A medida que (*As*) nos modernizamos, y con la ayuda de la tecnología, esperamos que nuestra vida sea cada vez más fácil. ¿Hasta qué punto dependen Uds. de la tecnología? ¿Cuál de los siguientes inventos ha tenido (*has had*) el mayor impacto en su vida? Para investigar el tema, sigan los pasos a continuación.

- Primero, examinen la tabla de inventos y agreguen por lo menos tres más.
- Después, entrevístense para averiguar con qué frecuencia Uds. utilizan los inventos de la tabla. Indiquen sus respuestas con una X.

| INVENTO | CON MUCHA FRECUENCIA | A VECES | APENAS | NUNCA | TODAVIA NO, PERO EN EL FUTURO, SI | YA NO |
|---|---|---|---|---|---|---|
| la computadora | | | | | | |
| la videocasetera | | | | | | |
| el tocadiscos | | | | | | |

| INVENTO | CON MUCHA FRECUENCIA | A VECES | APENAS | NUNCA | TODAVIA NO, PERO EN EL FUTURO, SI | YA NO |
|---|---|---|---|---|---|---|
| el televisor en blanco y negro | | | | | | |
| el tren | | | | | | |
| el Velcro | | | | | | |
| el correo electrónico | | | | | | |
| el teléfono inalámbrico (*cordless*) | | | | | | |
| el horno (*oven*) convencional | | | | | | |
| ¿ ? | | | | | | |
| ¿ ? | | | | | | |
| ¿ ? | | | | | | |

- Luego, analicen los inventos que Uds. utilizan con mayor frecuencia. ¿Cuál(es) de ellos ha(n) tenido el mayor impacto en su vida? ¿Por qué?
- Finalmente, compartan los resultados de su entrevista y análisis con los demás miembros de la clase. ¿Hay mucha diferencia de opiniones? Comenten.

**D** Entre todos

- Algunos de los inventos que nos facilitan la vida no son realmente resultado de ninguna investigación científica sino que son producto de la casualidad (*chance*) o fruto del ingenio humano para resolver las pequeñas molestias (*hassles*) de todos los días. ¿Cuáles de los inventos de la actividad anterior son de este tipo? ¿Y cuáles son resultado de la investigación científica?
- Emparejen seis de los inventos de la lista a continuación con una de las descripciones que siguen.

el abrelatas (*can opener*)
los alimentos enlatados
la calculadora
el chupete (*pacifier*)
el frigorífico
el jabón
las lentillas
los pañales (*diapers*) desechables
la penicilina
la pila (*battery*) eléctrica
el plástico
el semáforo (*traffic light*)
el televisor
las tiras adhesivas
el Velcro

**1** Inspirado en el sistema de señales codificado por Gran Bretaña en 1818, la señalización de las calles por... tricolores comienza en el campo inglés en 1838. Después la ciudad de Londres aplica, a partir de 1868, un sistema análogo para intentar organizar la circulación. En los Estados Unidos, en un intento por canalizar su gran parque automovilístico, aparecen en Cleveland, en 1914, los... bicolores, y después los tricolores en Nueva York. En París la primera señal luminosa empieza a funcionar el 5 de mayo de 1923. Es una luz roja acompañada de una pequeña campanilla, que se activa manualmente. La luz verde y la naranja serán utilizadas diez años más tarde.

**2** Aunque puedan parecer un invento de la tecnología moderna, ya se conocían en el Renacimiento. Leonardo Da Vinci fue el primero a quien se la ocurrió la idea, pero sólo se decidió a experimentar con ella. Sin embargo, el francés Descartes aprovechó las ocurrencias del genio italiano y las empleó por primera vez con fines terapéuticos, aunque no obtuvo demasiado éxito. Hasta finales del siglo XIX no se emplearon para corregir la miopía y fue en 1937 cuando se sustituyó el vidrio puro por el plástico. Desde entonces la tecnología se ha encargado de reducirlas, perfeccionarlas y hasta hacerlas desechables, de usar y tirar.

**3** Gracias a este sistema revolucionario de adherencia, obra de un montañero suizo en los años 50, podemos prescindir de los botones, cremalleras e incluso cordones en algunas prendas de vestir. Basta con unir cada una de las partes del mismo a la ropa para que ésta quede bien sujeta y no se pueda desprender fácilmente. Para quitarla, tan sólo hay que tirar de un extremo con mucha fuerza y la prenda quedará desabrochada.

**4** Este artilugio tan sumamente útil, que más de una vez nos ha sacado de un apuro al permitirnos preparar rápidamente una comida, data de la década de los 60 del siglo XIX. Lo curioso del invento es que apareció cincuenta años más tarde que las latas. Así de sorprendente e insólito.

**5** Fue un hallazgo muy curioso de un empleado de la firma Johnson & Johnson para curar los cortes que se hacía su mujer en la cocina. Esta brillante idea de cortar en trozos pequeños los vendajes quirúrgicos y pegarlos a continuación en una tira adhesiva se le ocurrió en 1920 cuando estaba en su casa y su mujer sufrió un accidente doméstico. Cuando el presidente de la empresa se enteró de su invento, no dudó ni un momento de la rentabilidad del mismo y a partir de entonces se empezó a comercializar este pequeño vendaje provisional.

**6** Su origen se remonta a la necesidad de una madre neolítica de calmar los llantos de su retoño. Los expertos afirman que el primer... fue un hueso. Hasta hace cincuenta años cualquier cosa valía para sosegar a los bebés, pero el... con la forma que lo conocemos tiene cinco décadas.

- ¿Cuál de los inventos descritos les parece que ha tenido mayor impacto en la vida humana? ¿Por qué?
- Muchos de los inventos que aparecen en la lista han facilitado la vida, de eso no cabe duda. Sin embargo, algunos de ellos también han creado problemas que afectan el medio ambiente. ¿Cuáles de esos inventos relacionan Uds. con problemas ecológicos? Digan cuál es el problema en cada caso.

# ESTRATEGIAS PARA LA COMUNICACION

## ¡No me gusta nada! *More about likes and dislikes*

As you know, the English verb *to like* is generally expressed in Spanish with **gustar.** Likes and dislikes exist in varying degrees, however. Sometimes you may want to change the way you communicate your likes and dislikes according to the context of the conversation.

For example, if a professor recommended a movie to you that you subsequently saw and heartily disliked, which of the following would be a better response to your professor's question, "How did you like it?"

| | |
|---|---|
| La película me dio asco. Fue una pérdida total de tiempo. | *The movie made me sick. It was a complete waste of time.* |
| A mí no me gustó tanto como a Ud. | *I didn't enjoy it as much as you did.* |

Here are some useful expressions for talking about your likes and dislikes. Note that all are conjugated like **gustar.**

| STRONGLY POSITIVE | POSITIVE | NEUTRAL | NEGATIVE | STRONGLY NEGATIVE |
|---|---|---|---|---|
| encantar<br>*to delight*<br><br>fascinar<br>*to fascinate* | gustar<br>*to be pleasing to*<br><br>importar<br>*to matter to, to be important to*<br><br>interesar<br>*to be interesting to* | dar igual<br>*to be the same to*<br><br>no importar<br>*to not matter to, to not be important to* | no gustar<br>*to not be pleasing to* | ofender<br>*to be offensive to*<br><br>disgustar<br>*to annoy, to irk*<br><br>molestar<br>*to bother, to annoy*<br><br>dar asco<br>*to sicken*<br><br>no gustar nada*<br>*to be very unpleasing to* |

| | |
|---|---|
| Todo este ruido nos molesta. | *All this noise bothers us.* |
| Me fascinaron sus diseños. | *Your designs fascinated me.* |
| —¿Prefieres café o té? | *—Do you prefer coffee or tea?* |
| —Me da igual. | *—It's all the same. (It doesn't matter to me.)* |

**A** **¡Necesito compañero!** Working with a partner, ask and answer questions to find out each others' likes with respect to the following.

*The verb **odiar** (*to hate*) is used by most native speakers of Spanish to express extremely strong passion—of the type that might lead to murder, for example. A strong dislike of something such as a food or a household chore can be expressed by **detestar** (*to detest*).

¿Cuál es tu reacción a… ?

1. las películas de ciencia ficción
2. la música de ¿?
3. los chistes étnicos o sexuales
4. la política (*the policies*) del presidente
5. la comida que se sirve en la residencia estudiantil o en algunos restaurantes cerca de aquí
6. las personas que fuman en los lugares donde se prohíbe fumar
7. las personas que hablan durante las películas
8. el arte de Escher / Picasso / Andy Warhol / ¿?

**B** **¡Necesito compañero!** Work with your partner to decide how each of the people indicated will react to each phenomenon. Later, share your decisions with the rest of the class, justifying them briefly.

1. FENOMENO: la desnutrición
   INDIVIDUOS: unos desamparados, el dueño / la dueña de un supermercado, un(a) activista
2. FENOMENO: la tecnología
   INDIVIDUOS: unos campesinos (*people who live in rural areas*), un obrero / una obrera (*worker*), un médico / una médica, un(a) estudiante
3. FENOMENO: la exploración del espacio
   INDIVIDUOS: unos científicos, un(a) militar, un(a) pobre, un ciudadano típico / una ciudadana típica (*a typical citizen*)

## Los bosques, defensas del planeta

Se sabe que los bosques suministran (*supply*) muchos recursos y que son una de las defensas más importantes para la conservación del planeta Tierra. Sin embargo, los árboles de los bosques se derriban (*are being cut down*) en grandes cantidades para emplearlos como combustible (*fuel*) y para fines industriales. Aunque la situación es crítica, no es del todo desesperada, ya que tanto los gobiernos como muchos individuos se han dado cuenta (*have realized*) del peligro y están intentando salvar lo que queda de los grandes bosques del pasado y asegurar que los terrenos deforestados vuelvan a su estado de bosque primario.

Bosque Tropical Centroamericano

### Antes de ver

- ¿Qué sabe Ud. de los problemas ecológicos de Latinoamérica? Haga una lista y compárela con la de sus compañeros de clase.
- En el vídeo, se sugieren varias formas de proteger los bosques. ¿Cuáles pueden ser algunas de estas sugerencias?
- Ahora lea con cuidado la actividad en **Vamos a ver** antes de ver el vídeo por primera vez.

## Vamos a ver

¿Son ciertas (**C**) o falsas (**F**) las siguientes afirmaciones? Corrija las oraciones falsas.

| | C | F |
|---|---|---|
| **1.** Para que una parcela que fue cultivada retorne a su estado de bosque primario, se requieren de 25 a 30 años. | ☐ | ☐ |
| **2.** Es importante no comprar nada que esté hecho de madera. | ☐ | ☐ |
| **3.** Los bosques son «fábricas de agua», es decir, en ellos nacen muchos ríos. | ☐ | ☐ |
| **4.** Sólo los gobiernos pueden detener la desaparición de los bosques. | ☐ | ☐ |
| **5.** Más del 50 por ciento de la madera que se obtiene de los bosques se usa como combustible. El resto se emplea para fines industriales. | ☐ | ☐ |
| **6.** Se recomienda que usemos bolsas de papel color castaño porque están hechas de papel reciclado. | ☐ | ☐ |
| **7.** Es evidente que cuando tiramos el papel a la basura, ayudamos a que no se derriben nuevos árboles. | ☐ | ☐ |

## Después de ver

- ¿Está Ud. de acuerdo con las recomendaciones del vídeo? ¿Qué cosas cambiaría (*would you change*) o añadiría (*would you add*) a esa lista?

- El gobierno del Perú solicita ideas para una campaña publicitaria para proteger la selva amazónica. Trabajando en grupos, hagan una lista de por lo menos cuatro recomendaciones básicas para esta campaña. Usen mandatos formales como: «Usen bolsas de papel reciclado». Luego, presenten sus ideas a la clase y voten por las mejores.

- Busque información sobre un grupo ecologista basado en algún país hispanohablante. ¿Cuáles son sus objetivos y actividades principales? ¿Está Ud. de acuerdo con las ideas de ese grupo? ¿Por qué sí o por qué no? Luego, comparta la información y sus opiniones con sus compañeros de clase.

# De entrada 22

Según algunas personas, hay visitantes de otros planetas que ya viven entre nosotros. Aunque estos seres suelen tener una tecnología mucho más avanzada que la nuestra, a veces tienen dificultad en manejar los pequeños aparatos de los seres terrestres. Examine el dibujo de la próxima página con cuidado e indique si las afirmaciones que siguen le parecen ciertas (**C**) o falsas (**F**).

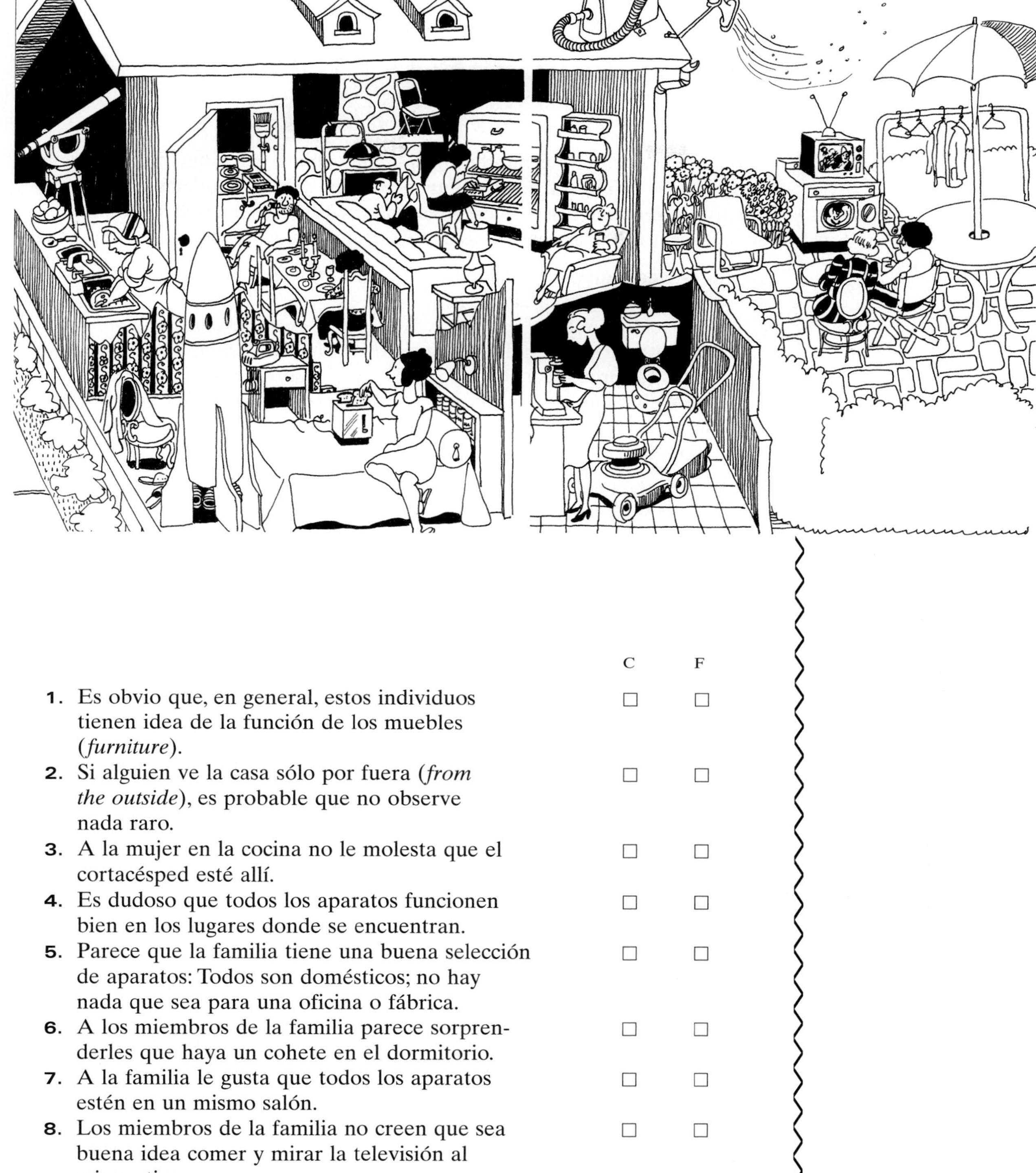

| | | C | F |
|---|---|---|---|
| **1.** | Es obvio que, en general, estos individuos tienen idea de la función de los muebles (*furniture*). | ☐ | ☐ |
| **2.** | Si alguien ve la casa sólo por fuera (*from the outside*), es probable que no observe nada raro. | ☐ | ☐ |
| **3.** | A la mujer en la cocina no le molesta que el cortacésped esté allí. | ☐ | ☐ |
| **4.** | Es dudoso que todos los aparatos funcionen bien en los lugares donde se encuentran. | ☐ | ☐ |
| **5.** | Parece que la familia tiene una buena selección de aparatos: Todos son domésticos; no hay nada que sea para una oficina o fábrica. | ☐ | ☐ |
| **6.** | A los miembros de la familia parece sorprenderles que haya un cohete en el dormitorio. | ☐ | ☐ |
| **7.** | A la familia le gusta que todos los aparatos estén en un mismo salón. | ☐ | ☐ |
| **8.** | Los miembros de la familia no creen que sea buena idea comer y mirar la televisión al mismo tiempo. | ☐ | ☐ |

En algunas de las afirmaciones anteriores se usa el subjuntivo y en otras se usa el indicativo. ¿Sabe Ud. por qué es así en cada caso? En la siguiente sección, va a repasar estos usos del subjuntivo.

# 22 USES OF THE SUBJUNCTIVE: CERTAINTY VERSUS DOUBT; EMOTION

## A. Certainty versus doubt

*Certainty versus doubt* is another of the main-clause characteristics that determine the use of indicative or subjunctive in the subordinate clause. The subjunctive is generally used when the speaker wishes to describe something about which he or she has some degree of uncertainty or no knowledge at all.

| | |
|---|---|
| **No es cierto que** la población urbana **sea** más culta que la población rural. | *It's not true that the urban population is better educated than the rural population.* |
| **Es dudoso que** la tecnología **solucione** todos los problemas. | *It's doubtful that technology will solve every problem.* |
| **Es probable que** el gobierno **resuelva** el problema de la vivienda. | *It's probable that the government will resolve the housing problem.* |

In contrast, the indicative is used to describe something about which the speaker is, for the most part, certain or knowledgeable.

| | |
|---|---|
| **Es cierto que** la población **está** aumentando rápidamente. | *It's true that the population is increasing rapidly.* |
| **No hay duda que** la tecnología **es** importante. | *There is no doubt that technology is important.* |
| **Parece que** el futuro **es** muy prometedor. | *It appears that the future is very promising.* |

In Spanish, some main-clause verbs and impersonal expressions consistently introduce the subjunctive, whereas others consistently introduce the indicative. With impersonal expressions, probability/improbability and possibility/impossibility are always considered degrees of uncertainty, and therefore they always introduce the subjunctive. Here is a chart of some the most common phrases in the *certainty versus doubt* classification. Make sure you know their meanings before beginning the exercises.

**A PROPOSITO**

Some of the distinctions between certainty and doubt may seem vague or even incorrect to English speakers. Take **suponer que** (*to suppose that*), for example. In English, supposition usually communicates a degree of uncertainty. However, in Spanish, **suponer que** introduces the indicative because the speaker is stating his or her perceived reality of something. In other words, the factor that determines use of the indicative after phrases like **suponer que** is what is real from the speaker's point of view (perceived reality), not what is the actual reality of a given situation.

| CERTAINTY: TO INTRODUCE INDICATIVE | DOUBT/UNCERTAINTY: TO INTRODUCE SUBJUNCTIVE |
|---|---|
| creer que | no creer que |
| no dudar que | dudar que |
| estar seguro/a (de) que | no estar seguro/a (de) que |
| no negar que | negar que |
| pensar que | no pensar que |
| suponer que | no suponer que |

| CERTAINTY: TO INTRODUCE INDICATIVE | DOUBT/UNCERTAINTY: TO INTRODUCE SUBJUNCTIVE |
|---|---|
| Es cierto que<br>No es dudoso que<br>Es evidente que<br>Es obvio que<br>Es que<br>Es seguro que<br>Es verdad que | No es cierto que<br>Es dudoso que<br>No es evidente que<br>No es obvio que<br>No es que<br>No es seguro que<br>No es verdad que |
| No cabe duda (de) que<br>No hay duda (de) que<br>Parece que | (No) Es (im)posible que<br>(No) Es (im)probable que<br>(No) Puede (ser) que |

Práctica 1 ¿Demuestran seguridad o falta de seguridad las siguientes oraciones?

1. Es evidente que a él no le gusta el cambio.
2. No estamos seguros que Jaime aspire a ser arquitecto.
3. Vemos que Uds. tienen muchos diseños.
4. No creo que participen en la manifestación.
5. Existe la posibilidad de que haya más igualdad en el futuro.

Práctica 2 Complete las siguientes oraciones con la forma correcta del presente de subjuntivo o de indicativo del verbo entre paréntesis.

1. Supongo que el analfabetismo ______ (seguir) siendo un problema en todo el mundo.
2. No creo que se ______ (resolver) pronto los problemas de los barrios bajos en las grandes ciudades de este país.
3. Creo que reciclar la basura ______ (ser) una buena idea, pero es obvio que ______ (haber) mucha gente que no participa en los programas de reciclaje todavía.
4. Dudo que los urbanistas ______ (poder) resolver el problema de la falta de viviendas en esta ciudad.
5. Es probable que ese vecindario ya no ______ (estar) en vías de desarrollo. Parece que nadie ______ (trabajar) allí desde hace varias semanas.
6. Algunos creen que no es posible que los recursos naturales ______ (acabarse: *to run out*) durante este siglo (*century*).
7. El alcalde no duda que la gente ______ (querer) eliminar los problemas del hambre y la pobreza en la ciudad, pero es evidente que nadie ______ (saber) cómo hacerlo.
8. Es dudoso que toda la modernización programada para este año ______ (realizarse: *to be realized/completed*) a tiempo.

## B. Emotion, value judgments

The subjunctive is used in subordinate clauses that follow the expression of an emotion or the expression of a subjective evaluation or judgment. Impersonal expressions that describe emotional responses to reality, or make a subjective commentary on it, are also followed by the subjunctive in subordinate clauses. Here are some of the most common expressions of emotion that result in the use of the subjunctive in the subordinate clause.

| | | |
|---|---|---|
| esperar que | me encanta* que | es bueno que |
| estar contento/a (de) que | me enfada que | es fantástico (increíble, interesante, malo, natural, sorprendente, tremendo, triste) que |
| estar triste (de) que | me enoja que | es (una) lástima que |
| sentir (ie, i) que | me fascina que | ¡Qué bueno (fantástico, malo, lástima, triste) que… ! |
| tener miedo (de) que | (no) me gusta que | |
| | me pone contento/a que | |
| | me pone triste que | |
| | me preocupa que | |

**Siento mucho** que la vivienda **sea** tan cara. — ***I regret*** *that housing is so expensive.*

**Me pone triste** que **haya** tanta hambre en el mundo. — ***It makes me sad*** *that there is so much hunger in the world.*

**¡Qué lástima** que **piensen** destruir ese edificio! — ***What a shame*** *that they are planning to destroy that building!*

**Es bueno** que **investiguemos** las causas del problema. — ***It is good*** *that we are investigating the causes of the problem.*

Práctica Examine los verbos en letra cursiva en el siguiente pasaje. ¿Cuáles están en indicativo? ¿Cuáles están en subjuntivo? Indentifique la razón por su uso escribiendo las letras **C** (*certainty*), **U** (*uncertainty*) o **EV** (*emotion/value judgment*) en otro papel.

> Hoy en día, es evidente que la tecnología *está*[1] presente en todas las actividades diarias. Sin embargo, hay muchas reacciones diferentes sobre su importancia. Muchos piensan que *es*[2] necesario incorporar la tecnología en todos los campos, pero otros dudan que siempre *sea*[3] beneficiosa. Es obvio que la tecnología nos *hace*[4] la vida más fácil, pero muchos tienen miedo de que *dependamos*[5] demasiado de las computadoras. Es probable que dentro de unos años, la mayoría de la población *tenga*[6] una computadora en su casa, y es sorprendente que el uso de las computadoras *se extienda*[7] a todos los rincones (*corners*) del mundo. Según Félix del Dato: «Es cierto que la tecnología nos *mejora*[8] la vida personal, pero es una lástima que *perdamos*[9] el contacto interpersonal».

# Intercambios

 ¿Qué opina Ud.? Use una expresión diferente para reaccionar a cada una de las siguientes afirmaciones. Luego, justifique brevemente sus opiniones. ¡Cuidado con el uso del subjuntivo!

---

*All the expressions in this column are used like **gustar** with indirect object pronouns.
**Le/Les** gusta que seas arquitecto.
**Me/Nos** preocupa que llegues tan tarde.

| | | |
|---|---|---|
| Creo | Es (im)posible | Estoy seguro/a |
| Dudo | Es increíble | Es triste |
| Es bueno | Es malo | Es verdad |
| Es fantástico | Espero | No creo |

1. Vamos a tener colonias en la luna para el año 2050.
2. Muchos jóvenes usan calculadoras y computadoras en la escuela primaria.
3. Se puede resolver el problema del hambre en el mundo.
4. Es más importante proteger (*to protect*) los recursos naturales que aprovecharse (*to take advantage*) de ellos.
5. La industrialización trae graves problemas sociales.
6. En este país, muchas personas están «emigrando» de las grandes ciudades a las afueras o a las zonas rurales.
7. La mayoría de las personas que viven en la pobreza son mujeres y niños.
8. Los científicos no son responsables de la aplicación ni del uso de sus inventos.
9. Hay una conexión entre el analfabetismo y la televisión.
10. Vivimos mejor ahora que hace cincuenta años.

**B** Usando las siguientes preguntas como guía, describa lo que pasa en los dibujos a continuación. Cuidado con el uso del subjuntivo.

- ¿Quiénes son esas personas?
- ¿Dónde están?
- ¿Cuál es la situación?
- ¿Cuál es su reacción?

1. amasar (*to knead*), la batidora (*beater*), la cafetera (*coffee maker*), la máquina para hacer palomitas (*popcorn popper*), moler (ue) (*to grind*), el vendedor
2. atrapar, conducir (*to drive*), evitar (*to avoid*) accidentes de tráfico, el imán (*magnet*), volar (ue) (*to fly*)
3. estar absorto, no hacerle caso, repetirse (i, i) la historia

1.

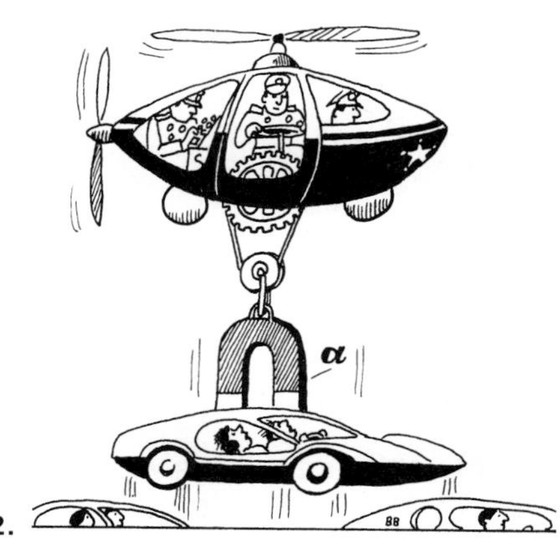

2.

3.

**C** ¡Necesito compañero! Trabajando en parejas, preparen un comentario positivo y otro negativo sobre tres de los temas a continuación. Para formular sus comentarios, usen las expresiones de las listas que siguen. Luego, comparen sus comentarios con los de los demás miembros de la clase.

**Comentarios positivos:** es interesante, es tremendo, estamos contentos, nos gusta
**Comentarios negativos:** no nos gusta, nos enfada, nos preocupa, tenemos miedo

1. la tecnología
2. la sobrepoblación
3. el analfabetismo
4. la posibilidad de un gobierno mundial
5. los recursos naturales
6. la contaminación del medio ambiente
7. el reciclaje
8. la autopista de la información

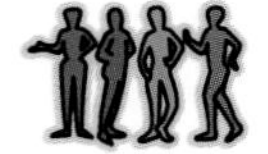

**D** Guiones Trabajando en grupos de dos o tres, narren en el tiempo presente la siguiente historia de un invento que ha tenido (*has had*) gran impacto en la vida moderna. Incorporen complementos pronominales cuando sea posible y usen cada una de las expresiones a continuación por lo menos una vez.

| | |
|---|---|
| cree que... | está muy contento/a (de) que... |
| duda que... | pide que... |
| es necesario que... | recomienda que... |
| es triste que... | les parece ridículo / una buena idea que... |

**Vocabulario útil:** las asas (*handles*), la bolsa (*bag*), el carrito (*shopping cart*), el/la cliente (*customer*), pedir un préstamo (*to ask for a loan*), pesar (*to weigh*), la rueda (*wheel*)

1.

2.

3.

4.

5.

6.

7.

## LENGUAJE Y CULTURA

El mundo de la computadora tiene toda una cultura y un lenguaje propios. ¿Reconoce Ud. las siguientes siglas, comunes en la comunicación electrónica? Explique lo que representa cada sigla en ingles, y luego expréselas en español.

- Las fáciles
  TTFN IMO IMHO
  BTW FYI LOL
- Algunas más difíciles
  IWBIWISI YMMV
- Para los peritos (expertos)
  MRD

Investigue cuáles son las siglas que utilizan los que escriben y «charlan» electrónicamente en español.

**E** ¡Necesito compañero! Los inventos tecnológicos no sólo traen beneficios, sino que también (*but also*) tienen sus desventajas. Trabajando en parejas, utilicen algunas de las expresiones que Uds. han aprendido (*have learned*) en este capítulo para mencionar dos de los efectos (uno positivo y otro negativo) que la modernización ha tenido (*has had*) en cada cosa o grupo a continuación. Luego, compartan sus opiniones con los demás miembros de la clase.

MODELO: los obreros →
Por un lado (una parte), es bueno que las máquinas puedan hacer algunos de los trabajos más peligrosos. Pero por otro (otra), nos preocupa que muchas personas pierdan el trabajo como resultado de la modernización.

1. la comida
2. los médicos
3. los estudiantes
4. los profesores
5. los políticos
6. el medio ambiente

## F Entre todos

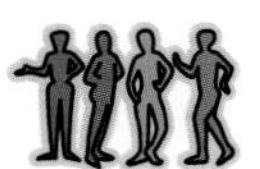

- Los videojuegos son muy populares entre los jóvenes. Algunos creen que esto los puede afectar negativamente, mientras que otros no están seguros de que sea así. Trabajando en grupos, utilicen las expresiones de este capítulo y expliquen las consecuencias negativas y positivas que estos juegos pueden tener en los niños y los jóvenes. De niños, ¿dedicaban Uds. mucho tiempo a estos juegos? Cuando tengan sus propios hijos, ¿van a limitarles el tiempo que dediquen a este tipo de actividad? ¿Por qué sí o por qué no? Si ya tienen sus propios hijos, ¿les limitan el tiempo que dediquen a este tipo de actividad? ¿Por qué sí o por qué no?
- Hoy en día hay una gran polémica acerca del impacto de la televisión sobre los jóvenes. Mientras algunos la condenan, otros la defienden. Antes se criticaba mucho la presentación de tanta violencia; hoy la crítica ataca también la presentación ubicua (constante) del sexo casual y la falta de valores familiares. Piensen en esto al contestar las siguientes preguntas.

1. ¿Qué evidencia hay de estas tendencias en los programas de televisión de hoy en día?
2. ¿Es cierto que la televisión tiene gran impacto en quienes la miran? ¿Qué efectos positivos y negativos tiene?
3. Miren las dos tiras cómicas a continuación. ¿Qué pasa en cada una? ¿Cómo ve el caricaturista (*cartoonist*) la televisión? ¿Cuál es su punto de vista? ¿Están Uds. de acuerdo? ¿Por qué sí o por qué no?

# Pro y contra

**Primer paso: Identificar**

Divídanse en dos grupos: uno va a identificar los argumentos que apoyan la cuestión y el otro va a identificar los argumentos en contra. Cada grupo debe elegir un secretario / una secretaria para hacer una lista de todas las ideas mencionadas.

**Segundo paso: Presentar**

Cada grupo va a presentar todas las ideas de su lista, alternando punto por punto. El profesor / La profesora va a hacer dos columnas en la pizarra: una para los argumentos en pro, y otra para los argumentos en contra. Luego, va a anotar en la columna apropiada las ideas de cada grupo con respecto al tema. Al presentar cada idea, traten de relacionarla directamente con una idea de la otra columna.

**Frases útiles:**

es verdad que… pero no se puede disputar que…
hay que recordar que…
no hay duda (de) que… sin embargo, debemos reconocer que…
por una parte (un lado)… pero por otra (otro)…

1. La conservación de la energía… A causa de la crisis de energía, el gobierno decide que no debe usarse ningún aparato eléctrico a menos que (*unless*) sea absolutamente necesario. Hagan el papel de uno de los siguientes individuos durante el debate: un maestro de una escuela primaria, una madre, una reportera, un comerciante.

| EN PRO | EN CONTRA |
|---|---|
| Estoy a favor de la televisión porque… | Estoy en contra de la televisión porque… |

2. La ciencia avanza... Los nuevos descubrimientos científicos pueden resolver o crear otros problemas para la humanidad. Imagínense que Uds. son científicos y que tienen que decidir si van a participar en las investigaciones de los temas a continuación.

   a. la energía nuclear
   b. el control de la natalidad
   c. la experimentación con animales
   d. la creación de computadoras con inteligencia humana
   e. la exploración del espacio

| EN PRO | EN CONTRA |
|---|---|
| Es bueno (necesario, importante,… ) que apoyemos ______ porque… | Es mejor que prohibamos (regulemos, eliminemos,… ) ______ porque… |

3. El futuro de la raza humana

EN PRO
La ingeniería genética puede ser muy beneficiosa para la raza humana porque...

EN CONTRA
La ingeniería genética puede ser muy peligrosa para la raza humana porque...

# ¡OJO!

| | EXAMPLES | NOTES |
|---|---|---|
| **volver**<br>**regresar**<br>**devolver** | Van a **volver** (**regresar**) a España este verano.<br>*They're going to return to Spain this summer.* | **Volver** means *to return to a place;* with this meaning, it is synonymous with **regresar.** |
| | Tienen que **devolver** el libro a la biblioteca.<br>*They have to return the book to the library.* | **Devolver** means *to return something* (*to someone*). |
| **mudarse**<br>**trasladar(se)**<br>**mover(se)** | Como mi padre era militar, **nos mudábamos** constantemente.<br>*As my father was in the military, we moved around constantly.* | When *to move* means *to change residence,* use **mudarse.** |
| | La compañía la **trasladó** a otra oficina.<br>*The company moved* (*transferred*) *her to another office.* | *To move* or *to be moved from place to place*—from city to city or from office to office, for example—is expressed with **trasladar(se).** |
| | Nuestra empresa **se traslada** a Bogotá.<br>*Our firm is moving to Bogotá.* | |
| | ¿Puedes ayudarme a **mover** este estante?<br>*Can you help me move this bookshelf?* | Use **mover(se)** to express *to move an object or a part of the body.* |
| | ¡Hijo! No **te muevas.** Tienes una abeja en el brazo.<br>*Son! Don't move. You have a bee on your arm.* | |
| **sentir**<br>**sentirse** | **Siento** un gran alivio sabiendo que vas a estar conmigo.<br>*I feel a great relief knowing that you're going to be with me.* | Both **sentir** and **sentirse** mean *to feel.* **Sentir** is always followed by nouns, and **sentirse** by adjectives. |

| | EXAMPLES | NOTES |
|---|---|---|
| **sentir**<br>**sentirse**<br>(***continued***) | **Me siento** muy aliviada sabiendo que vas a estar conmigo.<br>*I feel very relieved knowing that you're going to be with me.* | |
| | **Lo siento.**<br>*I'm sorry.* (*I regret it*). | **Sentir** can also mean *to regret.* |
| | **Siento** que esto haya llegado hasta allí.<br>*I'm sorry that it has come to this.* | |
| | **Piensan** (**Creen, Opinan**) que es una poeta excelente.<br>*They feel that she is an excellent poet.* | Neither **sentir** nor **sentirse** can express *to feel* in the sense of *to believe* or *to have the opinion.* These concepts must be expressed with **pensar, creer,** or **opinar.** |

**A** Volviendo al dibujo Elija la palabra o expresión que mejor complete cada oración. ¡Cuidado! También hay palabras de los capítulos anteriores.

1. La señora Esperanza era joven cuando se casó (a/con/de) un hombre muy bueno. Pero un día, cuando él era muy joven todavía, se enfermó de tuberculosis. Ella tuvo que gastar todos sus ahorros (*savings*) en (cuidar/importar) a su esposo, pero a pesar de todo, él murió. Ahora (mira/parece) que ella no sabe qué hacer porque vive en la ciudad y tiene tres hijos a quienes ella (cuida/importa) y (mantiene/soporta) sola. No quiere depender (al / del / en el) gobierno y prefiere (funcionar/trabajar), pero ¿cómo, si tiene que atender a sus hijos? Ella sueña (con/de/en) (moverse/mudarse) al campo y tener allí una casita con jardín y todo. Ahora (se siente / siente) desesperada. Necesita ayuda, pero nadie hace (atención/caso) de sus necesidades.

2. Los arquitectos se dedican a diseñar edificios para modernizar la ciudad. El urbanista (busca/mira/parece) el diseño que consiste (con/de/en) edificios grandes y supermodernos para múltiples familias. No hay viviendas individuales. (Busca/Mira/Parece) que los arquitectos y el urbanista creen que es (hora/tiempo/vez) de transformar el barrio. También (busca/mira/parece) que ellos no (se sienten / sienten) responsables de los efectos de sus acciones. Lo que más les (cuida/importa) son el progreso, la modernización de la ciudad y el ganar dinero.

3. Después de la realización del proyecto del arquitecto, la señora Esperanza se (movió/mudó/trasladó) con su familia a uno de los edificios modernos. Pero aunque el nuevo apartamento es grande y moderno,

ellos (se sienten / sienten) tan tristes e infelices como antes. Ella y los niños (buscan/miran/parecen) por las ventanas y lo único que pueden ver son los otros edificios que están (cerca/íntimos/unidos).

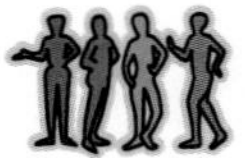

**B** Entre todos

- Hoy en día, ¿es típico que una familia se establezca en una sola ciudad por un largo tiempo (veinte años o más)? ¿Con qué frecuencia se ha mudado (*has moved*) su familia? Por ejemplo, antes de cumplir los dieciocho años, ¿cuántas veces se mudaron Uds.? Si ya tienen hijos, ¿cuántas veces se han mudado con su propia familia? Para los padres, ¿es una ventaja o una desventaja mudarse con frecuencia? ¿y para los niños?
- Cuando llegó la hora de dejar su casa y mudarse, ¿cómo se sentían Uds.? ¿felices? ¿preocupados/as? ¿Tenían miedo? ¿Recuerdan la primera semana en su nueva residencia? ¿Cómo se sentían? ¿Fue fácil o difícil acostumbrarse? ¿Por qué? Y ahora, después de algún tiempo en su residencia actual (*current*), ¿cómo se sienten? ¿Por qué?

# Repaso

**A** Complete el párrafo, dando la forma correcta de los verbos entre paréntesis.

**¡El «hacelotodo», máquina del porvenir!**

¿Se siente Ud. agobiada (*overwhelmed*) por el trabajo? ¿Quiere que su vida (ser)[1] más interesante? ¿Quiere (pasar)[2] más tiempo con sus amigos y familiares? ¡(Escuchar)[3]! Ya es posible que la vida (ser)[4] más fácil y más divertida. ¡(Comprar)[5] un hermoso «hacelotodo»! ¿No tiene tiempo de preparar la comida? ¡Es mejor que (preparársela)[6] él! ¿Se cansa lavando la ropa? ¡Es posible que (lavársela)[7] él! ¿Le molesta ir al banco y hacer las compras? ¿No quiere escribir cartas y visitar a sus suegros? ¡No (preocuparse)[8]! ¡Permita que (hacérselo)[9] todo el «hacelotodo»! En la casa, en la escuela, en la oficina, el maravilloso «hacelotodo» está a sus órdenes. De ahora en adelante (*from now on*), ¡(empezar)[10] a vivir de verdad!

En una gran variedad de modelos y colores... a un precio realmente increíble... satisfacción garantizada... el maravilloso «hacelotodo». Sólo en las tiendas más elegantes.

**B** En el futuro, muchos aparatos que existen hoy van a ser muy diferentes. Identifique los siguientes aparatos del futuro. ¿Cuáles son sus funciones? ¿En qué son diferentes de los aparatos de hoy? ¿Cuáles son los aspectos de cada aparato que le gustan más? ¿los que no le gustan nada? ¿Cuál de los aparatos le parece más útil? ¿menos útil? Explique.

**Vocabulario útil:** la pantalla (*screen*), oler → huele (*to smell*), secar (*to dry*), planchar (*to iron*), doblar (*to fold*)

1.

2.

# CAPITULO

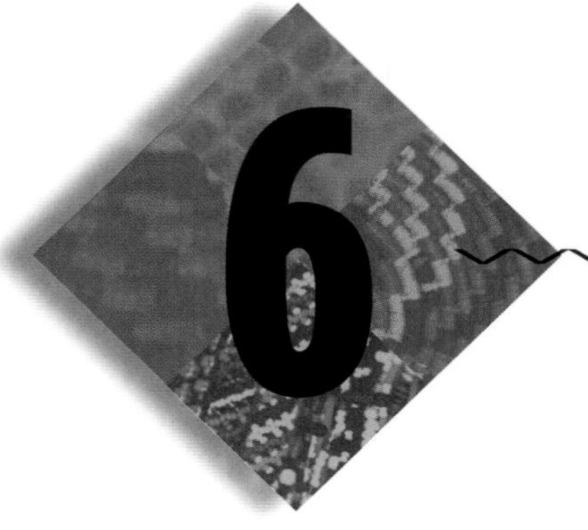

# El hombre y la mujer en el mundo actual

Barcelona, España

# REFLEXIONES

Muchas personas creen que todos los bebés son iguales al nacer, con excepción de las diferencias físicas. Los comportamientos sociales llamados «femeninos» o «masculinos» son resultado del contacto del niño / de la niña con el mundo exterior (los padres, los amigos, las escuelas), que tiene ciertas expectativas (*expectations*) asociadas con cada sexo.

## A nivel personal

¿Qué comportamiento esperaban o esperan sus padres de Ud.? Haga una breve lista de las expectativas concretas que su familia tenía o tiene de Ud. Divida estas expectativas en tres categorías: las que la sociedad considera generalmente masculinas, femeninas y neutras. Ahora, compare su lista con la de sus compañeros de clase. ¿Hay muchas semejanzas entre Uds.? ¿Hay algunas diferencias entre hombres y mujeres?

## A nivel regional

¿Piensa Ud. que en la región donde vive lo que se espera de los hombres es particularmente diferente de lo que se espera de las mujeres? ¿Cuáles son algunas de estas expectativas diferentes? ¿Hay algunas regiones de este país en que las diferencias entre los sexos son más evidentes? ¿Se basa su respuesta a la pregunta anterior en algún estereotipo o puede Ud. apoyarla con ejemplos de la vida real?

## A nivel global

- ¿Qué sabe Ud. de los papeles (*roles*) de los hombres y las mujeres en el mundo hispano? ¿En qué culturas espera encontrar más igualdad entre los sexos? Considere ejemplos como México, la India, Escandinavia, Arabia, Japón y este país.
- Busque ofertas de empleo en algún país hispanohablante. ¿Hay muchas que se limitan solamente a hombres o a mujeres? ¿Qué refleja esto de la cultura de ese país? Comparta su información con sus compañeros de clase.

# DESCRIBIR Y COMENTAR

- Compare las actividades de los niños con las de las niñas en los años veinte. ¿Qué aspiraciones tenían? ¿Hay alguna relación entre sus juegos y sus aspiraciones? ¿Cuál es? ¿Piensa Ud. que en realidad ocurría tal socialización? ¿Piensa que todavía ocurre? Explique.
- ¿En qué son diferentes las actividades femeninas de principios del siglo XXI de las de los años veinte? ¿Hay diferencias también entre los juegos masculinos de los años veinte y los de principios del siglo XXI? ¿Cuáles son? ¿Sugieren estos dibujos que han ocurrido algunos cambios socioculturales? ¿Cuáles son?
- ¿Refleja el segundo dibujo lo que ocurre en la comunidad de Ud. (entre sus amigos, su familia, etcétera)? ¿En qué sentido?

# VOCABULARIO para conversar

**aspirar a** to aspire to
**desempeñar un papel** to play (fulfill) a role
**educar*** to rear, bring up (children)
**socializar** to socialize

**el amo/a de casa** homemaker
**la aspiración** aspiration, goal
**el cambio** change
**la carrera** career, profession; university specialty (major)
**la custodia** custody
**la educación*** upbringing; education
**la expectativa** expectation
**el/la feminista** feminist
**la igualdad** equality
**la infancia** infancy
**el juguete** toy
**la juventud** childhood; youth
**el/la machista** male chauvinist
**la meta** goal, aim
**la muñeca** doll
**el papel** role
**la pelota** ball
**el prejuicio** prejudice
**el puesto** job; position
**los quehaceres domésticos** household chores
**la responsabilidad** responsibility
**la sensibilidad** (emotional) sensitivity
**la socialización** socialization
**el sueldo** salary
**la vejez** old age

**femenino/a** feminine
**feminista** feminist
**machista** male-chauvinistic
**masculino/a** masculine

**alguna vez** ever (*used in a question with present perfect tense*)
**en cuanto a...** as far as . . . is concerned
**en estos días** these days
**recientemente** recently
**últimamente** lately

**A** Dé la palabra de la lista del vocabulario que corresponde a cada una de las siguientes definiciones.

1. característico de las mujeres
2. el principio que reconoce los mismos derechos (*rights*) para todos
3. la época de la vida entre la infancia y la madurez (*adulthood*)
4. que se emociona fácilmente
5. el dinero que se recibe periódicamente por un trabajo realizado

**B** ¡Necesito compañero! Trabajando en parejas, mencionen las palabras de la lista del vocabulario, y otras más, que Uds. asocien con cada una de las palabras a continuación. ¡Prepárense para explicarle sus respuestas al resto de la clase!

MODELO: el ama de casa →
educar, la educación, la responsabilidad, la tradición

1. el puesto
2. el juguete
3. la socialización
4. la custodia
5. la meta

*In both English- and Spanish-speaking cultures, "bringing up" (**educar**) children denotes both physical care as well as the process of educating them with respect to the values and rules of the society in which they live. The Spanish term **educación** refers both to the moral upbringing of a child as well as to schooling. *Higher education* is commonly expressed as **la educación superior.**

Remember that **bien educado/a** and **mal educado/a** convey the meaning of *well-* or *ill-mannered.* To indicate that someone is *well-educated,* use **culto/a.**

**C** Relacione cada persona de la lista con una(s) de las palabras del cuadro. Luego, justifique sus respuestas. ¿Cuáles de estas asociaciones reflejan estereotipos? Explique.

1. una mujer
2. una muchacha
3. un hombre
4. un muchacho

**D** En su opinión, ¿hay más igualdad entre los sexos hoy en día que en 1920? Considere los siguientes contextos con respecto a ambos sexos para explicar su respuesta. Luego, comparta su respuesta con la clase.

1. los papeles (responsabilidades, deberes) que tienen en la sociedad
2. la situación económica (participación en las distintas carreras, sueldos)
3. la participación política

- En general, ¿qué aspecto(s) de los cambios entre los sexos desde 1920 considera Ud. positivo(s)?
- ¿Hay algunos que le parecen negativos? Explique.
- ¿Qué otros cambios se van a producir entre este año y el año 2020 en cuanto a las actividades de ambos sexos?

**E** 

## Entre todos

- ¿Cuál es el papel de la mujer en su comunidad o grupo? ¿y el papel del hombre?
- En general, ¿tiene la mujer el papel de líder en nuestra sociedad?
- ¿Tiene el hombre la libertad suficiente para manifestar su sensibilidad? ¿para dedicarse a los quehaceres domésticos?

¿Dónde está esta mujer? ¿Por qué está barriendo (*sweeping*)? ¿Qué contradicción hay entre lo que acaba de hacer y lo que está haciendo en el dibujo? ¿Qué estereotipo(s) contradice o ridiculiza este dibujo? Explique.

# De entrada 23

¿Está Ud. de acuerdo con las siguientes afirmaciones? ¿Por qué sí o por qué no?

1. La situación social de las mujeres *ha mejorado* durante el siglo XX.
2. Los conceptos de «masculino» y «femenino» *han cambiado* durante las últimas décadas.
3. Estos cambios *han producido* efectos positivos tanto en la vida social como en la familiar.
4. En la sociedad moderna todavía no *se ha conseguido* que los hombres y las mujeres tengan iguales derechos.

Ahora, mire las formas verbales en letra cursiva en las cuatro oraciones anteriores. Todas incluyen una forma del verbo **haber** más el participio pasado de otro verbo. ¿Existe una estructura parecida en inglés? ¿Sabe Ud. cuándo se usa? A continuación se explican este tipo de estructura y sus usos en español.

## 23 PRESENT PERFECT INDICATIVE

Both Spanish and English have simple and compound verb forms. A simple form has only one part: the verb with its appropriate ending (*I spoke,* **hablé**). A compound form has two parts: an auxiliary verb plus a participle of the main verb (*I have spoken,* **he hablado**). The auxiliary verb used with English perfect forms is *to have;* **haber** is the auxiliary verb used with Spanish perfect forms.

| | |
|---|---|
| **Hemos alcanzado** nuestras metas. | ***We have achieved** our goals.* |
| Nunca **ha visto** un fantasma. | ***He has** never **seen** a ghost.** |

**Haber** is conjugated to show person/number, tense, and mood. The present perfect indicative (**el presente perfecto de indicativo**) uses the present indicative of **haber.** Other perfect forms use other tenses and moods of **haber.** The form of the past participle does not change. Here are the present indicative forms of **haber.**

| | |
|---|---|
| he | hemos |
| has | habéis |
| ha | han |

Remember that the past participle is formed by adding **-ado** to the stem of **-ar** verbs and **-ido** to the stem of **-er** and **-ir** verbs.

am**ar** → am**ado**
com**er** → com**ido**
sal**ir** → sal**ido**

For more information on the formation of past participles, as well as a list of the most common irregular forms, see Chapter 1, page 24.

*Note that, unlike English, Spanish never inserts another word between the auxiliary verb and the past participle.

The use of the present perfect versus preterite varies widely from country to country, and even from region to region within a country. For example, in some parts of Spain, the present perfect is often used instead of the preterite, whereas in other parts, the opposite is true. In Mexico, the preterite is generally preferred over the present perfect.

The present perfect expresses an action completed in the past; however the present perfect's time frame is open-ended and *usually* not defined by any implied or specified time limit in the past. In contrast, the preterite's time frame is *always* closed and defined by an implied or specified time limit. Thus, the present perfect's scope can start at an unspecified time in the past and span up to—and even include—the present. Compare the following sentences.

| | |
|---|---|
| ¿**Ha encontrado** Ud. el prejuicio en su trabajo alguna vez? | ***Have*** *you ever* ***encountered*** *prejudice in your job?* (open, unspecified time frame in the past, up to and including the present) |
| ¿**Encontró** Ud. mucho prejuicio en su trabajo el año pasado? | ***Did*** *you* ***encounter*** *much prejudice in your job last year?* (closed, defined time frame in the past; no reference to the present) |

This lack of specificity in the present perfect's scope means it is often accompanied by such adverbs or adverbial expressions as: **alguna vez** (*ever*), **en estos días** (*these days*), **recientemente, siempre, todavía no, últimamente, ya.**

Práctica Use los verbos entre paréntesis para formar oraciones en el presente perfecto de indicativo. Recuerde que es necesario usar una forma del verbo **haber** más el participio pasado del verbo.

MODELO: Nunca en mi vida (yo: jugar) al fútbol. →
Nunca en mi vida he jugado al fútbol.

1. La mujer moderna (aprender) a desempeñar muchos papeles en su familia.
2. (Tú: educar) muy bien a tus hijos.
3. Yo (obtener) la custodia de mis hijos por fin.
4. ¿(Aspirar) Uds. a aprender un idioma extranjero alguna vez?
5. (Nosotros: cumplir) con muchas responsabilidades últimamente.
6. Se (**se pasivo:** abrir) muchos puestos en esa compañía recientemente.
7. ¿Qué (tú: hacer) en estos días?

# Intercambios

**A** ¡Necesito compañero! ¿Cómo ha sido su experiencia universitaria hasta ahora? Trabajando en parejas, háganse y contesten preguntas con la forma correcta del presente perfecto de indicativo. También añadan otra información para que sus respuestas sean más completas. Después, comparen sus experiencias con las de las otras parejas.

Alguna vez, siendo estudiante aquí, recientemente, últimamente, en estos días,...

1. ¿asistir a un evento deportivo?
2. ¿participar en alguna actividad política?
3. ¿inventar una excusa para no ir a clase?

4. ¿tener un encuentro con la policía?
5. ¿gastar una broma pesada (*practical joke*)?
6. ¿trasnochar (*"stay up all night"*)?
7. ¿enamorarse?
8. ¿dormirse en una clase?
9. ¿escribir un diario (*diary or journal*)?
10. ¿ir de compras para escaparse de los estudios?
11. ¿pasar toda la noche escuchando/aconsejando a un amigo / una amiga que tenía algún problema?
12. ¿?

¿Qué revelan los resultados? ¿Es verdad que la experiencia de ser estudiante es bastante homogénea? ¿Han notado algunas diferencias entre la experiencia femenina y la masculina? Comenten.

Tradicionalmente, llorar en público se ha considerado poco masculino. ¿Qué opina Ud.? ¿Ha cambiado esta idea hoy en día? ¿En qué circunstancias es aceptable que un hombre llore?

**B** Muchas ideas sobre lo que es «típicamente» masculino o femenino han cambiado a través del tiempo. Indique si en el pasado las siguientes actividades se consideraban «terreno» exclusivo de los hombres (**H**), de las mujeres (**M**) o si se consideraban aceptables para ambos sexos (**A**).

| | H | M | A |
|---|---|---|---|
| 1. llevar pantalones | ☐ | ☐ | ☐ |
| 2. especializarse en ciencias | ☐ | ☐ | ☐ |
| 3. teñirse (*dye*) el cabello | ☐ | ☐ | ☐ |
| 4. besarse en la mejilla entre personas del mismo sexo | ☐ | ☐ | ☐ |
| 5. hablar de temas románticos | ☐ | ☐ | ☐ |
| 6. estudiar una carrera en educación | ☐ | ☐ | ☐ |
| 7. mirarse al espejo | ☐ | ☐ | ☐ |

En los últimos años, ¿han cambiado algunas de estas ideas o siguen siendo iguales? Si ha habido cambios, ¿han sido positivos o negativos? Dé su opinión e indique las razones por las cuales es posible que hayan ocurrido (*have occurred*) estos cambios. Use el modelo como guía.

MODELO: llevar pantalones →
Tradicionalmente los pantalones han sido usados exclusivamente por los hombres, pero hoy en día las mujeres los llevan también. La costumbre ha cambiado porque las mujeres se han dado cuenta que es más cómodo y práctico llevar pantalones que llevar falda. Yo creo que este cambio ha sido positivo porque les ha dado a las mujeres más libertad de movimiento para trabajar, hacer ejercicio, etcétera.

**C** ¡Necesito compañero! Imagínense que una persona busca trabajo como periodista para el periódico universitario. Trabajando en parejas, preparen una lista de preguntas para entrevistarla. Usen las actividades a continuación como guía, y agreguen por lo menos tres preguntas más. Traten de usar el presente perfecto cuando el contexto lo permita.

| | |
|---|---|
| estudiar | trabajar |
| tener experiencia | ganar $____ en el puesto anterior |
| dejar el puesto anterior | aspirar a |

Cuando hayan completado su lista de preguntas, úsenla para entrevistar a otro compañero / otra compañera de clase.

# ESTRATEGIAS PARA LA COMUNICACION

## ¿Ud. quiere decir que... ? *Double-checking comprehension*

Communication sometimes breaks down because the ideas being discussed are complex and lend themselves to more than one interpretation. In addition to asking for more information, you can check your understanding in other ways.

- Try paraphrasing what the other person has said and asking whether that is what he or she meant: **¿Quiere Ud. decir que... ?** This lets the other person know exactly what you have and have not understood.
- If you understand the words but not the message, indicate this by asking: **¿Qué quiere Ud. decir con eso?** The other person then knows that what you need is an explanation, not a repetition.
- You can also ask for an example of the point or idea that you don't fully understand: **¿Podría Ud. darme un ejemplo de eso?** or **¿Como qué, por ejemplo?** This is an excellent strategy to use in reverse as well: when you aren't sure how to express something, try to give an example of what you mean.

**A** You have heard the following statements. Paraphrase each of them to express what you think is the main idea.

1. El aprendizaje de una segunda lengua debe ser obligatorio en todas las escuelas de este país.
2. Manifestar los sentimientos es propio de (*most appropriate for*) mujeres.
3. La tecnología tiene como resultado la pérdida (*loss*) o la corrupción de los valores humanos. Sólo tenemos que hablar con los científicos para saber esto.
4. La actividad criminal es producto de la sociedad, no del individuo.

**B** ¡Necesito compañero! Working with a partner, discuss briefly the following topics in Spanish. Try to communicate clearly and understand fully what your partner is saying, asking questions and paraphrasing as necessary. Then write a brief summary in Spanish of your partner's views.

1. No se debe permitir que las chicas jueguen al fútbol americano.
2. Cuando los padres se divorcian, los hijos deben vivir con la madre.
3. Aún existe mucho sexismo en este país: El sueldo promedio (*average wage*) de las mujeres todavía no ha llegado al nivel del sueldo promedio de los hombres.
4. Los hombres han sufrido a causa de la lucha de las mujeres por la igualdad de derechos.
5. No creo que las amas de casa tengan que ser abnegadas (*self-denying*) para asegurar el bienestar de la familia.

# 24 PRESENT PERFECT SUBJUNCTIVE

The present perfect subjunctive (**el presente perfecto de subjuntivo**) is formed with the present subjunctive of **haber** plus the past participle. Here are the present subjunctive forms of **haber.**

| | |
|---|---|
| haya | hayamos |
| hayas | hayáis |
| haya | hayan |

The cues for the choice of the perfect forms of the subjunctive are the same as those for the simple forms of the subjunctive; the difference is only in the time reference. The *present subjunctive* always refers to an action that occurs at the same time or at a future time with respect to the main verb; the *present perfect subjunctive* refers to an action that has occurred before the main verb.*

| CUE | EL PRESENTE (PRESENT, FUTURE) | EL PRESENTE PERFECTO (PAST) |
|---|---|---|
| la duda | No creo que el padre **gane** la custodia.<br>*I don't believe that the father is winning (will win) custody.*<br><br>Dudo que **sean** buenos padres.<br>*I doubt that they are (will be) good parents.* | No creo que el padre **haya ganado** la custodia.<br>*I don't believe that the father has won (won) custody.*<br><br>Dudo que **hayan sido** buenos padres.<br>*I doubt that they have been (were) good parents.* |
| la emoción | Es una lástima que muchos jóvenes no **tengan** metas más altas.<br>*It is a shame that many young people do not (will not) have higher goals.*<br><br>Me pone furioso que no nos **ayude.**<br>*It makes me furious that she does not (will not) help us.* | Es una lástima que Ud. no **haya tenido** metas más altas.<br>*It is a shame that you have not had (did not have) higher goals.*<br><br>Me pone furioso que no nos **haya ayudado.**<br>*It makes me furious that she has not helped (did not help) us.* |

*Expressions of persuasion generally imply that the subordinate action will occur at some point in the future. For this reason, the use of the present perfect subjunctive, which expresses a completed action, is infrequent after these constructions.

**Práctica** Dé oraciones nuevas según las palabras que aparecen entre paréntesis.

La sociedad actual es menos sexista que antes, pero…

1. es triste que (*nosotros*) no *hayamos* hecho más cambios. (tú, el gobierno, yo, Uds.)
2. dudo que la sociedad haya *combatido el sexismo.* (eliminar los estereotipos, resolver todos los problemas, acabar con la discriminación, ver las dimensiones del problema)
3. *es bueno* que el gobierno haya escrito nuevas leyes (*laws*). (no creo, es natural, me gusta, es importante)

## Intercambios 

**A** Complete las siguientes oraciones con la forma correcta del presente perfecto —de indicativo o de subjuntivo, según el contexto— del verbo en letra cursiva.

1. Es necesario que en el futuro *eviten* el sexismo en los cuentos infantiles; no creo que lo ______ en el pasado.
2. Es importante que en el futuro *eduquen* a los niños sin estereotipos; es triste que no los ______ así en el pasado.
3. No quiero que *exista* discriminación en el futuro aunque todos sabemos que ______ en el pasado.
4. Es bueno que ahora los hombres *estén* más liberados emocionalmente; dudo que lo ______ en el pasado.

Siga completando las oraciones, usando el mismo verbo u otro que tenga sentido dentro del contexto.

5. Es necesario que las mujeres aprendan a ser más independientes; es una lástima que en el pasado…
6. Es importante que entendamos ahora los efectos del sexismo; (no) creo que en el pasado…

**B** Exprese su opinión sobre las siguientes afirmaciones. Utilice las expresiones que se sugieren en cada caso, u otras que Ud. considere apropiadas. Use la forma correcta del presente perfecto de indicativo o de subjuntivo, según el contexto.

MODELO: La publicidad ha ayudado a combatir los estereotipos sexuales.
**a.** No creo que… **b.** Es bueno que… **c.** Es claro que… →
No creo que la publicidad haya ayudado a combatir los estereotipos sexuales. De hecho (*In fact*), es claro que los ha fomentado.

1. En los últimos años, ha cambiado la imagen del hombre ideal presentada en la televisión y el cine.
   **a.** Dudo que… **b.** Es evidente que… **c.** Me alegra que…

### Lenguaje y cultura

Tanto en inglés como en español, hay casos en que la misma palabra puede cambiar de sentido si se refiere a un hombre o a una mujer. Por ejemplo, «un hombre público» alude a alguien conocido en el mundo político, mientras que «una mujer pública» es una prostituta. Estudie los siguientes pares de expresiones y explique, en español, la diferencia que resulta del cambio de sexo.

1. master / mistress
2. bachelor / spinster
3. mothering / fathering

¿Conoce Ud. otras expresiones o palabras que cambien de significado de esta manera?

2. La imagen del hombre violento al estilo de «Rambo» ha predominado en las películas de Hollywood.
   a. No creo que… b. Es cierto que… c. Es triste que…
3. Ultimamente se han impuesto modelos de hombres menos violentos.
   a. Es posible que… b. Es verdad que… c. ¡Qué lástima que… !
4. El papel de líderes tradicionalmente ha sido reservado para los personajes masculinos.
   a. Es probable que… b. Es seguro que… c. Es lógico que…
5. Los personajes femeninos, en cambio, han desempeñado un papel pasivo.
   a. Tal vez… b. Es absurdo que… c. Me enoja que…
6. También se han hecho algunos programas y películas en los que las mujeres han sido fuertes e independientes.
   a. Es dudoso que… b. Sé que… c. ¡Qué maravilloso que… !

**C** ¡Necesito compañero! ¿Creen Uds. que la imagen tanto del hombre ideal como de la mujer ideal ha evolucionado en el cine y en la televisión?

- Trabajando en parejas, hagan una lista de algunos personajes masculinos y femeninos representativos. Incluyan en su lista algunos personajes actuales y también algunos no muy recientes, es decir, de hace diez años o más.
- Luego, analicen su lista. ¿Qué tipos o categorías generales pueden identificar? (Por ejemplo, la mujer «fuerte», o el hombre «suave».)
- ¿Qué características o valores representa cada tipo o categoría?

Comparen su lista y análisis con los de las otras parejas. ¿Qué notan Uds. en cuanto a los valores representados por estos personajes? ¿Qué características o valores han predominado? ¿Cuáles han cambiado a través del tiempo? ¿Les parecen positivos o negativos estos cambios? Expliquen.

**D** Guiones ¿Qué han hecho? Trabajando en grupos de tres, describan los dibujos a continuación con una forma apropiada del presente perfecto de indicativo o de subjuntivo. En su descripción, identifiquen a cada persona, describan la situación o el contexto general y especulen sobre lo que le va a pasar después. Recuerden usar las estrategias para la comunicación.

**Vocabulario útil:** atrapar (*to catch*), la pelota, el cristal, la cuenta, el carnicero, dejar plantado/a (*to stand someone up*)

MODELO:

→ Lisa es una estudiante universitaria que ha pasado toda la semana escribiendo una composición para la clase de español. Hoy por fin la ha terminado y está muy contenta que todo le haya salido como esperaba. ¡Qué bien que se haya levantado temprano, porque ahora puede salir a divertirse!

1. 

2. 

3. 

4. 

PASAJE CULTURAL

## Alfareras (*Potters*) de la provincia del Cañar, Ecuador

En un pueblecito al suroeste del Ecuador, las mujeres se han hecho cargo (*have taken charge*) de las necesidades económicas del municipio. La mayoría de los hombres ha emigrado en busca de trabajo, y son las mujeres quienes labran (*plow*) el campo y sostienen a sus familias trabajando el barro (*clay*) con una antigua técnica incaica* para hacer ollas, tinajas (*big jars*) y cántaros (*jugs*).

Alfarera en el Cañar, Ecuador

### Antes de ver

- ¿Qué sabe Ud. del arte y la artesanía (*handicrafts*) del mundo hispano? ¿Piensa que la creación de la artesanía es una actividad predominantemente masculina o femenina?
- Ahora lea con cuidado la actividad en **Vamos a ver** antes de ver el vídeo por primera vez.

### Vamos a ver

Las siguientes oraciones describen en parte la técnica de las alfareras del Cañar. Basándose en el segmento de vídeo, indique la opción que mejor completa cada oración.

1. Para dar forma a las piezas, ______.
   a. se utiliza un torno (*pottery wheel*) mecánico
   b. la alfarera gira alrededor de la pieza

---

****Incaico/a*** es el adjetivo que describe lo propio de la cultura de los incas, uno de los pueblos que vivían en los Andes desde antes de la llegada de los españoles a Sudamérica. Los incas son famosos por su arquitectura, de cuyo (*whose*) esplendor hay célebres (*famous*) vestigios (*remains*) en la región del Cuzco, en el Perú.

2. La actividad de formar las piezas es ______.
   a. individual
   b. colectiva
3. La boca de la pieza se forma con ______.
   a. un pedazo de cuero mojado (*wet leather*)
   b. dos palustres (*trowels*) de madera
4. La pieza se pule (*is polished*) con ______.
   a. dos martillos de arcilla cocida (*fired clay*)
   b. un palustre metálico
5. La pieza se pinta con ______.
   a. el extracto de cierta planta de la región
   b. arcilla roja diluida en agua
6. Las piezas se queman (*are fired*) en ______.
   a. un horno cerrado
   b. una hoguera (*bonfire*) abierta
7. La actividad de quemar las piezas es ______.
   a. individual
   b. colectiva

### Después de ver

- En general, ¿creen Uds. que la alfarería es una actividad típica de los hombres, de las mujeres o de ambos sexos? Expliquen.
- Como la alfarería, hay muchas otras actividades que forman una parte importante de la tradición cultural de distintos pueblos. En la cultura occidental (*western*), ¿cuáles de las siguientes actividades tradicionalmente han sido consideradas propias de las mujeres? ¿de los hombres? ¿de ambos sexos? (Añadan otras actividades si les parece necesario.) Expliquen en cada caso por qué esa actividad se ha reservado o no se ha reservado exclusivamente para uno de los sexos.

  - ☐ la preparación de alimentos
  - ☐ la fabricación de telas y vestidos
  - ☐ la fabricación de muebles (*furniture*)
  - ☐ la construcción de casas y edificios
  - ☐ la recolección de frutos y cosechas (*crops*)
  - ☐ la herrería (*blacksmithing*)
  - ☐ la cacería (*hunting*)
  - ☐ labrar la tierra
  - ☐ contar historias
  - ☐ crear obras de arte
  - ☐ cuidar los animales domésticos
  - ☐ criar a los hijos
  - ☐ ¿ ?

- Busque información sobre la artesanía tradicional de una región de algún país hispanohablante. Por ejemplo, las piezas de cobre de Michoacán, México, o la cerámica de Talavera, España. ¿Las hacen las mujeres o los hombres? Comparta su información con sus compañeros de clase.

# De entrada 25

¿Cuáles son las cualidades que Ud. busca para formar una relación de pareja? Evalúe las cualidades de la lista a continuación según la importancia que cada una tiene para Ud. Añada otras cualidades si le parece necesario.

1 = no muy importante   2 = deseable, pero no necesario   3 = importantísimo

Como pareja, busco una persona que…

1. ______ sea de la misma nacionalidad que yo.
2. ______ sea muy atractiva físicamente.
3. ______ tenga aspiraciones profesionales.
4. ______ quiera tener hijos.
5. ______ sea sensible y me comprenda.
6. ______ comparta mis creencias religiosas.
7. ______ tenga (o vaya a tener) mucho dinero.
8. ______ haya tenido una vida relativamente estable.

Observe que todas las frases anteriores funcionan como adjetivos que describen a una persona indeterminada, a alguien que a Ud. le gustaría conocer pero que posiblemente no existe. ¿Sabe Ud. por qué se usa el subjuntivo en este caso? La siguiente explicación puede aclararle este punto.

## 25 USES OF THE SUBJUNCTIVE: ADJECTIVE CLAUSES

A clause that describes a preceding noun is called an adjective clause (**una cláusula adjetival**).

| | |
|---|---|
| Leí un libro **que se trata de la igualdad entre los sexos.** | *I read a book **that deals with equality of the sexes.*** |

Here **que se trata de la igualdad entre los sexos** is an adjective clause that describes the noun **libro.** Adjective clauses are generally introduced by **que,** or, when they modify a place, they can be introduced by either **que** or **donde.**

| | |
|---|---|
| Busco una librería **que** venda literatura feminista. | *I'm looking for a bookstore **that** sells feminist literature.* |
| Busco una librería **donde** vendan literatura feminista. | *I'm looking for a bookstore **where** they sell feminist literature.* |

There are two general rules that determine whether to use the subjunctive or the indicative with adjective clauses.

1. When an adjective clause describes something about which the speaker has knowledge (something specific or that the speaker knows exists), the indicative is used.

La informática es una carrera **que paga bien.** — *Computer science is a career* ***that pays well.***

This sentence indicates that the speaker knows that working with computers pays well—it is part of the speaker's objective reality.

2. When an adjective clause describes something with which the speaker has had no previous experience, or something that may not exist at all, the subjunctive is used.

Me interesa **una carrera** que **pague** bien. — *I'm interested in* ***a career*** *that* ***pays*** *well.*

This sentence indicates that the speaker is interested in a career—any career—that pays well. Such a career is part of the unknown; at worst, it may not even exist.

Note the contrast between the indicative and the subjunctive in the following sentences.

| KNOWN OR EXPERIENCED REALITY: INDICATIVE | UNKNOWN OR HYPOTHETICAL: SUBJUNCTIVE |
|---|---|
| Necesito **el libro que trata** el problema de la sobrepoblación. *I need the book* (a specific one I know exists) *that deals with the problem of overpopulation.* | Necesito **un libro que trate** el problema de la sobrepoblación. *I need a book* (does it exist?) *that deals with the problem of overpopulation.* |
| Tengo **un libro que trata** el problema de la sobrepoblación. *I have a book* (and therefore have direct knowledge of it) *that deals with the problem of overpopulation.* | |
| Busco a la mujer que **es** médica. *I'm looking for the woman* (I know this specific woman exists) *who is a doctor.* | Busco una mujer que **sea** médica. *I'm looking for a woman* (I don't know if such a person exists) *who is a doctor.* |
| Hay alguien aquí que **sabe** cambiarle el pañal al bebé. *There is someone here* (this person exists) *who knows how to change the baby's diaper.* | ¿Hay alguien aquí que **sepa** cambiarle el pañal al bebé? *Is there anyone here* (does such a person exist?) *who knows how to change the baby's diaper?* |
| Conozco a una mujer que **quiere** ser química. *I know a woman* (she exists, is a specific person) *who wants to be a chemist.* | No conozco a nadie que **quiera** ser químico. *I don't know anyone* (there is no person within my experience) *who wants to be a chemist.* |

Note that the use of the subjunctive in an adjective clause meets both of the necessary conditions for the use of the subjunctive in general. First, there is a *subordinate clause* in the structure of the sentence. Second, the *meaning* expressed in the main clause is of a particular type: In this case, it concerns what is unknown to the speaker.

It is the meaning of the main clause—and not the use of any particular word—that signals the choice of mood. Regardless of the way a particular sentence is phrased, the subjunctive is used in the subordinate clause whenever the main clause indicates that the person or thing mentioned is outside the speaker's knowledge or experience.

Not only does meaning signal the choice of mood for the speaker, but the speaker's choice of mood *conveys information* to the listener, who is unaware of the speaker's knowledge or experience. Compare the following sentences. What information do they convey to the listener?

| | |
|---|---|
| Voy a mudarme a un apartamento que **tenga** tres baños.<br>Voy a mudarme a un apartamento que **tiene** tres baños. | *I'm going to move to an apartment that* ***has*** *three bathrooms.* |

In the first example, the speaker is unsure whether such an apartment exists; in any case, he or she hasn't found it yet, so his or her move is still in doubt. In the second example, the indicative conveys certainty: the speaker is going to move to a specific, already-selected apartment.

**Práctica** Dé la forma correcta —presente de indicativo o de subjuntivo— de los infinitivos entre paréntesis.

1. ¿Ha conocido Ud. a alguien que (buscar) un cambio en su carrera?
2. Hay algunos hombres que (considerarse) feministas, pero creo que no hay ninguna mujer que (considerarse) machista.
3. ¿Has oído hablar de algún puesto que (pagar) bien y (ofrecer) un mes de vacaciones al año?
4. Sí, ya tengo un puesto que me (pagar) bien y me (dar) *dos* meses de vacaciones al año.
5. ¿Ha conocido Ud. a esa mujer que (estar) en la esquina?
6. Muchos queremos una sociedad en la cual (existir) la igualdad entre los sexos.
7. Hoy en día no hay tantas mujeres como antes que (preferir) ser solamente ama de casa.
8. Todo el mundo debe dedicarse a buscar una medicina que (curar) el cáncer; es una enfermedad que ya (haber) durado demasiado (*lasted too long*).
9. ...
10. ...
11. ...

# Intercambios

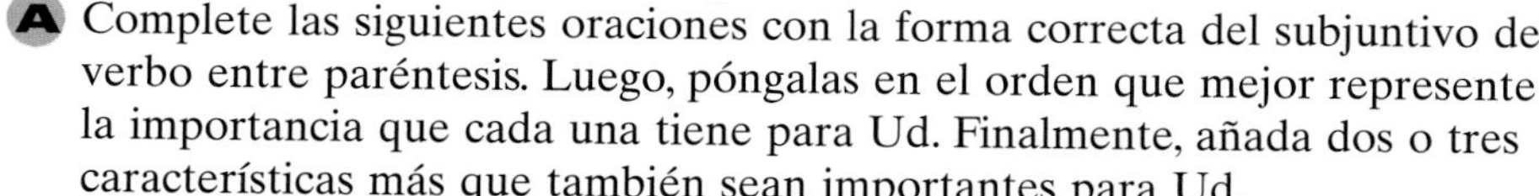

**A** Complete las siguientes oraciones con la forma correcta del subjuntivo del verbo entre paréntesis. Luego, póngalas en el orden que mejor represente la importancia que cada una tiene para Ud. Finalmente, añada dos o tres características más que también sean importantes para Ud.

Quiero vivir en una sociedad que…

______ no (permitir) ningún tipo de discriminación.
______ (dar) trabajo a todos los que quieren trabajar.
______ (ofrecer) seguridad económica a los que no pueden trabajar.
______ (estar) libre del crimen y de la violencia.
______ (haber) eliminado la pobreza.
______ (proteger) la libertad individual de todos sus miembros.

**B** ¡Necesito compañero! Háganse y contesten preguntas para averiguar la siguiente información. Tengan cuidado con el uso del subjuntivo o del indicativo, y elaboren cada respuesta con más información. Luego, compartan las respuestas más interesantes con el resto de la clase.

¿Conoces a alguien que…

1. (haber) sacado A en todas sus clases el semestre pasado?
2. nunca (ponerse) furioso/a?
3. (saber) hablar más de dos lenguas?
4. (haber) dejado de fumar?
5. (haber) sufrido discriminación en el trabajo?
6. (estudiar) español todas las noches?
7. (ir) a cambiar la historia del mundo (un poquito)?
8. (tener) talento artístico?
9. nunca les (haber) pedido ayuda económica a sus padres?
10. (haber) visitado la Argentina?

**C** Termine las siguientes oraciones con cláusulas adjetivales que describan detalladamente sus preferencias. Utilice por lo menos dos verbos en cada caso. Luego, contraste sus opiniones con las de sus compañeros de clase.

1. Prefiero los automóviles que…
   a. no (gastar) mucha gasolina.
   b. (ser) seguros (rápidos, económicos, modernos, deportivos, ¿ ?).
   c. (haber) sido fabricados en este país (en Europa, en Japón, ¿ ?).
   d. ¿ ?
2. Voy a elegir una carrera que…
   a. (estar) relacionada con las ciencias (las humanidades, los deportes, el arte, ¿ ?).
   b. (ofrecerme) la oportunidad de viajar (ayudar a otras personas, inventar cosas, ¿ ?).
   c. (hacerme) rico/a.
   d. ¿ ?
3. Busco profesores que…
   a. siempre (dar) buenas notas.
   b. (no) (ser) interesantes (aburridos, exigentes, ¿ ?).
   c. (promover) la participación de los estudiantes.
   d. ¿ ?

**D** Describa las situaciones que se presentan en los siguientes dibujos. En su descripción, identifique a los individuos, explique lo que necesitan o lo que buscan e indique por qué.

1.

2.

3.

4.

1. hacer una caminata (*to go for a hike*) / haber perdido el camino / buscar abrigo (*shelter*) / poder descansar / el perro, traerles alcohol / el mapa, indicarles la ruta
2. el motor, haberse descompuesto (*broken down*) / la grúa (*tow truck*), llevar el coche / el garaje, estar cerca / el mecánico, saber reparar coches importados
3. una pareja profesional, demasiado trabajo / la criada, llevarse bien con los niños / venir a la casa / ayudar con los quehaceres domésticos / ser responsable / no pedir mucho dinero
4. la tienda de juguetes / buscar juguetes / no reforzar estereotipos / no enseñar la violencia / estimular la creatividad / servir para niños y niñas

## Pro y contra

**Primer paso: Observar y comentar**

Trabajando con un compañero / una compañera, miren el siguiente anuncio y comenten tanto el «mensaje» como la estrategia que se ha empleado para comunicarlo. Las preguntas después del anuncio pueden servirles como punto de partida. Luego, compartan sus opiniones con el resto de la clase. ¿Hay mucha diferencia de opiniones?

1. ¿A quiénes se dirige el anuncio: a los hombres, a las mujeres o a ambos sexos?
2. ¿Qué mantiene el anuncio con respecto a los beneficios de la cirugía estética? ¿Es realista lo que promete? ¿Es deseable?
3. En su opinión, ¿es la cirugía estética igualmente importante para ambos sexos? ¿Quiénes se la hacen con más frecuencia: los hombres o las mujeres? ¿Cómo explican Uds. esta diferencia?
4. ¿Existe alguna diferencia entre la cirugía plástica y la cirugía estética? ¿Cuál es?
5. ¿Conocen Uds. a alguien que se haya hecho una operación de cirugía estética? ¿Lo/La ha ayudado el cambio? ¿En qué sentido?

**Segundo paso: Improvisar**

Hay quienes creen que el énfasis que se pone en la belleza física en muchos anuncios es sexista… pero hay otros que no están de acuerdo con esa opinión. Imagínense que los editores de la revista que publicó el anuncio anterior han recibido tantas cartas denunciando este hecho que han decidido tener una reunión con varias de las personas que han protestado. Divídanse en cuatro grupos para representar en esta reunión a las siguientes personas:

1. los editores de la revista y los representantes de las empresas que pagan por esta clase de anuncio
2. un grupo de feministas que sostienen que los anuncios son sexistas
3. un grupo de personas que se oponen a los anuncios por otras razones (religiosas, raciales, socioeconómicas, psicológicas, etcétera)
4. un grupo de lectores de la revista, de diferentes edades, sexo, clase social, etcétera

Cada grupo debe expresar sus opiniones sobre los anuncios de este tipo, y presentar las razones por las cuales hay que continuar publicándolos o eliminarlos. Durante la discusión, ¡recuerden usar las estrategias para la comunicación!

# ¡OJO!

| | EXAMPLES | NOTES |
|---|---|---|
| **tener éxito**<br>**lograr**<br>**suceder** | Viqui siempre **tiene éxito** en las competiciones.<br>*Viqui is always successful in competitions.* | **Tener éxito** means *to be successful* (*in a particular field or activity*); it emphasizes the condition of being successful. |
| | Julio nunca **logra** bajar de peso.<br>*Julio never manages to lose* (*never succeeds in losing*) *weight.*<br><br>Los maestros esperan **lograr** un aumento de sueldo.<br>*The teachers hope to obtain a salary increase.* | **Lograr** means *to succeed* (*in doing something*) or *to obtain or achieve a goal;* it emphasizes the action of achieving that goal. It can also mean *to manage to* (*do something*). |
| | No saben qué va a **suceder.**<br>*They don't know what is going to happen.*<br><br>Chrétien **sucedió** a Campbell como primer ministro de Canadá.<br>*Chrétien succeeded Campbell as prime minister of Canada.* | **Suceder** means *to occur, happen* or *to follow in succession.* |
| **asistir a**<br>**atender**<br>**ayudar** | Pablo **asistió a** la reunión.<br>*Pablo attended the meeting.* | **Asistir** is a false cognate. Its primary meaning is *to attend* (*a function*) or *to be present* (*at a class, a meeting, a play, etc.*). **Asistir** is always followed by the preposition **a.** |
| | El jefe va a **atender** a los clientes.<br>*The boss is going to take care of the clients.* | *To attend* meaning *to take into account, to take care of,* or *to wait on* is expressed with **atender.** |
| | Nos **ayudaron** mucho.<br>*They assisted* (*helped*) *us a great deal.* | *To assist* is expressed with **ayudar.** |
| **ponerse**<br>**volverse**<br>**llegar a ser**<br>**hacerse** | **Se** van a **poner** furiosos.<br>*They're going to get* (*become*) *angry.*<br><br>¿Por qué **te has puesto** colorado?<br>*Why have you turned red?*<br><br>**Se volvió** loca.<br>*She went* (*became*) *crazy.* | English *to become* has several equivalents in Spanish. Both **ponerse** and **volverse** indicate a change in physical or emotional state. **Ponerse** can be followed only by an adjective. **Volverse** signals a dramatic, often irreversible, change. |

| | EXAMPLES | NOTES |
|---|---|---|
| **ponerse**<br>**volverse**<br>**llegar a ser**<br>**hacerse**<br>**(*continued*)** | **Se está volviendo** sordo.<br>*He is going deaf.* | |
| | Con el tiempo, Elvis Presley **llegó a ser** un símbolo nacional en los Estados Unidos.<br>*With (the passing of) time, Elvis Presley became a national symbol in the United States.*<br><br>**Se hizo** médica después de muchos sacrificios.<br>*She became a doctor after much sacrifice.* | **Llegar a ser** and **hacerse** are used when *to become* conveys the meaning of *to get to be*—that is, a gradual change over a period of time. They can be followed by either nouns or adjectives. **Hacerse** usually implies a conscious effort on the part of the subject, whereas **llegar a ser** may describe an effortless change. |
| | La situación **se hizo** (**se puso**) difícil.<br>*The situation became difficult.*<br><br>Nuestra relación **se ha vuelto** (**se ha hecho**) un problema constante.<br>*Our relationship has become a constant problem.* | **Hacerse** and **volverse** can also express *to become* with reference to general situations. **Ponerse** can also be used in this manner, but again it can be followed only by adjectives. |

**A** Volviendo al dibujo Elija la palabra que mejor complete las oraciones a continuación. ¡Atención! También hay palabras de los capítulos anteriores.

Luis, Julia y José han salido a jugar al parque. Mientras juegan, sueñan (con/de/en)[1] el futuro. Los tres tienen aspiraciones muy altas. Julia piensa (asistir/atender)[2] a la universidad y (hacerse/ponerse)[3] jueza. Luis, que siempre ha (sucedido / tenido éxito)[4] en los deportes, quiere (llegar a ser / ponerse)[5] un famoso jugador de fútbol americano. En cuanto a José, a quien le (cuida/importa)[6] mucho el dinero, su mayor aspiración es (hacerse/ponerse)[7] rico. El piensa (moverse/mudarse)[8] a una gran ciudad y (funcionar/trabajar)[9] en una empresa multinacional. Aunque tienen intereses distintos, los tres han sido amigos (cercanos/íntimos)[10] por varios años, y se (asisten/ayudan)[11] mutuamente. ¡Ojalá (logren/sucedan)[12] sus metas!

Entre juegos y sueños, (el tiempo / la vez)[13] ha pasado y deben (devolver/regresar)[14] a casa. ¡Qué tarde es! ¡Sus padres se van a (poner/volver)[15] furiosos!

**B** Entre todos

- ¿Cuáles son sus aspiraciones? ¿llegar a ganar mucho dinero? ¿ejercer una profesión? ¿tener éxito en el arte, los deportes, los negocios?
- ¿Qué pasos debe Ud. seguir para lograr sus metas? ¿Piensa asistir a una escuela profesional o de posgrado? ¿Qué cualidades o circunstancias pueden ayudarlo/la? ¿Es posible que la circunstancia de ser hombre o mujer lo/la ayude? ¿o será (*will be*) un obstáculo?
- ¿Qué metas ha logrado Ud. ya? ¿Qué actitudes o circunstancias lo/la han ayudado a lograrlas? ¿Es posible que el sexo a que pertenece haya tenido alguna influencia en sus aspiraciones y logros (*achievements*)? Explique.

# Repaso

**A** Lea el siguiente párrafo y dé la forma correcta de los verbos entre paréntesis, usando el imperfecto o el pretérito.

**La historia de un ex novio (Parte 2)***

I looked up (**levantar la cabeza**)[1] and saw (**ver**)[2] Hector running toward me. His face was (**estar**)[3] red and angry, but I wasn't thinking about that (**pensar en eso**).[4] I knew (**saber**)[5] that I could (**poder**)[6] outrun him. "Take that, you rat!" I yelled (**gritar**),[7] and took off (**salir corriendo**)[8] down the street in the opposite direction. "I guess I showed him!" I was thinking (**pensar**)[9] when I arrived home (**llegar a casa**).[10] When I opened (**abrir**)[11] the door, my mother was coming out (**salir**)[12] of the kitchen. "Where have you been?" she asked me (**preguntarme**).[13] "Oh, down by Jane's house," I answered (**responder**)[14] casually. "She's the new girl at school." My mother smiled (**sonreír**)[15] and then explained (**explicar**)[16] that Jane's family was coming (**venir**)[17] to our house for dinner that evening and that she was happy (**gustarle**)[18] that Jane and I were already friends. I tried (**querer**)[19] to think of an excuse to get out of dinner: I had (**tener**)[20] an exam, I said (**decir**),[21] and needed (**necesitar**)[22] to study. But my mother already knew (**conocer**)[23] that excuse, so it couldn't (**poder**)[24] convince her. Finally, I told her (**decirle**)[25] that Jane and I were (**ser**)[26] not exactly the best of friends. "What were you doing (**hacer**)[27] down by her house this afternoon, then?" she wanted (**querer**)[28] to know. "We were agreeing (**ponernos de acuerdo**)[29] to be enemies." My mother looked at me (**mirarme**)[30] strangely. "Perhaps this evening could be the turning point, then," she suggested (**sugerir**),[31] and returned (**volver**)[32] to the kitchen. "But, Mom . . . !" I sputtered (**balbucear**).[33] It was no use (**no haber remedio**).[34] I would have to go through with it. I sat down (**sentarme**)[35] to figure out my strategy for the evening . . .

(*Continúa en el* Cuaderno de práctica, *Capítulo 6.*)

**B** Guiones Trabajando en grupos de tres o cuatro personas, narren en el tiempo presente lo que pasa en la serie de dibujos a continuación.

*The first part of this story is in Chapter 3, page 96.

¡Recuerden usar las estrategias para la comunicación! En su narración, incluyan información sobre lo siguiente.

LA ACCION: ¿Qué pasa? ¿Qué quiere el uno que el otro haga? ¿Por qué? ¿Qué le ha pasado?

EL DILEMA: ¿Qué descubre el hombre? ¿Cómo se lo explica a la mujer? ¿Cuál es la reacción de ella? ¿Duda que... ? ¿Se pone furiosa que... ?

SUS OPINIONES: Expresen sus opiniones sobre lo que ocurre en cada escena. Por ejemplo, ¿creen Uds. que la mujer ha hecho bien el trabajo? ¿Qué opinan del hecho de que el hombre no ha tenido dinero para pagarle? ¿Es natural que la mujer se haya puesto furiosa?

LA RESOLUCION: Inventen el final del cuento: ¿Qué va a pasar luego? ¿Le va a pedir la mujer al hombre que haga algo? ¿Qué le va a pedir el hombre a la mujer?

1.

2.

3.

4.

**Vocabulario útil:** el camión (*truck*), una llanta (que está) desinflada (*flat tire*), la mecánica (*mechanic*)

# CAPITULO

# El mundo de los negocios

Ciudad de México, México

# REFLEXIONES

En casi todo el mundo se encuentran ahora almacenes o hipermercados, tiendas en donde se puede comprar de todo a precios módicos (*reasonable*). En España, por ejemplo, están Alcampo y El Corte Inglés, que son como Macy's y Bloomingdale's. Igual que en este país, en el mundo hispano muchos almacenes se encuentran dentro de las grandes galerías de tiendas o centros comerciales (*malls*). Muchas personas creen que comprar en estos lugares tiene sus ventajas, aunque otras personas creen que no es así.

## A nivel personal

- En su opinión, ¿cuáles son algunas de las ventajas y desventajas de los centros comerciales? ¿Dónde prefiere Ud. comprar, en centros comerciales o en tiendas especializadas? Por ejemplo, cuando tiene que comprar ropa, comida o electrodomésticos (*appliances*), ¿adónde va? Explique sus razones.

## A nivel regional

- ¿Qué cambios ha observado Ud. en el comercio durante los últimos años en su comunidad? ¿Hay más o menos centros comerciales que antes? En cuanto a las tiendas pequeñas especializadas, ¿hay más o menos? ¿Cómo piensa que van a ser las tiendas dentro de diez años?

## A nivel global

- ¿Qué sabe Ud. de los hábitos de compra en el mundo hispanohablante? ¿Cuál piensa que es más popular en los países hispanos, el mercado o el supermercado? ¿Las tiendas especializadas o los centros comerciales? ¿Por qué piensa así?
- Busque en la red una tienda basada en un país hispanohablante. ¿Qué estrategias usa esa tienda para promocionar y vender sus productos? Imprima una página y tráigala a clase para compartirla con sus compañeros.

# DESCRIBIR Y COMENTAR

The *Pasajes* CD-ROM contains interactive activities to practice the material presented in this chapter.

- En el dibujo se ven las actividades diarias del Banco en Quiebra, S.A. ¿Quién es la gerente? ¿Con quién habla? ¿Cree Ud. que es una buena gerente o no? ¿Por qué? ¿Qué indica la gráfica que se ve en su despacho?
- ¿Quién es la cajera? ¿Qué hace? ¿Y qué hace el Sr. Pesetas? ¿Qué quieren los Sres. Guaraní? ¿Progresa rápidamente su transacción bancaria? ¿Por qué sí o por qué no? ¿Por qué no ayudan al Sr. Pesetas el Sr. Bolívar y la Sra. Sol? ¿Qué hacen ellos? ¿Es normal esto en un banco u oficina?
- ¿Por qué hacen cola los otros individuos? ¿Qué transacciones bancarias quieren hacer? ¿Cuál(es) de ellos piensa(n) retirar dinero de su cuenta? ¿pedir un préstamo? ¿cobrar un cheque? ¿Qué es posible que haga el niño con su dinero? ¿Y qué es probable que vaya a hacer cada cliente después de completar su transacción bancaria? ¿Están todos satisfechos con el servicio? Explique.

## VOCABULARIO para conversar

**contratar** to hire; to contract
**despedir (i, i)** to fire
**entrevistar** to interview
**estar a la venta** to be on/for sale
**hacer cola** to be / to wait in line
**hacer horas extraordinarias** to work overtime
**tomar vacaciones** to take a vacation
**renunciar (a)** to quit (*a job*)
**solicitar** to apply (*for a job*)

**las acciones** stock; shares of stock
**el/la accionista** shareholder
**el almacén** department store
**la Bolsa** stock market
**el cajero / la cajera** teller
**el cajero automático** ATM
**la compañía** company
**el contrato** contract
**el desempleado / la desempleada** unemployed person
**el desempleo** unemployment
**el despacho** office (*specific room*)
**el empleado / la empleada** worker, employee
**el empleo** work, employment
**la empresa** corporation
**la entrevista** interview
**las ganancias** earnings, profits
**la gerencia** management
**el/la gerente** manager
**el hombre / la mujer de negocios** businessman/ businesswoman
**el mercado** market
**la oficina** office (*general term*)
**las pérdidas** losses

**el secretario / la secretaria** secretary
**el sindicato** labor union
**el socio / la socia** partner, associate; member
**la solicitud** application form
**la tienda** store
**la venta** sale

### Las transacciones monetarias/bancarias

**ahorrar** to save
**cargar** to charge (*to one's account*)
**cobrar** to charge (*someone for something*)
  **cobrar un cheque** to cash a check
**gastar** to spend
**ingresar** to deposit (*funds*)
**invertir (i, i)** to invest
**pagar a plazos** to pay in installments
**pagar en efectivo** to pay in cash
**pedir (i, i) prestado** to borrow
**pedir (i, i) un préstamo** to request / to take out a loan
**prestar** to lend
**retirar** to withdraw (*funds*)

**la cuenta** account; bill
  **la cuenta corriente** checking account
  **la cuenta de ahorros** savings account
**las deudas** debts
**los gastos** expenses
**las inversiones** investments
**el préstamo** loan
**la tarjeta de cajero** ATM card
**la tarjeta de crédito** credit card

**A** Complete las siguientes oraciones con la palabra apropiada de la lista del vocabulario.

1. Un(a) accionista es una persona que ______ dinero en una empresa.
2. El objetivo de un(a) ______ es conseguir mejores condiciones de trabajo para los empleados.
3. Las ______ representan el dinero que puede recibir un(a) accionista como resultado de sus inversiones en la Bolsa; lo contrario de esto son las ______.
4. Durante la Gran Depresión de los años treinta, la tasa (*rate*) del ______ era muy alta porque muchos individuos no podían encontrar trabajo.

5. Para conseguir un empleo, hay que llenar una ______ con mucho cuidado.
6. Antes de empezar a crear un nuevo producto, una compañía investiga el ______ para ver si tal producto será (*will be*) bien recibido o no.
7. Muchas personas piden un ______ para comprar un coche nuevo.

**B** ¿Cuándo se hace cada una de las siguientes acciones?

1. hacer cola
2. utilizar una tarjeta de crédito
3. utilizar una tarjeta de cajero
4. renunciar al trabajo
5. pedir algo prestado
6. cobrar un cheque
7. pagar en efectivo
8. retirar fondos

**C** ¿Qué palabra no pertenece al grupo? Explique por qué.

1. la gerencia, el empleado / la empleada, el secretario / la secretaria, el sindicato
2. gastar, cobrar, prestar, comprar
3. la entrevista, la solicitud, la Bolsa, el contrato
4. ahorrar, tomar vacaciones, las ganancias, las inversiones

**D** Explique la diferencia entre cada par de expresiones.

1. pagar en efectivo / pagar a plazos
2. pedir prestado / tomar
3. la empresa / la oficina
4. la cuenta de ahorros / la cuenta corriente
5. la tienda / el almacén
6. retirar fondos / ingresar fondos

**E** Cuando Ud. tiene que pagar algo, ¿cómo lo hace normalmente? ¿Paga en efectivo o prefiere pagar con cheque? ¿Tiene una tarjeta de cajero? ¿Le gusta utilizarla o prefiere entrar al banco? ¿Por qué? Imagínese que su banco piensa eliminar el servicio de cajeros automáticos. ¿Qué le parece la idea: es buena o mala? Si lo elimina, ¿para qué grupo(s) de clientes puede ser problemático? Explique.

**F** Según las impresiones que Ud. tiene del Banco en Quiebra, S.A., y sus empleados,* comente las siguientes afirmaciones usando las expresiones a continuación. Cuidado con el contraste entre el indicativo y el subjuntivo, igual que con el contraste entre el presente de subjuntivo y el presente perfecto de subjuntivo.

Dudo que...　　Es (im)posible que...　　(No) Creo que...

1. La gerente recibe un salario muy alto.
2. El Sr. y la Sra. Guaraní han decidido tener otro hijo.
3. El Banco en Quiebra, S.A., ha ganado mucho dinero todos los años.
4. El banco despide al Sr. Bolívar y a la Sra. Sol por conflicto de intereses.
5. Lempira busca trabajo en el banco.
6. El anciano y el niño han venido a robar el banco.
7. El Sr. Pesetas hace horas extraordinarias todos los días.
8. El Sr. Bolívar tiene seis semanas de vacaciones cada año.

---

*The names of the employees and customers are currency names in the following countries: Spain (**peseta**), Mexico (**peso**), Paraguay (**guaraní**), Peru (**sol**), Honduras (**lempira**), Venezuela (**bolívar**), and Costa Rica (**colón**).

# 26 REVIEW OF THE PRETERITE

The third-person plural forms of the preterite provide the basis for the forms of the past subjunctive, which you will study later in this chapter. It will therefore be easier to learn the forms of the past subjunctive if you first review the preterite forms.

Remember that there are four main groups of preterite forms: (1) verbs that are regular in the preterite; (2) **-ir** stem-changing verbs; (3) verbs with irregular preterite stems and endings; and (4) **dar, ir,** and **ser.** Irregularities in the third-person plural of the preterite occur in all of these groups except group 1.*

Práctica Dé las formas indicadas del pretérito. ¿Recuerda Ud. cómo se escribe cada forma?

1. despedir: el gerente, tú
2. vender: yo, Ud.
3. pagar: Uds., yo
4. morir: la mujer de negocios, los accionistas
5. hacer: tú, el secretario
6. irse: el cajero, los socios
7. invertir: los sindicatos, tú
8. empezar: yo, la entrevista
9. dar: tú, Uds.
10. venir: nosotros, los desempleados

# Intercambios

**A** El siguiente recorte de un periódico anuncia el éxito de un joven político venezolano. Léalo con cuidado, indicando para cada espacio en blanco la forma correcta del pretérito del verbo apropiado de la lista. Utilice todos los verbos, y no use ninguno más de una vez.

asumir (tomar)
celebrar
participar
proclamar
resultar

■ ¿Cuántos años tiene el nuevo alcalde (*mayor*) de San Antonio de los Altos? En su opinión, ¿es uno demasiado joven a esa edad para ser un buen alcalde? ¿un buen gobernador? ¿un buen presidente? Explique. ¿Cree Ud. que hay una edad límite para este tipo de puesto? Explique.

**Juramentan al alcalde más joven**

**CARACAS** - Venezuela _____ al alcalde más joven de América Latina, Juan Fernández Morales, de 25 años, quien _____ la víspera el cargo en el municipio Los Salias, de San Antonio de los Altos, se informó ayer.

Fernández Morales _____ simultáneamente el jueves, la toma de posesión de la alcaldía Los Salias y su cumpleaños número 25, tras superar por 800 votos a su contendor más importante, dijeron sus allegados.

El joven _____ electo cuando _____ como independiente por el Movimiento Proyecto Calidad de Vida, que permanecería en el poder por cuanto el alcalde saliente, Andrés López, también pertenece a ese grupo.

*For a more detailed explanation of these verb forms, see grammar section 12. Further practice with them can also be found in the *Cuaderno de práctica* for this chapter.

- ¿A Ud. le gustaría (*would you like*) ser alcalde de un pueblo antes de llegar a los 30 años? ¿Por qué sí o por qué no? ¿Qué partido político representaría (*would you represent*)?

**B** ¡Necesito compañero! Trabajando en parejas, describan lo que pasó la última vez que cada uno de Uds. hizo las actividades a continuación. Para ayudarse a recordar las experiencias, utilicen este esquema como guía.

tomar vacaciones
gastar mucho dinero
comer algo realmente delicioso
usar una tarjeta de crédito
solicitar un trabajo
hacer algo increíble

# ESTRATEGIAS PARA LA COMUNICACION

## Luego... y después... *How to narrate events*

The difference between a list of isolated events and a story can be seen in the manner in which the events are connected within the story. Isolated events can be told in random order; a story, however, has a chronology (sequence). When a sequence of events is narrated, the parts are linked together with words or expressions that define the chronology. Each event occurs in a given order in the sequence. For example:

> *Last month* I took out a loan at the bank because I wanted to continue my education and I needed more money. *Later,* I went to the university to request information about admission. I asked for the forms *right away. Finally,* I stopped by the Spanish department to verify the most recent details about their program.

The italicized words link the events, outlining the sequence for the listener. Here are some frequently used words for recounting events in Spanish.

al día anterior (*on*) *the previous day*
al día siguiente (*on*) *the next day*
al final *at the end*
al mismo tiempo *at the same time*
al principio *at first*
anterior *the previous* (*year/month*)
anteriormente *before, earlier*
antes (de eso) *before* (*that*)
de pronto *suddenly*
de repente *suddenly*
después (de eso) *after* (*that*)
en seguida *immediately* (*after*)

entonces *then, at that same moment*
finalmente *finally*
luego *then, next, later*
mientras *while*
pasado *last* (*year/month*)
por fin *finally*
por último *last* (*in a list*)
posteriormente *after, later*
primero *first* (*in a list*)

**El mes pasado,** fui al banco y pedí un préstamo porque quería continuar mis estudios y necesitaba más dinero. **Luego,** fui a la universidad para pedir información sobre los requisitos de entrada. **En seguida,** solicité los formularios. **Por último,** pasé por el departamento de español para averiguar los últimos detalles de su programa.

Remember that in narrating events, the preterite and imperfect are used according to context (see grammar section 14).

Guiones The sequence of drawings on this and the next page shows—in a very schematic fashion—a day in the life of Carmen Quintero and her husband, Andrés Pereda. Working in groups of three or four people, narrate the story in the past, using the preterite or the imperfect as necessary. Add at least two or three more details (other actions or explanations) when you talk about what occurs in each drawing.

# 27 REVIEW OF THE USES OF THE SUBJUNCTIVE

Remember that the functions of tense and mood are different. *Tense* indicates when an event takes place (present, past, or future); *mood* designates a particular way of perceiving an event (indicative or subjunctive). In general, the indicative mood signals that the speaker perceives an event as fact or objective reality, whereas the subjunctive mood describes the unknown (what is beyond the speaker's knowledge or experience). Remember also that two conditions must be met for the subjunctive to be used: sentence structure (the sentence must contain a subordinate clause) and meaning.*

**Práctica** Dé la forma correcta de los verbos en letra cursiva, según el contexto. Luego, explique por qué se ha usado el indicativo o el subjuntivo en cada caso.

1. Me sorprende que Emilia *haber* comprado acciones de la compañía «Chocolates Rico-Rico».
2. No estoy seguro/a que José *recordar* el nombre del negocio.
3. Es verdad que se *exportar* muchos productos al extranjero.
4. Busco el restaurante en el que Juan y yo *comer* el sábado pasado.
5. Los socios quieren *comer* allí también.
6. El señor pide que nosotros le *ayudar* con las inversiones.
7. Debemos buscar un puesto que *ofrecer* un sueldo mejor.
8. Necesitamos que el banco nos *prestar* dinero para empezar nuestro propio negocio.

---

*For further information on the concept and uses of the subjunctive, see grammar sections 17, 22, 24, and 25. Additional practice with the subjunctive can be found in the *Cuaderno de práctica* for this chapter.

# Intercambios 27

¡Necesito compañero! Trabajando en parejas, háganse y contesten preguntas para averiguar la importancia que las cosas indicadas en la página siguiente tienen para Uds. Usen frases como **No es (nada) importante** y **Es (muy) importante** para valorar cada cosa. Recuerden utilizar las estrategias para la comunicación para obtener más detalles sobre los motivos de las opiniones de su compañero/a, pero no dejen que la conversación se convierta en interrogatorio. Luego, compartan lo que han aprendido con el resto de la clase. ¿Cuáles de estas cosas les importan más a sus compañeros? ¿Cuáles no les importan nada?

MODELO: ganar mucho dinero →
No es importante que él/ella gane mucho dinero. No le interesan las cosas materiales.

1. ganar mucho dinero
2. trabajar en una compañía prestigiosa
3. vivir en una ciudad grande
4. ser respetado/a por los colegas
5. invertir en la Bolsa
6. ser famoso/a
7. ayudar a resolver un problema que afecta a la humanidad
8. llegar al trabajo en avión propio
9. tener un coche de lujo
10. poder jubilarse a los 40 años

# De entrada 28

En la siguiente tira cómica Ud. puede ver lo que pasó ayer en las oficinas de la compañía de don Abundio. Ponga las oraciones en orden según lo que sugieren los dibujos.

An alternative set of past subjunctive forms is spelled with **-se** instead of **-ra.**

**hablar:** hablase, hablases, hablásemos...
**comer:** comiese, comieses, comiésemos...
**vivir:** viviese, vivieses, viviésemos...

These forms are less commonly used than the **-ra** forms, although usage varies among countries and among individuals within countries. Only the **-ra** forms will be used in *Pasajes: Lengua,* but you will see the **-se** forms frequently in literature and other texts.

______ Entre los tres amigos, no había ninguno que se diera cuenta del peligro. No les preocupaba que su jefe los viera charlando.
______ Don Abundio vio que tres de sus empleados pasaban mucho tiempo charlando. Esto no le gustó; prefería que todos empezaran el día trabajando, no conversando.
______ Como resultado, los ahora ex empleados tuvieron que continuar su charla en la agencia de empleos, donde esperaban que alguien los ayudara.
______ Don Abundio volvió a pasar horas más tarde. El no esperaba que ellos todavía estuvieran allí.
______ Los empleados no sabían que su jefe los observaba.
______ Don Abundio perdió la paciencia, los despidió y les dijo que se fueran a otra oficina a charlar.

Identifique en las oraciones anteriores los verbos o expresiones que exigen (requieren) el uso del subjuntivo en la cláusula subordinada. ¿Puede Ud. identificar los varios tiempos verbales que se utilizan en las oraciones? ¿Qué nota con respecto a las formas verbales que se usan en las cláusulas subordinadas? En la siguiente sección va a estudiar las formas y los usos del imperfecto de subjuntivo.

# 28 THE PAST SUBJUNCTIVE: CONCEPT; FORMS

## A. Concept

To use the past subjunctive (**el imperfecto de subjuntivo**) correctly, you do not have to learn any additional subjunctive cues but only the past subjunctive forms. Almost all the cues that signal the use of the subjunctive mood are applicable to both the present subjunctive and the past subjunctive. (You will learn when to use the present subjunctive versus the past subjunctive later in this section.)

## B. Forms of the past subjunctive

Without exception, the past subjunctive stem is the third-person plural form of the preterite minus **-on: hablar~~on~~** → **hablar-; comier~~on~~** → **comier-; vivier~~on~~** → **vivier-.** The past subjunctive endings for all verbs are **-a, -as, -a, -amos, -ais, -an.** Note the accent mark on all **nosotros/as** forms.

| PAST SUBJUNCTIVE FORMS | | | | | |
|---|---|---|---|---|---|
| **REGULAR -ar** | | **REGULAR -er** | | **REGULAR -ir** | |
| habla**ra** | hablá**ramos** | comie**ra** | comié**ramos** | vivie**ra** | vivié**ramos** |
| habla**ras** | habla**rais** | comie**ras** | comie**rais** | vivie**ras** | vivie**rais** |
| habla**ra** | habla**ran** | comie**ra** | comie**ran** | vivie**ra** | vivie**ran** |

Any stem change or irregularity found in the third-person plural of the preterite will be found in all persons of the past subjunctive of those verbs.

| | THIRD-PERSON PLURAL PRETERITE FORMS | | PAST SUBJUNCTIVE |
|---|---|---|---|
| **Regular** | comenzaron | → | comenzara, comenzaras, comenzáramos... |
| | entendieron | → | entendiera, entendieras, entendiéramos... |
| **Stem-Changing** | prefirieron | → | prefiriera, prefirieras, prefiréramos... |
| | sirvieron | → | sirviera, sirvieras, sirviéramos... |
| | murieron | → | muriera, murieras, muriéramos... |
| **Irregular** | **tuv**ieron | → | **tuv**iera, **tuv**ieras, **tuv**iéramos... |
| | **pud**ieron | → | **pud**iera, **pud**ieras **pud**iéramos... |
| | **d**ieron | → | **d**iera, **d**ieras, **d**iéramos... |
| | **fue**ron | → | **fue**ra, **fue**ras, **fué**ramos... |

## C. Sequence of tenses: Present subjunctive versus past subjunctive

In Spanish, the tense—present or past—of the main-clause verb determines the subjunctive tense used in the subordinate clause.

- When the main-clause verb is in the present or present perfect, or is a command, a present subjunctive* form is generally used in the subordinate clause.
- When the main-clause verb is in the preterite or imperfect, a past subjunctive form is used in the subordinate clause.†

Here is a summary of the correspondences for the verb forms you have studied thus far.‡

| MAIN CLAUSE | SUBORDINATE CLAUSE |
|---|---|
| **PRESENT** | **PRESENT SUBJUNCTIVE** |
| El gerente dice...<br>*The manager says . . .* | ...que Ud. asista.<br>*. . . for you to attend.* |
| **PRESENT PERFECT** | **PRESENT SUBJUNCTIVE** |
| El gerente ha dicho...<br>*The manager has said . . .* | ...que Ud. asista.<br>*. . . for you to attend.* |

*Forms of the present subjunctive include the simple present and the present perfect: **hable, haya hablado; coma, haya comido.**

†Forms of the past subjunctive include the simple past and the pluperfect: **hablara, hubiera hablado; comiera, hubiera comido.** You will study the forms of the pluperfect subjunctive in grammar section 42.

‡The use of the pluperfect, the future, and the conditional with the subjunctive is practiced in grammar section 43.

| MAIN CLAUSE | SUBORDINATE CLAUSE |
|---|---|
| **COMMAND** | **PRESENT SUBJUNCTIVE** |
| Gerente: Dígale...<br>*Manager: Tell him . . .* | ...que asista.<br>*. . . to attend.* |
| **PRETERITE** | **PAST SUBJUNCTIVE** |
| El gerente dijo...<br>*The manager said . . .* | ...que Ud. asistiera.<br>*. . . for you to attend.* |
| **IMPERFECT** | **PAST SUBJUNCTIVE** |
| El gerente decía...<br>*The manager (often) said . . .* | ...que Ud. asistiera.<br>*. . . for you to attend.* |

Práctica Dé oraciones nuevas según las indicaciones para describir cómo era el mundo de los negocios en otros tiempos.

1. —¿Trabajaban Uds. muchas horas entonces?
   —Sí, era necesario que *trabajáramos muchas horas.* (empezar a trabajar temprano, ser siempre puntuales, hacer mucho trabajo manual, venir a trabajar seis o siete días a la semana)
2. —¿Tenían los obreros otras dificultades también?
   —Sí, los jefes no permitían que *tomaran vacaciones con sueldo.* (recibir atención médica gratis, tener breves descansos durante el día, llegar tarde de vez en cuando, volver al trabajo después de una larga enfermedad)
3. —¿Tenían Uds. algunos beneficios?
   —No, no teníamos muchos. Por ejemplo, no había ninguna compañía que *pagara dinero extra por hacer horas extraordinarias.* (pedir sólo 40 horas a la semana, ofrecer un seguro médico, dar un descanso pagado por la maternidad, siempre mantener buenas condiciones de trabajo, seguir pagando a los empleados después de la jubilación, permitir alguna participación en la gerencia)

## Intercambios

**A** Ignacio, un estudiante universitario, está para graduarse en economía y español. Hace unos días, mientras se preparaba para una entrevista con la AT&T, todos sus amigos, profesores y parientes le daban consejos. Empareje cada persona con la sugerencia que le ofreció a Ignacio.

MODELO: no estar nervioso →
Su mejor amigo le dijo que no estuviera nervioso.

**Personas:** madre, profesora de economía, novia, mejor amigo, profesor de español, abuelo

**Sugerencias:**

peinarse de manera conservadora
demostrar sus capacidades bilingües
tener confianza en su preparación académica
hacer preguntas inteligentes
hablar despacio y con seguridad
pedir un sueldo en concreto
ponerse un traje de tres piezas
expresar interés en obtener un trabajo en el extranjero
no masticar chicle
aprender el nombre del entrevistador / de la entrevistadora

**B** Complete las siguientes oraciones de una forma lógica. Cuidado con los contrastes entre el subjuntivo y el indicativo y entre el presente y el pasado.

1. En el pasado, era necesario que las mujeres trabajadoras _____. Ahora es posible que (ellas) _____.
2. En el pasado, casi no había ningún ejecutivo en el mundo de los negocios que _____. Hoy en día, hay muchos ejecutivos que _____.
3. Hoy en día, muchas empresas permiten que sus empleados _____. En el pasado, las empresas no querían que (ellos) _____.
4. En el pasado, muchos jóvenes creían que una carrera en el mundo de los negocios _____. Hoy en día, muchos jóvenes piensan que _____.
5. En el pasado, los jefes querían que sus secretarias _____. Hoy las secretarias piden que sus jefes _____.

**C** Pensando en las ocupaciones de las siguientes personas, ¿qué es seguro que han hecho recientemente? ¿Qué es sólo probable que hayan hecho? Dé el nombre de una persona determinada en cada categoría.

MODELO: un(a) artista de la televisión, del cine o del teatro →
Sé (Estoy seguro/a [de]) que Jay Leno ha presentado su programa de televisión; es probable que también haya hecho chistes sobre varios políticos.

1. un(a) artista de la televisión, del cine o del teatro
2. una persona muy rica
3. un político / una mujer político importante
4. un estudiante típico / una estudiante típica de esta universidad
5. una persona muy conocida de esta universidad
6. un deportista famoso / una deportista famosa
7. un pariente de Ud.

**D** Con el tiempo, nuestras actitudes cambian —no sólo con respecto a los negocios sino también hacia muchas otras cosas. Complete las siguientes oraciones para indicar si han cambiado sus actitudes. Cuidado con el uso del presente y del imperfecto de subjuntivo.

1. Cuando era niño/a, me parecía muy importante que _____. Ahora me parece más importante que _____.
2. De niño/a, dudaba que mis padres _____. Ahora (dudo / estoy seguro/a) que ellos _____.
3. Creo que en el pasado mis padres dudaban que yo _____. Ahora (dudan/saben) que yo _____.
4. En el pasado pensaba que la educación _____. Ahora (creo / no creo) que _____.

## Lenguaje y cultura

En muchos países de Hispanoamérica, se le llama «pulpo» (*octopus*) a una persona o compañía que explota a los demás. En inglés, también se usan nombres y expresiones relacionados con algunos animales para referirse a ciertas prácticas y ocurrencias en el mundo de los negocios. Imagínese que un amigo hispano no entiende las siguientes expresiones. Explíquele en español su significado.

- shark
- sucker
- bull market
- bear market
- early-bird special
- wildcat strike

5. Antes, las compañías buscaban empleados que ______. (Pero/Todavía) hoy buscan empleados que ______.
6. Hace unos años, yo no creía que el matrimonio ______. (Pero/Todavía) hoy me parece (que) ______.

**E** **Entre todos** El dibujo cómico de abajo a la izquierda, que salió en una revista española, se burla de (*pokes fun at*) los anuncios y los métodos que utilizan las empresas para «vender» sus productos.

- ¿Cuáles son algunas de las técnicas de que se burla? ¿Pueden Uds. identificar por lo menos dos?
- En este país, ¿qué fama tienen los militares como hombres de negocios? ¿Son buenos para encontrar gangas (*bargains*)? ¿Cómo lo sabe Ud.?

**F** **¡Necesito compañero!** Trabajando en parejas, investiguen sus experiencias personales con respecto a cuestiones de trabajo. Pueden utilizar las siguientes preguntas y agregar otras si quieren.

1. ¿Qué clase de trabajo buscabas cuando eras más joven? ¿Querías un trabajo de tiempo completo (*full-time*) o de tiempo parcial? ¿Por qué?
2. ¿Querías un trabajo de tipo intelectual o manual? ¿Preferías trabajar a solas o en equipo? ¿Por qué?
3. ¿Trabajabas por gusto o por necesidad? ¿Era indispensable que ganaras mucho dinero? ¿que recibieras algún entrenamiento especial?
4. ¿Qué opinaban tus padres con respecto a tu trabajo? ¿Creían que era bueno que trabajaras o se oponían? ¿Por qué?
5. ¿Cómo terminaban tus padres esta oración: «Queremos que tú trabajes como ______ porque así vas a ______.»?
   - ganar mucho dinero
   - obtener experiencia muy valiosa en el mundo de los negocios
   - aprender a ser más independiente
   - pasar menos tiempo mirando la televisión
   - ¿ ?

Compartan con las otras parejas algo de lo que Uds. aprendieron. ¿Tuvieron todos Uds. algunas experiencias similares con respecto al trabajo?

## PASAJE CULTURAL

### El Internet, herramienta (*tool*) útil

Muchos estarían de acuerdo (*would agree*) con la idea de que el Internet ha sido uno de los avances más útiles en el mundo de los negocios. Millones de personas alrededor del mundo recurren a (*resort to*) él a diario para hacer transacciones bancarias, comerciar (*trade*) en la Bolsa, vender y comprar productos y servicios, buscar información, bajar (*download*) programas y comunicarse con el resto del mundo.

## Antes de ver

Jean Pierre Noher, actor y músico argentino.

- ¿Usa Ud. el Internet? ¿Con qué frecuencia y para qué lo usa? Si lo usa en su trabajo, explique cómo lo usa allí.
- Pensando en sus respuestas a las preguntas anteriores, explique cómo hacía Ud., o cómo hacía la gente en general, las mismas actividades antes de que existiera (*existed*) el Internet.
- ¿Qué sabe Ud., o cuál es su impresión, del uso del Internet en el mundo hispano? ¿Cree Ud. que es tan popular en España e Hispanoamérica como lo es en este país? Explique.
- Ahora lea con cuidado la actividad en **Vamos a ver** antes de ver el vídeo por primera vez.

## Vamos a ver

Determine si las siguientes afirmaciones son ciertas (**C**) o falsas (**F**), según lo que Ud. aprende en el vídeo. Corrija las oraciones falsas.

| | C | F |
|---|---|---|
| 1. Según el narrador, Jean Pierre Noher* utiliza el Internet dos o tres veces por semana. | □ | □ |
| 2. Noher trabaja en un despacho como los que se encuentran en las grandes empresas de este país. | □ | □ |
| 3. Al principio, la compu (computadora) le dio a Noher la oportunidad de bajar canciones digitalizadas del Internet para aumentar su colección personal de música. | □ | □ |
| 4. Luego, el Internet le ayudó a Noher durante sus investigaciones sobre la vida y literatura de Jorge Luis Borges. | □ | □ |
| 5. Actualmente, Noher está buscando una grabadora de CD en el Internet para comprarla. | □ | □ |
| 6. Noher usa la tecnología para musicalizar (*add music to*) situaciones de emoción, esperanza, suspenso, etcétera. | □ | □ |
| 7. Parece que este segmento de vídeo se presentó un poco antes de la salida de la película *Un amor de Borges.* | □ | □ |

## Después de ver

- ¿Qué impresión sobre el uso general de la tecnología en el mundo hispano le da a Ud. el vídeo? ¿Tiene Ud. la misma impresión que tenía antes de ver el vídeo? Explique.

---

*Jean Pierre Noher ha ganado múltiples premios como mejor actor por su interpretación de Jorge Luis Borges en la película *Un amor de Borges,* escrita y dirigida por Javier Torre.

- Trabajando en grupos, hagan una lista de las maneras en que el Internet ha ayudado, está ayudando o va a ayudar en el futuro al mundo de los negocios en este país, en Hispanoamérica y en el mundo entero. Luego, presenten sus ideas a la clase.

- Busque información sobre cómo el Internet influye en los negocios en el mundo hispano. Esto puede incluir anuncios para aparatos para la oficina, artículos de revistas electrónicas o cualquier cosa que represente la influencia del Internet en los negocios de hoy. Comparta su información con sus compañeros de clase.

## De entrada 29

¿Qué opina Ud.? Indique si está de acuerdo (**A**), si está en desacuerdo (**D**) o si no tiene ninguna opinión (**NO**) sobre las siguientes declaraciones.

1. ______ Voy a hacer cola en este banco hasta que me atiendan. Tengo que ingresar este dinero hoy y no tengo tarjeta de cajero.
2. ______ Pasarán dos o tres generaciones antes de que los hombres y las mujeres tengan igual sueldo.
3. ______ Cuando se invierte mucho dinero en el extranjero, la economía nacional se beneficia mucho como consecuencia.
4. ______ No se debe permitir que una persona obtenga una tarjeta de crédito hasta que consiga un trabajo fijo.
5. ______ Los profesores deben presentar todas las materias de modo que (*in such a way that*) tengan conexión con la vida real.

Ahora, estudie las oraciones para averiguar dónde se ha utilizado el subjuntivo. ¿En qué casos se anticipa una acción que no ha ocurrido todavía o una circunstancia que no existe? La explicación a continuación lo/la ayudará (*will help you*) a comprender mejor este tipo de construcción.

## 29 USE OF SUBJUNCTIVE AND INDICATIVE IN ADVERBIAL CLAUSES

An adverb is a word that indicates the manner, time, place, extent, purpose, or condition of a verbal action. It usually answers the questions *how? when? where?* or *why?*

| | |
|---|---|
| Vamos al cine **después.** | *Let's go to the movies* (when?) ***afterward.*** |

A clause that describes a verbal action is called an adverbial clause. It is joined to the main clause by an adverbial conjunction.

| | |
|---|---|
| Vamos al cine **después de que ellos cenen.** | *Let's go to the movies* (when?) ***after they have dinner.*** |

In the preceding sentence, **después de que ellos cenen** is the adverbial clause; **después de que** is the adverbial conjunction. Adverbial clauses are subordinate (dependent) to the main clause. As you know, there must be a subordinate clause in order for the subjunctive to be used.

## A. Adverbial clauses: Time

These are some of the most common adverbial conjunctions of time:

| | |
|---|---|
| cuando *when* | mientras (que) *while, as long as* |
| después (de) que *after* | tan pronto como *as soon as* |
| en cuanto *as soon as* | |
| hasta que *until* | |

**Future, anticipated outcomes versus present, habitual actions**

- When the actions of the main and subordinate clauses have not yet occurred (that is, they represent a future action and an anticipated outcome), the subordinate clause introduced by these adverbial conjunctions uses the subjunctive.
- When the action of the subordinate clause is habitual, the indicative is used. Compare the sentences in the following chart.

| FUTURE, ANTICIPATED: SUBJUNCTIVE | PRESENT, HABITUAL: INDICATIVE |
|---|---|
| Te van a dar más crédito **después de que pagues** el balance de la cuenta. *They will give you more credit after you pay off the balance of the account.* (anticipated action—you haven't yet paid off the balance) | Siempre te dan más crédito **después de que pagas** el balance de la cuenta. *They always give you more credit after you pay off the balance of the account.* (habitual action—they always do this) |
| Piensan cobrar el cheque **tan pronto como** se lo **demos.** *They're planning to cash the check as soon as we give it to them.* (anticipated outcome—we haven't given them the check yet) | Todas las semanas, cobran el cheque **tan pronto como** se lo **damos.** *Every week, they cash the check as soon as we give it to them.* (habitual action—they do this every week) |

| FUTURE, ANTICIPATED: SUBJUNCTIVE | PRESENT, HABITUAL: INDICATIVE |
|---|---|
| Compraré acciones **cuando bajen** de precio. *I will buy stocks when the prices go down.* (anticipated outcome—the price hasn't gone down yet) | Siempre compro acciones **cuando bajan** de precio. *I always buy stocks when the prices go down.* (habitual action—I always do this) |
| Haga cola **hasta que llegue** el cajero. *Wait in line until the teller arrives.* (anticipated outcome—the teller hasn't arrived yet) | Cada mañana, los clientes hacen cola **hasta que llega** el cajero. *Every morning, the clients wait in line until the teller arrives.* (habitual action—they do this every morning) |

**Past, anticipated/unknown outcomes versus past, known outcomes and past, habitual actions**

- The past subjunctive is used when the action of the subordinate clause is viewed as an *anticipated* outcome *from the point of view of the subject in the main clause,* or as an *unknown* outcome *from the point of view of the speaker.*
- The indicative (preterite or imperfect) is used when the action of the subordinate clause represents a *known outcome from the point of view of the speaker* that took place subsequent to the action in the main clause.
- Additionally, the indicative (imperfect) is used when the action of the subordinate clause refers to an action that occurred several times in the past as a matter of habit. Compare the sentences in the following chart.

| PAST, ANTICIPATED/UNKNOWN: SUBJUNCTIVE | PAST, KNOWN OR PAST, HABITUAL: INDICATIVE |
|---|---|
| La compañía planeaba seguir invirtiendo en la Bolsa **hasta que obtuviera** beneficios. *The company was planning to keep on investing in the stock market until it earned dividends.* (unknown outcome from the point of view of the speaker) | La compañía siguió invirtiendo en la Bolsa **hasta que obtuvo** beneficios. *The company kept on investing in the stock market until it earned dividends.* (known outcome from the point of view of the speaker) |
| Iban a hacer un viaje alrededor del mundo **después de que** ella **terminara** el proyecto, pero nunca la terminó y nunca hicieron el viaje. | Siempre hacíamos un viaje alrededor del mundo **después de que** ella **terminaba** un proyecto. |

| PAST, ANTICIPATED/UNKNOWN: SUBJUNCTIVE | PAST, KNOWN OR PAST, HABITUAL: INDICATIVE |
|---|---|
| *They were going to take a trip around the world after she finished the project, but she never finished it and they never took the trip.* (anticipated outcome from the point of view of the subject in the main clause) | *We always took a trip around the world after she finished a project.* (habitual action) |

- The adverbial conjunction **antes de que** is always followed by the subjunctive because, by definition, it introduces an anticipated outcome.

| | |
|---|---|
| Siempre cambia un cheque **antes de que vayan** de compras. | *He always cashes a check* ***before they go*** *shopping.* |
| Cambió un cheque **antes de que fueran** de compras. | *He cashed a check* ***before they went*** *shopping.* |

Práctica Complete las siguientes oraciones con la forma apropiada del subjuntivo o indicativo del verbo entre paréntesis, según el contexto.

1. Voy a ingresar el cheque tan pronto como (nosotros: llegar) al banco.
2. Cuando se (impersonal: escribir) un cheque, siempre se debe apuntar su valor inmediatamente.
3. Después de que nos autorizaron el préstamo, por fin (nosotros: poder) comprar nuestra casa de ensueños (*dream house*).
4. Necesito retirar efectivo de un cajero automático antes de que (nosotras: salir).
5. Recuerdo que mi mamá ya no hablaba de las deudas después de que mi papá (ganar) la lotería.
6. Obviamente vas a seguir gastando hasta que te (ellos: cortar) las tarjetas de crédito.
7. Ayer, yo te iba a llamar tan pronto como Verónica (llamarme), pero nunca (ella: llamarme).

## B. Adverbial clauses: Manner and place

- The subjunctive is used with the following conjunctions to express speculation about an action or situation that is unknown to the speaker. The indicative is used to express what is actually known or has been experienced by the speaker.

| | |
|---|---|
| aunque *although, even if* | de modo que *in such a way that* |
| como *as, how* | donde *where* |
| de manera que *in such a way that* | |

**A PROPÓSITO**

You have learned that a subordinate clause is present if a sentence contains two different subjects. However in a sentence with no change of subject, you should use the prepositions **antes de, después de,** and **hasta** followed by an infinitive rather than the conjunctions **antes (de) que, después (de) que,** and **hasta que** followed by a conjugated verb in the subjunctive.

Voy a sacar dinero **después de que pida** el préstamo. (*possible*)
Voy a sacar dinero **después de pedir** el préstamo. (*preferred*)
*I'm going to withdraw money* ***{after I request / after requesting}*** *the loan.*

Decidió ahorrar **hasta que se hiciera** millonario. (*possible*)
Decidió ahorrar **hasta hacerse** millonario. (*preferred*)
*He decided to save* ***{until he became / until becoming}*** *a millionaire.*

| UNKNOWN SITUATION: SUBJUNCTIVE | KNOWN SITUATION: INDICATIVE |
|---|---|
| Lo voy a hacer **aunque sea** difícil.<br>*I'm going to do it even if it's difficult.* (The speaker doesn't know if it will be difficult or not.) | Lo voy a hacer **aunque es** difícil.<br>*I'm going to do it although it is difficult.* (The speaker already knows that it will be difficult from prior experience.) |
| Habló **de modo que le entendieran.**<br>*She spoke in such a way that they might understand her.* (It is not known whether or not she was understood.) | Habló **de modo que le entendieron.**<br>*She spoke in such a way that they understood her.* (She was understood.) |

- The adverbial conjunctions **ahora que, puesto que,** and **ya que** are always followed by the indicative since they convey the speaker's perception of reality as being already completed or inevitable.

**Ya que vas** a visitar, dime lo que quieres comer. — ***Since you're going*** *to visit, tell me what you would like to eat.*

**Ahora que estás** en ventas, vas a viajar mucho. — ***Now that you're*** *in sales, you're going to travel a lot.*

**Práctica** Exprese las siguientes oraciones en inglés. En cada caso explique el uso del subjuntivo o del indicativo en los verbos en letra cursiva.

1. Aunque no *tenga* necesidad, creo que *voy* a trabajar. Aunque muchas personas no *están* de acuerdo conmigo, para mí el trabajo *es* interesante y hasta (*even*) divertido.
2. En muchas escuelas secundarias *se enseñan* ahora las clases académicas de manera que los estudiantes *ven* la aplicación que *tiene* la materia en la vida práctica. Saben que, aunque un estudiante *se haya graduado* de la escuela secundaria, esto no significa que *tenga* suficientes conocimientos para funcionar en la sociedad moderna puesto que el mundo *es* cada vez más complicado.
3. A mi parecer (*In my opinion*), es necesario que la universidad *sea* más responsable con respecto al futuro de sus estudiantes. Aunque no lo *quieran* admitir, el futuro *está* en los negocios. Los estudiantes *pagan* mucho para prepararse de modo que *encuentren* buenos empleos después de recibir su título. Por consiguiente, no es bueno que la universidad *obligue* a los estudiantes a tomar clases que no *tengan* nada que ver con sus intereses profesionales. Debe permitir que los estudiantes *diseñen* su programa de estudios de manera que los *preparen* para el futuro.

# Intercambios

**A** Complete las siguientes oraciones de una forma lógica. Cambie el verbo entre paréntesis al indicativo o al subjuntivo según el contexto. Cuidado con la secuencia de tiempos.

| REALIDADES | ANTICIPACIONES |
| --- | --- |
| *Con respecto al trabajo:* | |
| 1. Cuando yo (ser) estudiante de secundaria, ______. | Cuando yo (no ser) estudiante universitario/a, ______. |
| 2. Después de que mis amigos/as (graduarse) de la escuela secundaria, ______. | Después de que mis amigos/amigas (graduarse) de la universidad, ______. |
| 3. De joven, en cuanto yo (ganar) algún dinero, yo ______. | En el futuro, en cuanto yo (ganar) algún dinero, yo ______. |
| *Con respecto a los privilegios y responsabilidades:* | |
| 4. Cuando yo (tener) nueve años, mis padres ______. | Cuando mis hijos/nietos (tener) nueve años, yo ______. |
| 5. Tan pronto como yo (llegar) a casa después de la escuela, yo ______. | Tan pronto como mis hijos/nietos (llegar) a casa después de la escuela, ellos ______. |
| 6. Cuando yo (sacar) notas muy malas, yo / mis padres ______. | Cuando mis hijos/nietos (sacar) notas muy malas, ellos/yo ______. |

**B** ¡Necesito compañero! En muchos aspectos de la vida se nos imponen ciertas condiciones para hacer o tener ciertas cosas. A continuación hay algunas «condiciones» que se oyen con alguna frecuencia. ¿A Ud. le suenan (*ring a bell*) algunas? Trabajando en parejas, completen las oraciones de una manera lógica. Agreguen una condición más a cada lista para que sus compañeros de clase las completen.

*Un padre le dice a su hijo/a:*

1. No vas a poder manejar el auto hasta que ______.
2. Puedes mirar la televisión tan pronto como ______.
3. Puedes salir con chicos/as cuando ______.
4. No puedes comer el postre hasta que ______.
5. ¿ ?

*Una profesora le dice a su estudiante:*

1. No va a sacar buenas notas mientras que ______.
2. Puede sacar libros de la biblioteca en cuanto ______.
3. Va a ser entre los primeros en escoger sus clases cuando ______.
4. Levante la mano tan pronto como ______.
5. ¿ ?

*Un/Una gerente le dice a su empleado/a:*

1. No va a tener éxito hasta que ______.
2. Va a recibir un mes de vacaciones después de que ______.
3. Le vamos a dar un reloj de oro cuando ______.
4. Le vamos a dar un mejor puesto antes de que ______.
5. ¿ ?

**C** Describa los dibujos a continuación de varias maneras, incorporando las siguientes palabras en su descripción. ¿Quiénes son estas personas? ¿Cómo son? ¿Qué hacen?

1.

2.

3.

| | | |
|---|---|---|
| ahora que | de manera que | mientras (que) |
| aunque | donde | tan pronto como |
| cuando | hasta que | ya que |

1. el avión, correr, despegar, el hombre de negocios, llegar, el piloto
2. llevar, poder comprar cosas, reconocerlo, ser famoso, la tarjeta de crédito, viajar
3. colocar, hablar por teléfono, el mensajero, el paquete, pesado

**D** **Guiones** Los siguientes dibujos cuentan una historia. Trabajando en pequeños grupos, narren la historia en el pasado. Incorporen el vocabulario indicado de la página siguiente y agreguen por lo menos dos o tres detalles más (otras acciones o explicaciones) cuando hablen de lo que ocurrió en cada dibujo. Cuidado con el contraste entre el infinitivo, el indicativo y el subjuntivo. No se olviden de usar los complementos pronominales y las estrategias para la comunicación siempre que puedan.

1. el paciente, ir / tan pronto como llegar / explicar
2. antes de examinar / el médico, pedir / quitarse la ropa
3. en cuanto quitarse la camiseta / observar / agujero (*hole*)
4. examinar y tocar / mientras que / desvestirse
5. antes de examinar / abrir el gabinete
6. sacar / mostrar / ofrecer / ya que

Entre todos

- ¿Qué tipo de negocio es el anterior? ¿Qué piensa Ud. de eso?
- ¿Quién en la clase ha tenido alguna experiencia parecida, una ocasión en que al ir a un lugar en busca de algún servicio se encontró con que le ofrecían o le querían vender algo que no esperaba? Cuénteselo a la clase.
- ¿Qué piensa Ud. que hizo el paciente? Termine la historia.

**E** ¡Necesito compañero! Trabajando en parejas, escriban anuncios para cinco productos, usando el modelo a continuación. Traten de usar cinco adjetivos y cinco verbos diferentes. Luego, compartan sus anuncios con la clase y voten por el mejor anuncio.

MODELO: ¡Compre ______! Su ______ va estar más ______ cuando / después de que / tan pronto como (Ud.) ______.
→ ¡Compre pan Bimbo! Su sándwich va a estar más delicioso cuando lo prepare con pan Bimbo.

1. ... 2. ... 3. ... 4. ... 5. ...

# ENLACE

## Sondeo

¿Controla su vida el dinero? Estudios recientes indican que la actitud del norteamericano medio hacia el dinero es muy diferente hoy de lo que era hace treinta años. Según estos estudios, los norteamericanos ahora piensan más en cómo *gastar* el dinero y menos en cómo *ahorrarlo.* ¿Qué actitud tiene la clase? Hagan un sondeo para averiguarlo.

**Primer paso: Recoger los datos**

- Divídanse en tres grupos. El Grupo 1 hará las preguntas 1 a 5; el Grupo 2, las preguntas 6 a 10; y el Grupo 3, las preguntas 11 a 15.
- Cada uno de los miembros de cada grupo debe entrevistar a dos o tres compañeros de clase para obtener la información necesaria. No se olviden de anotar el sexo de cada persona entrevistada: **M** (masculino) o **F** (femenino).
- Deben entrevistar a todos los miembros de la clase, pero tengan cuidado de no hacerle la misma pregunta dos veces a la misma persona.

¿Te describen las siguientes afirmaciones?

| | | ENTREVISTADOS | | |
|---|---|---|---|---|
| | | A (M/F) | B (M/F) | C (M/F) |
| GRUPO 1 | **1.** Quiero tener más dinero del que podría gastar (*could ever spend*) en toda la vida. | SÍ NO | SÍ NO | SÍ NO |
| | **2.** Me siento molesto/a cuando compro algo y luego descubro que podría haberlo comprado (*I could have bought it*) más barato en otro sitio. | SÍ NO | SÍ NO | SÍ NO |
| | **3.** Me pone nervioso/a pensar que no tengo suficiente dinero. | SÍ NO | SÍ NO | SÍ NO |
| | **4.** Sueño con ser inmensamente rico/a algún día. | SÍ NO | SÍ NO | SÍ NO |
| | **5.** Tengo tres (o más de tres) tarjetas de crédito. | SÍ NO | SÍ NO | SÍ NO |
| GRUPO 2 | **6.** Con dinero se puede comprar el amor. | SÍ NO | SÍ NO | SÍ NO |
| | **7.** Me cuesta (*I hate to*) tener que pagar por algo, no importa lo que sea. | SÍ NO | SÍ NO | SÍ NO |
| | **8.** El dinero controla lo que hago y no hago en la vida. | SÍ NO | SÍ NO | SÍ NO |
| | **9.** Siempre sé exactamente cuánto dinero tengo en el banco o en el bolsillo. | SÍ NO | SÍ NO | SÍ NO |
| | **10.** Como regalo, prefiero el dinero a cualquier otra cosa. | SÍ NO | SÍ NO | SÍ NO |
| GRUPO 3 | **11.** Con frecuencia compro cosas impulsivamente. | SÍ NO | SÍ NO | SÍ NO |
| | **12.** Me quejo del precio de las cosas que compro. | SÍ NO | SÍ NO | SÍ NO |
| | **13.** Creo que el gastar mucho dinero en una cita es una pérdida de fondos. | SÍ NO | SÍ NO | SÍ NO |
| | **14.** Compro cosas para impresionar a otras personas. | SÍ NO | SÍ NO | SÍ NO |
| | **15.** Con frecuencia compro billetes de lotería. | SÍ NO | SÍ NO | SÍ NO |

### Segundo paso: Análisis de los datos

- Para recopilar los datos, reúnanse de nuevo en los grupos e indiquen para cada pregunta la respuesta (sí o no) que recibieron con mayor frecuencia de los hombres y la que recibieron con mayor frecuencia de las mujeres. Después, creen una tabla de resumen para los hombres y otra para las mujeres.

- ¿Qué revelan los resultados? Los autores del cuestionario ofrecen esta clave para interpretarlos.

| Número de respuestas afirmativas | Poder del dinero para controlar la vida |
|---|---|
| 0–1 | casi ninguno |
| 2–3 | débil |
| 4–5 | moderado |
| 6–7 | fuerte |
| 8+ | absoluto |

- ¿Influye el dinero mucho en el estilo de vida de los miembros de la clase? ¿O influye poco?
- ¿Qué le importa más a la clase en general —gastar el dinero o ahorrarlo?
- ¿Descubrieron diferencias entre la manera de pensar de los hombres y la de las mujeres? ¿Cuáles son? ¿Qué creen Uds. que significa esto?

# ¡OJO!

| | EXAMPLES | NOTES |
|---|---|---|
| **ya que**<br>**como**<br>**puesto que**<br>**porque** | **Ya que** es muy rico, no tiene que trabajar.<br>*Because (Since) he is very rich, he doesn't have to work.*<br><br>**Como** (**Puesto que**) era muy niña, siempre hacía muchas pequeñas travesuras.<br>*Since (Because) she was very young, she was always playing little pranks.*<br><br>Lo hicieron **porque** no había remedio.<br>*They did it because there was no other alternative.* | The idea of *because* (*since*) is expressed in a number of ways in Spanish. Preceding a conjugated verb, **ya que, como, puesto que,** or **porque** can be used.<br><br>Of these four expressions, only **porque** *cannot* be used to begin a sentence. Conversely, **como** (meaning *because*) must be placed at the beginning of a sentence. |
| **por** | Todos la admiraban **por** su bondad.<br>*Everyone admired her for (because of) her kindness.* | When preceding a noun, always use **por.** This use corresponds to English *because of.* |

| | EXAMPLES | NOTES |
|---|---|---|
| **cuestión**<br>**pregunta** | Es una **cuestión** de gran importancia.<br>*It's a question (matter) of great importance.*<br><br>Ese niño hace muchas **preguntas** difíciles.<br>*That child asks a lot of difficult questions.*<br><br>La joven **hizo** muchas **preguntas** (**preguntó** mucho) sobre su abuela.<br>*The girl asked a lot of questions about her grandmother.* | *Question* in the sense of *matter, subject,* or *topic of discussion* is expressed in Spanish by **cuestión.**<br><br>The word **pregunta** refers to a *question* or *interrogation.*<br><br>*To ask a question* is expressed in two ways in Spanish: **hacer una pregunta** and **preguntar.** |
| **fecha**<br>**cita** | ¿Cuál es la **fecha** de hoy?<br>*What is today's date?*<br><br>¿Con quién tienes **cita**?<br>*With whom do you have a date (appointment)?*<br><br>El me acompañó a la fiesta.<br>*He was my date for (accompanied me to) the party.*<br><br>Quiero presentarlo a mi amiga Victoria.<br>*I'd like to introduce you to my date, Victoria.* | *Date* has several equivalents in Spanish. A *calendar date* is expressed with **fecha.**<br><br>An *appointment* or *social arrangement* is expressed with **cita.**<br><br>Unlike the English word *date,* **cita** can never mean *a person.* |
| **los/las dos**<br>**ambos/as**<br>**tanto... como...** | Tengo dos hijas y voy al partido con **las dos** (**ambas**).<br>*I have two daughters and I'm going to the game with both of them.*<br><br>**Ambos** (**Los dos**) socios quieren comprar las acciones.<br>*Both partners want to buy the shares.*<br><br>**Tanto** los perros **como** los gatos son carnívoros.<br>*Both dogs and cats are carnivorous.* | English *both* is expressed in Spanish with **los/las dos** and **ambos/as,** which agree in gender with the nouns to which they refer.<br><br>The English expression *both . . . and . . .* is expressed in Spanish with **tanto... como...** . This construction is invariable. |

**A** Volviendo al dibujo Elija la palabra que mejor completa cada oración. ¡Cuidado! También va a encontrar palabras de los capítulos anteriores.

1. El Sr. y la Sra. Guaraní habían hecho (*had made*) una (cita/fecha) con un empleado del Banco en Quiebra, S.A. Ellos tenían un negocio en su propia casa y, como el negocio crecía, necesitaban (moverse/mudarse) a otra casa más grande. Tenían (un cuento / una cuenta) en el banco, y ahora iban a pedir un préstamo. Por eso, querían hacerle algunas (cuestiones/preguntas) al Sr. Pesetas. La expansión de su negocio dependía (al / del / en el) dinero que pudieran obtener, y por eso (buscaban/miraban) la oportunidad de hacer una buena transacción. Sin embargo, llevaron al banco a su hijita Lempira, que era una niña insoportable y nunca (pagaba/prestaba) atención a lo que le decían sus padres. Ella no comprendía que no era (hora/tiempo/vez) de jugar sino de (buscar/mirar) dinero. Lo (buscaba/miraba) todo y tocaba lo que estaba (cerca/cercano) y también lo que estaba lejos. No (cuidaba / le importaba) nada el caos que causaba con sus travesuras.
2. La Srta. Colón, que trabaja en el Banco en Quiebra, S.A., no (se siente / siente) muy segura en su trabajo. Es natural, (por/porque) hace muy poco tiempo que empezó a (funcionar/trabajar) en este banco. ¡Claro que es sólo una (cuestión/pregunta) de tiempo antes de que tenga confianza en sus habilidades! Ella (hace mucho caso / presta mucha atención) a las operaciones del banco. No (apoya/mantiene/soporta) el chisme (*gossip*) ni la holgazanería (*laziness*); es amable con todos, pero es firme. (Por/Porque) su paciencia y buen humor, los otros empleados la respetan mucho. (Mira/Parece) que ella va a (suceder / tener éxito) en esta empresa.

## B Entre todos

- Ya que Ud. está en la universidad, ¿qué aspectos de la escuela secundaria cree que lo/la prepararon mejor para la universidad? ¿Cómo completaría (*would you complete*) la siguiente oración? «Cuando llegó el momento de elegir una universidad, era cuestión de ______ (dinero/lugar/prestigio/tamaño/¿ ?).» ¿Por qué cree que esta universidad lo/la aceptó?
- ¿Tiene Ud. obsesión con la hora? ¿Está siempre pendiente de la hora y la fecha? ¿Tiene un reloj que indique tanto la fecha como el día? ¿que le indique cuando tiene una cita? Cuando tiene cita, ¿llega siempre antes de la hora o a tiempo? ¿Le fastidia que alguien llegue tarde? Cuando tiene cita con su novio/a o mejor amigo/a, ¿tienden ambos a llegar a tiempo?

# Repaso

**A** Complete la siguiente historia, dando la forma correcta de cada verbo. Cuando se dan varias palabras entre paréntesis, escoja la palabra apropiada. ¡Cuidado! La historia empieza en el tiempo presente, pero luego cambia al pasado.

**El mercantilismo**

Aunque hay muchas diferencias entre el sistema político económico norteamericano y el de los países de Hispanoamérica, es interesante notar que en los dos continentes hay varias coincidencias históricas. Se ha dicho que los exploradores ingleses (venir)[1] al Nuevo Mundo para colonizarlo y desarrollarlo (*develop it*) mientras que los españoles (llegar)[2] con la intención de conquistarlo y explotarlo. Hay que admitir que eso (ser/estar)[3] verdad, pero sólo hasta cierto punto.

En ambos casos, la llegada de los europeos (significar)[4] el establecimiento de un sistema económico muy beneficioso para Inglaterra y España, pero desastroso para sus colonias. Este sistema (llamarse)[5] el «mercantilismo». Se creía que la economía de una colonia (deber)[6] complementar la de la madre patria. Según el mercantilismo, la colonia (dar)[7] los productos que la madre patria (necesitar)[8] y a su vez (*in turn*) (recibir)[9] productos fabricados por su patrón. Pero no (ser/estar/haber)[10] libre comercio (*free trade*), ni mucho menos. Las naciones europeas —Inglaterra y España en este caso— querían que sus colonias (ser/estar/tener)[11] éxito económico sólo si esto servía a sus propios intereses. (Ser/Estar)[12] bueno que las colonias (producir)[13] materias primas (*raw materials*) y especialmente aquellos productos agrícolas que no (cultivarse)[14] en Europa, pero al mismo tiempo no se permitía el cultivo de ningún producto que (poder)[15] ser competitivo. Los comerciantes americanos, tanto los del norte como los del sur, (odiar)[16] las restricciones que (imponerles)[17] Inglaterra y España. Estas normas, además del deseo de lograr la libertad de expresión, luego (convertirse)[18] en una de las principales causas de las guerras por la independencia.

**B** Complete las siguientes oraciones de una forma lógica. ¡Atención! A veces hay que usar el imperfecto de subjuntivo. Luego, compare sus oraciones con las de los otros miembros de la clase. ¿Cuántas experiencias o creencias tiene Ud. en común con ellos?

1. Como niño/a, no podía creer que los bancos (no) ______.
2. Como adolescente, creía que como adulto/a querría (*I would want*) trabajar en una compañía que ______.
3. Cuando llegué a la universidad por primera vez, creía que ______.
4. Al terminar mi primer semestre (trimestre) aquí, estaba contento/a de (que) ______.
5. Cuando solicité una tarjeta de crédito, (no) sabía que ______.
6. Ayer me puse furioso/a porque ______.

# CAPITULO

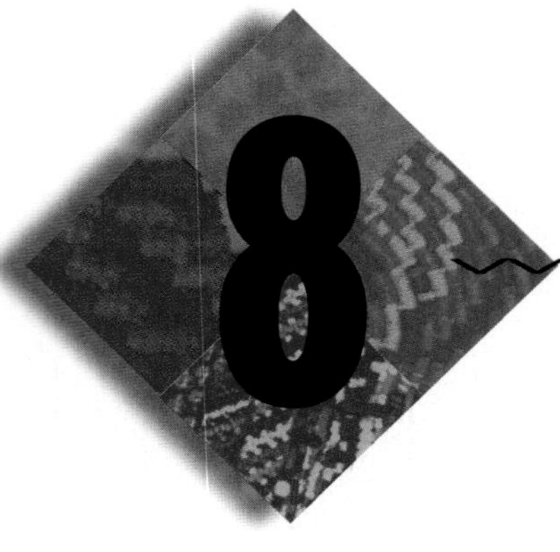

# 8 Creencias e ideologías

1. Chichicastenango, Guatemala
2. Mijas (Málaga), España
3. Santa Fe, Nuevo México

1.

2.

3.

# REFLEXIONES

En la mayor parte de Hispanoamérica, el catolicismo, y últimamente el protestantismo evangélico, y sus ritos ejercen una gran influencia en la vida de los habitantes. En este país la religión tiene gran importancia también. Las iglesias no sólo les ofrecen a sus miembros una educación religiosa, sino también actividades sociales.

## A nivel personal

- ¿Cree Ud. que las personas que no pertenecen a ninguna religión pierden un aspecto importante de la vida? ¿Por qué sí o por qué no? ¿Cree que la religión limita el desarrollo de las personas o que lo enriquece?
- ¿Qué importancia tiene la religión en su vida? ¿en la vida de su familia?
- En su opinión, ¿es más importante hoy la religión en la vida de los jóvenes que hace diez o quince años? Explique.

## A nivel regional

- ¿Cuántas religiones diferentes se practican en su comunidad? ¿Hay mezquitas en su ciudad? ¿sinagogas? ¿templos budistas? ¿Qué otros sitios sagrados (*sacred*) hay?
- En su opinión, ¿qué importancia tiene la religión en su región en comparación con otras regiones de este país?

## A nivel global

- ¿Cree Ud. que la religión tiene más importancia en la vida diaria de los habitantes en los países hispanohablantes o en este país? Explique.
- ¿Cree Ud. que existen muchas religiones diferentes en el mundo hispanohablante? ¿Qué religiones cree que predominan? ¿Qué otras religiones hay?
- En Hispanoamérica, hay muchos ejemplos de sincretismo (una mezcla de creencias) como la santería y el vudú (*voodoo*), por ejemplo. Busque información sobre una de estas prácticas religiosas. Comparta su información con sus compañeros de clase.

# DESCRIBIR Y COMENTAR

■ ¿Puede Ud. identificar a los participantes en los siguientes acontecimientos (*happenings*) históricos en que la religión ha desempeñado un papel importante? Identifíquelos en el dibujo de arriba.

The *Pasajes* CD-ROM contains interactive activities to practice the material presented in this chapter.

| ACONTECIMIENTO | PARTICIPANTES |
|---|---|
| **1.** ______ la creación de la Iglesia anglicana | **a.** los serbios, los croatas y los musulmanes |
| **2.** ______ las Cruzadas | **b.** los árabes y los israelitas |
| **3.** ______ el conflicto en la antigua Yugoslavia | **c.** los soldados y los frailes españoles |
| **4.** ______ el descubrimiento y la colonización del Nuevo Mundo | **d.** Enrique VIII y sus seis esposas |
| **5.** ______ el conflicto en el Oriente Medio | **e.** los musulmanes y los cristianos |

■ ¿Puede Ud. identificar las religiones que motivaron los conflictos?

# VOCABULARIO para conversar

**animar** to encourage; to enliven
**cambiar de opinión** to change one's mind
**competir (i, i)** to compete
**comprometerse** to make a commitment
**convertir(se) (ie, i)** to convert
**cooperar** to cooperate
**dedicarse a** to dedicate oneself to
**defender (ie)** to defend
**fomentar** to promote, stir up
**motivar** to provide a reason for; to motivate
**negociar** to negociate
**predicar** to preach
  **predicar con el ejemplo** to practice what one preaches
**rezar** to pray

**la bendición** blessing
**el clero** clergy
**la competencia** competition
**la conversión** conversion
**la creencia** belief
**la cruzada** crusade
**el cura** priest
**el ejército** army
**el evangelizador / la evangelizadora** evangelist
**la fe** faith
**la iglesia** church (*building*)
**la Iglesia** church (*organization*)
**la mezquita** mosque
**el/la militar** career military person
**el misionero / la misionera** missionary
**la monja** nun
**el monje** monk
**la oración** prayer
**el pastor / la pastora** pastor
**el propósito** purpose; end, goal
**el rabino / la rabina** rabbi
**el sacerdote** priest
**la sinagoga** synagogue
**el templo** temple
**el valor** value

**comprometido/a** committed

### Creencias y creyentes*

**el agnóstico / la agnóstica** agnostic
**el/la altruista** altruist
**el anglicano / la anglicana** Anglican
**el ateo / la atea** atheist
**el/la budista** Buddhist
**el católico / la católica** Catholic
**el conservador / la conservadora** conservative
**el/la (no) creyente** (non)believer
**el/la derechista** rightist (*a member of the political right*)
**el/la egoísta** egotist, selfish person
**el/la hipócrita** hypocrite
**el/la izquierdista** leftist (*a member of the political left*)
**el judío / la judía** Jew
**el/la liberal** liberal
**el/la materialista** materialist
**el musulmán / la musulmana** Moslem
**el pagano / la pagana** pagan
**el/la protestante** protestant

**A** Examine la lista del vocabulario y luego organice todas las palabras que pueda según las categorías indicadas a continuación. ¿Qué otras palabras o expresiones sabe Ud. que también se podrían colocar (*could be placed*) en alguna de estas categorías?

LA RELIGION
- los practicantes
- los no practicantes
- las acciones de los practicantes
- los lugares

*The adjective and noun forms of all the words in this section are identical.

**B** Escoja la palabra de la lista a la derecha que mejor corresponda a cada definición a la izquierda. Luego, dé una definición en español de las palabras que quedan sin definir.

1. ______ incitar, motivar, instigar (una rebelión)
2. ______ las expediciones a la Tierra Santa contra los infieles durante la Edad Media
3. ______ una persona que no es católica ni judía ni musulmana pero que sí es creyente
4. ______ una persona que dice una cosa pero hace lo contrario

a. competir
b. convertir
c. las Cruzadas
d. fomentar
e. el/la hipócrita
f. el/la liberal
g. el misionero / la misionera
h. el/la protestante
i. el valor

**C** ¿Qué palabra no pertenece al grupo? Explique por qué.

1. sincero/a, generoso/a, egoísta, altruista
2. los conservadores, los derechistas, los materialistas, los izquierdistas
3. dedicarse, cambiar de opinión, comprometerse, cooperar
4. rezar, la oración, negociar, la fe
5. los militares, la conversión, los soldados, el ejército

**D** Las creencias religiosas pueden inspirar y hasta impulsar a los seres humanos a entrar en acción, de eso no hay duda. Pero hay otras creencias y principios que también motivan a muchos a la acción. Por ejemplo, ¿qué convicciones éticas o políticas asocia Ud. con los siguientes eventos?

1. el discurso «I have a dream» del Dr. Martin Luther King, Jr.
2. las restricciones sobre la tala de árboles (*logging*) en los bosques de los Estados Unidos
3. las restricciones sobre el fumar en lugares públicos

En el cuadro *La familia presidencial,* pintado por el colombiano Fernando Botero, el pintor agrupa en una sola «familia» a todos los que tradicionalmente comparten el poder en Hispanoamérica. ¿Quiénes son los miembros de esta «familia»? ¿Comparten todos el poder igualmente o son algunos más poderosos que otros? ¿Cómo sería (*would be*) el retrato de «la familia presidencial» en los Estados Unidos? ¿Qué grupos se incluirían (*would be included*)?

4. las manifestaciones (a veces violentas) contra ciertas clínicas para mujeres
5. la creación de milicias y otros grupos paramilitares en varios lugares del mundo
6. el trabajo realizado por organizaciones como la United Way y la Cruz Roja
7. las grandes huelgas (*strikes*) laborales de los años treinta en los Estados Unidos que culminaron con la creación de la United Auto Workers

**E** En su opinión, ¿cuál es más importante en la cultura norteamericana, la cooperación o la competencia? Cuando Ud. era muy joven, ¿qué tipo de actividades fomentaban más sus padres, aquéllas en que Ud. podía ganar premios (*awards, prizes*) o aquéllas en que debía ayudar a otras personas de alguna manera? ¿Era necesario que Ud. compartiera sus cosas o su cuarto con otra persona? Explique. ¿Cree que esto es una experiencia positiva para un niño / una niña? Explique.

# LENGUA

## De entrada 30

En las siguientes oraciones se cuenta la primera parte de la historia de Cristóbal Colón. Según lo que Ud. sabe de esta historia, busque en la segunda columna la frase que termine cada oración de la primera.

1. ______ Cristóbal Colón creía que se podía llegar al Oriente navegando hacia el oeste...
2. ______ Colón no podía hacer nada...
3. ______ Colón le pidió dinero a la reina Isabel I de Castilla...
4. ______ Isabel le dio dinero...
5. ______ Muchos hombres querían unirse a la expedición de Colón...

a. a menos que alguien le diera dinero para financiar el viaje.
b. a condición de que él conquistara nuevas tierras en nombre de ella.
c. aunque mucha gente pensaba que estaba loco.
d. a fin de hacerse ricos.
e. para poder hacer la expedición.

Algunos de los verbos en las frases a la derecha están en el subjuntivo. ¿Puede Ud. identificarlos? ¿Por qué se usa el subjuntivo en algunos casos y no se usa en otros? En la siguiente sección Ud. aprenderá (*you will learn*) otros usos del subjuntivo.

# 30 THE SUBJUNCTIVE IN ADVERBIAL CLAUSES: INTERDEPENDENCE

In Chapter 7 you learned to use the subjunctive with adverbial conjunctions that express what is unknown to the speaker. The adverbial conjunctions in this section indicate that the actions in the main clause and subordinate clause are interdependent in special ways: When events take place simultaneously, one event will not take place unless the other does too, or one event happens so that another will happen.

| | |
|---|---|
| Mi propósito era hablarle **para que cambiara** de opinión. | *My purpose was to talk to him* ***so that he might change*** *his mind.* |
| Ud. no puede ganar la elección **a menos que tenga** el apoyo del pueblo. | *You cannot win the election* ***unless you have*** *the support of the people.* |

Here are the most common adverbial conjunctions of interdependence.

| | |
|---|---|
| a condición (de) que *provided that* | en caso (de) que *in case* |
| a fin de que *so that* | para que *so that, in order that* |
| a menos que *unless* | sin que *without* |
| con tal (de) que *provided that* | |

Unlike the adverbial conjunctions in Chapter 7, which take either the indicative or the subjunctive according to whether they refer to something known or unknown, habitual or anticipated, *adverbial conjunctions of interdependence are always followed by the subjunctive when there is a change of subject.* When there is no change of subject, the **que** is dropped and replaced by the infinitive depending on which adverbial conjunction is being used.

- With **para que** and **sin que,** the **que** is always dropped.

| | |
|---|---|
| No puedo salir **sin despedirme** de mis padres. | *I can't leave* ***without saying good-bye*** *to my parents.* |

- With **a condición (de) que, a fin de que, con tal (de) que,** and **en caso (de) que,** it is possible, though not necessary, to drop the **que.**

| | |
|---|---|
| Voy a ir a la reunión **con tal de que tenga** tiempo.<br>Voy a ir a la reunión **con tal de tener** tiempo. | *I'm going to go to the meeting* ***provided I have*** *time.* |

- However with the conjunction **a menos que,** the subjunctive is always used even when there is no change of subject.

| | |
|---|---|
| No vamos a resolver nada **a menos que cooperemos.** | *We're not going to solve anything* ***unless we cooperate.*** |

**Práctica** Aquí continúa la historia de Cristóbal Colón. Junte las oraciones con las frases entre paréntesis, usando una de las conjunciones de la lista anterior. Use el subjuntivo o el infinitivo como sea necesario.

1. Colón compró más de una carabela (*caravel: an ocean-going ship*). (una perderse en alta mar [*at sea*])
2. Colón partió inmediatamente. (la reina no cambiar de opinión)
3. Colón y los marineros (*sailors*) que lo acompañaban llevaban muchas provisiones. (ellos poder soportar un largo viaje)
4. Colón les prometió muchas riquezas a los marineros. (ellos descubrir la ruta)
5. Colón tenía muchas dudas sobre el viaje. (los marineros saberlo)

# Intercambios

A A continuación hay algunas oraciones sobre los Zúñiga, una familia de inmigrantes. Usando palabras o frases de la lista siguiente, junte las oraciones con las frases entre paréntesis. Use el subjuntivo, el indicativo o el infinitivo como sea necesario.

| | | |
|---|---|---|
| a condición de (que) | aunque | hasta (que) |
| a fin de (que) | cuando | para (que) |
| a menos que | de modo que | sin (que) |
| antes de (que) | en cuanto | |

1. Los señores Zúñiga llegaron a Nueva York en 1995. (ser muy difícil dejar su patria)
2. Trabajaron mucho. (comer sus hijos)
3. Nunca se compraron ropa nueva. (ser una necesidad absoluta)
4. Enseñaron a sus hijos mucho sobre la cultura de su patria de origen. (entender y apreciar los valores de esa cultura)
5. Lo compraron todo de segunda mano. (ahorrar dinero)
6. Trataron de mantener la unidad familiar. (esto ser parte de su tradición cultural)
7. Los padres insistieron en que sus hijos se aplicaran a sus estudios. (graduarse de la escuela secundaria)
8. Los padres querían que sus hijos asistieran a la universidad. (tener buenas oportunidades de empleo)
9. Los hijos nunca se olvidaron de sus raíces. (estar lejos de sus padres)

¿Qué puede Ud. deducir sobre los valores de la familia Zúñiga según las experiencias que tuvieron y las decisiones que tomaron? ¿Conoce Ud. a algunas familias de inmigrantes? ¿Qué sabe Ud. de las experiencias de ellos? ¿Fueron similares a las de la familia Zúñiga o fueron diferentes? ¿Tuvieron las mismas experiencias los antepasados de Ud.? Explique.

## 30 Lenguaje y cultura

Los políticos siempre buscan frases concisas y memorables —los llamados «*sound bites*»— para comunicarle su mensaje al público. Explique el significado de las siguientes expresiones. ¿Puede Ud. identificar la figura política que se asocia con cada una? ¿Conoce otras expresiones de este tipo?

- Speak softly but carry a big stick.
- We have nothing to fear but fear itself.
- The buck stops here.
- Read my lips.
- ¿ ?

B ¡Necesito compañero! En la columna a la izquierda, hay palabras que reflejan algunos valores y creencias; en la columna a la derecha, hay algunos individuos. Trabajando en parejas, indiquen con quién(es) se asocia cada palabra y por qué.

1. ______ animar
2. ______ la competencia
3. ______ convertir
4. ______ la cooperación
5. ______ predicar
6. ______ negociar

a. un jugador / una jugadora de baloncesto
b. un evangelizador / una evangelizadora
c. un político / una mujer político

Ahora, completen las oraciones a continuación de la manera en que Uds. creen que lo harían (*would do*) los individuos indicados. Luego, inventen una oración más para cada individuo, usando las conjunciones adverbiales **a menos que, a fin de (que), a condición de (que), cuando, en caso de (que), para (que), por** o **sin (que).**

**Un jugador / Una jugadora de baloncesto**

1. No aceptaré (*I won't accept*) su oferta para jugar en el equipo de su universidad a menos que _____.
2. Pienso estudiar aquí sólo hasta que _____.
3. Me gustaría (*I would like*) tener un maestro particular (*tutor*) en caso de que _____.
4. ¿ ?

**Un evangelizador / Una evangelizadora**

5. Le pido a la gente (mi público) que me mande dinero para que _____.
6. Es importante usar la televisión como medio de comunicación para que _____.
7. La comercialización de las fiestas religiosas no debe continuar ya que _____.
8. ¿ ?

**Un político / Una mujer político**

9. Para tener éxito en el mundo de la política, es tan importante tener atractivo físico como ser inteligente ya que _____.
10. Yo nunca miento a menos que _____.
11. Hoy nadie puede ganar una campaña política sin que _____.
12. ¿ ?

Compartan sus nuevas oraciones con los otros de la clase para ver si sus compañeros las completaron de la misma manera que Uds. ¿Cuál(es) de los valores de la actividad anterior revela cada oración? ¿Están de acuerdo las nuevas oraciones con el análisis que Uds. acaban de hacer, o revelan otros valores? Expliquen.

**C** Describa los siguientes dibujos de varias maneras, incorporando algunas de estas palabras en cada descripción.

| | | |
|---|---|---|
| a fin de que | en caso de que | sin que |
| ahora que | para que | ya que |
| a menos que | puesto que | |

1.

2.

1. cortar, estar sentado, ser bonito, ver mejor
2. beber, despertarse, salir, servir

3. casarse, estar enamorados, saberlo nadie, tener 21 años
4. aceptar, gritar, predicar, no escuchar

3.

4.

**D** ¡Necesito compañero! Todo lo que se hace tiene un propósito. Por ejemplo, se imprime un trabajo (en vez de escribirlo a mano) para que se pueda leer con facilidad o para que los lectores tengan una buena impresión. ¿Con qué propósito hacen las siguientes personas estas acciones?

MODELO: un marinero: tatuarse →
Un marinero se tatúa para que las mujeres crean que es muy macho.

1. unos jóvenes: entrar en el ejército
2. unos estudiantes: estudiar español
3. los padres: bautizar a su hijo/a
4. un hombre / una mujer de negocios: llevar un traje de tres piezas
5. unos estudiantes: inscribirse en una *fraternity* o *sorority*
6. unos ciudadanos: negarse a votar
7. una mujer divorciada: asistir a la universidad
8. un hombre: fumar una pipa
9. un(a) estudiante: escribirles cartas a sus padres
10. un(a) joven: escribirle poemas a la persona a quien ama

Compartan sus respuestas con los otros de la clase. ¿Hay mucha diferencia de opiniones? ¿Tienen Uds. otros ejemplos que podrían incluirse (*could be included*) en esta lista?

**E** ¡Necesito compañero! Muchas veces hacemos algunas cosas *con tal de que* existan determinadas circunstancias. ¿Qué circunstancias tendrían (*would have*) que existir para que Uds. hicieran ciertas cosas diferentes o contrarias a lo que siempre hacen? Trabajando en parejas, háganse y contesten las siguientes preguntas para averiguarlo.

MODELO: ¿Con tal de qué aceptarías (*would you accept*)* a un inquilino o inquilina (*tenant, boarder*) en tu casa?
Lo normal: →
Normalmente no acepto a inquilinos en mi casa.

Circunstancias necesarias para hacer algo diferente: →
Pero lo haría (*I would do it*) con tal de que no fumara y me pagara muy bien.

1. ¿Con tal de qué saldrías con una persona desconocida?
2. ¿Con tal de qué participarías en un experimento psicológico?

---

*One use of the conditional is to indicate things that pepole *would* do. With few exceptions, the following endings are added to the infinitive to form the conditional: **-ía, -ías, -ía, -íamos, -íais, -ían.** See grammer point 38 for a list of verbs that are irregular in the conditional.

| | | |
|---|---|---|
| aceptar**ía** | aceptar**ía** | aceptar**íais** |
| aceptar**ías** | aceptar**íamos** | aceptar**ían** |

3. ¿Con tal de qué comprarías un coche de segunda mano?
4. ¿Con tal de qué le prestarías dinero a una persona desconocida?
5. ¿Con tal de qué permitirías que alguien manejara tu coche?
6. ¿Con tal de qué comerías algo sin saber lo que es o lo que contiene?

¿Qué revelan los resultados de su entrevista? Por lo general, ¿actúan Uds. con precaución o les gusta tomar riesgos? ¿Qué tipo de motivación (económica, psicológica, ¿ ?) necesitan para cambiar su manera de pensar? Compartan sus resultados con las demás parejas de la clase. ¿Hay diferencias entre la manera de pensar de los hombres y la de las mujeres?

## De entrada 31

¿Para dónde, por dónde y para qué fue? ¿Cuánto sabe Ud. acerca de los viajes que hizo Cristóbal Colón al continente americano? Por ejemplo, ¿cuáles de las siguientes oraciones cree Ud. que se aplican a los viajes de Colón y cuáles no?

| | SÍ | NO |
|---|---|---|
| 1. Decidió hacer el viaje para buscar especias (*spices*) y riquezas. | ☐ | ☐ |
| 2. Trabajó para el Gran Kan Kubilai. | ☐ | ☐ |
| 3. Atravesó Asia pasando por Mongolia. | ☐ | ☐ |
| 4. Por sus ideas extraordinarias, muchas personas pensaron que estaba loco. | ☐ | ☐ |
| 5. Creía que llegaría (*would arrive*) a la India por el oeste. | ☐ | ☐ |
| 6. Para establecer el dominio español, hizo diez viajes al Nuevo Mundo. | ☐ | ☐ |
| 7. Viajó por el Atlántico en tres carabelas. | ☐ | ☐ |

En las oraciones anteriores hay varios ejemplos de **por** y **para.** A continuación Ud. tendrá la oportunidad de repasar los usos de estas preposiciones.

## 31 *POR* AND *PARA*

Prepositions establish relationships between the noun that follows them and other elements in the sentence.

*The book is* ***on*** *the table.* *This is* ***for*** *you.*

Although most prepositions have a specific meaning, their use is not always consistent with that meaning. For example, in English we arbitrarily say *to ride* ***on*** *a bus* and *to ride* ***in*** *a car,* even though the relationship between the two vehicles and a passenger is the same.

A single preposition can have many different and seemingly unrelated meanings. Think about the many different uses of the preposition *on* in the following phrases: to turn *on* the lights, to be *on* the right, to be *on* fire, to be *on* time (which is quite different from *to be **in** time*), to put *on* the dog's collar, to be or get high *on* something, and so *on.*

The use of prepositions in Spanish can be equally arbitrary. Although each preposition has a basic meaning, the choice of the correct preposition for some situations depends on usage, and many Spanish prepositions have a number of English equivalents.

Two Spanish prepositions that have several different English equivalents are **por** and **para.** The choice between them can radically affect the meaning of a sentence.

## A. *Por* versus *para:* Cause and effect

**Por** expresses the motive for an action or the agent performing the action. **Para** expresses the goal of an action or the recipient of the action. **Por** points back toward the cause (←); **para** points forward toward the effect (→).

| POR (←) | PARA (→) |
|---|---|
| Lo mataron **por** odio.<br>*They killed him **out of** (**motivated by**) hate.* | Estudia **para** ingeniera.<br>*She is studying (**in order**) **to become** an engineer.* |
| Lo hago **por** mi hermano.<br>*I'm doing it **for** (**on behalf of, on account of**) my brother.* | Lo hizo **para** sobrevivir.<br>*He did it (**in order**) **to** survive.* |
| El libro fue escrito **por** Jaime.<br>*The book was written **by** Jaime.* | El libro es **para** Ud.<br>*The book is **for** you.* |
| Mandaron **por** el médico.<br>*They sent **for** the doctor* (motive of the call). | Son juegos **para** niños.<br>*They are games **for*** (to be used by) *children.* |
| Fue a la tienda **por** café.<br>*He went to the store **for** coffee* (motive of the errand). | Es una taza **para** café.<br>*It's a coffee cup* (a cup intended to be used ***for*** coffee). |

## A PROPÓSITO

Note the use of **para** before infinitives to mean *in order to.* This meaning, often understood from context in English, must always be expressed in Spanish.

**Estamos aquí para estudiar.**
*We're here (in order) to study.*

## B. *Por* versus *para:* Movement through versus movement toward

To express movement in space and time, **para** retains its basic meaning of movement toward an objective (→|). **Por** takes on a different meaning, of duration or movement through space or time with no destination specified (+→).

| POR (+→) | PARA (→\|) |
|---|---|
| Pablo **va por** el pueblo.<br>*Pablo **goes through** the town.* | Pablo **va para** el pueblo.<br>*Pablo **heads toward** the town.* |
| Estaremos en clase **por** la mañana.<br>*We will be in class **during** (**in**) the morning.* | Termínenlo **para** mañana.<br>*Finish it **by** (**for**) tomorrow.* |
| Ana estará en México **por** tres días.<br>*Ana will be in Mexico **for** (a period of) three days.* | Ana estará en México **para** el tres de junio.<br>*Ana will be in Mexico **by** the third of June.* |

## A PROPÓSITO

Many native speakers of Spanish use no preposition at all to express duration of time.

Ana estará en México tres días.

Other native speakers, mainly from Spain, use **durante** instead of **por** to express duration of time.

Ana estará en México durante tres días.

Remember that the prepositions that follow some English verbs are incorporated into the meaning of the Spanish verb.

buscar *to look for*
esperar *to wait for*
pagar *to pay for*
pedir *to ask for*

English *to ask about someone,* however, is expressed with a preposition: **preguntar por.**

Preguntaron por ti en la reunión.
*They asked about you at the meeting.*

## C. *Por* versus *para:* Other uses

- **Por** and **para** also have uses that do not fit into the preceding categories.

  **Por** expresses *in exchange for* or *per* in units of measurement, as well as the means by which an action is performed.

| | |
|---|---|
| Te doy cinco dólares **por** el libro. | *I'll give you five dollars (in exchange)* ***for*** *the book.* |
| El camión sólo corre 20 kilómetros **por** hora. | *The truck only goes 20 kilometers* ***per*** *hour.* |
| Lo mandaron **por** avión/barco. | *They sent it* ***by*** *plane/boat.* |

- **Para** expresses *in comparison with* and also *in the opinion of.*

| | |
|---|---|
| **Para** (ser) perro, es muy listo. | ***For*** *a dog, he's sure smart.* |
| **Para** mí, la fe tiene mucha importancia. | ***For*** *me* (***In my view***)*, faith is very important.* |

Práctica Exprese las siguientes oraciones en inglés. Luego, explique el uso de **por** o **para** en cada caso.

1. Anoche tuvimos que guardar la comida para el cura.
2. Permanecieron allí por las negociaciones.
3. Debido a (*Due to*) la lluvia, los militares no salieron para las montañas.
4. Hicimos un giro (*tour*) por la catedral.
5. Las noticias corrieron por todo el partido liberal.
6. Para ser tan egoísta, muestra mucho interés en los demás.
7. Lo llamaron por teléfono.
8. Julio pagó $20,00 por la radio.
9. La conversión de su hijo fue muy importante para la madre.
10. Fueron a la tienda por helado.

# Intercambios

**A** Cambie las palabras en letra cursiva por **para** o **por.**

1. *A causa de* la guerra, se perdieron todas las cosechas (*harvests*).
2. No podían respirar *a causa de* la contaminación.
3. El volcán estuvo en erupción *durante* un mes.
4. Corrieron *a lo largo de* la sinagoga.
5. Nos dio un regalo *a cambio de* nuestra ayuda.
6. Salieron *con destino a* (*destination*) la ciudad.
7. Tengo que acabar el sermón *antes de* las 6:30.
8. Estudia *a fin de* ser sacerdote.
9. Querían que la monja fuera *en busca del* cura.
10. Fueron a El Salvador *a fin de* trabajar como misioneros.
11. Le dieron un premio *debido a* sus sacrificios.
12. Me gusta mucho trabajar *durante* la mañana, cuando todo el mundo duerme todavía.

**B** Dé la palabra española que corresponda mejor a la palabra en letra cursiva. ¡Atención! A veces puede ser que la palabra no se exprese con preposición (examine el verbo con cuidado). Luego, comente si Ud. está de acuerdo o no con la idea expresada en cada oración.

1. The Moslems were in Spain *for* seven centuries.
2. *For* Christians, the cross is a symbol of love and salvation.
3. If students ask their professors *for* an extension on a paper, the professors will usually agree.
4. *For* a Spanish book, this text is incredibly interesting.
5. People say that horoscopes are only read *by* those who are superstitious.
6. *To* get votes, politicians always look *for* nice things to say about their opponents.
7. People who look *through* others' windows are nosy.
8. When parents tell a child to clean his or her room *by* the end of the day, they are only joking.
9. People will work harder *because of* fear than *because of* love.
10. Women have done more *for* this country than men.

**C** Lea el siguiente texto y luego complételo con **por** o **para** según el contexto. Después, comente las preguntas que siguen.

**«Los hispanos se dan la mano»**

En 1985 ocurrió un evento que conmovió a todos. Un grupo de músicos norteamericanos decidió grabar un concierto ______[1] reunir (*to raise*) fondos ______[2] las personas que morían de hambre en Africa. Participaron más de cuarenta músicos que trabajaron ______[3] una noche entera ______[4] grabar la canción «Somos el mundo», que fue escrita ______[5] Michael Jackson y Lionel Richie. El concierto tuvo un éxito tremendo y luego fue imitado ______[6] otros grupos de músicos. Como resultado de ése y otros eventos, el 13 de septiembre de 1992 se transmitió ______[7] Univisión un telemaratón nacional llamado «Los hispanos se dan la mano», ______[8] ayudar a las personas afectadas ______[9] el huracán Andrés, que pasó ______[10] la Florida causando muchos daños. Ese programa fue animado ______[11] Don Francisco, del programa *Sábado Gigante*. Movidos ______[12] la compasión y el deseo de ayudar a tantos desafortunados, muchos artistas hispanos participaron en este evento, entre ellos, Gloria Estefan, Jon Secada, Paul Rodríguez, Luis Enrique y Julio Iglesias. El éxito obtenido fue motivo de gran satisfacción ______[13] todos los que colaboraron.

- ¿Recuerda Ud. los eventos descritos en el párrafo? ¿Sabe de otros eventos recientes parecidos? ¿Por quiénes fueron organizados? ¿Con qué propósito se celebraron? ¿Para quiénes eran los donativos que se reunieron?

- Piense en otro tipo de actividad que se puede hacer para ayudar en casos de necesidad. Trabaje con un compañero / una compañera de clase para averiguar qué necesidad urgente hay en su comunidad y pensar en lo que Uds. pueden hacer para ayudar a esa causa.

PASAJE CULTURAL

## El Señor de los Milagros en el Perú y el carnaval de Oruro, Bolivia

En Bolivia y el Perú, la gente se reúne en fechas conmemorativas en torno a la Virgen de la Candelaria y al Cristo —o Señor— de los Milagros, respectivamente. Estas celebraciones demuestran claramente el sincretismo de la cultura y religión indígenas e hispanas. Aunque el tipo de celebración es diferente en los dos países, la devoción de toda la gente es notable en ambos eventos. Todos participan por igual, sin importar sus diferencias de edad, clase social o nivel económico.

Lima, Perú

### Antes de ver

- ¿Qué sabe Ud. de las celebraciones religiosas en Hispanoamérica? ¿Qué tipo de eventos espera encontrar en este vídeo?
- ¿Qué imágenes asocia con la palabra «carnaval»? ¿Piensa que la palabra «carnaval» se usa aquí con el mismo significado que tiene la palabra *carnival* en inglés?
- Ahora lea con cuidado la actividad en **Vamos a ver** antes de ver el vídeo por primera vez.

Oruro, Bolivia

### Vamos a ver

¿Cuáles de las siguientes afirmaciones se refieren a la celebración de Bolivia (**B**) y cuáles a la del Perú (**P**)? ¿Cuáles se refieren a ambas celebraciones (**A**)?

1. ______ La gente se reúne en fechas conmemorativas en torno a las figuras de Santa Rosa de Lima y el Señor de los Milagros.
2. ______ Se celebra en el mes de octubre.
3. ______ Es un carnaval en honor a la Virgen de la Candelaria y al Diablo o Tío, guardián de las minas de plata y estaño (*tin*).
4. ______ La gente se viste de color morado, que simboliza la devoción.
5. ______ Los niños participan en la celebración.
6. ______ Se pueden comprar cirios o velas blancos y morados en las calles.
7. ______ Se celebra en la ciudad de Oruro en el mes de febrero.
8. ______ Participan miles de danzantes en comparsas (*masquerades*) o grupos de devotos.
9. ______ Los participantes danzan por tres kilómetros y medio sin parar.

### Después de ver

- ¿En qué fechas conmemorativas u otras festividades de este país participa toda la gente sin importar su clase social, nivel económico o edad? ¿Son patrióticas, religiosas o carnavalescas estas celebraciones? ¿Qué se conmemora en ellas? ¿Qué actividades se realizan?

- Trabajando en grupos, inventen una celebración para su comunidad en la que participe todo el mundo. Deben incluir a muchos grupos diferentes de la población. Se debe inventar un nombre para la celebración, explicar el motivo, diseñar cuatro o cinco eventos principales y pensar en maneras de atraer el máximo número de participantes. Compartan sus ideas con sus compañeros de clase.

- Busque información sobre celebraciones religiosas en algún país hispanohablante. Busque evidencia de sincretismo. Comparta su información con sus compañeros de clase.

# ESTRATEGIAS PARA LA COMUNICACION

## No pude porque... *Offering explanations*

In the course of a conversation you are often asked to explain the reasons for an action or a decision. Explanations of this kind are generally stated as cause-effect relationships. For example, you might tell someone that you didn't vote for a particular candidate due to his or her stand on a certain issue. *Due to* introduces the cause or reason for a decision.

| | |
|---|---|
| No voté por ella **a causa de** su posición con respecto al medio ambiente. | *I didn't vote for her due to (because of) her position on the environment.* |

You might tell the person that the candidate has a particular point of view and therefore you didn't vote for him or her. *Therefore* introduces the consequences of a certain action or circumstance.

| | |
|---|---|
| La candidata tiene opiniones raras respecto al medio ambiente y **por eso** no voté por ella. | *The candidate has strange opinions on the environment and therefore (for that reason) I didn't vote for her.* |

**A causa de** and **por eso** are useful connectors for offering explanations in Spanish. Here are some additional ones.

| | | | |
|---|---|---|---|
| por esta razón | *for this reason* | debido a | *due to* |
| como resultado de | *as a result of* | porque | *because* |
| por lo tanto / por consiguiente | *consequently* | ya que | *since; now that* |
| | | puesto que | *since* |

**A** Combine the phrases on the next page with an expression from the list on the right to make complete sentences. Use both the preterite and the imperfect.

1. sobornar (*to bribe*) a los representantes, ser (ellos) arrestados
2. hacer una encuesta nacional, necesitar (el partido) información sobre la opinión pública
3. no haber otro candidato bueno, postularse (yo) para el puesto
4. decidir dejar en paz a los no creyentes, ser obvio que (los evangelizadores) no poder convertirlos
5. perder nuestra candidata la elección, no celebrar (nosotros)

por esta razón
por consiguiente
porque
a causa de que
por eso
por lo tanto
puesto que

**B** ¡Necesito compañero! Work with a partner to ask and answer questions about decisions that each of you has made, explaining the reasons for those decisions.

- (no) comprar un coche
- (no) tener un trabajo durante el año escolar
- (no) vivir en una residencia estudiantil
- (no) apoyar a ______ en las últimas elecciones
- (no) presentarse para un puesto en el gobierno estudiantil
- (no) trabajar como voluntario/a para alguna organización

# De entrada **32**

Los siguientes dibujos representan varias actividades bastante comunes. Examínelos con cuidado. En algunos, se ven *acciones reflexivas* (**R**): el sujeto se hace algo a o para sí mismo. En otros, se ven acciones que más bien (*rather*) describen *un proceso* o *cambio* de estado físico o mental (**P**). Otros presentan simples verbos activos (**A**). ¿Cómo clasificaría Ud. (*would you classify*) la acción de cada dibujo?

1. ______

2. ______

3. ______

4. ______

5. ______

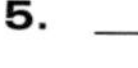

6. ______

7. ______

8. ______

9. ______

Como Ud. ya sabe, las acciones reflexivas (los números 1, 4 y 9 de la actividad anterior) siempre utilizan los pronombres reflexivos, mientras que los verbos activos (los números 5 y 7) no los necesitan. Las acciones que describen procesos (los números 2, 3, 6 y 8) también utilizan los pronombres reflexivos. En la siguiente sección, Ud. va a repasar todas estas construcciones.

## 32 THE PROCESS *SE*

You have already learned many of the different meanings of the pronoun **se:** to express the impersonal agents "one," "you," or "people"; to express passive constructions; and to signal both reflexive (*self*) and reciprocal (*each other*) actions, in which the agents and the objects of the action involve the same persons.

| | | |
|---|---|---|
| IMPERSONAL: | **Se vive** muy bien aquí. | ***People live*** *very well here.* |
| PASSIVE: | **Se malgastaron** millones de dólares en la campaña. | *Millions of dollars* ***were wasted*** *in the campaign.* |
| REFLEXIVE: | La monja **se miró** en el espejo. | *The nun* ***looked at herself*** *in the mirror.* |
| RECIPROCAL: | Las monjas **se miraron** con sorpresa. | *The nuns* ***looked at each other*** *in surprise.* |

In the **¡Ojo!** section of Chapter 6, you learned how **se** can be used with certain verbs to express the idea of *get* or *become.*

| | |
|---|---|
| El niño **se puso** furioso. | *The child* ***got*** *(****became****) angry.* |
| **Se hizo** rica trabajando día y noche. | ***She got*** *(****became****) rich by working day and night.* |

This use of reflexive pronouns to signal inner feelings or processes, especially changes in physical, emotional, or mental states or changes in position (location), is very frequent in Spanish. It occurs with many verbs, several of which are already familiar to you.

| | |
|---|---|
| Enrique **se convirtió** al judaísmo el año pasado. | *Enrique* ***converted*** *to Judaism last year.* |
| Al principio Carolina no **se llevó** bien con Alberto, pero luego **se enamoró** de él y **se casaron** un año después. | *At first Carolina did not* ***get along*** *well with Alberto, but later* ***she fell in love*** *with him and* ***they got married*** *a year later.* |

These processes are sometimes expressed in English with *become, get,* or an *-en* suffix: *to become bright, to get bright, to brighten.* Often, however, as in the above examples about Enrique and Carolina, English has no special way to indicate a process. In the phrases *the water freezes* and *the snow melts,* it is clear from the context that the water and the snow are not performing actions but rather are undergoing a process, in this case a change in physical state. In English, processes can often be understood from the context; in Spanish, a process is always signaled by a reflexive pronoun.

| | |
|---|---|
| El niño **se enfermó.** | *The child* ***got sick.*** |
| Todos **nos levantamos** cuando entró y luego **nos sentamos** todos a la vez. | ***We*** *all* ***stood up*** *when he entered, and then* ***we*** *all* ***sat down*** *at the same time.* |
| **Me asusté** al recibir las noticias. | ***I became*** (***got***) *frightened* (*scared*) *upon receiving the news.* |

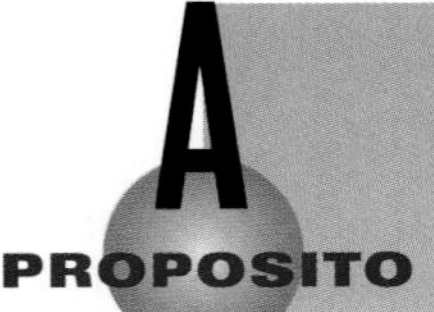


Because both reflexive and process constructions use the same set of pronouns, the two structures look very similar. In addition, many verbs can be used with both meanings.

REFLEXIVE

El niño **se secó** después del baño.
*The child dried himself off after his bath.*

PROCESS

El café **se seca** al sol por varias semanas.
*The coffee dries* (*out*) *in the sun for several weeks.*

Actually, the process use of **se** is much more common than the reflexive use. You may find that being aware of this meaning helps you interpret many constructions when context makes the reflexive meaning unlikely.

The following verbs are frequently used to signal processes.*

PHYSICAL CHANGE

acostarse (ue) *to lie down; to go to bed*
calentarse (ie) *to get warm, warm up*
despertarse (ie) *to wake up, awaken*
dormirse (ue, u) *to fall asleep*
enfermarse *to get sick*
enfriarse *to get cold, cool down*
levantarse *to rise, get up*
mojarse *to get wet*
secarse *to become dry, dry out*
sentarse (ie) *to sit down*

EMOTIONAL OR MENTAL CHANGE

alegrarse (de) *to get happy* (*about*)
asustarse (de) *to become frightened* (*of*)
casarse (con) *to get married* (*to*)
comprometerse (a) *to make a commitment* (*to*)
divertirse (ie, i) *to enjoy oneself, have a good time*
divorciarse (de) *to get divorced* (*from*)
enamorarse (de) *to fall in love* (*with*)
enfadarse (con) *to get angry* (*with*)
enojarse (con) *to get angry* (*with*)
oponerse (a) *to be opposed* (*to*)
preocuparse (de/por) *to worry* (*about*)
quejarse (de) *to complain* (*about*)

*Most of these verbs can also be used without the reflexive pronouns. They then have a nonprocess meaning. For example, **acostar** means *to put someone to bed,* **despertar** means *to wake someone up,* **dormir** means *to sleep,* **levantar** means *to raise* or *to lift something,* and **sentar** means *to seat someone.*

**Práctica** Complete las siguientes oraciones, usando los verbos indicados y un complemento apropiado, según el contexto. Tenga cuidado con el uso del subjuntivo y del indicativo.

1. En esta clase no hay nadie que ______. (preocuparse por, oponerse a, asustarse de)
2. En mi iglesia (templo, mezquita, sinagoga, familia), hay algunas personas que ______. (enojarse con, alegrarse de, comprometerse a)
3. Todos mis amigos ______. (preocuparse de, alegrarse de, quejarse de)
4. De niño/a, no me gustaba que (*nombre de una persona*) ______. (enojarse con, enamorarse de, quejarse de)

# Intercambios

**A** Organice los verbos reflexivos de las listas anteriores según las categorías indicadas en el siguiente dibujo.

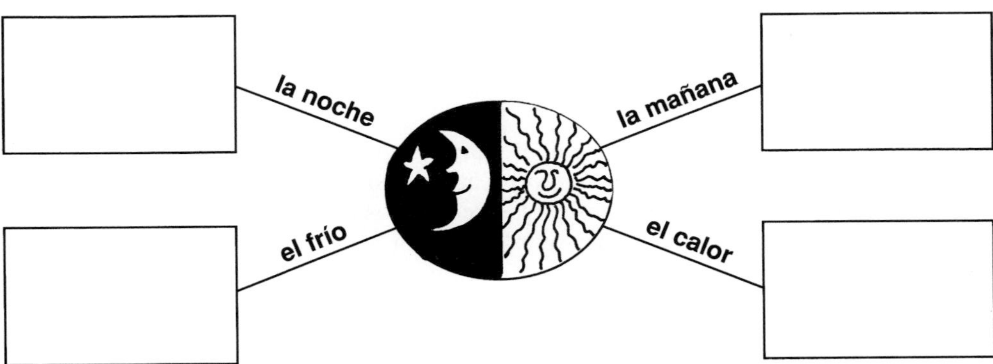


**B** Vuelva a mirar los verbos de las listas anteriores. ¿Qué verbos asocia Ud. con el dibujo a continuación?

**C** **¡Necesito compañero!** Trabajando en parejas, usen las siguientes expresiones para hacerse y contestar preguntas. Luego, compartan con la clase lo que han aprendido.

1. a quién / familia / parecerse más
2. gustar / quedarse en casa por la noche / salir
3. hora / levantarse / hoy

4. reaccionar / alguien reírse de ti
5. de qué aspecto / universidad / quejarse más / este semestre
6. con qué postura política / enojarse más
7. en qué situación / divertirse más / este año
8. en qué situación / ponerse nervioso/a
9. qué solución / usar / calmarse

**D** Entre todos

- A continuación hay varios grupos de personas. A su parecer, ¿en qué grupos suele haber diferencias de opinión? ¿Son pequeñas o grandes? Explique.

1. personas de distintas generaciones
2. personas de distintas religiones
3. personas de distintos partidos políticos
4. personas de distintas razas
5. las mujeres y los hombres
6. personas de distintos grupos étnicos
7. personas de distintas clases sociales

- ¿A Ud. le importan las creencias políticas de sus amigos? ¿su religión? ¿su origen étnico? ¿Se divierte con un amigo / una amiga que es muy optimista? ¿altruista? ¿temerario/a (*foolhardy*)? ¿prudente? ¿Le irrita que un compañero / una compañera tienda a ser egoísta o pesimista?

**E** Guiones En la página siguiente hay un episodio en la vida de la familia Valdebenito que ocurrió el año pasado. Incluye varias imágenes que pueden expresar conceptos reflexivos, recíprocos o de proceso. Trabajando en grupos de tres o cuatro personas, narren la historia en el pasado, usando los verbos indicados para cada dibujo y añadiendo todos los detalles que Uds. crean necesarios. ¡Cuidado! En cada caso hay que decidir si la forma con **se** es necesaria o no.

- ¿Quiénes son estas personas y cuál es la relación entre ellas?
- ¿Cuál era el contexto del episodio? ¿Qué planeaba el protagonista? ¿Cuáles eran sus motivos?
- ¿Qué pasó?
- ¿Cómo reaccionaron los miembros de la familia? ¿Por qué?

**Vocabulario útil:** calvo, el ejército, el peligro, peligroso, el recluta, el sargento, el soldado, el uniforme

1. alistar(se), animar(se), comprometer(se), entusiasmar(se), estrechar(se) (*to shake*) la mano
2. asustar(se), cambiar de opinión, convencer(se), disuadir, luchar, preocupar(se)
3. abrazar(se), despedir(se), quedar(se), sentir(se)
4. afeitar(se), hacer cola, horrorizar(se), mirar(se), reírse de
5. acostar(se), enojar(se), gritar(se), levantar(se), motivar(se), predicar con el ejemplo
6. alegrar(se), sentir(se), vestir(se), volver(se)

# REVIEW OF THE SUBJUNCTIVE: AN OVERVIEW

33

Two conditions must be met for the subjunctive to be used.*

1. **Sentence structure:** The sentence must contain at least two clauses, an independent (main) clause and a dependent (subordinate) clause. The subjunctive occurs in the subordinate clause.

| | |
|---|---|
| Los liberales se alegraron de que **nombráramos** a una mujer. | *The liberals were happy that **we named** (nominated) a woman.* |
| Los conservadores se pusieron furiosos de que **gastáramos** tanto dinero en el bienestar social. | *The conservatives became furious that **we spent** so much money on social welfare.* |

2. **Meaning:** There are three basic types of messages that cue the subjunctive.
   a. **Nonexperience:** when the subordinate clause describes or refers to something that is unknown to the speaker, that is, beyond his or her experience, and is thus not considered real or factual

| | |
|---|---|
| Prefiero que no **vayas** a Europa. | *I prefer that **you not go** to Europe.* |
| Dudaban que **fuera** tan egoísta. | *They doubted that **he was** such an egotist (so egotistical).* |
| El optimista buscaba una solución que les **sirviera** a todos. | *The optimist searched for a solution that would **serve** everyone.* |

*A third condition is that there must be a change of subject from the main clause to the subordinate clause with most noun and adverb clauses, and all adjective clauses. These rules are discussed in grammar sections 17, 18, 22, 25, 29, and 30.

| | |
|---|---|
| Van a firmar el contrato tan pronto como **se arreglen** los detalles. | *They're going to sign the contract as soon as the details **are finalized**.* |

**b.** **Subjective reaction:** when the main clause makes a value judgment or expresses a subjective, emotional reaction

| | |
|---|---|
| Es increíble que ella **sea** tan derechista. | *It's incredible that **she is** so right wing (politically to the right).* |
| Me sorprendió que **hubiera** tanta gente en la procesión. | *It surprised me that **there were** so many people in the procession.* |

**c.** **Interdependence:** when the main clause describes the conditions under which the event in the subordinate clause will take place

| | |
|---|---|
| Te entrego el dinero con tal de que me **des** las fotos. | *I will hand the money over to you provided that **you give** me the pictures.* |
| Los derechistas votaron por ese candidato para que los liberales **no pudieran** controlar el Senado. | *The right-wingers voted for that candidate so that the liberals **couldn't** control the Senate.* |

**Práctica** Dé oraciones nuevas según las palabras entre paréntesis.

1. —¿Les das dinero a ciertas organizaciones?
   —Sí, claro, se lo doy *puesto que* hacen mucho bien. (para que, ahora que, a fin de que, con tal de que, porque)
2. *Es increíble* que haya conflicto en esa parte del mundo. (Es verdad, Me pone triste, No creo, Sabemos, Es posible)
3. —¿Contribuía la gente a causas sociales?
   —Sí, lo hacía *después de que* se lo pidieron. (sin que, ya que, antes de que, cuando, a menos que)

# Intercambios 33

**A** Los ultraliberales y los ultraconservadores representan puntos de vista extremos. En su opinión, ¿cómo reaccionarían (*would react*) estos individuos a las noticias siguientes? Use una de las frases de la lista a continuación para describir sus reacciones. Luego explique por qué piensa que reaccionarían así.

| | | |
|---|---|---|
| se preocupan de | se enojan de | se oponen a |
| se alegran de | se escandalizan de | |

MODELO: El gobierno legaliza la marihuana. →
Los ultraliberales se alegran de que el gobierno legalice la marihuana ya que no la consideran una droga realmente peligrosa. Los ultraconservadores se oponen a que el gobierno la legalice porque creen que va a contribuir al deterioro de la sociedad.

1. El gobierno les aumenta los impuestos a las grandes corporaciones.
2. El congreso recorta el presupuesto (*budget*) social para poder equilibrar el presupuesto nacional.
3. El gobierno permite el rezar en las escuelas públicas.
4. La Corte Suprema prohíbe el aborto.

¿Tiene Ud. más ideas en común con los ultraliberales o con los ultraconservadores?

**B** Usando las frases de la actividad anterior, comente cómo reaccionarían (*would react*) un(a) pacifista y un soldado tipo «Rambo» a las siguientes noticias. Luego, explique por qué piensa que reaccionarían así.

1. Los Estados Unidos declaran la guerra a Cuba.
2. El gobierno declara ilegal la venta de toda clase de armas de fuego.
3. Los Estados Unidos y China deciden eliminar por completo las armas nucleares.
4. Una mujer es elegida presidenta de los Estados Unidos.

¿Tiene Ud. más ideas en común con un(a) pacifista o con un soldado tipo «Rambo»?

**C** ¡Necesito compañero! ¿Cuáles son sus propios valores? Trabajando en parejas, contesten el siguiente cuestionario dando el presente de subjuntivo de los verbos entre paréntesis. Luego, háganse preguntas para averiguar el por qué de sus respuestas. Finalmente, compartan con la clase lo que han aprendido.

1. Si tengo una opinión, no la cambio a menos que ______.
   a. mis padres o varios de mis amigos (pensar) lo contrario
   b. (haber) bastante información en los libros o en los periódicos que me convenza
   c. (convencerme) alguna autoridad religiosa o política respetada
2. Si me decido a cooperar en alguna causa, es probable que ______.
   a. (proteger) a los animales o el medio ambiente
   b. (dedicarme) a los pobres o a los inválidos
   c. (tener) algún propósito político
3. Cuando me comprometo a una causa, normalmente lo hago ______.
   a. después de muchas investigaciones sobre lo que representa la causa y quiénes son sus proponentes (*supporters*)
   b. impulsivamente, siguiendo alguna intuición personal
   c. porque muchos amigos míos trabajan por la misma causa
4. Con respecto a diversas causas, es probable que yo ______.
   a. (donar) dinero
   b. (contribuir) con mi tiempo, como voluntario/a
   c. no (dar) nada; normalmente no contribuyo a ninguna causa
5. Si pudiera (*I could*) descubrir una cura definitiva para solamente uno de los siguientes problemas, me gustaría (*I would like*) inventar una píldora (*pill*) que eliminara ______.
   a. todas las enfermedades  b. el hambre  c. la violencia
6. Las personas muy comprometidas me ______, porque ______.
   a. inspiran admiración  b. ponen nervioso/a  c. dan igual

**D** Improvisaciones Los conservadores, los moderados y los liberales tienen actitudes muy distintas respecto a los siguientes temas. Trabajando con uno o dos compañeros de clase, preparen el discurso político de una persona conservadora, moderada o liberal sobre varios de los temas indicados. Inventen un lema o *sound bite* convincente para su candidato/a también. Al final, algunos estudiantes deben presentar su discurso a la clase, la cual tratará de identificar la afiliación política del candidato / de la candidata. Traten de incluir en su discurso algunas de las expresiones adverbiales de este capítulo, y no se olviden de utilizar las estrategias para la comunicación.

- la educación
- el presupuesto militar
- la participación de las minorías en el gobierno
- el déficit federal
- el aborto
- el seguro médico
- la acción afirmativa
- la asistencia pública
- el control de las armas de fuego
- el crimen y la violencia
- el empleo

# ENLACE

## Sondeo

Según la opinión del «ciudadano medio» norteamericano, ¿cuáles de los atributos indicados a continuación son de mayor importancia en un candidato político ideal? Hagan un sondeo para averiguar la opinión de los miembros de la clase.

**Primer paso: Recoger los datos**

- Divídanse en tres grupos. El Grupo 1 hará las preguntas 1 a 5; el Grupo 2, las preguntas 6 a 10; y el Grupo 3, las preguntas 11 a 15.
- Cada uno de los miembros de cada grupo debe entrevistar a dos o tres compañeros de clase para obtener la información necesaria.
- Anoten el sexo de cada persona entrevistada (**M** = masculino, **F** = femenino) y utilicen esta escala para las respuestas.

  3 = mucha importancia 2 = importancia mediana 1 = poca importancia

- Deben entrevistar a todos los miembros de la clase, pero tengan cuidado de no hacerle la misma pregunta dos veces a la misma persona.

¿Qué importancia tiene este aspecto en un candidato político ideal?

| | | ENTREVISTADOS | | |
|---|---|---|---|---|
| | | A (M/F) | B (M/F) | C (M/F) |
| –GRUPO 1– | **1.** el sexo | ☐ | ☐ | ☐ |
| | **2.** la juventud | ☐ | ☐ | ☐ |
| | **3.** la inteligencia | ☐ | ☐ | ☐ |
| | **4.** la experiencia | ☐ | ☐ | ☐ |
| | **5.** el atractivo físico | ☐ | ☐ | ☐ |
| –GRUPO 2– | **6.** la educación | ☐ | ☐ | ☐ |
| | **7.** la profesión | ☐ | ☐ | ☐ |
| | **8.** la religión | ☐ | ☐ | ☐ |
| | **9.** el lugar de origen | ☐ | ☐ | ☐ |
| | **10.** la clase social | ☐ | ☐ | ☐ |
| –GRUPO 3– | **11.** la honradez | ☐ | ☐ | ☐ |
| | **12.** la capacidad de inspirar confianza | ☐ | ☐ | ☐ |
| | **13.** la capacidad de tomar decisiones | ☐ | ☐ | ☐ |
| | **14.** la originalidad | ☐ | ☐ | ☐ |
| | **15.** la fidelidad matrimonial | ☐ | ☐ | ☐ |

**Segundo paso: Análisis de los datos**

- Reúnanse con los otros de su grupo y juntos calculen un promedio para cada pregunta. Después, hagan una tabla de resumen para sus datos y elijan a un miembro del grupo para escribir los resultados en la pizarra.
- ¿Cuáles son los tres atributos de mayor importancia en un candidato político según los resultados del sondeo? ¿Cuáles son los tres atributos de menor importancia? ¿Y si es una candidata? ¿Hay alguna diferencia entre las respuestas de los hombres y las de las mujeres? ¿Hay algunas características importantes que se hayan omitido en el sondeo? Expliquen.
- ¿Creen Uds. que el presidente actual de este país tiene los tres atributos más importantes? ¿y el presidente anterior? ¿y los candidatos para las próximas elecciones presidenciales?
- Los candidatos políticos se aprovechan de todos los medios de comunicación, especialmente de la televisión, para hacer su campaña. ¿Cómo beneficia a un candidato la televisión? ¿Beneficia a una candidata de la misma manera? ¿Creen Uds. que la televisión también beneficia al público durante las campañas electorales? Expliquen.
- En su opinión, ¿le da la prensa demasiada importancia a la vida privada de los candidatos? ¿Por qué sí o por qué no?

# ¡OJO!

| | EXAMPLES | NOTES |
|---|---|---|
| **dato**<br>**hecho** | Los **datos** del estudio indican que el tabaco causa cáncer.<br>*The results of the study indicate that tobacco causes cancer.* | *Fact* has two equivalents in Spanish. Use **dato(s)** when referring to *findings, results,* or *data.* |
| | El descubrimiento del cobre fue un **hecho** de gran importancia para el país.<br>*The discovery of copper was an event of great importance for the country.* | Use **hecho** to refer to *a proven fact, deed,* or *event.* |
| | **Es un hecho que** (**De hecho,**) se va en junio.<br>*It's a fact that (In fact,) he's leaving in June.*<br>**El hecho es que** no podemos invertir más dinero todavía.<br>*The fact is, we can't invest any more money yet.* | Three expressions that contain the word **hecho** are **el hecho es que...** (*the fact is* [*that*] . . . ), **es un hecho que** (*it's a fact* [*that*]), and **de hecho** (*in fact*). |
| **realizar**<br>**darse cuenta (de)** | El estudiante **realizó** su sueño: sacó A en el curso.<br>*The student realized his dream; he got an A in the course.* | **Realizar** means *to realize* in the sense of *to achieve a goal or an ambition,* that is, *to accomplish something.* |
| | No **me di cuenta** (**de**) que había una venta.<br>*I didn't realize* (*that*) *there was a sale.* | **Darse cuenta (de)** means *to realize* as in *to be aware* or *to understand.* |

**A** Volviendo al dibujo El dibujo que aparece en esta página es parte del que Ud. vio en la sección Describir y comentar. Mírelo con atención y luego escoja la palabra que mejor complete cada oración. ¡Cuidado! También hay palabras de los capítulos anteriores.

1. El año 1492 es (una cita / un dato / una fecha) muy importante (a causa de / porque) ese año Cristóbal Colón (realizó / se dio cuenta de) su primer viaje a lo que él creía ser las Indias. El (dato/hecho) es que Colón nunca (realizó / se dio cuenta de) que había descubierto (*had discovered*) todo un nuevo continente. Más tarde, y con los (datos/hechos) que él llevó a los Reyes Católicos, los conquistadores comenzaron

a llegar a esas tierras. Al llegar, encontraron indígenas, gente diferente, a la cual intentaron cambiar. Es un (dato/hecho) que trataron de convertirlos al cristianismo y de españolizarlos. Desgraciadamente, los españoles también introdujeron enfermedades nuevas entre los indígenas y, como consecuencia, muchos de éstos (*the latter*) murieron.

2. Es un (dato/hecho) histórico interesante que Enrique VIII quisiera divorciarse de Catalina de Aragón, hija de los Reyes Católicos de España, después de dieciocho años de matrimonio. Enrique y Catalina tenían una hija, Mary, pero Enrique quería un heredero y además se había enamorado (a/con/de) una bella joven de la corte. (Porque / Puesto que) la Iglesia católica no permitía el divorcio, el papa de aquel entonces, Clemente VII, se lo prohibió. Como Enrique VIII (se sentía / sentía) muy poderoso, no le hizo (atención/caso) al papa. Se separó de la Iglesia católica y (llegó a ser / se hizo) jefe de la Iglesia anglicana.

**B** Entre todos

- ¿Qué sueños importantes realizó Ud. durante la primera década de su vida? ¿Qué sueños quiere realizar durante la próxima década? ¿Tiene un sueño imposible de realizar? ¿Cuál es? ¿Por qué no lo va a poder realizar?
- ¿Cuándo se dio Ud. cuenta de que quería hacer estudios universitarios? ¿Cuándo se dio cuenta de que quería estudiar en esta universidad? ¿Cuándo se dieron cuenta sus padres de que Ud. ya era adulto/a? Explique sus respuestas.

# Repaso

**A** Complete el párrafo, dando la forma correcta del verbo y expresando en español las frases en inglés. Cuando se dan dos palabras entre paréntesis, escoja la palabra apropiada.

**El mito del Quinto Sol**

Todas las religiones, tanto las modernas como las antiguas, tienen una explicación de la creación del mundo. Probablemente no hay nadie de la tradición judeocristiana que no conozca la historia bíblica. Los aztecas tenían una explicación de la creación más complicada. Se llamaba la historia del Quinto Sol.

Según este mito, (*many, many years ago*)[1] no había nada en el mundo. A los dioses no les gustaba que el universo (ser)[2] tan oscuro y por eso un día (reunirse)[3] para resolver el problema. El malévolo dios de la noche (hablar)[4] primero. «Es evidente que nosotros (necesitar)[5] un sol. Y para que Uds. (ver)[6] mi poder y mi fuerza (*strength*), ¡yo lo crearé (*shall create*)!»

De repente, (aparecer)[7] un sol grande y esplendoroso. Pero todavía no había hombres que (habitar)[8] la tierra, sólo gigantes monstruosos. Al cabo (final) de trece siglos, unos jaguares enormes los (devorar)[9] y (destruir)[10] el sol. Por eso los dioses le (poner)[11] a este primer sol el nombre de Sol del Jaguar.

Entonces fue necesario que los dioses (empezar)[12] de nuevo. Como cada dios quería que los otros dioses lo (admirar),[13] uno después de otro trató de crear un sol duradero (*lasting*). Ninguno tuvo suerte. Unos huracanes horribles (devastar)[14] el segundo sol; sólo hubo unos pocos hombres (*of those that*)[15] se habían creado (*had been created*) que (poder)[16] escapar la destrucción. Subieron a los árboles y se convirtieron en monos. Una tercera y una cuarta vez los dioses usaron su magia sin que ninguno (tener)[17] éxito. Durante el tercer sol apareció una misteriosa lluvia de fuego, (*which*)[18] quemó toda la tierra menos a algunos hombres que se convirtieron en pájaros. Después de la creación del cuarto sol, una terrible inundación (*flood*) (cubrir)[19] el mundo. Algunos hombres sobrevivieron al convertirse en peces (*fish*).

Después del cuarto sol los dioses (decidir)[20] reunirse una vez más. (Saber: ellos)[21] que no (ir)[22] a poder crear un sol perfecto a menos que (hacer)[23] un sacrificio especial, un sacrificio divino. Dos dioses se ofrecieron para el sacrificio. Mientras ellos (*were preparing themselves*),[24] los otros dioses construyeron un gran fuego. Al quinto día, los dos dioses (arrojarse [*to throw oneself*])[25] al fuego. Los otros dioses esperaron nerviosos. Pronto (descubrir)[26] su error: por el cielo subían dos discos rojos. ¡Qué horror!

No era posible que (vivir: ellos)[27] con dos soles. El calor sería (*would be*) demasiado intenso. Por eso, uno de los dioses (arrojar)[28] un conejo (*rabbit*) contra uno de los soles, reduciendo así un poco su luz. Este sol se convirtió en la luna. (Hasta hoy los mexicanos no hablan del hombre de la luna [pero/sino][29] del *conejo* de la luna.)

Pero el otro sol todavía (estar)[30] muy débil. «Puedo empezar a cruzar el cielo —les anunció ese sol— con tal de que Uds. (darme)[31] sus corazones».

Todos los dioses (arrojarse)[32] al fuego y el sol (comer)[33] sus corazones. El quinto sol, ahora fuerte y brillante, empezó a caminar lentamente por el cielo, donde lo podemos ver hoy. Los otros soles se pueden ver también en el famoso calendario azteca que hay en el Museo de Antropología de México.

**B** Exprese Ud. su opinión sobre cada uno de los siguientes temas, usando las conjunciones de la lista.

| | | |
|---|---|---|
| a condición (de) que | con tal (de) que | sin que |
| a fin de que | en caso (de) que | |
| a menos que | para que | |

MODELO: los grupos evangélicos →
Creo que los grupos evangélicos deben poder fomentar sus creencias con tal de que respeten las costumbres ya establecidas.

1. la expansión de la Iglesia protestante en Hispanoamérica
2. la oración en las escuelas públicas
3. el sacrificio de animales en ritos religiosos

4. el ateísmo y el agnosticismo
5. el matrimonio de los sacerdotes católicos
6. la Inquisición Española
7. la separación de Estado e Iglesia
8. el fanatismo religioso
9. la santería y el vudú

# CAPITULO

# Los hispanos en los Estados Unidos

Jackson Heights, Ciudad de Nueva York

# REFLEXIONES

La población de los Estados Unidos se compone de numerosos grupos étnicos que han emigrado por razones económicas o políticas. Los hispanos, o latinos, son uno de los muchos grupos étnicos que se han establecido en el territorio estadounidense, y su influencia en el país ha sido y será cada vez mayor.

## A nivel personal

- ¿A qué grupo(s) étnico(s) pertenecen sus propios antepasados? Si no eran indígenas, ¿de dónde vinieron, cuándo llegaron y por qué motivo dejaron su país natal?

## A nivel regional

- ¿Hay una población hispana importante en su región? ¿Sabe Ud. de qué origen es la mayoría de los hispanos en su región? ¿Se han observado cambios en su comunidad relacionados con el aumento de los hispanos en los últimos años? Explique.

## A nivel global

- ¿Puede Ud. pensar en datos u otra evidencia del aumento de los hispanos en los Estados Unidos en general? ¿Cree Ud. que los hispanos tienden a conservar su cultura sin integrarse en la cultura estadounidense? Explique su opinión. ¿Cree Ud. que los hispanos deberían integrarse más o mantener su propia identidad?
- Busque información sobre grupos de presión (*lobbyists*) que representan a los hispanos en los Estados Unidos. Algunos ejemplos son el National Council of La Raza y la Cuban-American National Foundation. ¿Cuáles son las preocupaciones sociales y los objetivos políticos de estas organizaciones? ¿Qué piensa al respecto? Comparta su información con sus compañeros de clase.

# DESCRIBIR Y COMENTAR

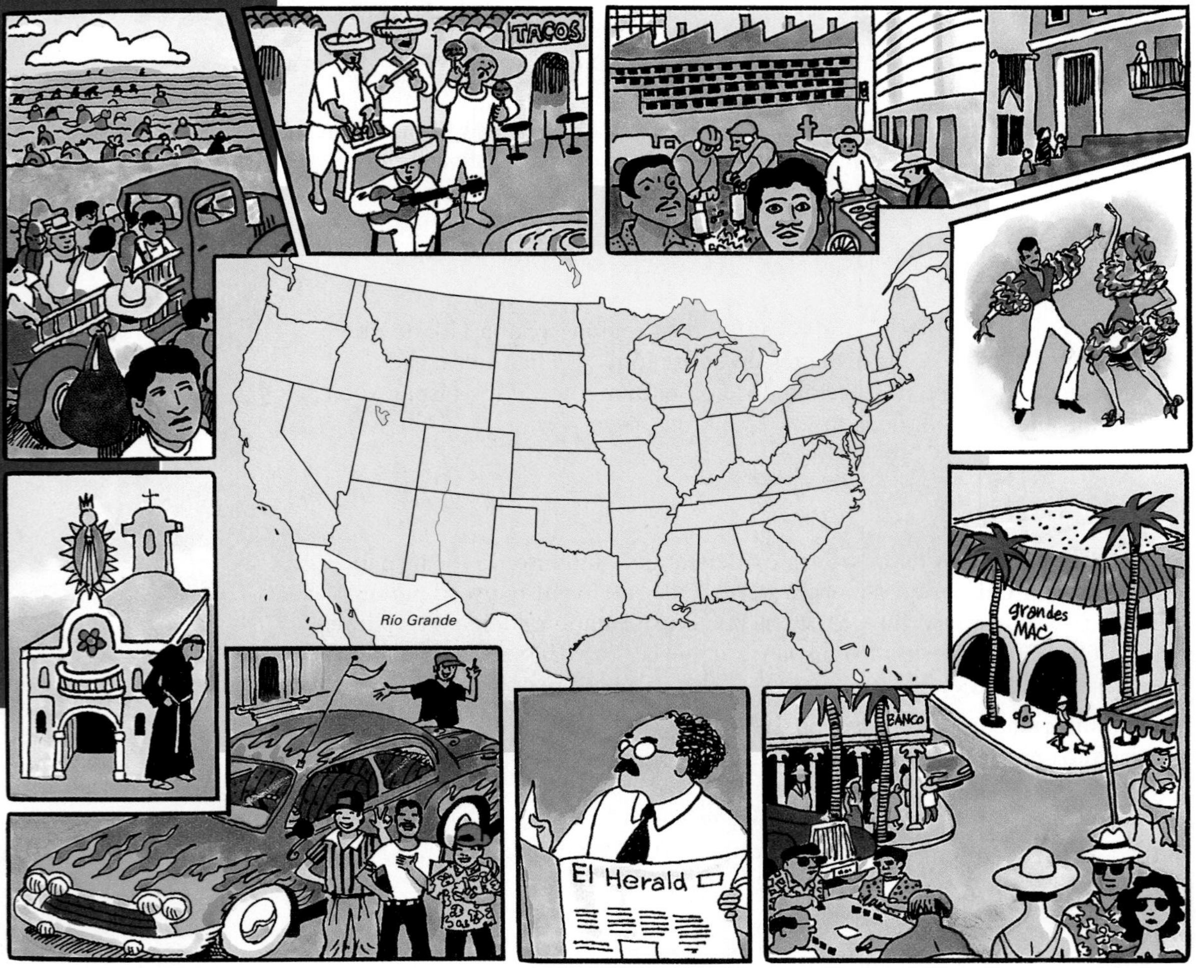

- ¿Cuál es su reacción a la forma en que se representan los grupos hispanos en estos dibujos? ¿Piensa Ud. que representan estereotipos o la realidad? ¿Por qué cree que existen y se mantienen estos estereotipos?
- ¿Qué sabe Ud. ya de la población hispana en los Estados Unidos? Conteste las siguientes preguntas para averiguarlo. (Encontrará las respuestas correctas en este capítulo.) ¿En qué zona(s) hay mayor concentración de chicanos? ¿de puertorriqueños? ¿de cubanos? ¿Cuáles son los aportes artísticos, económicos y culturales de los miembros de cada grupo a la región en que viven? En general, ¿qué costumbres hispanas (comida, música, expresiones idiomáticas, fiestas, etcétera) se han incorporado a la cultura norteamericana? ¿Qué ejemplos específicos puede Ud. dar?

# VOCABULARIO para conversar

**acoger** to welcome
**acostumbrarse (a)** to become accustomed (to)
**adaptarse (a)** to adapt (to)
**aportar** to bring, contribute
**asimilarse** to become assimilated
**emigrar** to emigrate
**establecerse** to get settled, established
**inmigrar** to immigrate

**el anglosajón / la anglosajona** Anglo-Saxon
**el aporte** contribution
**el/la canadiense** Canadian
**el chicano / la chicana** Chicano, Mexican-American*
**la ciudadanía** citizenship
**el ciudadano / la ciudadana** citizen
**el crisol** melting pot
**la emigración** emigration
**el/la emigrante** emigrant
**el/la estadounidense** American (*from the United States*)
**el exiliado / la exiliada** exile
**la herencia** heritage
**el hispano / la hispana** Hispanic, Hispanic American*
**la identidad** identity
**la inmigración** immigration
**el/la inmigrante** immigrant
**el latino / la latina** Latino, Latin American*
**la mayoría** majority
**la minoría** minority
**el orgullo** pride
**el refugiado / la refugiada** refugee

**acogedor(a)** welcoming
**bilingüe** bilingual
**mayoritario/a** majority
**minoritario/a** minority
**orgulloso/a** proud

### Las nacionalidades hispanas

**el argentino / la argentina** Argentine, Argentinian
**el boliviano / la boliviana** Bolivian
**el chileno / la chilena** Chilean
**el colombiano / la colombiana** Colombian
**el/la costarricense** Costa Rican
**el cubano / la cubana** Cuban
**el dominicano / la dominicana** Dominican (*from the Dominican Republic*)
**el ecuatoriano / la ecuatoriana** Ecuadoran, Ecuadorian
**el español / la española** Spaniard
**el guatemalteco / la guatemalteca** Guatemalan
**el hondureño / la hondureña** Honduran
**el mexicano / la mexicana** Mexican
**el/la nicaragüense** Nicaraguan
**el panameño / la panameña** Panamanian
**el paraguayo / la paraguaya** Paraguayan
**el peruano / la peruana** Peruvian
**el puertorriqueño / la puertorriqueña** Puerto Rican
**el salvadoreño / la salvadoreña** Salvadoran
**el uruguayo / la uruguaya** Uruguayan
**el venezolano / la venezolana** Venezuelan

---

*Terms used to designate ethnic groups often provoke intense debate and typically change over time. Within the United States, different terms have evolved to refer to individuals who trace their ancestry to Spanish America. U.S. residents of Mexican ancestry were formerly referred to as Mexican-Americans, but during the 1960s and 70s political activists favored the term *Chicano/a,* which is now widely used. Residents of Spanish-American ancestry are classified by the U.S. government as *Hispanic.* More recently, the term *Latino/a* has gained currency. Different speakers use it in different ways: from all-inclusive definitions, designating all individuals who come from Spain and Latin America (including areas where Spanish is not spoken, such as Brazil and Haiti), to very limited usages, referring to American-born or -educated individuals who trace their origins to the Spanish-speaking Caribbean. The definition of *Latino/a* is evolving over time and takes on different nuances according to political, social, and geographic factors.

**A** Explique la diferencia entre cada par de palabras.

1. anglosajón/norteamericano
2. chicano/latino/hispano
3. la inmigración / la emigración
4. el exiliado / el ciudadano
5. aceptar/acoger
6. adaptarse/establecerse

**B** Dé ejemplos de las siguientes personas, grupos o conceptos.

1. los inmigrantes
2. el aporte de distintos grupos a los Estados Unidos
3. algunos grupos bilingües
4. la herencia cultural

**C** Dé una definición en español de las siguientes palabras.

1. bilingüe  2. el exiliado  3. emigrar  4. el crisol  5. el refugiado

**D** ¡Necesito compañero! Trabajando en parejas, hagan un mapa semántico para cada una de las siguientes palabras y expresiones. Primero pongan la palabra objeto en el centro del mapa, y luego complétenlo escribiendo todas las ideas o palabras que asocien con la palabra objeto en las cuatro categorías indicadas. No es necesario limitarse a las palabras de la lista del vocabulario.

MODELO: bilingüe →

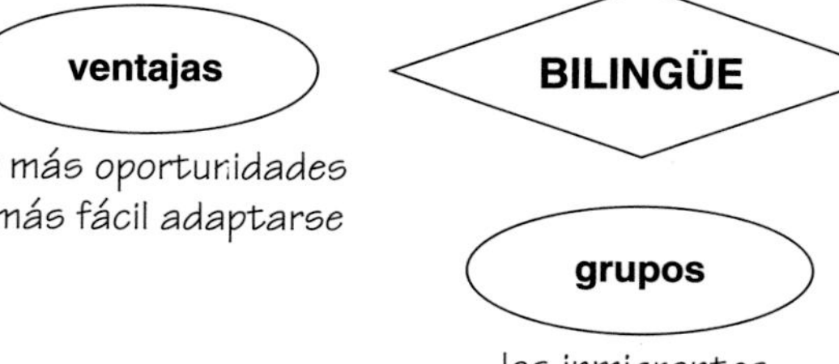


1. emigrar  2. asimilarse  3. el crisol

Como los países que forman las Américas son varios, no es apropiado llamar «americanos» a los habitantes de los Estados Unidos. Es común referirse a éstos como «norteamericanos», pero este término incluye no sólo a los nativos de los Estados Unidos, sino también a los de México y Canadá. De esta manera, el término más preciso para referirse a los habitantes de los Estados Unidos en contextos formales es «estadounidense». En lenguaje común, y algunas veces con connotaciones negativas, se usa el término «gringo» en Hispanoamérica, o «yanqui» en España.

**E** ¿Qué grupo étnico vive desde hace siglos en lo que es hoy territorio de los Estados Unidos? ¿Qué grupos tienen una concentración de exiliados políticos? ¿de inmigrantes recién llegados? ¿Por qué cree Ud. que muchos hispanos emigraron a los Estados Unidos y no a otros países?

**F** Entre todos

- En la siguiente página, ¿cómo se llama el programa de radio que presenta este anuncio? ¿Dónde y cuándo se transmite? ¿Cuál es su contenido? ¿A quiénes se dirige?
- En muchos lugares de los Estados Unidos hay gran variedad de revistas, periódicos y programas de radio y de televisión en español. ¿Cómo

puede influir esto en la adaptación de las comunidades hispanas? Por ejemplo, ¿puede demorar (*delay*) su adaptación? ¿Contribuye de alguna forma al mantenimiento de la identidad de las comunidades hispanas? ¿a su asimilación a la cultura mayoritaria? Explique.

- ¿Qué impacto —lingüístico, cultural, político o económico— tienen los medios de comunicación hispanos en los Estados Unidos?

# LENGUA

## De entrada 34

Ultimamente, el tema de la inmigración ha provocado muchos debates políticos. ¿Cuáles de las siguientes opiniones comparte Ud.? ¿Con cuáles está en desacuerdo? Exponga sus propias opiniones al respecto.

| OPINIONES | DE ACUERDO | EN DESACUERDO |
|---|---|---|
| **1.** Los Estados Unidos es un país de inmigrantes, y todos tienen derecho a *ser aceptados*. | ☐ | ☐ |
| **2.** Sólo la gente culta y calificada debe *ser admitida* en los Estados Unidos. | ☐ | ☐ |
| **3.** Mientras la economía no se mejore, será (*it will be*) necesario que *se suspenda* la entrada de todo inmigrante. | ☐ | ☐ |
| **4.** La inmigración controlada debe continuar, pero sólo si *se hacen* ajustes económicos y sociales para permitir la adaptación de los inmigrantes. | ☐ | ☐ |

Las expresiones en letra cursiva están en la voz pasiva. ¿Cuáles de ellas tienen una estructura similar a la voz pasiva en inglés (*to be* + *past participle*)? ¿Cuáles son diferentes? A continuación se explican los usos y la estructura de las dos formas pasivas que existen en español.

# 34 THE PASSIVE VOICE

In both English and Spanish, actions that have objects can be expressed either actively or passively. In the active voice (**la voz activa**), the agent, or doer, of the action is the subject of the sentence, and the receiver of the action is the direct object. In the passive voice (**la voz pasiva**), the functions are reversed: the receiver of the action is the subject, and the agent, or doer, is expressed with a prepositional phrase (*by* + agent).

Spanish has two ways of expressing the passive idea: the passive with **ser** and the passive **se.**

| **ACTIVE VOICE (La voz activa)** | **PASSIVE VOICE (La voz pasiva)** |
|---|---|
| subject/agent + **verb** + object/recipient | subject/recipient + *to be* (***ser***) + past participle + agent |
| Laura **pintó** la casa.<br>*Laura* ***painted*** *the house.* | La casa **fue** pintada por Laura.<br>*The house* ***was*** *painted by Laura.* |
| El gobierno **ha ayudado** a los inmigrantes.<br>*The government* ***has helped*** *the immigrants.* | Los exiliados **han sido** ayudados por el gobierno.<br>*The exiles* ***have been*** *helped by the government.* |
| Los inmigrantes **van a solicitar** la ciudadanía.<br>*The immigrants* ***are going to request*** *citizenship.* | La ciudadanía **va a ser** solicitada por los inmigrantes.<br>*Citizenship* ***is going to be*** *requested by the immigrants.* |

## A. The passive with *ser*

The passive construction with **ser** is very similar to the English passive: a form of the verb *to be* (**ser**), plus the past participle and the agent introduced with *by* (**por**). The past participle functions as an adjective, agreeing in gender and number with the subject.

| | SINGULAR | PLURAL |
|---|---|---|
| MASCULINE | **El** libr**o** fue escrit**o** por Elena.<br>*The book was written by Elena.* | **Los** libr**os** fueron escrit**os** por Elena.<br>*The books were written by Elena.* |
| FEMININE | **La** fiest**a** siempre ha sido planead**a** por Carlos.<br>*The party has always been planned by Carlos.* | **Las** fiest**as** siempre han sido planead**as** por Carlos.<br>*The parties have always been planned by Carlos.* |

Práctica Conjugue el verbo **ser** en un tiempo verbal lógico según el contexto, y utilice la forma correcta del participio pasado del verbo entre paréntesis para formar oraciones con la voz pasiva con **ser** como en el modelo. Es posible que en algunos casos haya más de una forma correcta del verbo **ser.**

MODELOS: Los países sudamericanos ______ (colonizar) principalmente por los españoles →
Los países sudamericanos fueron colonizados principalmente por los españoles.

La herencia hispana que hay en este país ______ (aportar) por inmigrantes de varios países de habla española. →
La herencia hispana que hay en este país ha sido aportada por inmigrantes de varios países de habla española.

1. El crisol que son los Estados Unidos ______ (crear) por la variedad de razas que inmigraron a este país.
2. A algunas personas les gustaría que el español ______ (adaptar) como una lengua oficial de este país.
3. No es justo (*fair, just*) que las costumbres de algunos inmigrantes ______ (perder) cuando éstos llegan a un nuevo país.
4. Algunos creen que esas costumbres deben ______ (aceptar) y ______ (mantener) por la nueva cultura.
5. Nombre algunos de los grupos hispanos que ______ (admitir) en este país.

## B. The passive *se*

Spanish has another way of expressing the passive idea: the passive **se.** Note the following comparison.

| | |
|---|---|
| PASSIVE WITH **SER** | Las casas **fueron construidas** por los inmigrantes.<br>*The houses **were built** by the immigrants.* |
| PASSIVE **SE** | **Se construyeron** las casas en 1993.<br>*The houses **were built** in 1993.* |

As you learned in grammar section 6, the passive **se** construction always has three parts.

| **se** + third-person verb + receiver (object) of the action |
|---|

| | |
|---|---|
| **Se reciben miles** de peticiones cada año. | ***Thousands** of petitions **are received** every year.* |
| **Se aprueba** sólo un pequeño **porcentaje** de ellas. | *Only a small **percentage** of them **is approved.*** |
| **Se rechazaron** los **aportes** de ese grupo. | *The **contributions** of that group **were rejected.*** |

The passive **se** verb agrees in number with the recipient of the action (**miles, porcentaje, aportes**).

Práctica En el siguiente texto hay ejemplos de los diversos usos de **se** y también de las dos formas pasivas en español. ¿Cuántos de estos ejemplos puede encontrar Ud.?

Los resultados del censo de 1990 en los Estados Unidos han sido aprobados por la Corte Suprema, a pesar de[a] que ésta admitió que el conteo de las minorías es inferior a los números reales. Muchos miembros de los grupos minoritarios no figuran en el censo porque esta población es sumamente móvil, cambiando de casa con frecuencia o viviendo en la calle y en otros lugares públicos. También hay que reconocer la desconfianza aguda[b] que existe entre la población afroamericana, la de habla española y la de otros grupos de inmigración reciente ante el gobierno y sus representantes. Por lo tanto, muchas veces los miembros de estos grupos no devuelven los papeles del censo por miedo o por recelo.[c]

El gobierno afirma, sin embargo, que se hizo un esfuerzo extraordinario para que las minorías fueran incluidas en el censo, y por esa razón se ha decidido que las cifras[d] no sean modificadas por la Secretaría de Comercio. En ciudades como Nueva York, Chicago y Los Angeles, se afirma que las minorías han sido perjudicadas por este bajo conteo, pues su representación política y apoyo financiero se reducirán.

Las cifras del censo se usan para establecer los distritos electorales y para distribuir la ayuda financiera del gobierno federal. Si se cambian las cifras del censo, Wisconsin perderá un puesto en la Cámara de Representantes, y California ganará uno nuevo.

Tom Cochran, director ejecutivo de la Confederación de Alcaldes de los Estados Unidos, afirmó que «es inexcusable e injusto que se haya excluido a más de cinco millones de ciudadanos norteamericanos de las cifras del censo».

[a]a... *despite* [b]*acute; extreme* [c]*distrust* [d]*figures*

## C. The passive with *ser* versus the passive *se*

These two constructions differ in meaning as well as in form.

- Whenever the passive with **ser** is used, the agent of the action is either stated in the sentence or is very strongly implied. When mentioned, the agent is introduced by the preposition **por.**

| | |
|---|---|
| AGENT MENTIONED | Los países hispanoamericanos **fueron colonizados** por los españoles en el siglo XVI. *The countries of Spanish America **were colonized** by the Spanish in the sixteenth century.* |
| AGENT IMPLIED BY PREVIOUS CONTEXT | Los españoles llegaron al Nuevo Mundo a finales del siglo XV. Los países hispanoamericanos **fueron colonizados** en el siglo XVI. *The Spanish arrived in the New World at the end of the fifteenth century. The countries of Spanish America **were colonized** in the sixteenth century.* |

- In general, when the agent is known, Spanish will use an active construction instead of the passive with **ser.**

| ENGLISH PASSIVE | SPANISH ALTERNATIVES |
|---|---|
| *The laws* ***were passed by Congress.*** | active (*common*)<br>**El Congreso aprobó** las leyes.<br>passive with **ser** (*infrequent*)<br>Las leyes **fueron aprobadas por el Congreso.** |

The passive with **ser** is used relatively infrequently in speech and is only slightly more common in writing, where writers may use it to vary their style.

- When the agent of the action is unknown or unimportant to the message, the idea should be expressed by using a passive **se** construction. In a passive **se** sentence, the speaker simply wants to communicate that an action is, was, or will be done to someone or something. This construction is used regularly in both written and spoken Spanish.

| ENGLISH PASSIVE | SPANISH ALTERNATIVE |
|---|---|
| ***Money was sent*** *to the exiles.*<br>(Who sent the money is not known or is unimportant.) | passive **se**<br>**Se mandó dinero** a los exiliados. |
| *Many* ***machines were bought.***<br>(Who bought them is not known or is unimportant.) | passive **se**<br>**Se compraron** muchas **máquinas.** |

**Práctica** Imagínese que Ud. se ha decidido a emigrar a otro país. ¿Adónde quiere ir? Conteste según el modelo. ¡Cuidado! Como no es un país determinado, tiene que usar el subjuntivo.

MODELO: ayudar al individuo a asimilarse →
Quiero ir a un país donde se ayude al individuo a asimilarse.

1. cometer menos crimenes
2. ofrecer mejores sueldos
3. tener más libertad de expresión
4. ofrecer muchas oportunidades para instruirse
5. disfrutar de (*to enjoy*) un mejor nivel de vida
6. poder vivir cerca de la naturaleza
7. no pagar tantos impuestos
8. proteger los derechos humanos
9. no necesitar prestar servicio militar
10. hablar español

# Intercambios

**A** Dé información sobre los siguientes hechos históricos, usando oraciones pasivas.

MODELO: América / descubrir → América fue descubierta en 1492.

1. Abraham Lincoln / asesinar
2. la bombilla eléctrica y el fonógrafo / inventar

3. la ciudad de Hiroshima / bombardear
4. este país / fundar
5. las civilizaciones indígenas de Sudamérica / someter (*to subdue*)
6. miles de inmigrantes / ¿ ?

**B** Imagínese que la Asociación de Estudiantes Latinos de esta universidad está preparando una lista de peticiones para el rector (*president*). Exprese sus demandas, utilizando los verbos entre paréntesis para formar oraciones con el **se pasivo.** ¡Cuidado! Observe que es necesario usar el subjuntivo.

MODELO: patrocinar (*sponsor*) programas destinados a la difusión de la cultura hispana (pedir) →
Pedimos que se patrocinen programas destinados a la difusión de la cultura hispana.

1. crear un programa de estudios hispanoamericanos (solicitar)
2. aumentar el número de profesores hispanos en toda la universidad (desear)
3. admitir más estudiantes hispanos (proponer)
4. exigir (*demand*) el estudio de una lengua extranjera como requisito para graduarse (recomendar)
5. ofrecerles más ayuda económica a los estudiantes hispanos (insistir en)
6. promover (*promote*) programas de intercambio estudiantil en España e Hispanoamérica (necesitar)

¿Cuáles de estas demandas anteriores piensa Ud. que se pueden aplicar a su universidad? Explique.

**C** Exprese su opinión sobre los siguientes temas, utilizando una de las formas de la voz pasiva siempre que sea (*whenever it may be*) posible.

MODELOS: promover la educación bilingüe →
Creo que es necesario que se promueva la educación bilingüe para facilitar la asimilación de los inmigrantes y al mismo tiempo permitirles conservar su propia identidad cultural.

muchas noticias / distorsionar / los medios de comunicación →
Es una lástima que muchas noticias sean distorsionadas por los medios de comunicación. Creo que toda información debe ser presentada desde diversos puntos de vista.

1. declarar el inglés como única lengua oficial de este país
2. apreciar el aporte hispano a la cultura de este país
3. los inmigrantes ilegales / deportar / el gobierno
4. proteger a los exiliados políticos
5. el orgullo patriótico / conservar / los emigrantes

**D** Mire los siguientes anuncios.

- ¿Qué se vende en estos anuncios? ¿En cuál de ellos se adapta la comida hispana al estilo de vida estadounidense? Explique.
- ¿En qué anuncio se introduce la comida estadounidense al público hispano?

## LENGUAJE Y CULTURA

Aquí hay algunas palabras en español que tienen su origen en inglés y que son utilizadas por algunos de los hispanos que viven en los Estados Unidos. Dé la palabra en inglés que ha servido de base para cada una.

1. el tiquete
2. la grocería
3. parquear
4. la factoría

De la misma manera, muchas palabras en inglés tienen su origen en español. ¿Puede Ud. decir la palabra en español que dio origen a estas palabras en inglés?

1. savvy
2. alligator
3. barbecue
4. cockroach

- Exprese sus impresiones sobre estos intercambios culinarios (los motivos, las consecuencias, etcétera). ¿Qué otras adaptaciones e influencias similares puede Ud. mencionar?

**E** ¡Necesito compañero! Es cierto que todo país tiene que limitar la entrada de inmigrantes, pero no hay ningún acuerdo respecto al criterio para hacerlo. Trabajando en parejas, decidan cuáles de los siguientes factores son los más importantes a la hora de aceptar o rechazar a quienes solicitan una visa de residente.

1. la afiliación política
2. la preparación profesional
3. la edad
4. la salud
5. la raza
6. los antecedentes penales (*criminal*)
7. el país de origen
8. el nivel de educación
9. el tener parientes radicados (*established*) en este país
10. la evidencia de ser víctima de persecución política o personal en su país de origen
11. las inclinaciones personales (la orientación sexual, el uso de drogas, etcétera)
12. la religión
13. el tener una habilidad especial
14. la posición social

Comparen sus decisiones con las de los demás miembros de la clase. ¿Hay factores que la mayoría indicó que eran más importantes? ¿menos importantes? ¿Se puede formular una política que sea aceptable para todos?

**F** ¿Cuáles son los «usos y abusos» de los términos «hispano» y «latino»? En grupos de tres o cuatro personas, comenten los siguientes puntos, utilizando

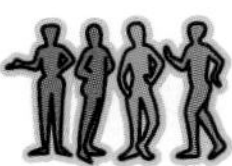

la voz pasiva siempre que sea posible. Luego, compartan sus conclusiones con el resto de la clase.

1. ¿Qué estereotipos se asocian con el término «hispano»? Expresen sus opiniones sobre cada uno de los siguientes aspectos.

   **Vocabulario útil:** se cree, se considera, se piensa, son calificados de (adjetivo)

   - el trabajo
   - la vida social
   - la familia
   - la delincuencia
   - la raza
   - la educación

2. ¿Qué se entiende por «hispano»? ¿Representa un grupo lingüístico? ¿un grupo cultural? Para ser hispano/a, ¿es necesario ser hispanohablante? ¿ser católico/a? ¿haber nacido en un país de habla española? ¿ser descendiente de hispanohablantes? ¿conocer las tradiciones, costumbres, comidas y bailes típicos de los países de habla española? ¿Se trata de un grupo homogéneo o heterogéneo? Expliquen.

**G** ¡Necesito compañero! Imagínense que Uds. deciden inscribirse en el Cuerpo de Paz pero sólo pueden escoger entre los siguientes lugares. ¿A cuál les va a ser más difícil adaptarse? ¿Por qué? Por fin, ¿cuál de los lugares disponibles eligen? ¿Por qué?

1. un país poco desarrollado donde no existen las comodidades —electricidad, teléfono, agua corriente— a que Uds. están acostumbrados
2. un país con un clima radicalmente diferente al de aquí
3. un país en el que los hombres y las mujeres no tienen las mismas oportunidades de trabajo
4. un país en el que hay poca libertad de expresión
5. un país en el que se habla una lengua que Uds. no saben
6. un país en el que no hay tolerancia para quien no practica la religión oficial (y Uds. *no* la practican)

# De entrada 35

Lea la siguiente historia, y luego ponga los dibujos en orden cronológico (de 1 a 4) según el orden que presenta la historia.

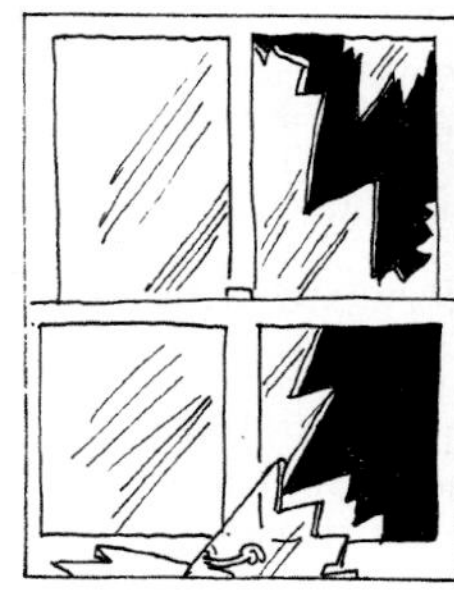

Para prevenir los frecuentes robos en cierta zona de la ciudad, todas las tiendas *fueron cerradas* por la policía a las siete de la noche. Lógicamente, cuando a las doce de la noche llegó el responsable de los robos, encontró que todas las tiendas *estaban cerradas.* Esto no era un problema para él, pues sabía romper las ventanas sin que se activara el sistema de alarma. Cada ventana *fue rota* por el ladrón con mucho cuidado, y así pudo entrar sin ser descubierto. A la mañana siguiente, los empleados descubrieron —¡sorpresa!— que las ventanas *estaban rotas,* y que muchos artículos habían sido robados. ¡La policía tiene que usar una estrategia más inteligente si quiere atrapar (*catch*) al ladrón!

Ahora observe que todas las expresiones en letra cursiva en la historia combinan el participio pasado de los verbos **cerrar** y **romper** con los verbos **ser** y **estar.** ¿Sabe Ud. por qué se usa el verbo **ser** en algunos casos y el verbo **estar** en otros? La siguiente explicación puede aclarar sus dudas al respecto.

## 35 RESULTANT STATE OR CONDITION VERSUS PASSIVE VOICE

In Chapter 1 you learned about using **estar** with a past participle to express a state or condition resulting from some prior action.

| | |
|---|---|
| Los niños rompieron la ventana jugando al béisbol; todavía **estaba rota** cuando yo fui de visita dos días después. | *The children broke the window playing baseball; it* ***was*** *still* ***broken*** *when I visited two days later.* |

In Spanish, the contrast between an action and a state or condition is always marked by the choice between **ser** and **estar.**

## A PROPÓSITO

**Ser** plus the past participle indicates a passive action. Since passive actions usually focus on the completion of the event, **ser** in the past is conjugated in the preterite (**fue, fueron**).

**Estar** plus the past participle expresses the condition that results from an action. Since description of a condition generally focuses on the middle aspect, **estar** in the past is conjugated in the imperfect (**estaba, estaban**).

Note that with both **ser** and **estar,** the past participle functions as an adjective in these constructions and must agree in gender and number with the noun modified.

| ACTION: ser | CONDITION: estar |
|---|---|
| La ventana **fue rota** por el ladrón.<br>*The window **was broken** by the thief.* | No pude abrir la ventana porque **estaba rota.**<br>*I couldn't open the window, because it **was broken.*** |
| Las tiendas **fueron cerradas** por la policía para impedir el saqueo.<br>*The stores **were closed** by the police to prevent looting.* | Ya para las siete, todas las tiendas **estaban cerradas.**<br>*By seven o'clock, all the stores **were closed.*** |

**Práctica** Indique las oraciones que correspondan mejor a cada dibujo.

- **a.** La leña (*firewood*) fue hacinada (*stacked*).
- **b.** La cena está preparada.
- **c.** La cena fue preparada.
- **d.** La leña está cortada.
- **e.** La leña está hacinada.
- **f.** La mesa fue puesta (*set*).

1.

2.

3.

4.

# Intercambios

**A** Escoja el verbo correcto según el contexto.

1. Los cubanos que llegaron a los Estados Unidos en la segunda oleada (*wave*) no (estaban/fueron) tan bien recibidos como los de la primera oleada.
2. Al principio, los inmigrantes pueden experimentar choques culturales ya que (están/son) acostumbrados a otro ritmo de vida.
3. En el pasado, grandes cantidades de inmigrantes (estaban/fueron) traídos a este país en barco e incluso pasaron semanas en el viaje.
4. No necesitábamos ayudarlos porque cuando los conocimos, ellos ya (estaban/fueron) bien establecidos.
5. Los papeles de ciudadanía que les dieron a los inmigrantes (estaban/fueron) escritos en inglés.
6. ¿Cuándo (estuvieron/fueron) trasladados (*transferred*) los refugiados al otro campamento?

**B** **¡Necesito compañero!** Es muy probable que la mayoría de los miembros de la clase tenga parientes, amigos o conocidos inmigrantes. ¿Por qué motivos emigraron esas personas? ¿Cómo era su vida al llegar a este país? Trabajando en parejas, preparen un cuestionario usando las siguientes frases para formar sus preguntas. (¡Atención! Es necesario escoger entre **ser** y **estar.** Tengan cuidado también con los tiempos verbales.)

MODELO: tener / parientes (amigos, conocidos) / originarios de otro país →
¿Tienes parientes (amigos, conocidos) que sean originarios de otro país?

1. en qué país / establecidos antes de emigrar
2. cuándo / admitidos como residentes en este país
3. cuáles / los motivos por los cuales emigraron
4. cómo / tratados por los habitantes de este país al principio
5. tener ellos / parientes que ya / radicados en este país
6. cómo / acogidos por otros de su misma cultura
7. qué tradiciones de su patria / mantenidas por ellos hasta hoy
8. hoy ellos ya / nacionalizados (*naturalized*) en este país

Luego, cada uno de Uds. debe utilizar el cuestionario para entrevistar a otro compañero / otra compañera de clase acerca de las experiencias que han vivido sus parientes, amigos o conocidos como inmigrantes. Después de hacer las entrevistas, compartan con la clase lo que han aprendido. ¿Hay muchos que han tenido experiencias similares?

# ESTRATEGIAS PARA LA COMUNICACION

## Gracias, pero no... *How to decline invitations*

It's often difficult to say "no" politely in one's own language. How can you refuse an invitation or get out of a difficult situation in Spanish without being rude or insulting? Just as in English, you need to be firm but polite. It is helpful if you follow up a refusal with a concrete reason for declining and with specific expressions of sincerity. Following is a list of useful expressions.

| | |
|---|---|
| ¡Cuánto me gustaría, pero de veras... ! | *How I would like to, but really . . . !* |
| Lamento (Siento) mucho no poder... , pero... | *I am really sorry (I regret very much) not to be able to . . . , but . . .* |
| Lo siento, pero ya tengo un compromiso / tengo un compromiso anterior. | *I'm sorry, but I already have an engagement / I have a previous engagement.* |
| Ud. es muy amable, pero... | *You are very kind, but . . .* |
| Me encantaría... , pero... | *I would love to . . . , but . . .* |
| No, gracias. | *No, thank you.* |
| Quizás otro día. | *Maybe another day.* |
| No, no tengo la costumbre de... | *No, I don't usually (am not in the habit of) . . .* |

**A** Answer the following invitations with concrete reasons for why you cannot accept. Use the expressions of courtesy listed previously, or those you have learned, in combination with a firm refusal. Some situations require less courtesy and more firmness than others. Choose the appropriate strategy according to the situation.

1. You are sitting in a sidewalk café and a young man/woman sits down with you and asks you for a date.
2. You have just been introduced to a boring friend of a friend and he/she asks you to go and have a drink.
3. You are visiting the relatives of some friends; they insist you stay for dinner.
4. A couple who shares none of your interests invites you to accompany them on a day trip to a nearby tourist attraction.

**B** Improvisaciones Working with a classmate, write a dialogue between an Argentinian and a visiting American/Canadian. The Spanish speaker is a business acquaintance and obviously feels that it is his/her responsibility to entertain the visitor during the three days the American/Canadian is spending in Buenos Aires. The Argentinian makes a number of suggestions concerning visits to museums, restaurants, the theater, and so on. The American/Canadian would really prefer to explore on his/her own but doesn't want to hurt the Argentinian's feelings and wouldn't mind having some guidance in finding his/her way around. Be creative and polite, but firm.

## 36 "NO-FAULT" *SE* CONSTRUCTIONS

The passive **se** construction is also used with a group of Spanish verbs to indicate unplanned or unexpected occurrences.

| | |
|---|---|
| **A Elena se le perdieron** los papeles. | ***Elena lost** her papers.* (*Her papers **"got lost."***) |
| **Se me olvidó** el asunto. | ***I forgot about** the matter.* (*The matter **slipped my mind.***) |

Note that, since these are passive **se** constructions, the third-person verb agrees with the recipient: **papeles, asunto.** The indirect object indicates the person or persons involved—usually as "innocent victims"—in the unplanned occurrence.

Here are some verbs that are frequently used in the "no-fault" construction. You have already used most of them in active constructions.

| | | |
|---|---|---|
| **acabar** | Se nos acabó la gasolina. | *We ran out of gas.* |
| **caer** | Se le cayeron los libros. | *He dropped his books.* |

| | | |
|---|---|---|
| **ocurrir** | ¿Se te ocurre alguna solución? | *Can you come up with a solution?* (*Does a solution come to mind?*) |
| **olvidar** | Se le olvidaron las gafas. | *She forgot her glasses.* |
| **perder** | Se me perdió el carnet. | *I lost my I.D.* |
| **quedar** | Se les quedó el discurso en casa. | *They left the speech at home.* |
| **romper** | Se le rompieron los pantalones. | *Her trousers split* (*tore*). |

**Práctica** Exprese las siguientes oraciones en inglés.

1. Al niño se le rompió la camisa.
2. Se me quedaron las gafas en el hotel.
3. Bueno, ya se nos acabó el tiempo; son las diez.
4. ¡Cuidado! No quiero que se te caigan los platos.
5. Se me durmió la pierna.

Ahora, exprese estas oraciones en español.

6. Oh! My watch broke!
7. His books got lost.
8. They forgot the word in English.
9. She dropped her keys.
10. A great idea just hit us!

# Intercambios

**A** Dé razones para justificar los siguientes hechos, utilizando la estructura del «**se inocente**» que acaba de estudiar. ¡Atención al nuevo sujeto!

MODELO: No podemos resolver el problema, no / ocurrir ninguna solución. →
No podemos resolver el problema, no se nos ocurre ninguna solución.

1. Tenemos que tomar el tren, por que / acabar la gasolina.
2. Me dieron una mala nota porque / olvidar la tarea.
3. No puedes sacar libros de la biblioteca si / quedar el carnet en casa.
4. Ella cojeaba (*was limping*) porque / romper el tacón del zapato.
5. Dicen que deben irse, ya que / acabar el tiempo.
6. Lamento no haberte llamado. Es que / perder tu número de teléfono.
7. La radio está rota porque al niño / caer esta mañana.
8. Tenemos que volver a casa porque / acabar el dinero.

**B** Vea los modelos en la siguiente página y escriba cinco preguntas para sus compañeros de clase, usando los verbos **ocurrir, olvidar, perder, quedar** y **romper** para saber si les han pasado ciertas cosas. Deje un espacio en blanco al lado de cada pregunta. Luego, hágales sus preguntas a varios compañeros de clase. Si responden afirmativamente, pídales que firmen su papel. Trate de conseguir cinco firmas diferentes. Después, reporte a la clase la información sobre sus compañeros.

MODELO: Ud.: —¿**Se te perdieron** las llaves alguna vez?
Otro/a estudiante: —Sí, **se me perdieron** una vez.
Ud: —Firma aquí, por favor.

MODELO: (*para reportar a la clase*): A _____ (nombre del / de la estudiante) **se le perdieron** las llaves una vez.

**C Guiones** El señor Pereda trabaja en la Oficina de Inmigración. Ayer tuvo un día malísimo. Trabajando en grupos de tres o cuatro personas, narren en el pasado lo que le pasó, usando el pretérito y el imperfecto según las circunstancias. ¡Cuidado! La historia contiene varios usos de **se.**

**Vocabulario útil:** acabarse la paciencia, el artista, cortar(se), el cuarto de baño, la cuchilla de afeitar, el jefe, el lavabo, el lienzo, mojar(se), mojado, manchar(se), la mancha el pijama, (poner) el despertador

## 37 *A* AND *EN*

As you know, in most languages prepositions do not have a single meaning. Even though we generalize and say that the preposition *on* in English means *on top of,* we also say things like *get on the bus* (we are really *in* it), *hang the picture on the wall* (it is not really the same as *on the shelf*), and *arrive on time* (no relation whatsoever to *on top of*). In Spanish the prepositions **a** and **en** generally mean *to* and *in,* respectively, but often they have different meanings, depending on their context.

### A. The uses of *a*

- **movement toward: A** basically expresses *movement toward* in a literal and figurative sense. Note that this same idea is sometimes expressed with *to* in English when the movement is directed toward a noun, but is usually not expressed with any preposition at all when the movement is directed toward another verb.

| | |
|---|---|
| Fue **a la oficina.** | *She went **to the office.*** |
| Les mandó el paquete **a sus abuelos.** | *He sent the package **to his grandparents.*** |
| Comenzaron **a llegar** en 1981. | *They began **to arrive** in 1981.* |

Here are some of the most common verbs that are followed by the preposition **a** to imply *motion toward.*

| | | |
|---|---|---|
| acostumbrarse | comenzar (ie) | ir |
| adaptarse | empezar (ie) | llegar |
| aprender | enseñar | salir |
| asimilarse | entrar* | venir (ie) |
| ayudar | invitar | volver (ue) |

The expression **volver a** + *infinitive* means *to do something again.*

**Volvió a leer** el párrafo.
*He read the paragraph again.*

- **by means of: A** occurs in a number of set phrases to indicate means of operation or locomotion, or how something was made. English often uses *by* or *on* to express the same idea.

| | |
|---|---|
| Está hecho **a mano.** | *It is made **by hand.*** |
| Lo hicieron **a máquina.** | *They made it **by machine.*** |
| Viajó **a caballo.** | *He traveled **on horseback.*** |
| Salió Ud. **a pie,** ¿verdad? | *You left **on foot,** right?* |

- **a point in time or space, or on a scale:** English *at* is expressed in Spanish by **a** when *at* expresses a particular point in time or on a scale, or when *a point in space* means *position relative to some physical object.*

| | |
|---|---|
| Tengo clase **a las ocho.** | *I have class **at eight.*** |
| **Al principio,** no querían quedarse. | ***At the beginning** (**At first**), they didn't want to stay.* |
| Los compré **a diez dólares** la docena. | *I bought them **at ten dollars** a dozen.* |
| Manejó **a ochenta millas** por hora. | *She drove **at eighty miles** per hour.* |
| Todos se sentaron **a la mesa.** | *Everyone sat down **at the table.*** |

## B. The uses of *en*

- **position on or within: En** normally expresses English *in, into,* or *on.*

| | |
|---|---|
| Viven **en una casa vieja.** | *They live **in an old house.*** |
| Los pusieron **en la maleta.** | *They put them **in** (**to**) **the suitcase.*** |
| La carta está **en la mesa.** | *The letter is **on the table.*** |

In time expressions **en** has the sense of *within.*

| | |
|---|---|
| Lo hicimos **en una hora.** | *We did it **in** (**within**) **an hour.*** |
| Tendremos el dinero **en dos días.** | *We will have the money **in** (**within**) **two days.*** |

---

*In Spain, **entrar** is commonly used with **en** to express *motion toward;* in some areas of Latin America, it is used with **a.**

English sometimes uses the preposition *at* to express the idea of *within an enclosure.* Spanish uses **en.**

| | |
|---|---|
| ¿Has estudiado **en la universidad**? | *Have you studied* ***at the university****?* |
| Estaban **en casa** cuando ocurrió el robo. | *They were* ***at home*** *when the robbery occurred.* |

- **observation of, or participation in, an event:** English distinguishes between being *at* an event as an observer and being *in* an event as a participant. Spanish does not, using the preposition **en** for both meanings. Additional context usually clarifies the sense intended.

| | |
|---|---|
| ¿Estuviste **en la boda**? | *Were you* {*in* / *at*} ***the wedding?*** |
| Estuvieron **en el partido.** | *They were* {*in* / *at*} ***the game.*** |

Here are some of the more common verbs that take the preposition **en.**

| | |
|---|---|
| consistir | inscribirse |
| convertirse (ie, i) | insistir |
| entrar | tardar |

**Práctica** Elija la preposición correcta para cada una de las siguientes oraciones.

1. Ayer pasé tres horas (a/en) la biblioteca.
2. Mis abuelos inmigraron (a/en) este país por razones económicas.
3. Hay una ceremonia de entrega de la ciudadanía (a/en) las tres (a/en) el estadio.
4. Muchos de los obreros migratorios mexicanos fueron invitados (a/en) trabajar (a/en) los Estados Unidos porque se necesitaba mano de obra en el campo.
5. Lo pasamos muy bien (a/en) la fiesta.

# Intercambios

**A** Describa los dibujos a continuación, incorporando el vocabulario indicado y utilizando las preposiciones **a** o **en** según el contexto.

1. besar, la princesa, el príncipe, el trono (*throne*)

2. convertirse, correr, la rana (*frog*)

3. manejar, pensar, ponerle una multa (*fine*), seguir

4. (no) exceder el límite de velocidad, explicar, la hija, el hospital, insistir

**B** Haga oraciones, juntando elementos de la lista con otros del cuadro. No se olvide de usar todas las preposiciones necesarias.

| | | |
|---|---|---|
| convertirse | estar | ir |
| empezar | inmigrar | llegar |
| establecerse | insistir | volver |

MODELO: Muchas personas que emigran a otro país luego se convierten en ciudadanos del país.

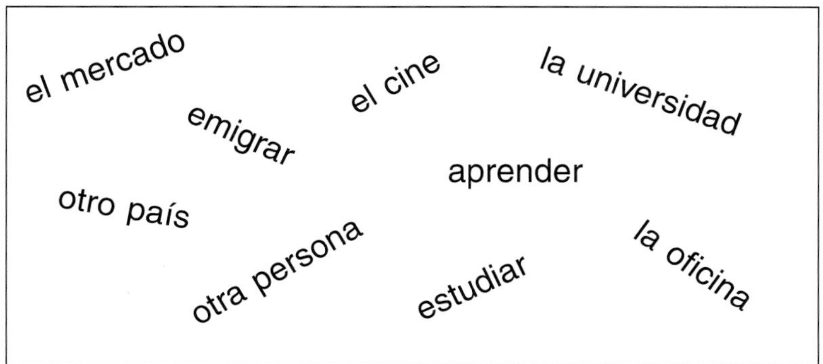


**C** Repase las reglas para el uso de **por** y **para** (grammar section 31). Luego, complete el siguiente texto con la preposición apropiada según el contexto: **a, en, por** o **para.** ¡Cuidado! No se necesita preposición en todos los contextos.

**El crisol**

(Por/Para)[1] muchos norteamericanos, la cultura de los Estados Unidos está representada (por/para)[2] el concepto del crisol. (Por/Para)[3] muchos años los inmigrantes han llegado (a/en)[4] los Estados Unidos. Viajan (por/para)[5] barco y avión y cuando llegan, no saben (a/en)[6] hablar inglés y desconocen las costumbres del país. Pero, según ellos, el crisol empieza (a/en)[7] funcionar desde los primeros momentos y los inmigrantes no tardan (a/en)[8] aprender (a/en)[9] expresarse en el nuevo idioma y buscan (a/por/para)[10] maneras de adaptarse a la cultura.

Otros niegan la existencia del crisol. (Por/Para)[11] ellos, la realidad es otra. El inmigrante en realidad nunca se convierte (a/en)[12] «estadounidense» en el sentido de renunciar (a/en)[13] ser lo que era. Después de tres o cuatro generaciones, el italiano católico sigue siendo (*continues being*) católico y el escandinavo protestante, protestante. (Por/Para)[14] razones de su cultura y de su religión, los judíos suelen casarse con otros judíos, y los anglosajones muchas veces buscan (a/por/para)[15] alguien de su mismo origen étnico. No es que no haya ninguna mezcla, pero es menos frecuente y menos rápida de lo que se cree.

PASAJE CULTURAL

## Néstor Torres, músico puertorriqueño

El puertorriqueño Néstor Torres, destacado (*outstanding*) intérprete de la música afrocubana, es uno de los millones de hispanos que viven en los Estados Unidos. En este segmento de vídeo, él habla de sus recuerdos de Mayagüez —su pueblo natal— y de sus impresiones sobre la vida de los hispanos en los Estados Unidos. La música de Néstor Torres ha obtenido el primer lugar de sintonía (*theme song*) en encuestas de radio.

Néstor Torres, músico puertorriqueño

### Antes de ver

- ¿Ya conoce Ud. la música de Néstor Torres? ¿Escucha Ud. música hispana? ¿Qué sabe de los varios tipos de música hispana? ¿Cómo será (*might it be like*) la música afrocubana?
- ¿Cuáles pueden ser algunas de las razones por las que un músico como Néstor Torres emigró de Puerto Rico a Nueva York?
- Ahora lea con cuidado la actividad en **Vamos a ver** antes de ver el vídeo por primera vez.

### Vamos a ver

Indique si las siguientes oraciones son ciertas (**C**) o falsas (**F**) según la información que Ud. obtuvo de este segmento de vídeo. Luego, corrija las oraciones falsas.

| | C | F |
|---|---|---|
| 1. Hay más de siete millones de mexicanos en Miami, la capital del sol. | ☐ | ☐ |
| 2. De muy pequeñito, Néstor Torres vivió en Nueva York. | ☐ | ☐ |
| 3. Néstor comía mandarinas y toronjas (*grapefruit*) en la casa de su abuelo. | ☐ | ☐ |
| 4. Los Angeles es la ciudad de los rascacielos (*skyscrapers*). | ☐ | ☐ |
| 5. Néstor experimentó por primera vez la libertad de pensamiento y de expresión en Nueva York. | ☐ | ☐ |
| 6. Néstor opina que la lucha de los hispanos en los Estados Unidos es una lucha positiva porque la dificultad y el esfuerzo son buenos para desarrollar el carácter de una persona. | ☐ | ☐ |
| 7. Según Néstor, en Nueva York se disfruta más de la vida que en Puerto Rico. | ☐ | ☐ |
| 8. Néstor Torres define su música como Jazz Latino-Pop. | ☐ | ☐ |

### Después de ver

- Entre toda la clase, prepárense para entrevistar a alguien que tiene conexiones con la comunidad hispana en su ciudad. En primer lugar, decidan a quién quieren entrevistar. Puede ser su profesor/a, un compañero / una compañera de clase, o un invitado / una invitada. Luego, trabajando en grupos, preparen una serie de preguntas para la entrevista. Consideren temas como su lugar de origen, lo que ha observado sobre las diferencias culturales y su opinión sobre la asimilación, etcétera.

- El día después de la entrevista, comparta lo que han aprendido en la entrevista con la clase.
- Busque información sobre algunas figuras hispanas destacadas en el arte, la política, los deportes, etcétera, que viven o que han vivido en este país. Comparta su información con sus compañeros de clase.

# Sondeo

Los tres grupos más numerosos de hispanos que han inmigrado a los Estados Unidos son distintos. Comparten ciertas características pero, por razones históricas y culturales, representan tres grupos diversos. ¿Reconocen Uds. algunas de las cualidades que los hacen diferentes? ¡Hagan un sondeo para investigarlo!

**Primer paso: Recoger los datos**

- Divídanse en tres grupos. El Grupo 1 hará las preguntas 1 a 4; el Grupo 2, las preguntas 5 a 8, y el Grupo 3, las preguntas 9 a 12.
- Cada uno de los miembros de cada grupo debe entrevistar a dos o tres compañeros de clase para obtener la información necesaria. Hay que conjugar los infinitivos en letra cursiva en la forma apropiada del pretérito o del imperfecto, y luego escribir la letra del grupo o de los grupos que la persona entrevistada dice que corresponde(n) a cada afirmación (**P** = puertorriqueños, **C** = cubanos, **M** = mexicanos). ¡Cuidado! Algunas características pueden aplicarse a más de un grupo.
- Deben entrevistar a todos los miembros de la clase, pero tengan cuidado de no hacerle la misma pregunta dos veces a la misma persona.

¿Quiénes son?

| | | ENTREVISTADOS | | |
|---|---|---|---|---|
| | | A | B | C |
| GRUPO 1 | 1. *Viajar* a los Estados Unidos como refugiados políticos. | ______ | ______ | ______ |
| | 2. *Llegar* a principios del siglo XX. | ______ | ______ | ______ |
| | 3. Son el grupo hispano más numeroso de los Estados Unidos. | ______ | ______ | ______ |
| | 4. Muchos tienen sangre indígena. | ______ | ______ | ______ |

| | | A | B | C |
|---|---|---|---|---|
| GRUPO 2 | 5. *Ganar* su independencia de España al final del siglo XIX. | ______ | ______ | ______ |
| | 6. *Luchar* en una guerra contra los Estados Unidos en el siglo XIX. | ______ | ______ | ______ |
| | 7. *Servir* como soldados en el ejército estadounidense durante la Segunda Guerra Mundial y en todas las siguientes guerras. | ______ | ______ | ______ |
| | 8. Practican la religión católica. | ______ | ______ | ______ |
| GRUPO 3 | 9. Son ciudadanos de los Estados Unidos. | ______ | ______ | ______ |
| | 10. Ya *estar* establecidos en los Estados Unidos cuando *estallar* la revolución americana. | ______ | ______ | ______ |
| | 11. *Utilizar* el boicoteo como arma contra condiciones de trabajo injustas. | ______ | ______ | ______ |
| | 12. La mayoría vive en las grandes ciudades del noreste de los Estados Unidos. | ______ | ______ | ______ |

**Segundo paso: Análisis de los datos**

- ¿Cuánto sabía la clase con respecto a estos tres grupos hispanos? Reúnanse en su grupo para compartir la información obtenida y hacer una tabla de resumen para sus datos. Una persona de cada grupo debe servir de secretario/a para anotar los resultados.
- Luego, cada grupo debe elegir a un miembro que escriba su tabla de resumen en la pizarra para mostrarles los resultados a los otros de la clase.

## ¡OJO!

| | EXAMPLES | NOTES |
|---|---|---|
| **perder**<br>**faltar a**<br>**echar de menos**<br>**extrañar** | María llegó tarde y **perdió** el tren.<br>*María arrived late and missed the train.* | *To miss an opportunity or deadline* because of poor timing is expressed in Spanish with **perder.** |
| | Joaquín estaba enfermo y **faltó a** la reunión.<br>*Joaquín was sick and missed the meeting.* | *To miss an appointment or an event* in the sense of *not attending it* is expressed with **faltar a.** |
| | Cuando mi esposo sale de viaje, siempre lo **echo de menos** (**extraño**) mucho.<br>*When my husband leaves town, I always miss him a lot.* | *To miss a person* who is away or absent can be expressed by either **echar de menos** or **extrañar.** |

| | EXAMPLES | NOTES |
|---|---|---|
| **ahorrar**<br>**salvar**<br>**guardar** | Hoy en día es difícil **ahorrar.**<br>*Nowadays, it's difficult to save (money).*<br><br>El salvavidas **salvó** al niño.<br>*The lifeguard saved the child.*<br><br>José **guardó** un trozo de pan. ¿Te lo **guardo**?<br>*José saved a piece of bread. Shall I keep it for you?* | All of these words mean *to save.* **Ahorrar** is used to refer to money (savings).<br><br>**Salvar** refers to *rescuing or saving a person or thing from danger.*<br><br>*To save* in the sense of *to set aside* is expressed with **guardar,** which also means *to keep.* |
| **llevar**<br>**tomar**<br>**hacer un viaje**<br>**tardar en** | Los padres **llevan** a los niños al parque.<br>*The parents take their children to the park.*<br><br>Siempre **tomo** cuatro clases.<br>*I always take four classes.*<br><br>¿**Tomamos** el autobús de las cuatro?<br>*Shall we take the four o'clock bus?*<br><br>Acabamos de **hacer un viaje** por toda Africa.<br>*We just took a trip through all of Africa.*<br><br>¿Cuánto (tiempo) **tardas en** llegar a clase?<br>*How long does it take you to get to class?*<br><br>De niño, Paco siempre le quitaba los juguetes a su hermanita.<br>*As a child, Paco always took toys away from his sister.*<br><br>¿Puedes subirle una taza de té?<br>*Can you take a cup of tea up to her?* | *To take* is generally expressed in Spanish with two verbs, **llevar** and **tomar. Llevar** means *to transport* or *to take someone or something from one place to another.*<br><br>**Tomar** is used in almost all other cases: *to take something in one's hand(s), to take a bus (train, etc.), to take an exam, to take a vacation.*<br><br>Two common exceptions are *to take a trip,* expressed with **hacer un viaje,** and *to take a certain amount of time to do something,* expressed by **tardar** + *amount of time* + **en** + *infinitive.*<br><br>As a general rule, when English *take* occurs with a preposition, it is expressed in Spanish by a single verb other than **tomar** or **llevar.** Here are some of the most common verbs of this type.<br>**bajar** *to take down*<br>**devolver** *to take back, return*<br>**quitarle (algo) a alguien** *to take (something) away from someone*<br>**quitarse** *to take off (clothing)*<br>**sacar** *to take out*<br>**subir** *to take up* |

**A** **Volviendo al dibujo** Elija la palabra o expresión que mejor complete cada oración. ¡Atención! También hay palabras de los capítulos anteriores.

Después de la revolución cubana de 1959, muchas personas de las clases media y alta decidieron (moverse/trasladarse)[1] a Miami. (Como/Porque)[2] muchos de ellos (llevaron/tomaron)[3] consigo el dinero que habían (ahorrado/salvado)[4] en Cuba, pudieron fundar negocios y no (llevaron/tardaron)[5] en prosperar. Además, por ser exiliados, el gobierno estadounidense los acogió bien, y los (asistió/ayudó)[6] con dinero, documentos y trabajo, para que (sucedieran / tuvieran éxito)[7] en su adaptación. Así se formó la colonia cubana de la Florida, que (ha llegado a ser / se ha puesto)[8] una de las comunidades hispanas más prósperas de los Estados Unidos. (Por / Ya que)[9] su estatus económico, esta comunidad ha (logrado/sucedido)[10] una significativa influencia en las (cuestiones/preguntas)[11] políticas estadounidenses. Pero, como es natural, todos ellos (extrañan/pierden)[12] a su patria y (echan de menos / faltan)[13] a sus familiares. Muchos sueñan (con/de/en)[14] el día en que puedan (devolver/regresar)[15] a su país, lo cual depende (con/de/en)[16] que cambie la situación política de Cuba.

**B** **¡Necesito compañero!** Imagínense que, por razones económicas o políticas, Uds. y sus familiares tienen que emigrar a un país donde no se habla inglés. Háganse y contesten las siguientes preguntas para averiguar qué van a hacer.

1. ¿A qué país van a trasladarse Uds.? ¿Por qué?
2. ¿Por qué medio(s) de transporte pueden hacer el viaje? ¿Cuánto tiempo van a tardar en llegar? ¿Qué van a llevar? ¿Qué es lo que más van a echar de menos?
3. ¿Piensan establecerse en el nuevo país para siempre, o van a ahorrar dinero con la esperanza de regresar a su patria algún día?
4. ¿Creen que van a ser bien acogidos en el nuevo país? ¿Qué tendrán que hacer para adaptarse y tener éxito? ¿Van a lograr asimilarse? ¿Van a hacerse bilingües? ¿Van a mantenerse unidos y defender su propia herencia cultural? Expliquen sus respuestas.

# Repaso

**A** Complete el párrafo, dando la forma correcta de los verbos y expresando en español las frases en inglés. Cuando se dan dos palabras entre paréntesis, escoja la palabra apropiada.

**El barrio Pilsen**

(*Twenty years ago*),[1] si uno caminaba (por/para)[2] el barrio Pilsen en Chicago, se sentía profundamente deprimido (*depressed*). El barrio (mirar/parecer)[3] quieto y apagado, casi a punto de derrumbarse (*falling apart*). Hoy la misma caminata (*walk*) produce una impresión completamente distinta. No hay duda que una parte de Pilsen —una buena parte, dirían (*would say*) algunos— todavía (tener)[4] el aspecto gris y monótono de cualquier barrio pobre. Pero acá (*here*) y allá (*are seen*)[5] brillantes colores rojos, verdes y amarillos. Ahora viejos coches Ford y Chevrolet comparten las calles con héroes de la historia de México. Gigantescas figuras aztecas y mayas luchan contra el deterioro urbano. (*It is*)[6] el muralismo.

Durante la Revolución Mexicana (1910–1920), el arte mural (ayudar)[7] a crear una nueva conciencia nacional entre los mexicanos, un nuevo orgullo cultural. Aquí en Pilsen, el pequeño México de Chicago, (ser/estar)[8] evidente que los murales (tener)[9] el mismo objetivo y el mismo efecto. (Por/Para)[10] ser un arte público, el muralismo (prestarse)[11] fácilmente a expresar los objetivos y las ansias de una generación de artistas (*who*)[12] tratan de afirmar su propia identidad cultural. La mayoría de los murales sugiere que la clave (*key*) del progreso (por/para)[13] los hispanos actuales (ser/estar)[14] en su pasado indígena, no en la tradición europea.

(*A short while back*),[15] las obras de los muralistas (*were exhibited:* exhibir)[16] (por/para)[17] el Museo de Arte Contemporáneo de Chicago como parte de una exposición itinerante de arte hispano, «Raíces (*Roots*) Antiguas / Visiones Nuevas», que (*was realized*: realizar)[18] en diez museos de los Estados Unidos. Sin embargo, (por/para)[19] los muralistas, el impacto de su arte en su propia comunidad es más importante. Este arte callejero (*of the streets*) (*is welcomed*)[20] con entusiasmo por los residentes de Pilsen; esto no debe sorprendernos, ya que los murales (*are aimed:* dirigir)[21] a la comunidad y (ser/estar)[22] pintados por artistas (*who*)[23] viven en ella. En el barrio, donde antes (haber)[24] una melancólica decadencia, ahora (*is found*)[25] un naciente sentimiento de orgullo y nuevas ansias de reconstrucción.

**B** Divídanse en grupos de tres a cinco estudiantes. Cada grupo va a estudiar los antecedentes étnicos de otro grupo de individuos que todos conocen: por ejemplo, la gente que vive en cierto piso de una residencia, los habitantes de una casa de apartamentos, la gente que vive en una calle determinada, los profesores de un departamento de la universidad, etcétera. Deben enterarse de cuándo llegaron los antepasados de cada individuo a los Estados Unidos, por qué salieron de su país de origen y cómo llegaron a la ciudad donde viven ahora. También deben averiguar la opinión de esas personas en cuanto a las leyes de inmigración a este país.

Luego, comparen los resultados de todos los estudios.

- ¿Qué semejanzas y diferencias hay entre los grupos estudiados?
- ¿Hay algún acuerdo con respecto a las leyes de inmigración?

# CAPITULO 10

# La vida moderna

Marbella, España

# REFLEXIONES

La vida moderna está llena de contradicciones. Por una parte, un ritmo de vida rápido crea la necesidad de liberarse de la presión; para lograr esta liberación, se adoptan frecuentemente hábitos que pueden perjudicar (*damage*) la salud: el alcohol, las drogas, el tabaco, etcétera. Al mismo tiempo, la sociedad reacciona con una gran preocupación por la salud, lo cual se refleja en la importancia que se da a las dietas y al ejercicio físico.

## A nivel personal

- Haga dos listas, una con algunas costumbres beneficiosas para la salud, y otra con algunos hábitos perjudiciales.
- ¿Qué conclusión puede Ud. sacar de estas listas?
- ¿Se considera Ud. una persona saludable o no? ¿Qué le gustaría cambiar de su vida?

## A nivel regional

- ¿Cuáles son algunos hábitos y dependencias comunes en su región? ¿Se puede observar en su comunidad alguna preocupación por la salud? ¿Qué evidencia hay? ¿Hay muchos gimnasios o restaurantes y tiendas de comida dietética (*health food*)?
- Comparada con otras regiones de este país, ¿piensa Ud. que en su región hay una preocupación particular por la salud? Explique.

## A nivel global

- ¿Piensa Ud. que la salud tiene más importancia en este país que en otras partes del mundo? ¿Qué diferencias cree que puede haber entre los hábitos y costumbres de este país y los de otros países? Considere temas como el alcohol, el tabaco, las drogas, la comida basura, el ejercicio y las dietas.
- Busque información sobre un plato típico de un país o una región hispanohablante. ¿Cómo clasificaría (*would you classify*) este plato: muy saludable, un poco saludable o no saludable? Comparta su información con sus compañeros de clase.

# DESCRIBIR Y COMENTAR

The *Pasajes* CD-ROM contains interactive activities to practice the material presented in this chapter.

- Describa lo que pasa en estos dibujos. ¿Qué hacen las personas? ¿Qué edad tienen? ¿Cómo se comportan? ¿Por qué se comportan así?
- ¿Dónde hay alguien que fuma? ¿que se droga? ¿que se emborracha? ¿que hace ejercicio? ¿que sigue su dieta? ¿Dónde hay teleadictos?
- Use el vocabulario de la siguiente página para hacer una lista de los hábitos y costumbres que se ven en estos dibujos. ¿Cuáles de estas actividades clasificaría (*would you classify*) como perjudiciales para la salud? Póngalas en orden de gravedad, justificando su clasificación. ¿Cuáles clasificaría como beneficiosas?
- De todas las personas en estos dibujos, ¿cuál cree que es la más feliz? ¿Por qué? ¿Piensa que vive una vida feliz o que solamente parece feliz en este momento?

# VOCABULARIO

## para conversar

**aprobar (ue)** to approve
**bajar de peso** to lose weight
**comportarse** to behave
**consumir drogas** to take drugs
**desaprobar (ue)** to disapprove
**emborracharse** to get drunk
**fumar** to smoke
**hacer daño** to harm, injure
**hacer ejercicio** to exercise
**prohibir** to forbid, prohibit
**subir de peso** to gain weight
**tomar una copa** to have a drink

**el alcohol** alcohol
**los alucinógenos** hallucinogens
**el azúcar** sugar
**la borrachera** drunkenness; drinking spree, binge
**el café** coffee
**la cafeína** caffeine
**el calmante** sedative
**el cigarrillo** cigarette
**la cocaína** cocaine
**la comida basura** junk food
**el comilón / la comilona** heavy eater
**el contrabando** contraband, smuggling
**la dependencia** dependence
**el ejercicio aeróbico** aerobic exercise
**el estrés** stress
**el fumador / la fumadora** smoker
**el gimnasio** gym, health club
**el hábito** habit
**la heroína** heroin
**la marihuana** marijuana
**la nicotina** nicotine
**las pastillas** pills
**la receta médica** prescription
**el régimen** special diet, regimen
**la salud** health
**la sobredosis** overdose
**el tabaco** tobacco; cigarettes
**la televisión** television (programming)
**el televisor** television (set)
**la toxicomanía** (drug) addiction
**el toxicómano / la toxicómana** (drug) addict
**el vicio** bad habit, vice

**beneficioso/a** beneficial
**borracho/a** drunk
**goloso/a** sweet-toothed; greedy (*about food*)
**perjudicial** damaging, harmful
**saludable** healthy

**A** ¿Qué palabra no pertenece al grupo? Explique por qué.

1. el alcohol, tomar una copa, el toxicómano, la borrachera
2. el comilón, el cigarrillo, goloso, los dulces
3. la toxicomanía, consumir drogas, drogarse, aprobar
4. régimen, hacer ejercicio, el contrabando, saludable

**B** Explique la diferencia entre cada par de palabras.

1. desaprobar / prohibir
2. tomar una copa / emborracharse
3. la televisión / el televisor
4. el hábito / el vicio
5. los alucinógenos / las pastillas

**C** Identifique los estimulantes y calmantes de la lista de vocabulario. Indique cuáles de ellos son prohibidos en este país y cuáles no.

- ¿Cuáles han sido prohibidos en el pasado pero ya no lo son? ¿Por qué se cambiaron las leyes respecto a ellos?
- ¿Cree Ud. que en el futuro van a cambiarse las leyes que regulan algunas de estas sustancias? ¿Las de cuáles sustancias?
- ¿Cuáles son los beneficios y los peligros de la legalización del tabaco? ¿del alcohol? ¿de la marihuana? ¿de la cocaína y otras drogas parecidas?

**D** ¡Necesito compañero! Trabajando en parejas, decidan cuáles de las palabras de la lista del vocabulario se pueden clasificar según los tres factores a continuación. Cada palabra puede colocarse en una sola categoría.

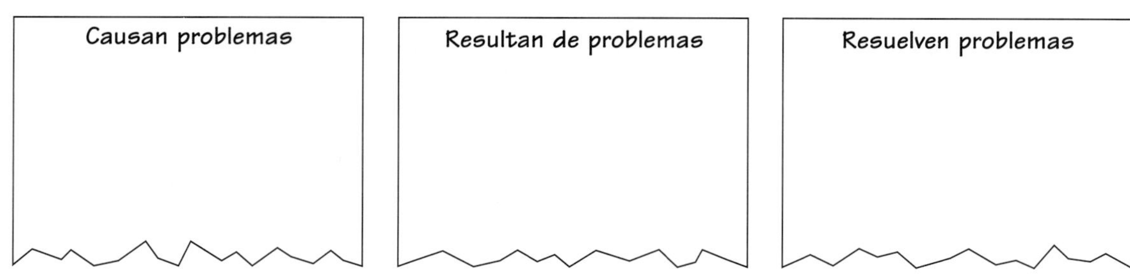


Cuando terminen su clasificación, compárenla con la de sus otros compañeros de clase. ¿Hay gran diferencia de opiniones? ¿Hay palabras que en realidad se *necesitan* colocar en más de una categoría? Expliquen.

**E** Entre todos

- ¿Opina Ud. que se debe limitar el uso de la televisión de alguna manera?
- ¿Hay semejanzas entre los intentos de controlar la televisión y los intentos de controlar la venta de tabaco? ¿Cuáles son?
- ¿Es posible controlar a las personas muy comilonas, ya que se hacen daño a sí mismas?
- De todas las dependencias, ¿cuáles tienen mayores repercusiones en la vida de los amigos y familiares de la persona adicta? ¿Por qué?
- ¿Cuáles son las mejores formas de mantenerse en buena salud? ¿En qué consiste una dieta equilibrada?
- ¿Es posible tener algunos vicios y al mismo tiempo mantener una vida saludable? Dé ejemplos específicos para justificar su respuesta.

¿Qué le dice el hijo a su padre? ¿Qué quiere hacer el padre? ¿Cómo justifica su hábito? ¿Cree Ud. que la avanzada edad del padre es una justificación para su adicción al tabaco? ¿para otras dependencias? Cuando Ud. tenga 80 años, ¿va a permitirse el lujo de tener algunos vicios?

# De entrada

38

Muchas personas piensan que se ha iniciado una nueva era de paz y armonía entre los seres humanos, y que sus efectos serán más notorios en las próximas décadas. ¿Qué opina Ud. de las siguientes predicciones para el futuro? ¿Cree que podrían realizarse en los próximos cien años? ¿Por qué sí o por qué no? Todos los verbos conjugados en el párrafo a la derecha están en el tiempo futuro (*will*) o en el tiempo condicional (*would*). ¿Puede Ud. identificar algunos ejemplos? A continuación va a estudiar las formas y los usos de estos dos tiempos verbales.

En el año 2050 será legal drogarse, pero nadie tendrá ninguna dependencia puesto que todos estarán más interesados en su desarrollo personal que en la satisfacción de intereses egoístas. Terminará el contrabando de estimulantes, y todos los vicios serán reemplazados por un sentimiento de bienestar general. En teoría, podríamos ser comilones, borrachos, fumadores, toxicómanos o teleadictos, pero nadie querrá serlo porque viviremos en un mundo de colaboración creativa. Todos podremos aportar lo mejor que tenemos, y no nos interesará competir con los demás ni juzgar su modo de vivir.

# 38 FUTURE AND CONDITIONAL

The Spanish future (**el futuro**) corresponds to English *will,* and the conditional (**el condicional**) to English *would*.

## A. Forms of the future and conditional

Unlike other verb forms you have learned, regular forms of both the future and conditional use the entire infinitive as the stem. Note that only the **nosotros/as** forms of the future do not have a written accent, and all verbs—regular and irregular—use the endings shown in the following chart.

| FUTURE | | CONDITIONAL | |
|---|---|---|---|
| hablar**é** | hablar**emos** | hablar**ía** | hablar**íamos** |
| hablar**ás** | hablar**éis** | hablar**ías** | hablar**íais** |
| hablar**á** | hablar**án** | hablar**ía** | hablar**ían** |
| comer**é** | comer**emos** | comer**ía** | comer**íamos** |
| comer**ás** | comer**éis** | comer**ías** | comer**íais** |
| comer**á** | comer**án** | comer**ía** | comer**ían** |
| vivir**é** | vivir**emos** | vivir**ía** | vivir**íamos** |
| vivir**ás** | vivir**éis** | vivir**ías** | vivir**íais** |
| vivir**á** | vivir**án** | vivir**ía** | vivir**ían** |

There are twelve verbs that have irregular stems in the future and conditional.*

caber → **cabr-**
haber → **habr-**
saber → **sabr-**

poder → **podr-**
querer → **querr-**

poner → **pondr-**
tener → **tendr-**
venir → **vendr-**

salir → **saldr-**
valer → **valdr-**

decir → **dir-**
hacer → **har-**

## B. Use of the future and conditional

In both Spanish and English, the most common use of the future and conditional is to indicate a subsequent action. The future describes an action that will take place sometime after a *present* reference point; the conditional describes an action that will take place sometime after a *past* reference point.

| REFERENCE POINT | | SUBSEQUENT ACTION |
|---|---|---|
| PRESENT | Prometen que | **no fumarán** otra vez. |
| | *They promise that* | *they **won't smoke** again.* |
| PAST | Prometieron que | **no fumarían** otra vez. |
| | *They promised that* | *they **wouldn't smoke** again.* |

The use of the future tense, however, is less frequent in Spanish than in English. There are two common alternatives to the future tense.

1. The simple present tense, for actions that will occur in the immediate future.

   Los estudiantes **se reúnen** con el decano en diez minutos. — *The students **will meet** with the dean in ten minutes.*
   **Nos vemos** mañana. — ***We'll see each other** tomorrow.*

2. The **ir a** + *infinitive* construction. To express the future, **ir** is conjugated in the present tense; to express the conditional, it is conjugated in the imperfect.

   Pedro **va a asistir** mañana. — *Pedro **is going to attend** (will attend) tomorrow.*
   Sara pensaba que todos **iban a llegar** temprano. — *Sara thought that everyone **was going to arrive** (would arrive) early.*

The simple future often implies a stronger commitment or sense of purpose on the part of the speaker than the **ir a** + *infinitive* construction. Compare these examples.

¡**Iré** al concierto! — ***I will go** to the concert!*
**Voy a ir** al concierto esta noche. — ***I'm going to go** to the concert tonight.*

Besides indicating a subsequent action, the Spanish future and conditional have another common use: to express conjecture or uncertainty. The future expresses English *probably + present tense,* and the conditional expresses English *probably + past tense.*

English *would* does not always correspond to the Spanish conditional. Note the following uses.

- Polite requests with *would* in English can be expressed with the conditional or the past subjunctive in Spanish.

  ¿**Podrías** dejar de fumar?
  ¿**Pudieras** dejar de fumar?
  ***Would/Could** you (please) stop smoking?*

- English *would* meaning *used to* is expressed with the imperfect tense in Spanish.

  Siempre **fumábamos** un cigarrillo después de comer.
  ***We** always **would** (**used to**) **smoke** a cigarette after eating.*

*Compound verbs have the same irregularities: mantener → man**tendr-**, predecir (*to predict*) → pre**dir-**, proponer → pro**pondr-**, etc.

| | EXPRESSION OF A FACT | PROBABILITY OR CONJECTURE |
|---|---|---|
| **Present** | ¿Qué hora **es**?<br>*What time is it?*<br><br>**Son** las tres.<br>*It's three o'clock.* | ¿Qué hora **será**?<br>*I wonder what time it is.*<br><br>**Serán** las tres.<br>*It's probably three o'clock.* |
| **Past** | ¿Cuántos años **tenía**?<br>*How old was she?*<br><br>**Tenía** treinta años.<br>*She was thirty years old.* | ¿Cuántos años **tendría**?<br>*I wonder how old she was.*<br><br>**Tendría** treinta años.<br>*She was probably thirty years old.* |

As in English, the future tense can also be used to express commands.

| | |
|---|---|
| **Comerás** las espinacas. | ***You will eat** your spinach.* |
| No **matarás.** | ***Thou shalt** not **kill.*** |

Práctica Paco es un adolescente de quince años. No le gusta obedecer a sus padres para nada y, por lo tanto, cada vez que ellos le indican que haga algo, les contesta que lo hará al día siguiente. Imaginándose que Ud. es Paco, conteste los siguientes mandatos y peticiones de sus padres. No se olvide de usar los complementos pronominales cuando sea posible.

MODELO: Paco, por favor, limpia tu habitación. → La limpiaré mañana.

1. Paco, por favor, saca la basura.
2. Paco, por favor, deja de fumar.
3. Paco, por favor, echa esos cigarrillos a la basura.
4. Paco, por favor, haz ejercicio.
5. Paco, por favor, ¿podrías poner la mesa?
6. Paco, por favor, tráeme unas galletas.
7. Paco, por favor, ¿pudieras hacerme un postre para la fiesta?
8. Paco, por favor, sal a tomar el aire.

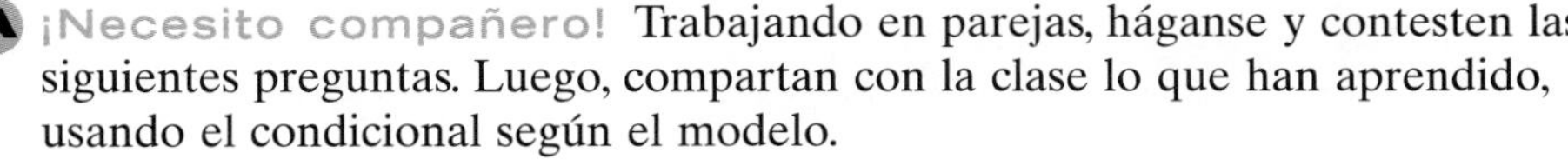

# Intercambios

38

**A** ¡Necesito compañero! Trabajando en parejas, háganse y contesten las siguientes preguntas. Luego, compartan con la clase lo que han aprendido, usando el condicional según el modelo.

MODELO: ESTUDIANTE A: ¿Qué harás al salir de esta clase?
ESTUDIANTE B: Iré a mi clase de biología.
ESTUDIANTE A: (Nombre de ESTUDIANTE A) dijo que iría a su clase de biología.

1. ¿Qué harás al salir de esta clase?
2. ¿Qué harás al llegar a casa esta noche?
3. ¿Qué harás antes de cenar?
4. ¿Qué harás para ser más feliz el próximo semestre/trimestre?

5. ¿Qué harás cuando te gradúes?
6. ¿Qué harás este año para ayudar a otra persona?
7. ¿Qué vicio dejarás en el futuro? ¿Cómo lo dejarás?

**B** Cuando Ud. era más joven, ¿cómo creía que reaccionaría ante las siguientes experiencias? Use los verbos indicados, más uno que le parezca apropiado, para inventar una oración para cada experiencia. No es necesario usar todos los verbos en una sola oración, ni usarlos en el mismo orden en que aparecen. Si Ud. nunca ha tenido alguna de estas experiencias, ¿cómo cree que será?

MODELO: la universidad (asistir, vivir, aprender, ¿ ?) →
Creía que asistiría a una universidad lejos de mi casa, que viviría en la residencia durante mi primer año, que aprendería muchas cosas nuevas y que conocería a mucha gente interesante.

1. la primera cita (salir, pagar, llevar, ¿ ?)
2. las drogas (consumir, experimentar, gustar, ¿ ?)
3. el examen para conseguir la licencia de conducir (tener problemas, practicar, chocar, ¿ ?)
4. el primer trabajo (emplear, poder, ganar, ¿ ?)
5. la primera experiencia con el alcohol (tomar, emborracharse, descubrir, ¿ ?)
6. vivir lejos de la familia (ser difícil/fácil, estar, escribir, ¿ ?)

**C** Ud. no conoce a las personas que aparecen en los siguientes dibujos pero, fijándose en los detalles de cada dibujo, puede especular sobre su personalidad, su estilo de vida, su pasado, etcétera. Trabajando en grupos de tres o cuatro personas, describan a los individuos y las escenas que se ven a continuación. Usen el futuro o el condicional según el caso.

MODELO: Los niños tendrán diez años. Esta será la primera vez que fuman. Una de las mujeres será la madre de los niños y la otra será la esposa de un clérigo. La madre… La otra mujer… Los niños…

1.

2.

3.

4.

**D** **¡Necesito compañero!** Imagínese que Ud. y un amigo / una amiga realizaron las actividades a continuación. Descríbanlas, incorporando en su descripción las respuestas a las siguientes preguntas generales.

- ¿Qué motivos tendrían para hacerlas?
- Cómo se sentirían al hacerlas?
- ¿Cómo se sentirían inmediatamente después?
- ¿Qué sentirían al día siguiente?
- ¿Les gustaría repetir la experiencia? ¿Por qué sí o por qué no?

MODELO: bailar toda la noche →
Tal vez estaríamos celebrando el fin de los exámenes. Nos sentiríamos muy contentos. Inmediatamente después, estaríamos cansadísimos pero no querríamos ir a casa a dormir porque tendríamos hambre. Al día siguiente tendríamos mucho sueño y no podríamos levantarnos. ¡Claro que lo haríamos otra vez. Pero quizás bailaríamos un rato solamente, y después, nos iríamos a casa.

1. mirar la televisión por cinco horas seguidas
2. fumar marihuana
3. comer una comida grandísima
4. beber diez tazas de café durante el día
5. correr un maratón
6. comer en un restaurante vegetariano

## LENGUAJE Y CULTURA

Los términos relacionados con las drogas y el alcohol cambian constantemente y son diferentes no sólo en los distintos lugares del país, sino también en cada barrio de una misma ciudad. Imagínese que un amigo hispano quiere aprender la jerga (*slang*) que se usa donde Ud. vive. Hágale una lista de los términos más usados, explicándole en español el significado de cada palabra o frase.

## PASAJE CULTURAL

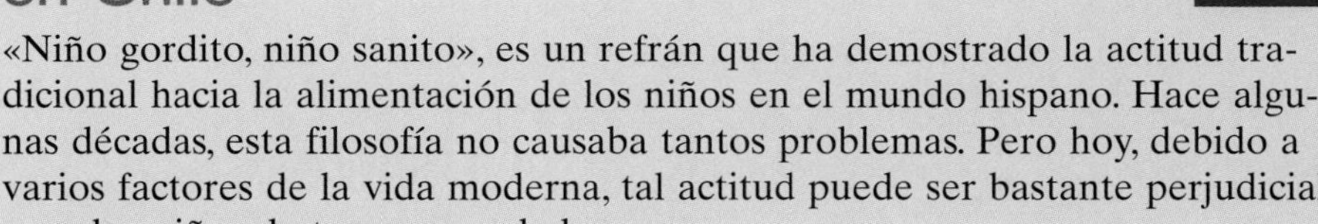

### El problema de la obesidad infantil en Chile

«Niño gordito, niño sanito», es un refrán que ha demostrado la actitud tradicional hacia la alimentación de los niños en el mundo hispano. Hace algunas décadas, esta filosofía no causaba tantos problemas. Pero hoy, debido a varios factores de la vida moderna, tal actitud puede ser bastante perjudicial para los niños de temprana edad.

### Antes de ver

- No es gran novedad (*It's nothing new*) que la obesidad sea un problema en este país. ¿Cuáles son algunos de los factores que han contribuido a la extensión de este problema en nuestro país?
- Pero, dirían algunos, por cada factor que contribuye al problema de la obesidad, hay otro que puede servir como un recurso para eliminarlo. ¿A qué recursos tenemos acceso en este país para eliminar este problema? Incluya en su respuesta cómo estos recursos pueden servir para enflaquecer (*to thin*) a la gente de este país y anular los efectos de esta epidemia nacional.
- ¿Cuáles son algunas de las complicaciones médicas que pueden amenazar (*threaten*) a los que sufren de obesidad?
- ¿Cree Ud. que éste es uno de los problemas que sí se resolverán en este país algún día? Explique su respuesta.

En una cafetería preescolar en Chile.

- Ahora lea con cuidado la actividad en **Vamos a ver** antes de ver el vídeo por primera vez.

## Vamos a ver

Determine si las siguientes afirmaciones son ciertas (**C**) o falsas (**F**), según lo que Ud. aprende en el vídeo. Corrija las oraciones falsas.

| | | C | F |
|---|---|---|---|
| **1.** | Según el Dr. Ricardo Uauy, el hecho de que la diarrea y otras infecciones sean menos frecuentes ahora que antes ha contribuido al aumento del índice de la obesidad. | ☐ | ☐ |
| **2.** | Factores como la televisión y la comida chatarra (*junk food*) realmente no han fomentado el problema tanto como se podría pensar. | ☐ | ☐ |
| **3.** | El índice de la obesidad en Chile se ha triplicado (*tripled*) y, sorprendentemente, hay niños de temprana edad que sufren de problemas con el colesterol. | ☐ | ☐ |
| **4.** | Pero Chile no está acercándose al grado que este problema presenta para los Estados Unidos. | ☐ | ☐ |
| **5.** | Una buena estrategia contra la obesidad debe incluir la prevención. | ☐ | ☐ |
| **6.** | Desafortunadamente, organizaciones como la JUNJI (Junta Nacional de Jardines Infantiles) y la JUNAEB (Junta Nacional de Auxilio Escolar y Becas) no tienen los recursos económicos para hacer investigaciones y tratar de eliminar la epidemia. | ☐ | ☐ |
| **7.** | Los de la JUNAEB no saben si sus esfuerzos están afectando el índice de obesidad a nivel preescolar o no. | ☐ | ☐ |
| **8.** | No es necesario que las familias y los jardines infantiles (*kindergartens*) trabajen juntos para asegurar la buena alimentación de los niños. | ☐ | ☐ |
| **9.** | Desafortunadamente, la actitud de «niño gordito, niño sanito» sigue siendo muy popular en las casas chilenas de hoy. | ☐ | ☐ |

## Después de ver

- Qué impresión le da a Ud. el vídeo sobre el problema de la obesidad infantil en Chile?
- Trabajando en grupos, hagan una lista de los factores que han influenciado en el problema de la obesidad infantil en Chile. También hagan una lista de algunas de las estrategias que la sociedad podría aprovechar en el futuro para eliminar el problema de la obesidad infantil y general en este país o a nivel mundial. ¿Creen Uds. que se adoptarán algunas de las estrategias de su lista en el futuro? ¿Por qué sí o por qué no?
- Busque mayor información sobre el problema de la obesidad en el mundo hispano. Ud. puede incluir información sobre organizaciones como las de Chile que se mencionaron en el vídeo: la JUNJI, la JUNAEB o el Instituto de Nutrición y Tecnología de los Alimentos (INTA). Pero también trate de encontrar detalles específicos sobre algunos de los remedios que se están realizando actualmente para eliminar esta epidemia mundial. Comparta su información con sus compañeros de clase.

# De entrada 39

Empareje las siguientes condiciones con su resultado lógico. Después, exponga sus propias opiniones al respecto.

CONDICIONES

1. Si se eliminara la industria del tabaco,...
2. Si desarrolláramos nuestra creatividad,...
3. Si tomas demasiado café,...
4. Si se legalizara el consumo de drogas,...

RESULTADOS

a. no podrás dormir esta noche.
b. los fumadores buscarían otros vicios.
c. terminaría el contrabando de narcóticos.
d. tendríamos menos interés en los vicios.

¿Cuáles de estas oraciones describen algo que es probable o muy posible que ocurra? ¿Y cuáles describen situaciones falsas o hipotéticas (es decir, más o menos remotas)? ¿Qué tiempos y modos verbales se utilizan en cada caso? La siguiente explicación puede ayudarle a aclarar esto.

# 39 *IF* CLAUSES WITH SIMPLE TENSES

An *if* clause is joined to a result clause. The two clauses can occur in either order.

> If you have time (*if* clause), you should see that movie (result clause).
> They will let us know (result clause) if they need anything (*if* clause).

*If* clauses can introduce two different perceptions of reality: (1) as possible or probable, (2) as improbable or false (contrary to fact). The first of these messages is expressed with the indicative; the second is expressed with the past subjunctive.

## A. Possible or probable situation: Indicative

If the situation in the *if* clause is perceived as possible or probable, the indicative mood is used. The most common sequences of tenses in these sentences are the following. Remember, the clauses can occur in either order.

| *IF* CLAUSE | RESULT CLAUSE |
|---|---|
| **si** + present indicative | present indicative<br>future<br>command |

| | |
|---|---|
| Si me **llevas** a la fiesta, te **pago** la gasolina. | *If you take me to the party* (probable), *I'll pay for the gas.* |
| Lo **veré** si **voy** a España. | *I will see him if I go to Spain* (possible). |
| **Escríbeme** si **tienes** tiempo. | *Write me if you have time* (possible). |

## B. Improbable or false (contrary to fact) situation: Past subjunctive

When the situation is perceived as improbable or false (contrary to fact), the past subjunctive is used in the *if* clause, and the result-clause verb is in the conditional.

| *IF* CLAUSE | RESULT CLAUSE |
|---|---|
| **si** + past subjunctive | conditional |

| | |
|---|---|
| Si **tuviera** mucho dinero, **me comportaría** mejor. | *If I had a lot of money* (but I don't), *I would behave better.* |
| **Cambiaría** esa ley si yo **tuviera** el poder de hacerlo. | *I would change that law if I had the power to do so* (but I don't). |

In most dialects of Spanish, the present subjunctive *never* occurs in an *if* clause. When a situation is perceived as improbable or false, it must be expressed in the past subjunctive.

Sometimes the *if* clause is only implied, not explicitly stated. In this case the result clause is still expressed in the conditional.

| | |
|---|---|
| ¿Qué **haría** Ud.? | *What would you do* (if you were in that situation, if you were me, etc.)? |
| No lo **diría** yo, claro. | *I wouldn't say that, of course* (if I were asked, etc.). |

**Práctica** Diga si se debe usar el subjuntivo o el indicativo en las siguientes oraciones. Luego, exprese en español las palabras en letra cursiva.

1. If *this is* a French restaurant, *I'll eat* my hat.
2. If *I knew* the answer, *I wouldn't ask.*
3. If *he weren't* so egotistical, *he wouldn't say* that.
4. *You can call* if *you need* anything.
5. *He speaks* as if *he approved* of it all.
6. My friends *would understand* if *I arrived* late.
7. If *you come, bring* your compact disks.
8. If *I see* him, *I'll tell* him you called.

**A PROPOSITO**

The phrase **como si** (*as if*) is *always* followed by the past subjunctive in Spanish because it signals improbability.

Habla **como si tuviera** experiencia personal.
*He speaks as if he had first-hand experience.*

Anda **como si estuviera** borracha.
*She walks as if she were drunk.*

# Intercambios

**A** Pasamos mucho tiempo pensando en cómo sería nuestra vida si cambiáramos algunos de nuestros hábitos. En la lista que sigue aparecen algunos de los hábitos que tienen ciertas personas. Explique qué pasaría si dejaran esos hábitos.

MODELO: Antonio consume drogas. →
Si no las consumiera, tendría menos problemas en el trabajo.

1. María Pilar es muy comilona.
2. Antoñito se entretiene con juegos electrónicos todo el día.
3. Pedro se emborracha todas las noches.
4. Angela fuma cigarrillos.
5. Rafael escucha música rock todo el día.
6. Amalia bebe diez tazas de café al día.

**B** Una de las causas socioculturales de los vicios son las connotaciones positivas que se asocian con las personas que los tienen. Por ejemplo, si uno fuma pipa, los demás creerán que es una persona intelectual o refinada. ¿Qué ideas «positivas» se asocian con los siguientes vicios?

1. Si uno fuma cigarrillos Marlboro,…
2. Si uno bebe vinos caros,…
3. Si uno fuma marihuana,…
4. Si uno puede beber mucho whisky sin emborracharse,…
5. Si uno juega con frecuencia en los casinos,…
6. Si uno tiene relaciones sexuales con muchas personas diferentes,…
7. Si uno inhala cocaína,…

¿Cree Ud. que son ciertas estas connotaciones «positivas»? ¿Son aplicables a personas de ambos sexos? Explique.

**C** Todos tenemos nuestra manera de manejar las pequeñas molestias (*hassles*) de todos los días. ¿Cómo reacciona Ud. en las siguientes situaciones comunes? Puede usar una de las reacciones que se dan en la lista a la derecha o puede inventar otras.

SITUACIONES COMUNES

1. Si estoy nervioso/a, ______.
2. Si estoy aburrido/a, ______.
3. Si estoy preocupado/a por mis clases, ______.
4. Si tengo mucho trabajo y poco tiempo, ______.
5. Si tengo mucho tiempo y poco trabajo, ______.
6. Si estoy preocupado/a por mi peso, ______.

REACCIONES POSIBLES

comer chocolate
dormir
empezar un régimen
fumar
hacer ejercicio
ir de compras
llamar a un amigo / una amiga
mirar la televisión
sonreír
tomar una copa
¿ ?

¿Cuáles son los mecanismos que se utilizan con más frecuencia para poder soportar las molestias? ¿Hay diferencias entre los usados por los hombres y los que usan las mujeres? ¿Cree Ud. que las respuestas serían diferentes si se entrevistara a personas de diferentes generaciones?

Ahora, indique qué haría Ud. en una situación menos común, como una de las siguientes.

7. Si me suspendieran (*flunked*) en un examen importantísimo, ______.
8. Si ganara un millón de dólares en la lotería, ______.
9. Si un amigo / una amiga me dijera que él/ella tenía problemas a causa del consumo de alguna droga, ______.
10. Si *todos* los pantalones me quedaran demasiado estrechos (*tight*), ______.
11. Si tuviera cinco exámenes en un solo día, ______.

**D** ¡Necesito compañero! Trabajando en parejas, háganse y contesten las siguientes preguntas. Luego compartan con la clase lo que han aprendido.

1. Si dieras una fiesta y un invitado / una invitada te preguntara si allí se podía fumar marihuana, ¿qué le dirías?
2. Si ganaras un viaje para dos personas a cualquier país del mundo, ¿a quién invitarías? ¿Adónde irían Uds.?
3. Si pudieras cambiar algún aspecto de tu personalidad o de tu cuerpo, ¿cuál cambiarías? ¿Por qué? ¿Qué aspecto *no* cambiarías por nada del mundo?
4. Si la MGM te ofreciera un papel en una película de Hollywood, ¿lo aceptarías? ¿Con tal de qué?
5. Si no existieran las notas para evaluar las clases, ¿estudiaríamos igual? ¿Qué motivaciones tendríamos para estudiar? ¿Aprenderíamos igual?
6. Si todos pudiéramos leer los pensamientos de los demás, ¿cómo sería la vida social? ¿la vida política? ¿las relaciones entre enamorados?

**E** Observe el anuncio a continuación.

***Ante las drogas nadie puede esconder la cabeza.***

*Porque es un problema que nos afecta a todos.*

- ¿Qué sugiere la imagen del avestruz escondiendo la cabeza?
- ¿Es ésta una manera lógica de resolver los problemas? ¿Por qué sí o por qué no?
- ¿Conoce Ud. a personas que actúan como si la toxicomanía no fuera problema de todos?
- ¿Nos afecta a todos el consumo de drogas? Explique.

**F** ¡Necesito compañero! Muchos avances tecnológicos nos hacen la vida más fácil. Trabajando en parejas, imagínense qué harían si las siguientes comodidades no existieran.

- las computadoras
- los hornos microondas
- los teléfonos celulares
- los estéreos
- el Internet
- los gimnasios
- la televisión
- ¿ ?

# ESTRATEGIAS PARA LA COMUNICACION

## Me gustaría... Ways to make polite requests

In this chapter, you have studied the conditional and another use of the past subjunctive. Both of these forms can be used to make polite requests. Here are some examples.

| | |
|---|---|
| Quisiera... | *I would like . . .* |
| Me gustaría... | *I would like . . .* |
| ¿Podría Ud.... ? | *Could you . . . ?* |
| ¿Le importaría... ? | *Would you mind . . . ?* |

Make polite requests that you could use in the following situations. Try to use as many different expressions as possible.

1. Ud. está en un restaurante y quiere otro refresco.
2. Ud. está en una reunión formal y quiere que alguien abra la ventana.
3. Ud. está en una calle que no conoce y quiere saber cómo llegar al cine.
4. Ud. está en una zapatería y quiere saber cuánto cuestan algunos zapatos que le gustan.
5. Ud. está sentado/a en un café, otra persona está fumando, el humo (*smoke*) le molesta a Ud. y hay una señal que indica que se prohíbe fumar allí.

# De entrada 40

¿Cuáles son las dependencias más perjudiciales? Seleccione las palabras de la siguiente lista que expresan sus propias opiniones para completar las oraciones a continuación. Algunas palabras pueden usarse más de una vez.

| | | | |
|---|---|---|---|
| el alcohol | el café | la heroína | el tabaco |
| el azúcar | la cocaína | la marihuana | la televisión |

1. ______ hace menos daño que ______.
2. Los efectos de ______ son mayores que los de ______.
3. ______ es tan perjudicial como ______.
4. ______ crea tanta dependencia como ______.
5. ______ es el vicio más peligroso de todos.

En estas cinco oraciones se utilizan los comparativos y superlativos del español. La siguiente explicación lo/la ayudará a emplearlos correctamente.

# 40 COMPARISONS

Comparisons establish equality (*as big as, as small as,* etc.) or inequality (*bigger than, smaller than,* etc.) between two or more objects. Comparisons may involve adjectives, nouns, adverbs, or verbs.

| | |
|---|---|
| ADJECTIVE | He is *taller than* she is. |
| NOUN | We have *as many books as* they do. |
| ADVERB | She runs *faster than* anyone else. |
| VERB | We *read as much as* Henry does. |

The form of Spanish comparisons is determined by what is being compared and by whether the statement expresses equality or inequality.

**A PROPOSITO**

In addition to their comparative meanings, expressions with **tan(to)** also have quantitative meanings: **tanto/tantos** = *so much/many*; **tan** = *so.*

¡Tengo **tantos problemas**!
*I have so many problems!*

¡Era **tan joven**!
*He was so young!*

No debes **fumar tanto.**
*You shouldn't smoke so much.*

## A. Comparisons of equality

Comparisons of equality (**comparaciones de igualdad**) are expressed with three forms: one for adjectives and adverbs, one for nouns, and one for verbs. All contain the word **como.**

| | | | | |
|---|---|---|---|---|
| **tan** | + | { *adjective* / *adverb* } | + | **como** |
| **tanto, tanta, tantos, tantas** | + | *noun* | + | **como** |
| | | *verb* | + | **tanto como** |

- When adjectives are involved, the adjective always agrees with the first noun mentioned. Adverbs do not show agreement.

| | | |
|---|---|---|
| ADJECTIVE | La cerveza es **tan embriagadora como** el vino. | *Beer is **as intoxicating as** wine.* |
| | El vino es **tan embriagador como** la cerveza. | *Wine is **as intoxicating as** beer.* |
| ADVERB | La cerveza no te afecta **tan rápido como** el vino. | *Beer does not affect you **as quickly as** wine (does).* |

- When nouns are involved, **tanto** agrees with the noun in number and gender. **Como** is invariable.

| | |
|---|---|
| Ud. tiene **tantos amigos como** un millonario. | *You have **as many friends as** a millionaire (does).* |
| Le darán a él **tanta ayuda como** a los otros. | *They'll give **as much help** to him **as** to the others.* |

- When verbs are the point of comparison, the expression **tanto como** follows the verb. This expression shows no agreement.

| | |
|---|---|
| Trabaja **tanto como** un mulo. | *He works **as hard as** a mule.* |
| Beben **tanto como** yo. | *They drink **as much as** I do.* |

Note that subject pronouns are used after **como.**

## B. Comparisons of inequality

Comparisons of inequality (**comparaciones de desigualdad**) are expressed with two forms in Spanish: one for adjectives, adverbs, and nouns, and one for verbs. Both forms contain **más/menos** and **que.**

| | | | | |
|---|---|---|---|---|
| **más/menos** | + | *adjective* / *adverb* / *noun* | + | **que** |
| *verb* | + | **más/menos** | + | **que** |

Comparisons of inequality are very similar to comparisons of equality.

- As in comparisons of equality, the adjective agrees with the first noun. Adverbs do not show agreement.

| | | |
|---|---|---|
| ADJECTIVE | El tabaco es **menos peligroso que** la cocaína. | *Tobacco is **less dangerous than** cocaine.* |
| ADVERB | La marihuana se consume hoy **más frecuentemente que** en el pasado. | *Marijuana is used **more frequently** today **than** in the past.* |
| NOUN | Hay **más tráfico de drogas** hoy **que** en el pasado. | *There is **more drug trafficking** today **than** in the past.* |
| VERB | Cristóbal merece **ganar más que** yo. | *Cristóbal deserves **to earn more than** I (do).* |

- As with comparisons of equality, subject pronouns are used after **que.**

- When a number (including any form of the indefinite article **un**) follows an expression of inequality, **que** is replaced by **de.***

| | |
|---|---|
| Tienen **menos de un** dólar. | *They have **less than one** dollar.* |
| Hay **más de diez mil** personas. | *There are **more than ten thousand** people.* |

## C. Irregular comparative forms

A few adjectives have both regular and irregular comparative forms. Note that the irregular forms do not contain the word **más.**

| ADJECTIVES | REGULAR | IRREGULAR |
|---|---|---|
| **grande/ pequeño** | más grande / más pequeño (*size*)<br><br>Filadelfia es **más grande que** Boston, pero **más pequeña que** San Antonio.<br><br>*Philadelphia is larger than Boston, but smaller than San Antonio.* | mayor/menor (*importance or degree*)<br><br>Los efectos de la cocaína son **mayores que** los de la marihuana pero **menores que** los de la heroína.<br>*The effects of cocaine are greater than those of marijuana but less than those of heroin.* |
| **viejo** | más viejo / más nuevo (*age of objects*)<br><br>Mi carro es **más viejo que** el tuyo.<br>*My car is older than yours.* | mayor (*age of people*)[†]<br><br>Tengo una hermana **mayor que** yo.<br>*I have a sister older than I (am).* |
| **joven** | más joven (*appearance of people; age relative to another time*)<br><br>Hoy pareces **más joven que** hace un año.<br>*Today you seem younger than (you did) a year ago.*<br>Cuando yo era **más joven** (que ahora), me gustaba mucho mirar la televisión.<br>*When I was younger (than I am now), I really liked to watch TV.* | menor (*age of people*)<br><br>Soy **menor que** mi hermana.<br>*I am younger than my sister.* |

---

***Que** is retained with numbers in the expression **no** + *verb* + **más que** + *number* when it means *only* and no comparison is implied: **No tenemos más que diez dólares.** (*We have only ten dollars.*)

[†]Note that **mayor** is the best word to use whenever you want to communicate the idea of *old* or *older* with reference to people, regardless of the actual age involved: ¡Ay, **los mayores** nunca entienden nada! (*Oh,* ***grown-ups*** *never understand anything!*)

| ADJECTIVES | REGULAR | IRREGULAR |
|---|---|---|
| **bueno/malo** | más bueno / más malo (*moral behavior*)<br>Don Carlos es **más bueno que** su hermano.<br>*Don Carlos is better (kinder, more good-hearted) than his brother.*<br>Luisito no es **tan malo como** Carlitos.<br>*Luisito isn't as bad (naughty, obnoxious) as Carlitos.* | mejor/peor* (*quality; abilities*)<br>¡Los precios están cada vez **peores**!<br>*Prices are getting worse all the time!*<br>Soy **mejor** estudiante **que** ellos.<br>*I'm a better student than they (are).* |

Práctica Combine las dos oraciones para expresar una comparación de igualdad.

1. Paco es comilón. Su hermana Celia es comilona también.
2. Se toma mucha cerveza aquí. También se toma mucho vino.
3. Marisa bajó de peso rápidamente. Felipe bajó de peso rápidamente también.
4. Jorge hace mucho ejercicio. Berta hace mucho ejercicio también.
5. El alcohol le hace daño al cuerpo. El tabaco también le hace daño.
6. Juan se emborrachaba con frecuencia. Su padre se emborrachaba mucho también.
7. Los cigarrillos franceses son muy fuertes. Así son los cigarrillos españoles también.

## D. Superlatives

A statement of comparison requires two elements: one bigger (smaller, better, and so forth) than the other. In a superlative statement more than two elements are compared, with one being set apart from the others as the biggest (smallest, best, and so forth) of the group.

| | COMPARATIVE | SUPERLATIVE |
|---|---|---|
| John is *tall.* | John is *taller* than Jim. | John is the *tallest* (of a specified or implied group). |

In Spanish, the superlative (**superlativo**) of adjectives and nouns is formed by adding the definite article to the comparative form. A comparison group, when mentioned, is preceded by the preposition **de** (**del grupo**).

| | COMPARATIVE | SUPERLATIVE |
|---|---|---|
| Juana es **alta.** | Juana es **más alta** que Jaime. | Juana es **la más alta** (del grupo). |

---

***Mejor** and **peor** are also the irregular comparative forms of the adverbs **bien** and **mal.**

No, no cantas **tan mal como** Ernesto. Cantas **peor.** — *No, you don't sing **as badly as** Ernesto (does). You sing **worse.***

| | | |
|---|---|---|
| Nevada es un estado **grande.** | Texas es **más grande** que Nevada. | De todos los estados, Texas y Alaska son **los más grandes.** |
| Este helado es **bueno.** | Este helado es **mejor** que ése. | Este helado es **el mejor** (de los tres). |

Note the following contrast between Spanish and English in the word order of superlative statements.

| SPANISH | | | | | | |
|---|---|---|---|---|---|---|
| *article* | + | *noun* | + | {más / menos} | + | *adjective* |
| la | | profesora | | más | | interesante |
| **ENGLISH** | | | | | | |
| *article* | + | {*most* / *least*} | + | *adjective* | + | *noun* |
| *the* | | *most* | | *interesting* | | *professor* |

The four irregular forms **mayor/menor/mejor/peor,** however, precede rather than follow the noun: **Es *la mejor profesora* de la universidad.**

**Práctica** Gilda siempre insiste en que sus amigos, parientes o experiencias son mejores o peores que los de todos los demás. ¿Qué contestaría Gilda a las siguientes afirmaciones?

MODELO: Vivo en una calle muy segura. →
Puede ser, pero yo vivo en la calle más segura de la ciudad.

1. Nací en una región bellísima.
2. Compré un coche muy moderno.
3. Mi amiga tiene un ego grandísimo.
4. Mi ciudad tiene grandes problemas.
5. ¡Mi jefe es tan estúpido!
6. Probé un helado buenísimo.

# Intercambios

**A** ¿Está Ud. de acuerdo o no con las siguientes afirmaciones? Si no está de acuerdo, cambie la oración para que exprese su opinión.

1. Se toma tanto alcohol en este país como en España.
2. Las mujeres se emborrachan tanto como los hombres.
3. Se fuma menos hoy que antes.
4. Los adultos consumen menos azúcar que los niños.
5. Las mujeres se preocupan por la salud más que los hombres.
6. La comida mexicana es más saludable que la comida italiana.
7. El azúcar sin refinar es mejor para el cuerpo que el azúcar refinado.
8. La televisión es tan peligrosa para los adultos como para los niños.

**B** Exprese sus opiniones sobre los siguientes asuntos, usando comparaciones de igualdad o de desigualdad según sea necesario.

MODELO: difícil: aprender a hablar otro idioma, aprender a escribirlo → Es más (menos) difícil aprender a hablar otro idioma que aprender a escribirlo.

1. interesante: el español, la historia
2. bueno: un coche nacional, un coche importado
3. fácil: pedir dinero, prestarlo
4. inteligente: los perros, los gatos
5. peligroso: las drogas, el alcohol
6. importante: trabajar, divertirse
7. hacerle daño al cuerpo: el azúcar, la cafeína
8. malo: los mosquitos, las cucarachas
9. agradable: dar regalos, recibirlos
10. bueno: vivir solo/a, tener compañero/a

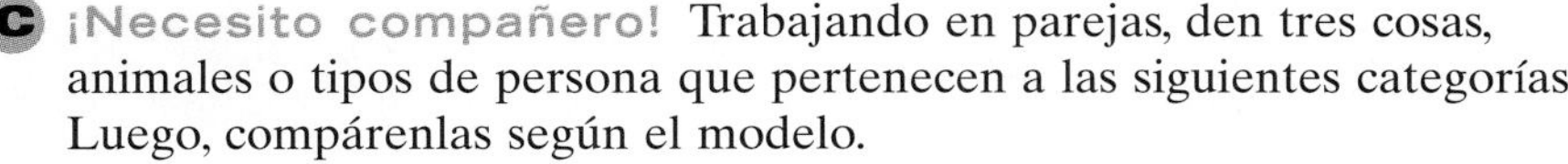

**C** ¡Necesito compañero! Trabajando en parejas, den tres cosas, animales o tipos de persona que pertenecen a las siguientes categorías. Luego, compárenlas según el modelo.

MODELO: tres profesores → los profesores de idiomas
los profesores de química
los profesores de psicología

Los profesores de psicología son los más locos de los tres. Los profesores de idiomas son los más habladores de los tres. Los de química son los más serios.

1. tres animales
2. tres bebidas
3. tres milagros (*miracles*) de la ciencia moderna
4. tres programas de televisión
5. tres actividades saludables
6. tres coches
7. tres aparatos electrónicos
8. tres vicios

**D** Exprese sus opiniones sobre los temas a continuación. Justifique sus respuestas.

1. ¿Cuál es la mejor marca de coche (café, desodorante, helado)?
2. ¿Cuál es el estado (la ciudad, el premio, la universidad) más prestigioso/a de este país?
3. ¿Cuál es el/la peor (actor, actriz, película, clase, vicio) de todos/as?
4. ¿Cuál es el mayor problema de este/a (universidad, estado, país, mundo)?
5. ¿Quién es la persona más (nerviosa, impulsiva, calmada, aventurera, ¿ ?) de su familia?

**E** Describa los dos anuncios en la siguiente página.

- ¿Qué vicio intentan combatir?
- ¿Cuál de ellos invita a pensar en la salud de la persona adicta? ¿Cuál enfoca en las repercusiones que tiene en los demás miembros de la sociedad?
- En su opinión, ¿es una de estas técnicas más efectiva que la otra? ¿O es tan efectiva la una como la otra? Explique.
- Si Ud. pudiera inventar la técnica más efectiva de todas, ¿cuál sería? ¿Cómo ayudaría a las personas que tienen esta dependencia?

El tabaco es perjudicial para la salud.

MINISTERIO DE SANIDAD Y CONSUMO

**F** ¡Necesito compañero! Trabajando en parejas, imagínense que están en cada una de las situaciones a continuación. ¿En qué aspectos sería su vida diferente de la que llevan ahora? Utilicen comparativos de igualdad, inferioridad y superioridad para mostrar por lo menos tres contrastes.

MODELO: Si no existiera la televisión,... →
Si no existiera la televisión, participaríamos en más actividades familiares y cultivaríamos más el arte de la conversación. No pasaríamos tanto tiempo en casa como ahora. Tal vez habría menos violencia en la familia y en la sociedad. Leeríamos más y buscaríamos otras maneras más creativas de pasar el tiempo, pero nuestro pensamiento sería menos «visual».

1. Si éste fuera un país del Tercer Mundo,...
2. Si no existieran los automóviles,...
3. Si fuera legal el consumo de la marihuana, la cocaína, la heroína, etcétera,...
4. Si no necesitáramos dormir,...
5. Si no hubiera hispanos en este país,...
6. Si nadie tuviera que trabajar,...

**G** Compare los siguientes aspectos de la vida en este país al principio del siglo XX con los de ahora. Use expresiones comparativas y superlativas cuando sea posible. ¿Era mejor la vida en aquel entonces (*back then*) que ahora, o viceversa?

MODELO: la comida →
En aquel entonces se hacía la compra con más frecuencia que hoy en día, pero no se compraban tantos productos cada vez que se iba de compras. Se comía más comida fresca que hoy, y se comía menos comida enlatada. Era más saludable, pero había menos variedad.

1. el fumar
2. la contaminación
3. el consumo del alcohol
4. la familia
5. los medios de comunicación
6. los medios de transporte
7. el consumo de las drogas
8. el sistema educativo
9. el estrés de la vida diaria (*daily*)

**H** Lea el párrafo a continuación y luego, conteste las preguntas que siguen.

**La tele, droga dura**

Los niños españoles pasan alrededor de tres horas diarias delante del televisor. Pero eso no es nada si se compara con las cinco horitas que los estadounidenses permancen atentos a sus pantallas. Más moderados son los franceses y los belgas, con una media de dos horas por día y comedidísimos resultan los alemanes, que «sólo» pasan unos 75 minutos amarrados al duro aparato. El público infantil, vienen a decir algunos especialistas, necesita de la televisión con la misma ansiedad con la que un heroinómano busca su «papelina» diaria o un alcohólico su botella.

- Según el párrafo, ¿cuál es el país en que se ve más televisión? ¿En cuál de todos se ve menos?
- ¿Pasan menos tiempo frente al televisor los españoles que los franceses?
- ¿En qué nación se ve tanta televisión como en Francia?
- ¿Qué dependencias se comparan con la dependencia de la televisión en este texto? Describa estas comparaciones. ¿Está Ud. de acuerdo con ellas o no? ¿Por qué sí o por qué no?

Ahora, reúnanse en grupos de tres personas para comentar las siguientes preguntas. Después, compartan sus conclusiones con el resto de la clase.

1. En su opinión, ¿cuáles son los mayores méritos y los peores defectos de la televisión? ¿Cuáles serán algunas de las causas de la teleadicción?
2. Si Uds. observaran que sus hijos (¡o Uds. mismos!) se estaban volviendo teleadictos, ¿qué harían para evitarlo?

# Sondeo

¿Teleadicción? ¿Creen Uds. que el mirar la televisión realmente puede llegar a convertirse en una adicción? ¿En qué circunstancias? En algunos casos, ¿hasta qué punto puede la televisión llegar a controlar la vida de uno? Hagan un sondeo para averiguar qué hábitos tienen sus compañeros al respecto. Anoten el sexo de cada persona entrevistada (**M** = masculino, **F** = femenino).

**Primer paso: Recoger los datos**

- Divídanse en tres grupos. El Grupo 1 será responsable de hacer las preguntas 1 a 4; el Grupo 2, las preguntas 5 a 8; y el Grupo 3, las preguntas 9 a 12.

- Cada uno de los miembros de cada grupo debe entrevistar a dos o tres compañeros de clase para obtener la información necesaria.
- Deben entrevistar a todos los miembros de la clase, pero tengan cuidado de no hacerle la misma pregunta dos veces a la misma persona.

¿Te describen las siguientes afirmaciones?

| | | ENTREVISTADOS | | |
|---|---|---|---|---|
| | | A (M/F) | B (M/F) | C (M/F) |
| GRUPO 1 | **1.** Para relajarme, me gusta mirar la televisión más que nada (*more than anything*). | SÍ NO | SÍ NO | SÍ NO |
| | **2.** Con frecuencia arreglo mi horario para poder ver cierto programa de televisión. | SÍ NO | SÍ NO | SÍ NO |
| | **3.** Me sé de memoria varios anuncios comerciales cantados en la televisión. | SÍ NO | SÍ NO | SÍ NO |
| | **4.** ¿Cuántas horas al día miras la televisión? | _____ | _____ | _____ |
| GRUPO 2 | **5.** El televisor casi siempre está puesto en mi casa; no importa que nadie lo esté mirando. | SÍ NO | SÍ NO | SÍ NO |
| | **6.** Hay más de un televisor en mi casa. | SÍ NO | SÍ NO | SÍ NO |
| | **7.** Con frecuencia miro la televisión aunque no me interese el programa. | SÍ NO | SÍ NO | SÍ NO |
| | **8.** ¿Cuántos programas miras de costumbre todas las semanas? | _____ | _____ | _____ |
| GRUPO 3 | **9.** Creo que el televisor debe estar en el cuarto de la casa donde la gente pasa más tiempo. | SÍ NO | SÍ NO | SÍ NO |
| | **10.** Me irrita que alguien o algo me interrumpa mientras estoy mirando mi programa favorito. | SÍ NO | SÍ NO | SÍ NO |
| | **11.** Algunos de los personajes de la televisión me parecen tan reales como si los conociera personalmente. | SÍ NO | SÍ NO | SÍ NO |
| | **12.** Me gustaría tener un televisor móvil. | SÍ NO | SÍ NO | SÍ NO |

**Segundo paso: Análisis de los datos**

- Para crear la tabla de resumen, fórmense de nuevo en los grupos. Calculen un promedio para las preguntas 4 y 8; no se olviden de calcular la frecuencia de las respuestas afirmativas/negativas entre las mujeres en comparación con los hombres.
- ¿Qué revelan los resultados? Los autores del sondeo ofrecen la siguiente clave para interpretarlos.

| Número de respuestas afirmativas | Poder de la tele en la vida |
|---|---|
| 0–1 | casi ninguno |
| 2–3 | débil |
| 4–5 | moderado |
| 6–7 | fuerte |
| 8+ | absoluto |

- ¿Hay teleadictos en la clase? ¿Descubrieron Uds. diferencias o semejanzas entre la conducta de los hombres y las mujeres? Explíquenlas. ¿Creen que mirar mucho la televisión es más frecuente hoy en día que en el pasado? ¿Qué consecuencias negativas tiene esto? ¿Y qué consecuencias positivas?

# ¡OJO!

| | EXAMPLES | NOTES |
|---|---|---|
| **grande**<br>**largo** | El Sahara es el desierto más **grande** del mundo.<br>*The Sahara is the largest desert in the world.*<br><br>Necesitamos un salón más **grande**.<br>*We need a bigger room.*<br><br>¡Es una **gran** persona!<br>*She's great (a great person)!*<br><br>¡Es un **largo** camino!<br>*It's a long way!*<br><br>El Nilo es el río más **largo** del mundo.<br>*The Nile is the longest river in the world.* | **Grande** is used to convey the notion of *large* or *big*.<br><br>When **grande** precedes the noun it describes, it is shortened to **gran** and expresses the idea of *great*.<br><br>**Largo** is a false cognate; it doesn't mean *large* but *long*. |
| **dejar de**<br>**impedir**<br>**detener(se)** | Por fin **dejé de** fumar.<br>*I finally stopped smoking.*<br><br>**No dejes de** visitar las ruinas mayas.<br>*Don't fail to visit the Mayan ruins.*<br><br>¿Les **impidió** el paso la nieve?<br>*Did the snow stop (impede) you (get in your way)?*<br><br>Le van a **impedir** que se vaya.<br>*They are going to stop (prevent) him from leaving.* | Each of these expressions means *to stop*. **Dejar de** + *infinitive* means *to stop doing something*. When used negatively, it means *to not fail to* or *to not miss out on doing something*.<br><br>**Impedir** means *to get in the way* or *to hinder, prevent, or stop someone from doing something*. With the latter meaning, **impedir** is often followed by the subjunctive. |

| | EXAMPLES | NOTES |
|---|---|---|
| **dejar de**<br>**impedir**<br>**detener(se)**<br>**(*continued*)** | La nieve nos **detuvo** por más de una hora.<br>*The snow detained us for over an hour.* | **Detener** means *to stop or detain* in the sense of *to slow down or hold up progress* and also in the sense of *to arrest.* |
| | **Detuvieron** a los contrabandistas en la frontera.<br>*They stopped (to question or to arrest) the smugglers at the border.* | |
| | **Me detuve** un instante antes de entrar en la reunión de Alcohólicos Anónimos.<br>*I paused for a moment before entering the Alcoholics Anonymous meeting.* | The reflexive **detenerse** means *to stop moving* or *to pause.* |
| **doler**<br>**lastimar**<br>**hacer daño**<br>**ofender** | Me **duelen** mucho los pies.<br>*My feet hurt (ache) a lot.* | *To hurt* meaning *to ache* (physically, mentally, or emotionally) is expressed with **doler.** Other English verbs that correspond to **doler** are *to grieve* and *to distress.* |
| | Trabajar en ese ambiente le **hizo daño** a (**lastimó**) los pulmones.<br>*Working in that environment hurt (damaged) her lungs.* | When *to hurt* means *to cause someone bodily injury,* use **hacer daño** or **lastimar. Hacer daño** can also be used in a figurative sense to mean *to hurt someone's standing or status.* |
| | Se marchó sin despedirse y eso me **ofendió** (**dolió**).<br>*She left without saying goodbye, and that hurt (grieved) me.* | When *to hurt* means *to injure someone's feelings,* the appropriate Spanish verb is **ofender,** although **doler** is also used. |

**A** Volviendo al dibujo Elija la palabra o expresión que mejor completa las siguientes oraciones. ¡Cuidado! También hay palabras de los capítulos anteriores.

¡Bailaremos toda la noche! Vamos a celebrar el fin del semestre, y no (dejaremos de / impediremos)[1] bailar hasta la madrugada (*dawn*). Es una (gran/larga)[2] oportunidad para divertirnos, y nos (haremos daño / ofenderemos)[3] si alguno de nuestros amigos más (cerca/íntimos)[4] decide (extrañar / faltar a)[5] la fiesta. ¡Todos deberán (asistir/atender)[6]!

(Porque / Ya que)[7] nos proponemos estar alegres y sin problemas en la fiesta, nadie querrá consumir sustancias que le (hagan daño / ofendan)[8] al cuerpo. Haremos lo posible para crear un ambiente en el que (nos sintamos / sintamos)[9] muy contentos. El (éxito/suceso)[10] de nuestra fiesta dependerá (de/en)[11] que todos nos (apoyemos/mantengamos)[12] y pensemos (de/en)[13] los demás tanto como (de/en)[14] nosotros mismos. ¡Nada (detendrá/impedirá)[15] que ésta sea la mejor noche del semestre!

La (cita/fecha)[16] de la fiesta es el 15 de diciembre. La (hora/vez),[17] las ocho de la noche. Podrás quedarte (el tiempo / la vez)[18] que quieras, y no importa si decides (hacernos/pagarnos)[19] una visita (baja/breve)[20] o (grande/larga).[21] ¡No te olvides de (llevar/tomar)[22] tu música favorita! Te esperamos. ¡Epa!

**B** Entre todos

- Imagínese cómo serán algunos vicios, hábitos y costumbres en el año 2050. ¿Qué hará la gente para sentirse mejor o para escaparse de los problemas?
- ¿Qué comidas se considerarán saludables que ahora no lo son? ¿y viceversa? Explique.
- Hoy en día, se practican más y más los deportes «extremos». ¿Qué deportes extremos se practicarán en el año 2050? ¿Y cuáles ya no se practicarán? ¿Por qué?

# Repaso

**A** Complete el párrafo, dando la forma correcta de los verbos y expresando en español las frases en inglés. Cuando se dan dos palabras entre paréntesis, escoja la palabra apropiada.

**Un hábito peligroso**

En todas partes (*are heard*)[1] graves advertencias (*warnings*) sobre las consecuencias del uso de las drogas y (*are organized*)[2] campañas nacionales para educar y convencer al público de su peligro. En Washington, Ottawa y en otras ciudades capitales del mundo, hay organizaciones (*that*)[3] se dedican a tratar de detener el tráfico mundial de las drogas. Aparte de los traficantes, parece que no hay nadie que (apoyar)[4] su consumo. Es evidente que las drogas (causar)[5] mucho sufrimiento y otros problemas.

Sin embargo, hay muchos que (afirmar)[6] que aun si (*were eliminated*)[7] la marihuana y la heroína, todavía habría otro hábito igual de peligroso —según ellos— y aun más extendido. ¿Qué dependencia es ésta que (empezar)[8] antes de los siete años de edad y nos (acompañar)[9] hasta la muerte? Los científicos lo (conocer/saber)[10] como $C_{12}H_{22}O_{11}$, o la sacarosa refinada. (*It is bought*)[11] y (*consumed*)[12] en grandes cantidades bajo el nombre de azúcar.

El azúcar (ser/estar)[13] tan peligroso porque su consumo produce calorías vacías, es decir, energía sin nutrimentos. Para un funcionmiento eficaz (ser/estar/hay)[14] necesario (mantener)[15] en el organismo humano un delicado equilibrio químico. La ingestión excesiva de azúcar produce un constante desequilibrio que tarde o temprano (afectar)[16] todos los órganos del cuerpo, incluso el cerebro. Está comprobado (*proven*) que el azúcar (causar)[17] obesidad y (provocar)[18] síntomas de diabetes, cáncer y enfermedades del corazón. Puede que el azúcar (producir)[19] energía momentánea, pero su efecto a largo plazo (*in the long run*) es la fatiga, la nerviosidad y una debilidad general. ¿Cuánto azúcar consume Ud.?

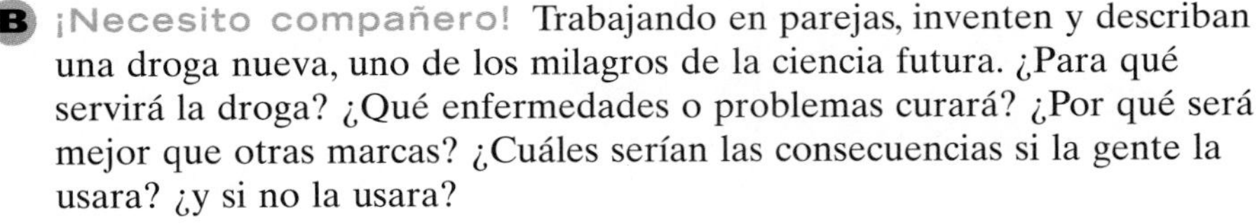

**B** ¡Necesito compañero! Trabajando en parejas, inventen y describan una droga nueva, uno de los milagros de la ciencia futura. ¿Para qué servirá la droga? ¿Qué enfermedades o problemas curará? ¿Por qué será mejor que otras marcas? ¿Cuáles serían las consecuencias si la gente la usara? ¿y si no la usara?

CAPITULO

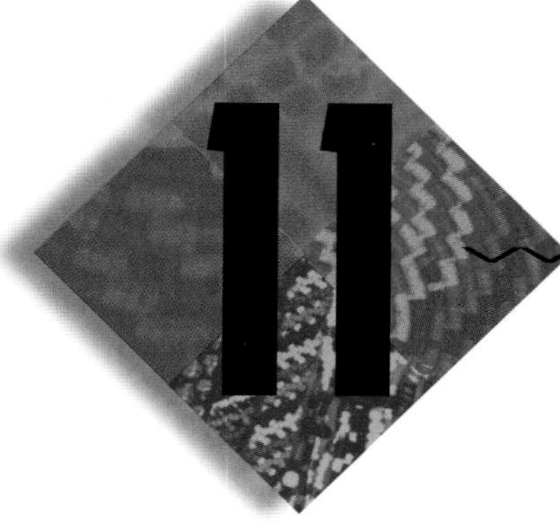


# La ley y la libertad individual

Santiago de Chile

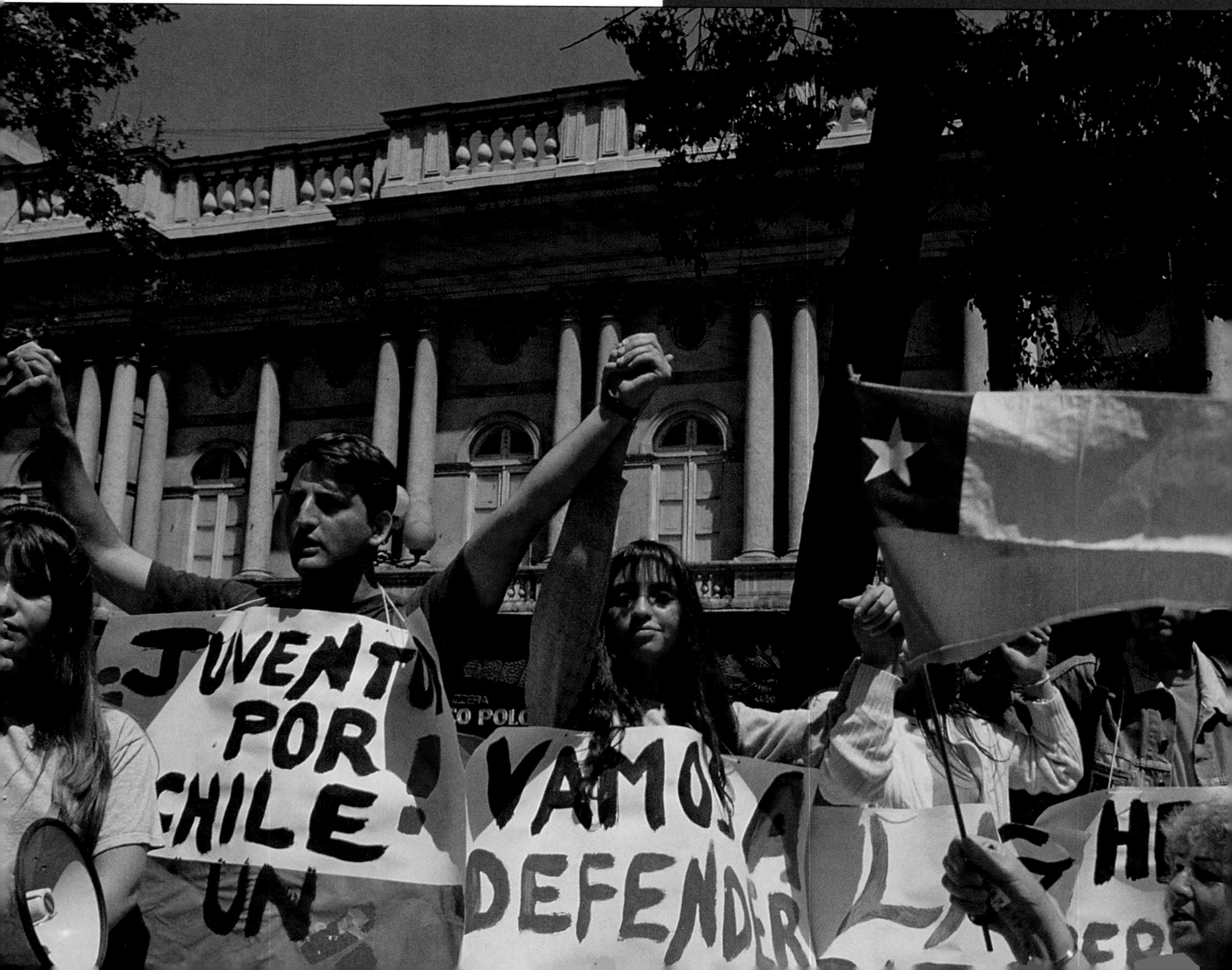

# REFLEXIONES

Hay algunas infracciones de la ley que son más serias que otras y hay algunas que casi todos cometemos alguna vez.

## A nivel personal

- ¿Qué leyes le parecen injustas? ¿Cómo las cambiaría? Piense, por ejemplo, en las leyes de tráfico o del consumo de drogas y alcohol.

## A nivel regional

- ¿Cuáles son los delitos (*crimes*) más comunes en su ciudad? ¿Cree Ud. que en su comunidad se cometen delitos más graves que en otras partes del país?
- ¿Le parece que en su ciudad el número de delitos está aumentando o disminuyendo?

## A nivel global

- Todos saben que hay más homicidios en los Estados Unidos que en cualquier otro país del mundo. ¿Cuáles cree Ud. que son los delitos más comunes en algunos países hispanohablantes? ¿Cuáles cree que son los castigos (*punishments*) para estos delitos? ¿Serán más o menos severos que los de este país?
- Busque información sobre las leyes de un país hispanohablante sobre la posesión de armas de fuego. ¿Cómo se comparan estas leyes con las de este país? Comparta su información con sus compañeros de clase.

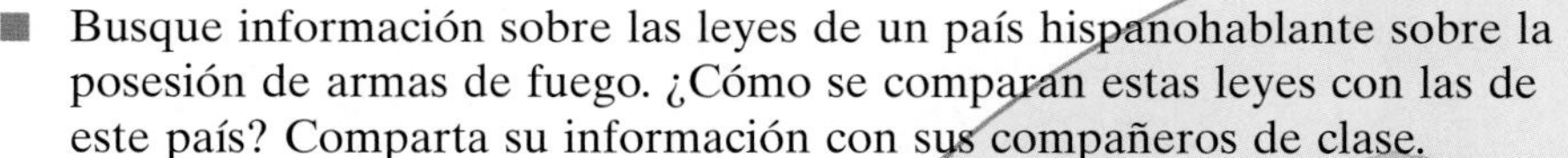

# DESCRIBIR Y COMENTAR

QUINO

The *Pasajes* CD-ROM contains interactive activities to practice the material presented in this chapter.

- Imagínese que Ud. es testigo del episodio que se ve en esta tira cómica. Describa a los personajes y narre lo que pasa, contestando las siguientes preguntas: ¿Quién? ¿Qué? ¿Dónde? ¿Cuándo? ¿Por qué?
- Si Ud. fuera el policía, ¿le pondría una multa al motociclista? ¿Por qué sí o por qué no?

# VOCABULARIO para conversar

**atrapar** to catch, capture
**castigar** to punish
**cometer un crimen (una infracción)** to commit a crime
**encarcelar** to imprison
**hacer cumplir** to enforce
**juzgar** to judge
**poner una multa** to (give a) fine
**prohibir** to outlaw, prohibit
**violar la ley** to break the law

**el abogado / la abogada** lawyer
**el abogado defensor / la abogada defensora** defense attorney
**el acusado / la acusada** accused
**las autoridades** authorities
**la cadena perpetua** life imprisonment
**la cárcel** prison, jail
**el castigo** punishment
**el crimen** crime (*in general*)
**el/la criminal** criminal
**la delincuencia** delinquency; criminal activity
**el/la delincuente** delinquent; criminal
**el delito** crime; criminal act
**el/la fiscal** prosecuting attorney
**el/la juez** judge
**el jurado** jury
**la multa** fine
**la pena de muerte** the death penalty
**la policía** police force
**el policía / la mujer policía** police officer
**el/la testigo** witness
**la víctima** victim
**la violencia** violence

**prohibido/a** forbidden, prohibited
**seguro/a** safe, secure

### Los delitos y los delincuentes

**asaltar** to attack, assault
**asesinar** to murder; assassinate
**atracar** to hold up, mug
**chantajear** to blackmail
**espiar** to spy
**falsificar** to forge, falsify
**hacer trampa(s)** to cheat
**plagiar** to plagiarize
**robar** to rob, steal
**secuestrar** to kidnap, hijack
**sobornar** to bribe
**violar** to rape
**volar (ue)** to blow up

**el asalto** attack, assault
**el asesinato** murder
**el asesino / la asesina** murderer
**el atraco** hold-up, mugging
**el chantaje** blackmail
**el/la espía** spy
**el espionaje** spying, espionage
**la estafa** graft, fraud
**el estafador / la estafadora** person who commits graft
**la falsificación** forgery
**el ladrón / la ladrona** thief, robber
**el plagio** plagiarism
**el robo** theft, robbery
**el secuestro** kidnapping, hijacking
**el soborno** bribery
**el terrorismo** terrorism
**el/la terrorista** terrorist
**la trampa** trap
**el tramposo / la tramposa** cheater
**la violación** rape

**A** Haga un mapa o cuadro conceptual para «la delincuencia», organizando todas las palabras de la lista del vocabulario (u otras palabras apropiadas que no estén en la lista) según las categorías indicadas a continuación.

| individuos que la combaten | | actos para combatirla |
|---|---|---|
| | LA DELINCUENCIA | |
| individuos contribuyentes | | actos contribuyentes |

¿Hay palabras que puedan colocarse en más de una categoría? Explique cómo o en qué contextos puede clasificarse una palabra en otra categoría.

**B** ¡Necesito compañero! Trabajando en parejas, pongan los siguientes delitos en orden de gravedad. Después, comparen su análisis con los de los demás grupos de la clase. ¿Hay mucha diferencia de opiniones? ¿Qué criterio(s) se ha(n) usado para ordenar los delitos?

| | | |
|---|---|---|
| ______ el asesinato | ______ el atraco | ______ la estafa |
| ______ el chantaje | ______ el soborno | ______ la violación |
| ______ el secuestro | ______ el plagio | ______ el terrorismo |

**C** Explique la diferencia entre cada par de palabras.

1. el policía / la policía
2. el abogado defensor / el fiscal
3. violar la ley / castigar
4. el robo / el secuestro
5. la víctima / el criminal
6. hacer trampas / asaltar

**D** ¡Necesito compañero! Trabajando en parejas, pongan los siguientes castigos en orden de gravedad. ¿A qué delitos creen Uds. que se aplica cada uno de ellos?

______ la cadena perpetua
______ encarcelar
______ la pena de muerte
______ poner una multa

**E** Entre todos

- Mencione algunas leyes relacionadas con el reglamento de tránsito. ¿Cuáles de estas leyes protegen a los conductores? ¿Cuál es el propósito de las otras? ¿Cuáles se desobedecen con mayor frecuencia?
- ¿Se debe prohibir el ir en coche sin ponerse el cinturón de seguridad (*safety belt*)? ¿montar una moto o bicicleta sin llevar casco (*helmet*)?
- ¿Se les debe exigir a los conductores mayores de setenta años que tomen un examen de conducir cada año?
- ¿Hay algunas prácticas que debieran declararse obligatorias por ley? Comente.

# De entrada 41

¿De qué fueron acusados los siguientes individuos? ¿Qué habían hecho? Empareje cada nombre de la lista de la izquierda con el crimen de que se le había acusado de la lista de la derecha.

1. ______ Bonnie & Clyde
2. ______ Bruno Hauptmann
3. ______ Lizzie Borden
4. ______ Al Capone
5. ______ Aldrich Ames
6. ______ Sheik Omar Abdel Raman
7. ______ Ted Bundy, John W. Gacy
8. ______ D. B. Cooper

a. habían violado y asesinado a una serie de individuos
b. había vendido secretos de estado
c. había conspirado para volar un rascacielos
d. habían robado bancos
e. había cometido parricidio (*patricide*)
f. había secuestrado un avión para escaparse con un millón de dólares (también robados)
g. no había pagado los impuestos
h. había secuestrado al hijo de Charles Lindbergh

Al publicarse este libro, uno de estos individuos todavía no había sido atrapado. ¿Sabe Ud. quién es? ¿Y qué sabe acerca de la forma verbal que se utiliza en las frases de la lista de la derecha? Se llama **el pluscuamperfecto;** a continuación Ud. va a repasar ésta y las otras formas del perfecto de indicativo.

# 41 OTHER FORMS OF THE PERFECT INDICATIVE

Each simple tense in Spanish has a corresponding perfect form. Remember that the perfect forms consist of a conjugated form of **haber** plus the past participle of the main verb. The conjugation of **haber** shows person/number, tense, and mood. The past participle, when used with forms of **haber,** does not change.*

## A. Forms of the perfect indicative

In grammar section 23 you learned that the present perfect indicative is formed with the present tense of **haber** and the past participle: **he comido, he estudiado, he vivido.** Following are the other forms of the perfect indicative.

*The past participle does change when used as an adjective with **ser** or **estar.** See pages 24 and 260 and grammar section 35.

| PERFECT FORM | TENSE OF **haber** | EXAMPLE |
|---|---|---|
| pluperfect | imperfect | había comido |
| future perfect | future | habrá comido |
| conditional perfect | conditional | habría comido |

| PLUSCUAMPERFECTO* | | FUTURO PERFECTO | | CONDICIONAL PERFECTO | |
|---|---|---|---|---|---|
| había | andado | habré | vivido | habría | visto |
| habías | andado | habrás | vivido | habrías | visto |
| había | andado | habrá | vivido | habría | visto |
| habíamos | andado | habremos | vivido | habríamos | visto |
| habíais | andado | habréis | vivido | habríais | visto |
| habían | andado | habrán | vivido | habrían | visto |

In most cases the use of the Spanish perfect forms corresponds closely to the use of the English perfect forms. Unlike English, however, no words can come between the elements of the Spanish perfect forms.

No lo **he visto** nunca.
*I **have** never **seen** him.*

## B. Uses of the perfect indicative

With these forms the word *perfect* implies *completion;* that is, the action described by the verb is viewed as completed with respect to some point in time. The present perfect expresses an action completed prior to a point in the present; the pluperfect expresses an action completed prior to a point in the past.

| | |
|---|---|
| Lo detuvieron porque **había cometido** tres asaltos.† | *They arrested him because **he had committed** three assaults.* |

Similarly, the future and conditional perfect forms express actions that will be completed before an anticipated time.

| | |
|---|---|
| Sé que lo **habrán detenido** para mañana. | *I know that **they will have arrested** him by tomorrow.* |
| Sabía que lo **habrían detenido** para el día siguiente. | *I knew that **they would have arrested** him by the next day.* |

The future and conditional perfect can also be used, like the simple future and conditional (Chapter 10, pages 288–289), to signal conjecture or probability.

| | |
|---|---|
| ¡¿Qué piensas que **habrá hecho** para merecerse eso?! | *What do you think **he did** (**might have done**) to deserve that?!* |
| Todos pensábamos que las autoridades **habrían consultado** con varios expertos. | *We all thought that the authorities **had probably consulted** with various experts.* |

In both English and Spanish, the future and conditional perfect are complex tenses that are used relatively infrequently. In this chapter, you will practice the present perfect and pluperfect verb forms and learn to recognize the future and conditional perfect.

---

*Literally, the *imperfect perfect.* There are also preterite perfect forms in Spanish: **hube trabajado, hubiste trabajado, hubo trabajado,** and so on. The preterite perfect is gradually disappearing, however; its use is now limited primarily to literature.

†In this example, the point in the past is indicated by the verb **detuvieron:** he had committed the assaults before that point.

**Práctica** Complete las siguientes oraciones, conjugando los verbos entre paréntesis en el pluscuamperfecto.

1. Nosotros no (pensar) ______________ en las consecuencias de nuestras acciones antes de realizarlas.
2. El fiscal (recomendar) ______________ una multa de $100 pero le pusieron una de $1.000.
3. El jurado (examinar) ______________ toda la evidencia antes de declarar inocente al acusado.
4. Yo (descubrir) ______________ la verdad pero nadie me creía.
5. Los testigos dijeron que me (ver) ______________.
6. Era obvio que los periodistas (manipular) ______________ el testimonio cuando anunciaron el castigo.

# Intercambios

**A** Complete las oraciones a continuación de una manera lógica, usando la forma apropiada del perfecto de indicativo según las indicaciones. Use el Punto de referencia A para las Oraciones 1 a 4, y el Punto de referencia B para las Oraciones 5 a 8. Luego, explique las circunstancias.

| **A.** Punto de referencia: este momento (el presente)<br><br>Se describen acciones completadas antes del punto de referencia. |
|---|

MODELO: Este año yo (recibir) [número de] multa(s) por... →
Este año he recibido una sola multa por exceso de velocidad. Iba atrasada a la clase de español y por eso excedía la velocidad permitida. El policía me habló cortésmente, pero ¡no aceptó mi excusa! ¡Esa multa me costó $60!

1. Este año yo (sacar) notas más [adjetivo]...
2. Durante los últimos meses mis amigos y yo (ver) dos o tres películas realmente [adjetivo]...
3. Este semestre yo (conocer) a personas [adjetivo]...
4. Ultimamente mi compañero/a de cuarto (hacer) cosas realmente [adjetivo]...

| **B.** Punto de referencia: matricularse en la universidad<br>(momento en el pasado)<br><br>Se describen acciones completadas antes del punto de referencia. |
|---|

MODELO: (Yo: cumplir) [número de] años antes de... →
Antes de matricularme en la universidad, sólo había cumplido dieciséis años. La mayoría de mis amigos había cumplido dieciocho y por eso me sentía algo inseguro.

5. Mi madre/padre y yo (visitar) varias universidades…
6. (Yo: decidir) vivir en [lugar] porque…
7. Ya (yo: cambiar de idea) mil veces con respecto a…
8. Todavía no (yo: tener) la oportunidad de…

**B** Complete las oraciones de una manera lógica, usando la forma apropiada del perfecto de indicativo de un verbo lógico.

MODELO: Cuando yo tenía diez años, ya ______. →
Cuando yo tenía diez años, ya había aprendido a montar en bicicleta.

1. Cuando yo tenía diez años, ya ______.
2. Mi padre/madre me dijo que a los diez años, él/ella ya ______.
3. Este mes, por primera vez en mi vida, yo ______.
4. Se dice que el delincuente típico, antes de cumplir los veinte años, ya ______.
5. Cuando los detectives llegaron, el criminal ya ______.
6. El ladrón pudo entrar fácilmente en la casa porque nadie ______.
7. Luego, pudieron identificarlo porque él ______ muchos muebles en la casa y no ______ guantes.

**C** ¡Necesito compañero! Inspirado por el ejemplo de los Siete Samuráis, un pueblo con un elevado índice de delincuencia decidió contratar a unos expertos para resolver el problema del crimen y de la violencia. Un mes después de su llegada, todo estaba en orden. Trabajando en parejas, indiquen cuáles de las siguientes medidas (*measures*) habrían adoptado los expertos para resolver el problema, y también añadan algunas otras.

- ☐ Se habrían incautado (*confiscated*) todas las armas.
- ☐ Habrían repartido armas entre todos los ciudadanos.
- ☐ Habrían encarcelado a todos los hombres que tenían entre dieciocho y 35 años de edad.
- ☐ Habrían encontrado empleo para todos los adultos.
- ☐ Habrían instituido «la vergüenza pública» como castigo para varios delitos no violentos.
- ☐ Habrían modificado las leyes para que muchas actividades antes prohibidas ya no se consideraran «ilegales».
- ☐ ¿ ?

Compartan su análisis con los demás de la clase. ¿Hay mucha diferencia de opiniones? ¿Hay alguna línea de conducta (*course of action*) que todos hayan recomendado? ¿Hay alguna que no haya recomendado nadie?

**D** ¡Necesito compañero! Trabajando en parejas, háganse y contesten las siguientes preguntas. Luego, compartan con la clase lo que han aprendido.

1. ¿Qué habías hecho antes de venir a esta universidad que influyó en tu decisión de estudiar aquí?
2. Desde que llegaste, ¿qué experiencia(s) ha(n) tenido un gran impacto en tu vida? ¿qué persona(s)? Explica.
3. ¿En qué sentido ha sido diferente este semestre/trimestre del semestre/trimestre pasado? ¿Ha sido mejor o peor? ¿Por qué?
4. ¿Qué han hecho recientemente tus padres, o tus amigos, para que tu vida sea más cómoda o más feliz? ¿Qué favor le has hecho tú a alguno de tus amigos?

5. ¿Qué experiencia has tenido que crees que es única comparada con las experiencias de otras personas? ¿Cómo te ha afectado?

## E Entre todos

*Podéis ver un par de asesinatos más y un atraco, pero después ¡a la cama!*

- A través de la historia, *todas las medidas* de la Actividad C se han recomendado para hacerle frente al crimen. ¿Cuál podría ser la justificación o razonamiento que se ha dado para cada línea de conducta? Explique.
- Se dice que van en aumento los problemas de disciplina en las escuelas. ¿Cree Ud. que de veras ha habido un cambio en la conducta de los estudiantes? ¿En qué consiste este cambio? ¿Cómo cambian los problemas a medida que los alumnos pasan de la escuela primaria a la secundaria? ¿Qué ejemplos de mala conducta presenció Ud. (*did you demonstrate*) mientras asistía a la escuela primaria o secundaria?
- ¿Cometió Ud. alguna falta de disciplina alguna vez? ¿Se consideraba a sí mismo/a como delincuente juvenil? Explique. ¿Cuáles son algunos de los estereotipos de los delincuentes juveniles? ¿Cree Ud. que es más difícil ser «un buen chico» o «una buena chica» (*a good kid*) hoy en día que hace diez o quince años? Explique.
- ¿Qué acciones están prohibidas en esta universidad? En su opinión, ¿cuál es la más grave de éstas? Explique. ¿Qué motivos se pueden tener para no obedecer las reglas universitarias?
- En el pasado, los estadounidenses consideraban que el terrorismo era un problema «de otros». Para 1996 esta opinión ya había cambiado para siempre. ¿Por qué? ¿Qué actos terroristas habían ocurrido dentro de los Estados Unidos? ¿Qué había motivado o provocado esos actos?
- ¿Piensa Ud. que los terroristas son diferentes de los criminales corrientes (típicos)? ¿Por qué sí o por qué no? ¿Qué medios se han usado para eliminar o impedir el terrorismo? ¿Qué otras medidas deberían ponerse en práctica?

# De entrada

En el dibujo en la página siguiente se pueden ver varios actos en progreso. ¿Cuál asocia Ud. con cada una de las siguientes oraciones?

1. ______ El empleado tiene mucha prisa; es probable que la alarma haya sonado, avisando a la policía.

2. ______ Ella se alegra de que la dependienta no la haya visto.
3. ______ Nadie puede creer que ellos hayan salido de casa sin sus padres.
4. ______ El juez se impacienta porque esperaba que la sesión hubiera terminado para las 5:00 de la tarde, ya son las 8:20.
5. ______ Un hombre le dijo al otro que dudaba que hubiera aprendido a manejar. Claro, el otro se ofendió enormemente y así empezó la pelea.

En las oraciones anteriores hay varios ejemplos de las formas perfectas. ¿Están en el modo indicativo o subjuntivo? ¿Qué nota Ud. con respecto a las formas del subjuntivo? ¿Sabe Ud. la razón por la cual hay formas diferentes? Si no, no se preocupe —a continuación puede repasar las reglas.

## 42 THE PERFECT SUBJUNCTIVE

There are only two perfect subjunctive forms: the present perfect, which you learned in grammar section 24, and the pluperfect.

| PRESENTE PERFECTO DE SUBJUNTIVO | | PLUSCUAMPERFECTO DE SUBJUNTIVO | |
|---|---|---|---|
| haya | leído | hubiera | comprado |
| hayas | leído | hubieras | comprado |
| haya | leído | hubiera | comprado |
| hayamos | leído | hubiéramos | comprado |
| hayáis | leído | hubierais | comprado |
| hayan | leído | hubieran | comprado |

The cues for the choice of the perfect forms of the subjunctive versus the indicative are the same as for the simple forms of the subjunctive. Like the present perfect indicative, the present perfect subjunctive expresses an action completed prior to the point in the present indicated by the main verb. The pluperfect subjunctive expresses an action completed prior to the point in the past indicated by the main verb.

**Me alegro** de que me **haya escrito.** — ***I'm glad*** *that* ***she has written*** *(**wrote**) me.*
**Me alegraba** de que me **hubiera escrito.** — ***I was glad*** *that* ***she had written*** *(**wrote**) me.*

In both examples, the act of writing is completed before the act of becoming glad.

**Práctica** Conteste las preguntas según el modelo.

MODELO: ¿Qué le molestaba al juez? (criminal / haber violar la ley) → Le molestaba que el criminal hubiera violado la ley.

1. ¿De qué dudaba la rectora (*president*) de la universidad? (estudiante / haberle decir la verdad)
2. ¿Qué negaba el hombre? (su hija / haber conducir / 80 millas por hora)
3. ¿Qué les enfadó a los jueces? (los abogados / no haber llegar / a tiempo)
4. ¿Qué no le gustaba al ladrón? (los perros / haberle seguir / la pista [*trail*])
5. ¿Qué esperaba el delincuente? (amiga / haber traer / una lima [*file*])
6. ¿Con qué soñaban los Moreno? (su hijo / haber ganar / un premio en la lotería)

# Intercambios

**A** Mire el dibujo a la derecha. ¿Dónde están el padre y su hijo? ¿En qué contexto es normal que un padre le diga esto a su hijo? ¿Por qué son irónicas las palabras en este caso?

Ahora, haga comentarios, juntando las expresiones con las oraciones. ¡Atención! Será necesario cambiar el verbo en la segunda parte de cada nueva oración.

(No) Es chistoso que
(No) Es posible que
(No) Me sorprende que
Dudo que

MODELO: El padre le ha dicho tal cosa a su hijo. →
No es chistoso que el padre le haya dicho tal cosa a su hijo.

1. El hijo ha visitado a su padre en la cárcel.
2. Las autoridades han permitido la visita.
3. El padre no ha podido ofrecerle otra cosa como herencia a su hijo.
4. El artista ha presentado una visión tan pesimista.
5. La intención del artista ha sido criticar la sociedad.
6. El padre ha visto el futuro de su hijo de esa forma.

¿En qué sentido expresa el dibujo anterior cierto pesimismo acerca de los seres humanos y de la sociedad? ¿Está Ud. de acuerdo con este punto de vista? ¿Por qué sí o por qué no?

**B** Entre los años 1994 y 1995, el mundo siguió con gran interés el juicio de O.J. Simpson. ¿Recuerda Ud. algunos de los detalles de este famoso caso? Complete las siguientes oraciones con la forma apropiada del pluscuamperfecto (o indicativo o subjuntivo) de los verbos indicados, según el contexto.

1. Detuvieron a O.J. Simpson diciendo que él (matar) a Nicole Brown Simpson y a un amigo de ella, Ron Goldman.
2. La policía creía que el asesino (dejar) caer en el jardín de la casa de Simpson uno de los guantes que (llevar) al cometer el crimen.

## LENGUAJE Y CULTURA

Gran parte del lenguaje que tiene que ver con la delincuencia es bastante coloquial. ¿Cómo se pueden expresar o explicar en español las siguientes palabras y expresiones?

- to frisk
- to plead the Fifth
- a snitch
- hit man
- white-collar crime
- to con

3. Además, los investigadores sabían que el asesino (cortarse) al cometer el crimen, ya que la policía (encontrar) huellas de sangre entre los cadáveres y la casa de Simpson.
4. Según los fiscales, los análisis de sangre que (hacer) los expertos indicaban que sólo Simpson (entre mil millones de individuos) pudo haber cometido el crimen. Para ellos, no había duda que Simpson (hacerlo).
5. ¿El motivo? Es verdad que Simpson (ver) a su ex esposa con otro hombre; era probable que (ponerse) celoso y violento.
6. Al terminar la presentación de la evidencia, los fiscales estaban seguros de que (ganar) el caso.
7. Los miembros del jurado, por otra parte, tenían dudas. No creían que Simpson (dejar) caer el guante en su jardín; pensaban que uno de los detectives (ocultarlo) allí para incriminar a Simpson.
8. Además, recordaron que cuando Simpson (probarse) el guante, ¡(quedarle) demasiado pequeño!
9. Los análisis de la sangre tampoco los convencieron del todo; era posible que uno (o varios) de los investigadores (contaminar) las muestras (*samples*).
10. Los miembros del jurado declararon inocente a Simpson; (deliberar) sólo cuatro horas.

## C Entre todos

- Dentro de la cultura estadounidense, hay casos en que los criminales son o han sido objeto de admiración y hasta respeto. ¿Pueden Uds. dar algunos ejemplos de estos casos? ¿A qué se debe este fenómeno?
- En algunas películas estadounidenses —en *Serpico*, por ejemplo— se ha presentado una imagen negativa de los policías: como figuras corruptas y malas. ¿Qué otros ejemplos conocen Uds.? ¿Quiénes son «los buenos» y quiénes son «los malos» en películas como éstas? ¿Es éste un tema raro en las películas o es común? ¿Y en la vida real? Comenten.
- En muchos países europeos la policía no lleva armas. ¿Cree Ud. que esto sería posible en los Estados Unidos? ¿Cómo es la relación entre los ciudadanos estadounidenses y la policía?
- Para mejorar las relaciones entre la policía y la población, se ha propuesto que todo ciudadano sirva como policía durante un breve período de tiempo. ¿Mejoraría las relaciones este sistema? ¿De qué manera? ¿Qué desventajas tendría?

**D** «Rebelde con causa», dice el anuncio en la página siguiente.

- ¿Qué tipo de libertad individual enfatiza este anuncio? ¿Qué tipo de rebeldía enfatiza?

- ¿Qué tienen que ver los «vaqueros» que sirven de fondo para el anuncio con lo que éste comunica?
- Piense en el dueño / la dueña de esta alcoba. ¿Cree que es una persona conformista o rebelde? ¿Por qué? ¿Cómo serán sus amistades? ¿sus costumbres? ¿su modo de vestir? ¿de pensar?
- ¿Con qué persona famosa se asocia el anuncio? ¿Por qué es famosa? ¿Qué sabe Ud. de su vida?

**E** **Guiones** Ayer el fiscal y el abogado defensor comparecieron ante el juez para el juicio del señor Nudo. El fiscal, claro, quería impresionar al juez mostrando todo lo malo que había hecho el acusado para merecer la condena. Por otro lado, el abogado defensor presentó todas las circunstancias mitigativas. Trabajando en pequeños grupos, inventen lo que podrían haber dicho los dos abogados. Después, algunos grupos deben leer su guión a la clase para que sus compañeros de clase decidan el veredicto del acusado.

# ESTRATEGIAS PARA LA COMUNICACION

## Que te diviertas... *How to express wishes in an abbreviated sentence*

In spoken Spanish, just like in English, we don't always speak in complete sentences, assuming that part of the message is already understood from context. A common case in Spanish is the use of a subordinate clause with the subjunctive expressed without a main clause to introduce it. The main clause is understood to be an indirect command like **quiero que, sugiero que, es necesario que, espero que,** etc. Here are some examples.

| | |
|---|---|
| ¡Que te diviertas! | *Have a good time!* |
| ¡Que tengas un buen fin de semana! | *Have a good weekend!* |
| Que en paz descanse. | *May he/she rest in peace.* |
| ¡Que te vaya bien! | *Have a good one!* |
| Que lo haga mi hermano. | *Let my brother do it.* |

React to the following sentences as if they were directed to you. Use the structure explained above. Remember to use the subjunctive.

1. Tú debes lavar el coche.
2. Mañana salgo de vacaciones.
3. Mi abuela acaba de morir.
4. ¡Por fin es viernes!
5. Yolanda tiene que hablar contigo.
6. Hasta luego.

# 43 MORE ON THE SEQUENCE OF TENSES

Remember that the tense of the subjunctive—present or past—used in the subordinate clause is determined by the verb form used in the main clause. Here is the summary of correspondences you saw on pages 205–206, with all the forms included.

| MAIN CLAUSE | SUBORDINATE CLAUSE |
|---|---|
| present<br>present perfect<br>future<br>future perfect<br>command | present subjunctive<br>present perfect subjunctive |
| preterite<br>imperfect<br>pluperfect<br>conditional<br>conditional perfect | past subjunctive<br>pluperfect subjunctive |

## A. Main verb present → subordinate verb present

When the main-clause verb is in the present, present perfect, future, or future perfect, or is a command, the subordinate-clause verb is usually in the present subjunctive.

- The present perfect subjunctive is used when the action in the subordinate clause occurs *before* the action of the main-clause verb.
- The present subjunctive expresses an action that occurs at the *same time* as the action of the main-clause verb, or *after* it.

| | MAIN CLAUSE | SUBORDINATE CLAUSE |
|---|---|---|
| **Before** | PRESENT<br>Espera que Diego...<br>*He hopes that Diego . . .* | PRESENT PERFECT SUBJUNCTIVE<br>ya le haya hablado.<br>*has already spoken to him.* |
| **Simultaneous** | PRESENT<br>Insiste en que Diego...<br>*He insists that Diego . . .* | PRESENT SUBJUNCTIVE<br>le hable todos los días.<br>*speak to him every day.* |
| **After** | PRESENT PERFECT<br>Ha insistido en que Diego...<br>*He has insisted that Diego . . .* | PRESENT SUBJUNCTIVE<br>le hable luego.<br>*speak to him later on.* |
| | FUTURE<br>Insistirá en que Diego...<br>*He will insist that Diego . . .* | PRESENT SUBJUNCTIVE<br>le hable mañana.<br>*speak to him tomorrow.* |
| | FUTURE PERFECT<br>Habrá insistido en que Diego...<br>*He will have insisted that Diego . . .* | PRESENT SUBJUNCTIVE<br>le hable mañana.<br>*speak to him tomorrow.* |
| | COMMAND<br>Insista en que Diego...<br>*Insist that Diego . . .* | PRESENT SUBJUNCTIVE<br>le hable mañana.<br>*speak to you tomorrow.* |

## B. Main verb past → subordinate verb past

When the main-clause verb is in the preterite, imperfect, pluperfect, conditional, or conditional perfect, the subordinate-clause verb is in the past subjunctive (simple or perfect).

- The pluperfect subjunctive is used when the action in the subordinate clause occurs *before* the action of the main-clause verb.
- The imperfect subjunctive expresses an action that occurred at the *same time* as the action of the main-clause verb, or *after* it.

| | MAIN CLAUSE | SUBORDINATE CLAUSE |
|---|---|---|
| **Before** | IMPERFECT<br>Era bueno que Diego...<br>*It was good that Diego . . .* | PLUPERFECT SUBJUNCTIVE<br>ya le hubiera hablado.<br>*had already spoken to him.* |
| **Simultaneous** | IMPERFECT<br>Era bueno que Diego...<br>*It was good that Diego . . .* | IMPERFECT SUBJUNCTIVE<br>le hablara todos los días.<br>*spoke to him every day.* |

| | MAIN CLAUSE | SUBORDINATE CLAUSE |
|---|---|---|
| After | PRETERITE<br>El lunes pidió que Diego...<br>*On Monday he asked that Diego . . .* | IMPERFECT SUBJUNCTIVE<br>le hablara luego.<br>*speak to him later on.* |
| | IMPERFECT<br>Pedía que Diego...<br>*He used to ask that Diego . . .* | IMPERFECT SUBJUNCTIVE<br>le hablara luego.<br>*speak to him later.* |
| | PLUPERFECT<br>El lunes había pedido que Diego...<br>*On Monday he had asked that Diego . . .* | IMPERFECT SUBJUNCTIVE<br>le hablara luego.<br>*speak to him later on.* |
| | CONDITIONAL<br>Pediría que Diego...<br>*He would ask that Diego . . .* | IMPERFECT SUBJUNCTIVE<br>le hablara luego.<br>*speak to him later.* |
| | CONDITIONAL PERFECT<br>Habría pedido que Diego...<br>*He would have asked that Diego . . .* | IMPERFECT SUBJUNCTIVE<br>le hablara luego.<br>*speak to him later.* |

**Práctica** Exprese las siguientes oraciones en inglés y explique si la acción del verbo que está en el subjuntivo ocurre antes, al mismo tiempo o después que la acción del verbo principal. En algunos casos, hay más de una traducción posible.

1. Es bueno que María nos llame.
2. Recomendaban que salieran de su país.
3. Dudaban que tú lo hubieras hecho.
4. Negarán que sus padres lo hayan mandado.
5. No me gusta que salgas a las dos de la mañana.
6. Habían pedido que lo trajeran al día siguiente.
7. Nadie quería que emigraran.
8. Es una lástima que no nos hayan escrito.

# Intercambios

**A** Haga oraciones completas, juntando una frase de la primera columna y el sujeto indicado con una frase de la segunda. Luego, añada información explicativa.

MODELO: Será difícil que ellos llamen al juez porque la última vez que estuvieron en la corte se portaron tan mal con ese mismo juez que él se enfadó y les dijo que no lo llamaran jamás.

1. La acción de la segunda columna ocurre *al mismo tiempo* o *después que* la de la primera.

| | | |
|---|---|---|
| No me gusta<br>Es imposible<br>Será difícil<br>Dudo | que ellos | fumar marihuana...<br>ser delincuentes...<br>llamar al juez...<br>conseguir la custodia de los hijos... |

2. La acción de la segunda columna ocurrió *antes que* la de la primera.

| | | |
|---|---|---|
| Es increíble<br>Temo<br>Me alegro mucho de<br>Me parece mentira | que Uds. | atrapar al criminal...<br>no obedecer la ley...<br>ponerle una multa...<br>darle la pena de muerte... |

**B** Haga oraciones completas, juntando una frase de la primera columna y el sujeto indicado con una frase de la segunda. Luego, añada información explicativa. La acción de la segunda columna ocurría *al mismo tiempo* o *después que* la de la primera.

| | | |
|---|---|---|
| Insistían en<br>No querían<br>Era injusto<br>Estaban tristes | que (nosotros) | leer el documento secreto...<br>ver al abogado...<br>copiar en el examen...<br>ser detenidos... |

**C** Complete las siguientes oraciones usando un tiempo verbal apropiado.

MODELO: Cuando yo tenía ocho años,... →

ACCION FUTURA
temía que los demás se rieran de mí.

ACCION YA COMPLETADA
me alegraba de que ya hubiera aprendido a escribir

1. Cuando llegué a la clase de español una mañana, temía...
2. Después de ver mis notas el semestre pasado, dudaba...
3. Para mi próximo cumpleaños, quiero...
4. Después de morir, espero...
5. Al graduarme de la universidad, mis padres temen...

**D** Guiones Imagínese que Ud. y su esposo/a han invitado a cenar a su casa a otra pareja. De repente ellos notan la placa que Uds. recibieron el año pasado por su heroísmo al atrapar a varios ladrones peligrosos. Trabajando con un compañero / una compañera de clase, cuéntenles la historia de todo lo que ocurrió y cómo se solucionó el caso gracias a su astucia (*cunning*) y valor. Traten de usar lo siguiente en su narración, cuando sea apropiado.

- el subjuntivo
- los complementos pronominales

- algunos ejemplos del *no-fault* **se**
- las formas perfectas de los verbos

¡Usen la imaginación para darle un final interesante a la historia!

## De la calle al trabajo: El caso de Bogotá, Colombia

La vida de muchos niños hispanoamericanos es muy dura. Este segmento de vídeo presenta el caso de Ricardo, un joven de quince años, que hace trucos (*tricks*) y acrobacias (*acrobatics*) en la calle para poder sobrevivir. Ricardo es uno de los miles de gamines (*street children*) hispanoamericanos, muchos de los cuales tienen que pedir limosna (*panhandle*) o robar para poder comer. En Bogotá, Colombia, se ha establecido un taller (*shop*) como parte de un programa especial para ayudar a los gamines.

### Antes de ver

- ¿Sabe Ud. de algunos programas especiales en este país para ayudar a los jóvenes bajo riesgo (*at risk*) de convertirse en delincuentes? ¿Cómo son esos programas? ¿Cómo se imagina que es este programa en

Colombia? ¿Qué tipos de servicios o beneficios cree que les ofrece este programa a los jóvenes?

- Ahora lea con cuidado la actividad en **Vamos a ver** antes de ver el vídeo por primera vez.

En el taller de Bogotá, Colombia.

## Vamos a ver

Indique si las siguientes afirmaciones son ciertas (**C**) o falsas (**F**). Luego, corrija las oraciones falsas.

1. ______ Ricardo vive en la calle porque no tiene padres ni otros parientes.
2. ______ Gran número de los gamines ha usado drogas.
3. ______ Algunos gamines están en la calle para escaparse del abuso de los adultos.
4. ______ En el taller de Bogotá se fabrican juguetes.
5. ______ Ricardo es uno de varios gamines que han encontrado trabajo en el taller.
6. ______ Como parte del programa, Jaime, William y Carlos van a la escuela durante el día y después empiezan su turno (*shift*) en el taller.
7. ______ El propósito básico del programa es ayudar a los jóvenes a volver a vivir con su familia.
8. ______ El programa se preocupa por estimular el amor propio de los jóvenes.

## Después de ver

- En el segmento de vídeo se presenta sólo el trabajo en el taller como una manera de hacer frente a (*to face*) los problemas de los gamines. ¿Cree Ud. que es suficiente el trabajo para ayudar a los jóvenes a convertirse en ciudadanos responsables y útiles a la sociedad? ¿O cree que necesitan también una preparación académica para tener éxito en la vida? ¿Necesitan programas para superar (*to overcome*) los problemas de las drogas y también programas que los ayuden a relacionarse con su familia?

- Divídanse en dos grupos. Un grupo defenderá la siguiente declaración: «Los jóvenes pueden aprender todo lo necesario a través del trabajo bien supervisado; el lugar de trabajo es la mejor escuela». El otro grupo defenderá ésta: «Los jóvenes necesitan otros programas para aprender a comportarse en la comunidad y necesitan asistir a la escuela para prepararse intelectualmente». Después del debate, comenten todos juntos los pro y los contra del asunto.

- Busque información sobre los porcentajes de niños de diferentes edades que asisten a la escuela en dos o tres países hispanohablantes. (Sugerencia: Vaya a las páginas oficiales del gobierno de cada país para encontrar estas estadísticas.) ¿Qué conclusión puede inferir de estos resultados sobre las condiciones sociales de estos países? Comparta su información con sus compañeros de clase.

# ENLACE

## Escenarios

Trabajando en grupos de tres o cuatro estudiantes, lean las siguientes historias y comenten entre todos las preguntas al final de cada una. ¿Cómo deciden Uds. estos casos de conciencia?

1. Una mujer estaba muriéndose de un tipo de cáncer muy raro. Había sólo una droga que la podía curar: una forma de radio (*radium*) descubierta hace poco por un farmacéutico. La fabricación de la droga era costosa y el farmacéutico solía vendérsela a sus clientes por diez veces más de lo que a él le costaba producirla. Con mucho trabajo, Juan (el esposo de la mujer enferma) pudo obtener la mitad del dinero para comprar el medicamento. Le pidió al farmacéutico que se lo vendiera a un precio más bajo o que por lo menos le permitiera pagarlo a plazos. Pero el farmacéutico le dijo que no, afirmando que él mismo había descubierto la medicina y que quería hacer negocio con ella. Algunas noches después, Juan, desesperado, forzó la puerta de la farmacia y robó el medicamento para su mujer.
   - ¿Estuvo bien que Juan robara el medicamento? ¿Por qué sí o por qué no?
   - ¿Es el deber de un esposo robar o cometer cualquier delito para salvar la vida de su esposa si no le queda otro remedio? ¿Por qué sí o por qué no?
   - ¿Qué aspectos del caso deben tener en cuenta las autoridades?
   - Ya que no había ninguna ley que regulara los precios, ¿tenía derecho el farmacéutico a cobrar tanto? ¿Por qué sí o por qué no?
2. Debido a un problema serio, dos hermanos necesitaban dinero para poder dejar su pueblo de inmediato. Alexis (el mayor, de 25 años) entró en una tienda y se llevó $500. José (el menor, de 22 años) fue a hablar con un viejo del pueblo que tenía fama de ser generoso. Le dijo al viejo que estaba muy enfermo y que necesitaba $500 para pagar los gastos de una operación. Aunque el viejo no lo conocía, le prestó el dinero. José prometió devolvérselo, aunque no tenía ninguna intención de hacerlo.
   - ¿Quién cometió el delito más grave, Alexis o José? Expliquen.
   - Alexis violó la ley, robando una tienda. ¿Por qué no se debe violar la ley?
   - José mintió. Aunque no hay leyes que prohíban hacerlo, ¿por qué no se debe mentir?
   - ¿A quién se le hizo más daño, al dueño de la tienda robada o al viejo que le prestó el dinero a José? ¿Por qué?
   - ¿A quién debe tratar más duramente la ley, al que roba abiertamente como Alexis o al que hace trampas como José? ¿Por qué?

# ¡OJO!

| | EXAMPLES | NOTES |
|---|---|---|
| **pero**<br>**sino**<br>**sino que**<br>**no sólo** | Joaquín es muy inteligente, **pero** estudia mucho de todas formas.<br>*Joaquín is very bright, but he studies a lot anyway.* | English *but* is expressed as **pero, sino,** or **sino que** in Spanish. All three are conjunctions; they join two elements of a sentence. When the element preceding *but* is affirmative, **pero** is used. |
| | Quique no es muy inteligente, **pero** es buen estudiante.<br>*Quique isn't very bright, but he's a good student.* | **Pero** can also be used after a negative element to mean *but* in the sense of *however*, introducing information that *contrasts with* or *expands* the previously mentioned concepts. |
| | El coche no es nuevo **sino** viejo.<br>*The car isn't new but (rather) old.*<br><br>No quiero que me ayudes **sino que** te vayas.<br>*I don't want you to help me but (rather) (that you) go away.* | **Sino** and **sino que** are used only after a negative element. They introduce information that *contradicts and replaces* the first element. They mean *but* in the sense of *rather*. **Sino** connects a word or phrase (but not a clause) to the sentence; **sino que** connects a clause. |
| | **No sólo** trajeron pan **sino** también queso.<br>*They brought not only bread but also cheese.*<br><br>**No sólo** vino **sino que** trajo a sus amigos.<br>*She not only came but (also) brought her friends.* | English *not only . . . but (also)* is expressed in Spanish by **no sólo... sino (que)**. |
| **intentar**<br>**tratar de**<br>**tratar**<br>**probar(se)** | Voy a **intentarlo.** No sé si tendré éxito.<br>*I'm going to try (it). I don't know if I'll succeed.*<br><br>No sé. **Trataré de** hacer todo lo posible.<br>*I don't know. I'll try to do all I can.* | All of these words can express English *to try*. **Intentar** means *to try* or *to make an attempt*, as does **tratar de,** which is always followed by an infinitive in this meaning. In contrast, **intentar** can be used either alone or with **lo.** |

| | EXAMPLES | NOTES |
|---|---|---|
| **intentar**<br>**tratar de**<br>**tratar**<br>**probar (se)**<br>**(*continued*)** | Este libro **trata de** La Raza.<br>*This book deals with La Raza.*<br><br>**Se trata de** la justicia.<br>*It's a question of justice.* | **Tratar de** can also mean *to deal with*. The expression **se trata de** means *it's about* or *it's a question of;* it can never be used with a specific subject. |
| | Los **trató** sin respeto.<br>*He treated them without respect.* | When used without **de, tratar** means *to treat someone or something* in a particular way. |
| | ¡**Prueba** el vino!<br>*Try the wine!*<br><br>Van a **probar**te. No les digas nada.<br>*They're going to test you. Don't tell them anything.* | **Probar** means *to try or taste something*, or *to try someone* in the sense of *testing him or her.* |
| | Voy a **probarme** estos pantalones antes de comprarlos.<br>*I'm going to try on these pants before buying them.* | **Probarse** means *to try on* (an article of clothing). |
| **preguntar (hacer una pregunta)**<br>**pedir** | No entiendo lo que me **preguntas.**<br>*I don't understand what (question) you're asking me.*<br><br>Los niños **hicieron** muchas **preguntas** durante su visita al museo.<br>*The kids asked a lot of questions during their visit to the museum.* | As you reviewed in Chapter 7 (page 220), *to ask a question* is expressed in Spanish by either **preguntar** or **hacer una pregunta.** |
| | Ella les **pidió** que hablaran en voz baja.<br>*She asked them to speak softly.*<br><br>Te quiero **pedir** un favor.<br>*I want to ask you a favor.* | *To ask* in the sense of *requesting something from someone*—an object, a favor, an action—is expressed in Spanish by **pedir.** |

 Volviendo al dibujo Elija la palabra que mejor completa cada oración. ¡Cuidado! También va a encontrar palabras de los capítulos anteriores.

El mes pasado, Toño Cicleta (buscaba/miraba)[1] una nueva motocicleta (por/porque)[2] la que tenía estaba en malas condiciones. (Probó / Se probó / Trató)[3] diferentes motos en diferentes lugares, (pero / sino / sino que)[4] la decisión era difícil. Todo dependía (al / del / en el)[5] precio y otros detalles especiales. Toño había (ahorrado/salvado)[6] dinero por (mucho tiempo / muchas veces)[7] para poder comprar la moto más lujosa que hubiera. Quería pagarla en efectivo para no tener que estar pagando (una cuenta / un

cuento)[8] a plazos. Como tenía el dinero, nada le (dejaba/detenía/impedía)[9] comprar una buena moto. Toño se (hizo/puso/volvió)[10] contento cuando finalmente la encontró; tenía todos los lujos (a/con/en)[11] los cuales había soñado.

Una tarde de la semana pasada, Toño (dejó/detuvo/salió)[12] de su trabajo. Paseaba en su moto tranquilamente por la ciudad mientras pensaba (a/de/en)[13] su padre, a quien (echaba de menos / perdía)[14] porque hacía (mucho tiempo / muchas veces)[15] que no lo veía. De pronto, un policía le (pidió/preguntó)[16] a Toño que se (dejara/impidiera/detuviera).[17] Muy sorprendido, Toño frenó inmediatamente. Entonces, el policía le (pidió/preguntó)[18] que le mostrara su licencia de conducir. A Toño no le (cuidaba/importaba)[19] mostrársela así que la (buscó/miró)[20] rápidamente y se la dio. Cuando el policía vio la foto, le (pidió/preguntó)[21] por qué no llevaba sus gafas. Fue entonces cuando Toño (probó / se probó / trató)[22] de explicarle el asunto de su parabrisas especial. Le mostró que no sólo era un simple parabrisas (pero / sino / sino que)[23] le servía de gafas también.

**B** Entre todos

- En los últimos años ha habido un aumento en la delincuencia juvenil. ¿Cuáles son algunos de los grupos en su comunidad que tratan de ayudar a los jóvenes delincuentes? ¿Qué hacen estos grupos? ¿También hay programas para ayudar a los padres de estos jóvenes?
- ¿Cree Ud. que se debe tratar a los adolescentes delincuentes como si fueran adultos? ¿Cuáles son algunos de los argumentos que se han presentado a favor y en contra de esta propuesta?
- En algunos lugares se ha sugerido que los padres sean forzados a responder por los delitos de sus hijos menores de edad. ¿Qué piensa Ud. de esto? ¿Equivale a tratar a los padres como delincuentes comunes? ¿Por qué sí o por qué no?

# Repaso

**A** Complete los párrafos, dando la forma correcta de los verbos y expresando en español las frases en inglés. Cuando se dan dos palabras entre paréntesis, escoja la palabra apropiada.

**Cómo llegar a ser policía**

Yogi y Mark trabajan (por/para)[1] la policía británica. (*Both Yogi and Mark*)[2] están entre los muchos policías y detectives famosos (*who*)[3] (*have worked*)[4] en la gran Scotland Yard de Londres. Pero cuando Yogi y Mark comentan su trabajo entre sus amigos, no (hacer)[5] referencia al largo «brazo» de la ley (pero/sino)[6] a la larga «pata» (*paw*). Yogi y Mark (ser/estar)[7] perros policía.

La policía británica (utilizar)[8] más de 1.500 perros que están especialmente (*trained:* entrenar)[9] para (colaborar)[10] en los distintos aspectos de la guerra contra el crimen, especialmente contra el tráfico de drogas y en la búsqueda de personas (*lost*).[11] En un solo año casi 14.000 arrestos fueron efectuados (por/para)[12] perros policía.

Aunque (*dogs have been used*)[13] como guardianes desde el antiguo Egipto, no fue hasta la década de los cuarenta del siglo XX que (*were established*)[14] los primeros centros de entrenamiento (por/para)[15] perros policía. Allí (*is developed:* desarrollar)[16] su olfato (*sense of smell*) y (*they learn*)[17] técnicas de rastreo (*tracking*). Es necesario que las lecciones (ser/estar)[18] breves y que los entrenadores (*repeat them*)[19] hasta que las reacciones de los perros (*become*)[20] automáticas. Se insiste mucho en la obediencia absoluta: Durante todas las fases del entrenamiento, es importante que cada perro (*be trained by*)[21] una sola persona para que luego (obedecer)[22] a una sola voz.

La relación entre el perro y su amo empieza temprano; desde los tres meses el cachorro (*puppy*) que (*will be*)[23] perro policía vive en la casa del policía (*who*)[24] lo va a (cuidar/importar),[25] a fin de que (establecerse)[26] los lazos (*bonds*) de cariño y comprensión sin los cuales no puede existir una total confianza entre (*both*).[27] En realidad, (*they will not be*)[28] simplemente perro y amo (pero/sino)[29] verdaderos compañeros.

**B** Imagínese que Ud. es la madre de una adolescente de diecisiete años. Su hija Linda ha salido esta noche con amigas y Ud. está preocupada. Hable con su esposo de sus preocupaciones. Siga el modelo, usando expresiones de emoción y creando oraciones lógicas.

MODELO: robarle el coche →
Espero que Linda haya cerrado bien el coche. Temo que se lo roben.

1. quitarle la bolsa
2. recibir una multa por conducir demasiado rápido
3. consumir drogas
4. violarla
5. ir a una fiesta «rave»
6. acabársele la gasolina
7. perderse en un barrio peligroso
8. fumar cigarrillos u otras cosas

# CAPITULO

# El trabajo y el ocio

Valencia, España

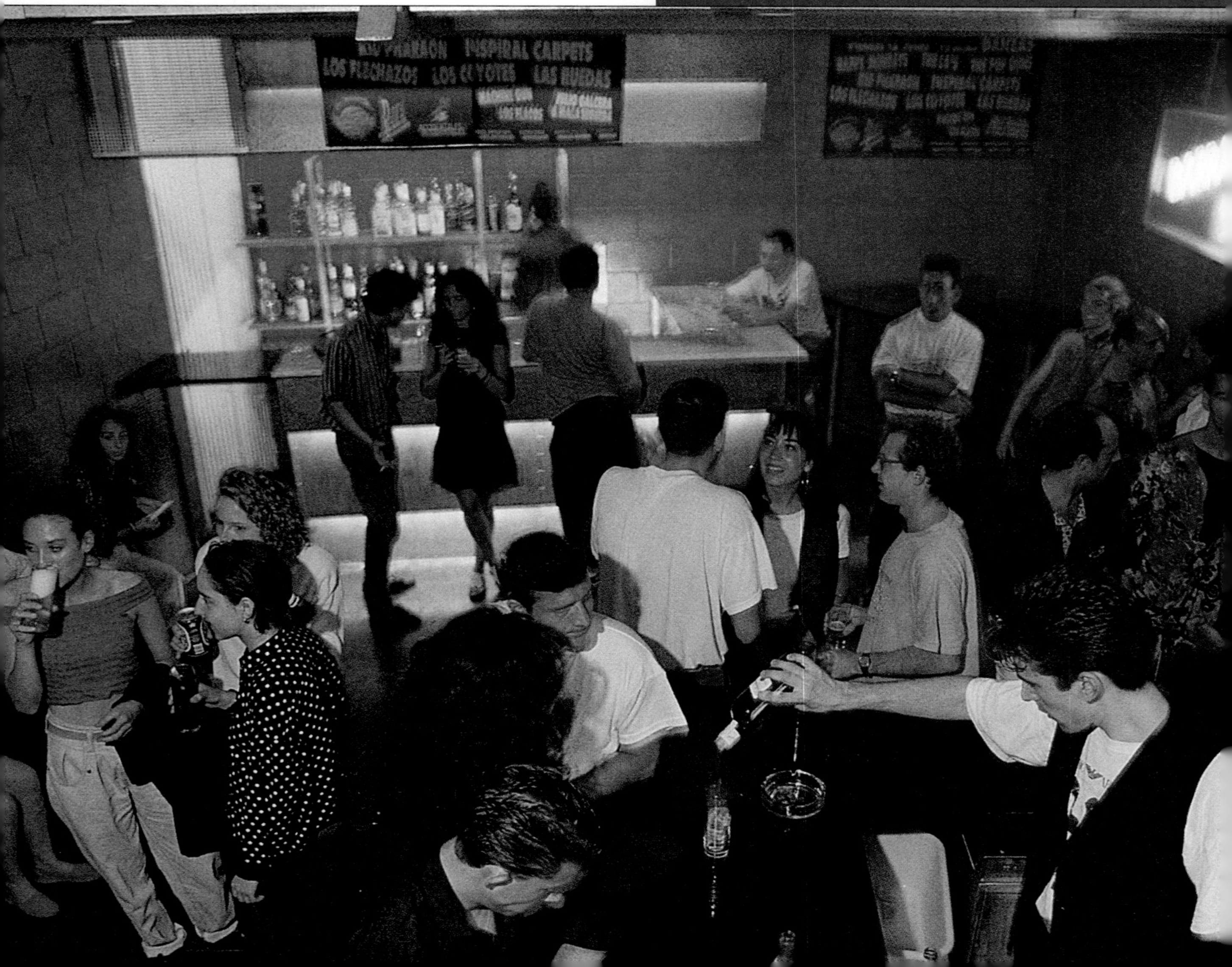

# REFLEXIONES

En toda cultura, los momentos de ocio son tan importantes como los momentos dedicados a actividades profesionales. Pero el tipo de diversión, al igual que la profesión u ocupación que uno elige, está relacionado con la personalidad y formación del individuo. El nivel económico, la preparación intelectual y la clase social pueden hacer que uno prefiera ciertas diversiones y no otras.

## A nivel personal

- A Ud., ¿qué le gusta hacer en su tiempo libre? ¿Prefiere los pasatiempos más activos o los más sedentarios? ¿Qué actividades prefiere hacer cuando está de vacaciones y qué actividades prefiere hacer durante el curso académico?
- ¿Trabaja Ud.? ¿Piensa continuar este tipo de trabajo cuando se gradúe o piensa hacer algo diferente?

## A nivel regional

- ¿Cuáles son algunas de las actividades más populares en su región o ciudad que se hacen en el tiempo libre?
- ¿Cuáles son los trabajos más comunes en su región o su ciudad?
- Estudie la siguiente lista de profesiones y ocupaciones y la de actividades recreativas y determine a qué actividades se inclinarían más los individuos mencionados. Luego, explique por qué Ud. cree que sería así.

| PROFESIONES Y OCUPACIONES | ACTIVIDADES RECREATIVAS |
|---|---|
| un experto en computadoras | ver películas extranjeras |
| una cirujana especializada en hacer trasplantes de corazón | ir a un bar a tomar cerveza |
| un profesor de español | asistir a conciertos |
| un policía | hacer muebles de madera |
| una secretaria | correr |
| un jugador de fútbol profesional | leer novelas |
| un cura | reparar coches viejos |
| una jardinera | jugar al golf |
| | montar en bicicleta |

- Ahora, nombre otras ocupaciones y profesiones y las actividades recreativas que le parezcan más apropiadas para personas que ejercen cada ocupación.

## A nivel global

- ¿Cree Ud. que se trabaja más o menos en este país que en los países hispanohablantes? ¿Hay estereotipos asociados con el trabajo y el ocio en los países hispanohablantes?
- Elija una ciudad hispanohablante e investigue lo que se puede hacer allí para divertirse. Apunte varias actividades y traiga esta información a la clase. Trabajando en grupos, decidan qué lugar preferirían visitar más.

# DESCRIBIR Y COMENTAR

The *Pasajes* CD-ROM contains interactive activities to practice the material presented in this chapter.

- Identifique las profesiones y oficios que se ven en este dibujo, y explique qué hace el individuo que ejerce cada uno. ¿Qué rasgos de personalidad y qué habilidades tendrá la persona que escoja estas ocupaciones? ¿Qué tipo de preparación se requiere en cada caso?
- En su opinión, ¿cuál de estas ocupaciones es la más peligrosa? ¿la más (des)agradable? ¿la más lucrativa? ¿Con qué culturas o regiones se asocian algunos de estos oficios? ¿con qué clase social? ¿con qué sexo? Explique sus puntos de vista al respecto.

# VOCABULARIO

## para conversar

**convenir** (like **venir**) to be appropriate
**ejercer una profesión** to practice a profession
**entrevistar** to interview
**entrevistarse en** to have an interview with; to be interviewed by
**escoger** to choose
**especializarse en** to specialize in; to major in
**estar de vacaciones** to be on vacation
**ir de vacaciones** to go on (a) vacation
**jubilarse** to retire
**relajarse** to relax
**tomar vacaciones** to take time off
**valorar** to value; to appreciate

**el aprendizaje** apprenticeship
**el descanso** rest; leisure
**las diversiones** amusements
**el entrenamiento** (sports) training
**el entretenimiento** entertainment
**la entrevista** interview
**la especialización** major
**el ocio** leisure time; relaxation
**el pasatiempo** pastime; hobby
**la preparación** preparation; job training
**el prestigio** prestige
**el tiempo libre** free time
**las vacaciones** vacation

### Profesiones y oficios

**el/la artista** artist; movie star
**el bailarín / la bailarina** dancer
**el basurero / la basurera** garbage collector
**el/la beisbolista*** baseball player
**el bombero / la mujer bombero** firefighter
**el enfermero / la enfermera** nurse
**el maestro / la maestra** teacher
**el/la músico**† musician
**el/la oficinista** office clerk
**el/la periodista** journalist
**el reportero / la reportera** reporter
**el torero / la torera** bullfighter
**el vaquero / la vaquera** cowboy, cowgirl
**el vendedor / la vendedora** salesperson

## LENGUAJE Y CULTURA

En el mundo hispano existen muchas opiniones diferentes sobre cómo formar el femenino de las profesiones que tradicionalmente han ejercido sólo los hombres. En muchos casos, la forma femenina puede hacerse simplemente cambiando la **-o** final en **-a** (**el médico / la médica**) o añadiendo una **-a** cuando la forma masculina termina en consonante (**el contador / la contadora**). Si el sustantivo termina en otra vocal, el artículo que lo acompaña generalmente indica el sexo de la persona (**el artista / la artista**). Pero si la forma femenina ya existe con otro significado, estas reglas no pueden aplicarse. (Por ejemplo, **el químico** significa *male chemist*, pero **la química** significa *chemistry*.) También problemático es el hecho de que en algunos casos la forma femenina se refiera a la esposa del hombre que ejerce la profesión indicada: en muchos países, por ejemplo, así se entiende **la presidenta.** Otra solución es referirse a la mujer profesional de la siguiente manera: **la mujer** + *nombre de profesión*. Así se crean pares como **el policía / la mujer policía** y **el soldado / la mujer soldado.**

*The ending **-ista** can be added to many sports to indicate the individual who plays that sport: **futbolista, tenista, basquetbolista.** Remember that in most parts of the world, **fútbol** refers to soccer, and a **futbolista** is a soccer player.
†The ending **-ista** can be added to many musical instruments to indicate the individual who plays that instrument: **pianista, guitarrista, flautista.**

**A** ¿Qué palabra o frase de la segunda columna asocia Ud. con cada palabra o frase de la primera? Explique en qué basa su asociación. ¡Cuidado! Hay varias respuestas posibles en cada caso.

| | |
|---|---|
| **1.** el aprendizaje | **a.** escoger una especialización |
| **2.** el ocio | **b.** la preparación |
| **3.** ejercer una profesión | **c.** la solicitud |
| **4.** la entrevista | **d.** relajarse |
| **5.** tomar vacaciones | **e.** el tiempo libre |

**B** Explique la diferencia entre cada par de palabras.

**1.** el descanso / la preparación
**2.** el oficio / la profesión
**3.** jubilarse / tomar vacaciones
**4.** el entretenimiento / el pasatiempo
**5.** valorar / despreciar

**C** ¡Necesito compañero! Trabajando en parejas, hagan una lista de cinco de los oficios o profesiones que más les interesen. Luego póngalos en una lista de acuerdo con los años de preparación que exige cada uno.

Según Miguelito, ¿qué actividad hace diferente al ser humano de los otros animales? ¿Es esto algo bueno o malo, según él? ¿Por qué es tan complicado, según Miguelito, ser un animal «superior»? ¿Por qué sería más fácil ser una tortuga o un gato? ¿Está Ud. de acuerdo con Miguelito? ¿Por qué sí o por qué no?

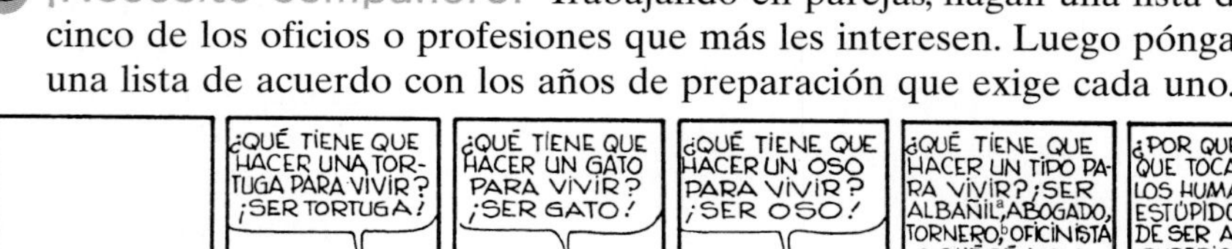

[a]*mason* [b]*lathe operator*

**D** ¿Qué cualidades de la Lista A son características indispensables de las personas que ejercen las profesiones de la Lista B? Explique.

| A | | B | |
|---|---|---|---|
| la afabilidad | la elocuencia | abogado/a | médico/a |
| la agresividad | la fuerza física | artista de cine | militar |
| la ambición | la imaginación | basurero/a | modelo |
| la astucia | la independencia | bombero / mujer bombero | piloto/a |
| la capacidad de organización | la inteligencia | científico/a | pintor(a) |
| la curiosidad | la paciencia | escritor(a) | político / mujer político |
| la destreza física | la valentía (*bravery*) | futbolista | sacerdote |
| | | maestro/a | secretario/a |

Ahora, ponga en orden las profesiones según el mayor o menor prestigio que tienen dentro de la sociedad.

- ¿A qué se debe ese prestigio (o la falta de él)? ¿al sueldo que gana una persona que ejerce esa profesión? ¿a la fama? ¿a los años de preparación necesarios para lograr la profesión? ¿a la importancia de los servicios que prestan esas personas a la sociedad? ¿ ?
- ¿Está Ud. de acuerdo con el prestigio que tiene cada profesión? ¿Hay profesiones que deben tener más (o menos) prestigio del que tienen actualmente? Comente.

**E** ¡Necesito compañero! A veces lo más atrayente de una profesión son las condiciones de trabajo o la satisfacción personal que la profesión proporciona al individuo. Aquí hay una lista de beneficios y condiciones de trabajo. Trabajando en parejas, elijan los cuatro más importantes y los cuatro de menor importancia. Luego, expliquen su decisión a la clase.

Queremos un trabajo…

- ☐ que nos permita resolver problemas internacionales.
- ☐ que nos ofrezca seguridad económica para el resto de la vida.
- ☐ que nos permita ser líderes (ser jefes, manejar personal, etcétera).
- ☐ que nos ofrezca la oportunidad de viajar mucho.
- ☐ en el que el horario sea flexible.
- ☐ en el que tengamos varios meses de vacaciones anuales.
- ☐ que sea bien pagado y de mucho prestigio.
- ☐ en el que podamos ejercer nuestra creatividad.
- ☐ que nos permita quedarnos en casa la mayor parte del tiempo.
- ☐ que consista en aportar algo significativo a la sociedad.
- ☐ en el que nuestros compañeros de trabajo sean simpáticos.
- ☐ de gran/poca responsabilidad.
- ☐ que sea interesante y siempre variado.
- ☐ en el que logremos fama nacional o mundial.

# LENGUA

## 44 REVIEW OF VERB FORMS

There are three main groups of Spanish verbs, those with infinitives ending in **-ar, -er,** and **-ir.** A conjugated verb has two main parts: a stem and an ending. The stem identifies the action (**habl-**), and the ending indicates the tense, mood, and person/number of the action (**-amos**) **hablamos.**

You have learned five indicative forms: present, imperfect, preterite, future, and conditional. Each of these has a perfect equivalent: the corresponding form of **haber** + the past participle.* You have also learned two subjunctive tenses, the present and the past, with their corresponding perfect forms. The imperative does not show tense; the different forms of the imperative correspond to the subject (formal, informal, singular, and plural) and to whether the command is affirmative or negative.

The following charts show the verbs **hablar, comer,** and **vivir** conjugated in all of these forms in the third-person plural. Can you give the remaining forms of each conjugation?

*As stated earlier in the first footnote on p. 316, the perfect forms of the preterite are disappearing. They are included here only for the sake of instruction.

| | | SIMPLE VERB FORMS | | | | |
|---|---|---|---|---|---|---|
| | | INDICATIVE | SUBJUNCTIVE | IMPERATIVE | | |
| | | | | | AFF. | NEG. |
| -ar | Present<br>Imperfect<br>Preterite<br>Future<br>Conditional | hablan<br>hablaban<br>hablaron<br>hablarán<br>hablarían | hablen<br>hablaran | Ud.<br>Uds.<br>tú<br>vosotros/as | hable<br>hablen<br>habla<br>hablad | hable<br>hablen<br>hables<br>habléis |
| -er | Present<br>Imperfect<br>Preterite<br>Future<br>Conditional | comen<br>comían<br>comieron<br>comerán<br>comerían | coman<br>comieran | Ud.<br>Uds.<br>tú<br>vosotros/as | coma<br>coman<br>come<br>comed | coma<br>coman<br>comas<br>comáis |
| -ir | Present<br>Imperfect<br>Preterite<br>Future<br>Conditional | viven<br>vivían<br>vivieron<br>vivirán<br>vivirían | vivan<br>vivieran | Ud.<br>Uds.<br>tú<br>vosotros/as | viva<br>vivan<br>vive<br>vivid | viva<br>vivan<br>vivas<br>viváis |

| | PREFECT VERB FORMS: haber + PAST PARTICIPLE | | |
|---|---|---|---|
| | INDICATIVE | SUBJUNCTIVE | PAST PARTICIPLE |
| Present<br>Pluperfect<br>Preterite<br>Future<br>Conditional | han<br>habían<br>hubieron<br>habrán<br>habrían | hayan<br>hubieran | hablado<br>comido<br>vivido |

**Práctica** Complete las siguientes oraciones con la forma apropiada del verbo indicado. ¡Cuidado! A veces hay más de una posibilidad.

1. Mis padres (ponerse) furiosos cuando les dije que (yo: querer) especializarme en la psicología de las gallinas. Ellos deseaban que yo (ejercer) una profesión prestigiosa, en la que (yo: tener) un sueldo muy alto. Pero a mí siempre me ha fascinado el comportamiento de las gallinas. ¡Me gustaría (ser) una de ellas, pues así tal vez las comprendería mejor!
2. Si no quieres que los extraterrestres te (llevar) a otro planeta, no (tú: salir) a la calle a montar en bicicleta a las tres de la mañana. Si lo haces, bajarán en su platillo volador y te (poner: ellos), junto con tu bicicleta, en una botella para hacer sus experimentos.
3. Anoche, cuando llegó Cecilia, hacía dos horas que la fiesta (terminar), pero algunos de nosotros todavía (estar) allí. Cecilia (ponerse) muy

triste por no haber llegado a tiempo, y lloró tanto que (nosotros: decidir) comenzar la fiesta otra vez. ¡A Cecilia (gustarle) mucho las fiestas!

4. Mi madre se habría vuelto loca si mi padre (jubilarse) hace diez años, porque ahora ella no lo (soportar) en casa todo el día. El prometió que no (hacer) nada cuando ya no tuviera que trabajar, y hasta hoy (cumplir) su promesa.
5. El médico le dijo a la paciente que le (convenir) tomar vacaciones, pues era necesario que (ella: relajarse). Eso fue después de que ella le (contar) que (ella: ver) un fantasma todas las noches, al salir del trabajo.
6. En muchos países, es necesario que uno (escoger) su especialización antes de entrar a la universidad. Si Ud. hubiera estudiado en uno de esos países, ¿en qué profesión (especializarse)?

## Intercambios

**A** Imagínese que Ud. es consejero/a en la universidad y que los siguientes estudiantes lo/la visitan para que los aconseje sobre las clases que deben tomar. Dados los planes que tienen ellos para el futuro, ¿qué clases les recomienda Ud.?

MODELO: Carmen quiere hacerse periodista. →
Sería conveniente que estudiara inglés y ciencias políticas. También convendría que tomara algunas clases de oratoria (*public speaking*).

1. Laura quiere hacerse médica.
2. Roberto quiere hacerse beisbolista.
3. Julio quiere hacerse hombre de negocios.
4. Mercedes quiere hacerse abogada.
5. Francisco quiere hacerse psicólogo.
6. Pedro quiere ser torero.

**B** ¡Necesito compañero! En los Estados Unidos, la norma establecida es trabajar 40 horas a la semana en cinco días (de las 9:00 de la mañana a las 5:00 de la tarde). Pero quizás sería posible mejorar el sistema si se hicieran algunos cambios. Trabajando en parejas, completen las siguientes oraciones con las formas apropiadas del imperfecto de subjuntivo y comenten las ventajas o desventajas que resultarían si se hicieran esos cambios. Luego, háganse preguntas para averiguar el porqué de sus respuestas.

1. Sería (mejor/peor/igual) si se *poder* trabajar 40 horas en menos de cinco días.
2. Sería (mejor/peor/igual) si se *empezar* y *terminar* la jornada (*workday*) a la hora que la persona quisiera (con tal de trabajar el total de horas debido).
3. Sería (mejor/peor/igual) si se *mantener* una edad límite obligatoria para la jubilación.
4. Sería (mejor/peor/igual) si los papás también *recibir* un descanso pagado por el tiempo que pasan cuidando a sus hijos recién nacidos.

5. Sería (mejor/peor/igual) si se *permitir* que una persona *empezar* a trabajar jornada de tiempo completo a la edad que quisiera.
6. Sería (mejor/peor/igual) si se *permitir* que una persona *aceptar* dinero extra en vez de asistencia médica (*health benefits*).

De todos los cambios sugeridos, ¿cuál es el que Uds. creen que tendría el efecto más beneficioso? Compartan con la clase lo que han decidido.

**C** Entre todos

- Cuando Ud. era niño/a, ¿qué profesión u oficio querían sus padres que Ud. ejerciera de adulto/a? ¿Por qué? ¿Estaba de acuerdo con los deseos de sus padres o tenía otras ambiciones? ¿Cuáles eran?
- De las profesiones y oficios nombrados por los miembros de la clase, ¿cuál se menciona con mayor frecuencia? ¿Por qué cree Ud. que a tantos niños les atrae esa profesión? ¿Qué ocupación se menciona menos? ¿Cómo se explica esto?
- ¿Cuántos de Uds. todavía quieren llegar a ejercer el oficio que les atraía de niños? Los que han cambiado de idea deben explicar por qué.

**D** Mire el anuncio a continuación. ¿Qué servicios les ofrece a los negociantes el Club El Nogal de Bogotá? ¿Qué tipo de negociante lo usaría? En la lista de servicios que se ofrecen, ¿cuáles se usan para los negocios? ¿para la diversión? ¿para ambos? En su opinión, ¿es preferible combinar el trabajo con el ocio o prefiere Ud. separarlos? Explique.

## E Entre todos

- Una de las técnicas que se usan para reducir las tensiones relacionadas con el ejercicio de una profesión es alternar el trabajo con el ocio. En su opinión, ¿es normal que toda ocupación cause tensiones? ¿Por qué sí o por qué no?
- Hoy en día, hay empresas que les ofrecen a sus empleados un gimnasio, con todo el equipo moderno. ¿Le parece a Ud. un servicio útil? ¿A quién(es) intenta beneficiar? ¿Qué otros servicios les deben ofrecer las empresas a sus empleados para disminuir el estrés que les causa el trabajo?
- ¿Tendrá menos estrés una persona que trabaja en una ocupación que le gusta? En general, ¿trabaja la gente por gusto o por necesidad?
- ¿Puede considerarse como «trabajo» el preparar la comida en casa? ¿el escribir un poema? ¿Qué es lo que para Ud. constituye «trabajo»?

## F ¡Necesito compañero!

La tensión relacionada con el trabajo es uno de los peligros más serios para el individuo en la sociedad actual. ¿Qué oficios causarán más tensiones? El texto a la derecha presenta los resultados de una investigación sobre este tema. Trabajando en parejas, lean el texto y después contesten las preguntas.

1. De las profesiones que menciona el texto, ¿cuáles causan estrés? ¿Por qué razones? ¿Cuáles de ellas les parecen menos estresantes? Expliquen sus respuestas, intentando identificar las causas del estrés relacionado con cada ocupación. ¿Hay otras profesiones que producen más tensiones que las que menciona el texto?
2. Si Uds. tuvieran un trabajo estresante, ¿qué estrategias usarían para reducir el estrés? En general, ¿qué cambios podrían efectuarse en la sociedad actual para mejorar las condiciones del trabajo? (Piensen en el horario, las vacaciones, las horas extraordinarias, la edad mínima para jubilarse, el ambiente, los muebles, etcétera.) ¿Qué consecuencias tendrían estos cambios en el mundo laboral?

### EL HIT-PARADE DE LAS PROFESIONES CON RIESGO DE ESTRES

No todas las profesiones requieren el mismo esfuerzo y la misma atención y por esta razón los resultados frente al estrés según la ocupación dan distintos índices de peligrosidad. Según un estudio realizado por INSERM y especialistas del Instituto americano, las quince profesiones que tienen más riesgo de contraer enfermedades producidas por el estrés son las siguientes:

1. Controlador aéreo.
2. Piloto de avión.
3. Conductor de tren.
4. Profesores y catedráticos.
5. Institutriz.[a]
6. Agente de cambio y bolsa.
7. Mayorista.[b]
8. Minero.
9. Dentista.
10. Camarero.
11. Ejecutivo de una empresa.
12. Cajera de un supermercado.
13. Policía.
14. Programador.
15. Periodista.

[a] *Governess.*
[b] *Wholesaler.*

# De entrada

Se supone que el párrafo a continuación describe este dibujo. Sin embargo, el texto contiene algunos errores. ¿Puede Ud. encontrarlos y corregirlos?

Como es un espléndido día de invierno, la señora Martínez está pescando en el mar. Desde su bote, observa a la gente que se está divirtiendo en la playa. Hay algunas personas nadando y varios niños peleándose o construyendo castillos de arena. Muchas personas están tomando el sol o leyendo bajo su sombrilla. Algunos, tal vez, estarán durmiendo a pesar del ruido. Una pareja de aventureros ha estado explorando las profundidades del mar con su equipo de buceo (*scuba diving*). Es una lástima que esté lloviendo, pero eso a nadie le importa. Todos seguirán disfrutando hasta que oscurezca.

Ahora busque en el texto las formas verbales que terminan en **-ndo.** Estas formas son el gerundio (*present participle*) de los verbos, y se combinan con el verbo **estar** para hacer las formas progresivas. ¿Puede Ud. encontrar algunos ejemplos de estas formas progresivas en el texto? La siguiente explicación le indicará la formación y usos de estas formas verbales.

# 45 PROGRESSIVE FORMS

## A. Formation of the progressive

The progressive consists of a conjugated form of the auxiliary verb **estar** plus the present participle (**el gerundio**). In English, the present participle ends in *-ing: singing, writing*. The Spanish present participle ends in **-ndo: cantando, escribiendo.** The present participle ends in **-ando** for **-ar** verbs and in **-iendo** for **-er** and **-ir** verbs.*

cantar → **cantando** correr → **corriendo** vivir → **viviendo**

If the stem of an **-er** or **-ir** verb ends in a vowel, the **i** of the participle ending changes to **y.**

caer → ca**y**endo
oír → o**y**endo
leer → le**y**endo
construir → constru**y**endo

**-Ir** stem-changing verbs show the second stem change in the participle: **e → i, o → u.**†

pe**d**ir → p**i**diendo d**o**rmir → d**u**rmiendo

As with the perfect forms, only the auxiliary verb shows tense, mood, and person/number; the form of the present participle never changes.

The five simple forms of the indicative have corresponding progressives, as do the two simple forms of the subjunctive. Can you complete the conjugations of these verbs?

| | EL PROGRESIVO: INDICATIVO |
|---|---|
| **Presente** | estoy bailando |
| **Imperfecto** | estaba riendo |
| **Futuro** | estaré diciendo |
| **Condicional** | estaría viendo |

| | EL PROGRESIVO: SUBJUNTIVO |
|---|---|
| **Presente** | esté terminando |
| **Imperfecto** | estuviera oyendo |

There are also preterite progressive forms in Spanish: **estuve bebiendo, estuviste bebiendo,** and so on. The preterite progressive conveys both a completed action (implicit in the preterite auxiliary) and the sense of an action in progress (indicated by the use of the present participle). For this reason, its use is limited to contexts where the end of the action is clearly indicated.

**Estuvimos hablando** hasta la madrugada.
*We were talking until dawn.*

*The present participles of **ir** and **poder** are irregular: **yendo** and **pudiendo.** They are used infrequently.

†When the **e → i** stem change produces a stem ending in **i,** the **i** of the progressive ending is dropped: **reír: ri- + -iendo → riendo.**

## B. Placement of object pronouns with progressive forms

Object pronouns may precede the auxiliary verb or follow and attach to the participle.

| | |
|---|---|
| **Se** está **entrevistando** en la IBM.<br>Está **entrevistándose** en la IBM.* | ***He's interviewing** with IBM.* |

Práctica Imagínese que Ud. ayuda a redactar (*to edit*) un manuscrito. En ciertos párrafos, el autor quiere poner énfasis en la idea de que la acción que describe está en progreso. Para lograrlo, Ud. necesita cambiar los siguientes verbos por la forma progresiva, usando el verbo **estar.** ¿Qué forma se debe usar en cada caso?

1. mira
2. decías
3. se despertará
4. morirían
5. viste
6. dieran
7. puse
8. nos bañamos
9. traigo
10. duermas
11. repetían
12. vea
13. leerían
14. te afeitas
15. lo oyéramos

## C. Uses of the progressive forms

While the perfect forms describe actions that are completed at some point in the past, the progressive forms describe actions that are ongoing or in progress. Because both the simple present tense and the simple imperfect tense can also describe actions in progress, it is important to learn the difference between those two simple tenses and the progressive forms.

The progressive is used in Spanish

- to indicate an *action in progress* at the moment of speaking.

| | |
|---|---|
| No puede hablar con Ud. porque **está durmiendo.** | *He can't speak with you because **he's sleeping.*** |
| ¿Qué **estará haciendo**? | *What **can she be doing?*** |

- to describe an *action that is different from what is normal* or customary, whether or not it is in progress at the moment of speaking.

| | |
|---|---|
| Este semestre **estoy tomando** cinco cursos. | ***I'm taking** five classes this semester.* (I usually take four.) |
| **Estaba pasando** las vacaciones en casa. | ***He was spending** his vacation at home.* (He usually took a trip.) |

- to *add emotional impact* to the narration of an ongoing action.

| | |
|---|---|
| ¡Qué diablos **estará pensando**! | *What in the world **could he be thinking!*** |
| ¡Por fin **estamos terminando** este libro! | ***We are** finally **finishing** this book!* |

*Note the use of a written accent mark when the pronoun is attached to the participle. See Appendix 1.

The subjunctive progressive expresses the same three meanings as the indicative progressive. It is used whenever the structural and message criteria for the use of the subjunctive are met. The choice between present and past progressive forms of the subjunctive is determined by the same criteria as for the simple forms.

| | |
|---|---|
| **Dudo** que el niño **esté divirtiéndose** en este momento. Mírele la cara. | ***I doubt*** *that the child* ***is having a good time*** *right now. Look at his face.* |
| ¡**Nos alegraba** mucho que ella **estuviera especializándose** en física! | ***We were really pleased*** *that she* ***was majoring*** *in physics!* |

In general, the progressive forms are used much less frequently in Spanish than in English. The progressive is *not* used in Spanish

- to indicate a future or anticipated action; simple forms are used for this purpose.

| | |
|---|---|
| **Nos casamos** en junio. | ***We are getting married*** *in June.* |
| Dijo que **iban** con Raúl. | *She said* ***they were going*** *with Raúl.* |

Other verbs that can be used as auxiliaries with the progressive are **seguir, continuar, ir, venir,** and **andar.** The use of each changes the meaning of the progressive slightly.

**seguir/continuar** + *participle:* to continue in progress, to keep on (doing something)

| | |
|---|---|
| *La semana que viene* **seguiremos hablando** de las profesiones en la sociedad actual. | *Next week we will continue talking about professions in contemporary society.* |

**ir** + *participle:* to focus on progress toward a goal

| | |
|---|---|
| **Vamos avanzando** en la construcción de la casa. | *We are making progress in the construction of the house.* |

**venir** + *participle:* to emphasize the repeated or uninterrupted nature of an action over a period of time

| | |
|---|---|
| Desde hace tiempo **vienen diciendo** lo mismo. | *For some time now they have kept on saying the same thing.* |

**andar** + *participle:* to imply that the action in progress is disorganized or unfocused

| | |
|---|---|
| **Anda pidiéndoles** ayuda a todos. | *He's going around asking everyone for help.* |

- with the verbs **ser, ir, venir, poder,** and **tener** (except in very infrequent cases); use the simple forms with these verbs.

| | |
|---|---|
| **Tenemos** muchos problemas últimamente. | ***We are having*** *lots of problems lately.* |
| **Venían** a la fiesta cuando ocurrió el choque. | ***They were coming*** *to the party when the crash occurred.* |

**Práctica** Decida si se debe usar un tiempo simple o una forma progresiva para expresar los verbos en letra cursiva. Luego, dé la forma apropiada.

1. They *are having* problems with crime in that area.
2. What *are you doing*? Stop that!
3. Don't talk so loud; your father *is sleeping.*
4. He *is going to get* another interview.
5. They *are visiting* Tahiti later this summer.
6. *Will* you *be arriving* by plane or by boat?
7. They'*re leaving* at 9:00.
8. It was time for reforms—the workers *were causing* lots of problems.

# Intercambios

45

**A** Complete las siguientes oraciones con una forma progresiva. Use pronombres cuando sea posible.

MODELO: Suelo estudiar español por la mañana, pero hoy ______ porque ______. →
Suelo estudiar español por la mañana, pero hoy estoy estudiando por la tarde porque fui a una fiesta anoche, volví a casa muy tarde y dormí hasta el mediodía.

1. En mi familia, normalmente desayunamos a las siete de la mañana porque mi padre va al trabajo poco después. Pero últimamente ______ porque ______.
2. Antes casi nadie compraba una computadora personal, pero ahora todas las familias ______ porque ______.
3. Anteriormente, sólo los deportistas hacían ejercicio en el gimnasio. Ahora, en cambio, cada vez más personas ______ porque ______.
4. Por lo general no pedimos comida a domicilio (*take out*), pero hoy ______ porque ______.

**B** Tanto en español como en inglés, para expresar que el tiempo se nos pasa sin que nos demos cuenta, decimos: «¡Cómo vuela el tiempo!» (*How time flies!*) Pero, ¿en qué pasamos el tiempo? Ordene las siguientes actividades según la cantidad de tiempo que Ud. cree que pasa haciéndolas. ¿En cuáles considera que está haciendo algo útil y en cuáles está perdiendo el tiempo?

______ marcando números de teléfono
______ haciendo cola
______ durmiendo
______ comiendo
______ buscando objetos perdidos
______ vistiéndose

______ leyendo la propaganda comercial que llega por correo

______ esperando en los semáforos

______ leyendo y mandando correo electrónico

______ esperando a personas con quienes tiene cita

______ haciendo tareas domésticas

______ ¿ ?

Ahora, compare sus resultados con los de sus compañeros de clase. ¿Cuáles son las actividades en que la mayoría de los estudiantes pasa más tiempo? ¿Y en cuáles pasa la mayoría menos tiempo? Entre todos, comenten las varias posibilidades hasta llegar a un acuerdo sobre las maneras más «típicas» de pasar el tiempo. Si quieren saber los resultados de una investigación al respecto, ¡miren el texto de la Actividad F a continuación!

**C** Guiones Trabajando en grupos de tres o cuatro personas, expliquen lo que están haciendo las personas en los siguientes dibujos, contestando las preguntas a continuación e incorporando complementos pronominales cuando sea posible. ¡Usen la imaginación y recuerden las estrategias para la comunicación!

- ¿Dónde están y qué están haciendo las distintas personas?
- ¿Por qué están haciendo lo que hacen?
- ¿Qué estación del año se ve en cada dibujo? ¿Cómo se sabe eso?

**Vocabulario útil:** caer, correr, empujar, el equipo, esperar, las hojas, jugar al fútbol (americano), montar en bicicleta, patear (*to kick*), pedalear, la pelota, saltar (*to jump*), sonreír, tirar (*to throw*)

**Vocabulario útil:** adentro, afuera, animar (*to cheer*), caer, el cesto, la chimenea, deslizarse en trineo (*to go sledding*), esquiar, ganar, gritar, el humo, los jugadores, jugar al baloncesto, mirar, la nieve, patinar (*to skate*), perder, el público, rebotar (*to bounce*) la pelota

## D Entre todos

- ¿Cree Ud. que la gente hoy en día está practicando más deportes que antes o menos? ¿Qué motivaciones tendrá la gente para hacer más ejercicio? ¿para hacer menos?
- En general, parece que en esta sociedad las mujeres participan en los deportes menos que los hombres. ¿Por qué cree Ud. que ocurre esto? ¿Cree Ud. que esto ha cambiado o está cambiando entre la gente joven? ¿entre la gente mayor? Explique.
- ¿Practica Ud. algún deporte? ¿Está entrenándose ahora para alguna competencia? Comente.
- ¿Cuáles son algunas de las nuevas diversiones que están apareciendo hoy en día? ¿Cree Ud. que los juegos para computadora están ayudando a los niños a desarrollar nuevas aptitudes? ¿y los videojuegos? Expliquen.

**E** **¡Necesito compañero!** Trabajando en parejas, háganse y contesten preguntas para descubrir qué actividades —verdaderas o imaginarias— podrán estar haciendo las personas citadas en los momentos indicados.

MODELO: Acaban de otorgarte (*They've just awarded you*) el premio Nobel de matemáticas. ¿Y tu maestro de matemáticas de la escuela secundaria? →
Estará sufriendo un ataque al corazón.

1. Los señores Alonso acaban de llegar al teatro. ¿Y la niñera? ¿Y sus hijos, en casa?
2. Acabas de nacer. ¿Y tu padre?
3. Acabas de conocer al hombre / a la mujer de tus sueños. ¿Y él/ella?
4. Acabas de llegar a casa después de estudiar todo el día. ¿Y tus compañeros?
5. Los de tu clase se gradúan hoy de la universidad. ¿Y tú y tus amigos?
6. Tus amigos te miran asombrados y te aplauden. ¿Y tú?

**F** El siguiente texto presenta los resultados de una investigación que se hizo sobre la cantidad de tiempo que pasamos haciendo actividades poco productivas. ¿Cómo se compara la ordenación que Ud. hizo en la Actividad B con los datos que presenta este texto? ¡Leálo para averiguarlo!

### LENGUAJE Y CULTURA

A veces el lenguaje deportivo en inglés puede ser difícil de entender para las personas que no son hablantes nativos, ya que muchas veces incluye frases o palabras que se usan con sentido metafórico. Explique en español el significado *no* deportivo de las siguientes expresiones. ¿Puede Ud. dar otras expresiones de la jerga (*jargon*) deportiva que se usan metafóricamente?

- to drop the ball
- to be out in left field
- to be in the home stretch
- to throw in the towel

# EN QUE PERDEMOS EL TIEMPO

A lo largo de nuestra vida pasamos cinco años esperando en las colas, seis meses parados ante los semáforos y dos años marcando números de teléfono. Datos tan curiosos como éstos y otros muchos han salido a la luz tras los estudios de un investigador en gestión del tiempo, Michael Fortino, que preside la Priority Management Pittsburgh, Inc. El trabajo de Fortino y sus colegas se realizó entre la población de los Estados Unidos y arrojó resultados como los siguientes: el ciudadano medio norteamericano pasa seis años de su vida comiendo, un año buscando efectos personales —el paraguas, una zapatilla, la cartera...— en casa o en la oficina; tres años esperando a las personas con las que está citado, ocho meses abriendo cartas que no le interesan, y cuatro años haciendo labores del hogar. La conclusión es que a la gente lo que le importa no es no perder el tiempo, sino perderlo como le da la gana.

# ESTRATEGIAS PARA LA COMUNICACION

## ¿Cuánto cuesta? *How to deal with numbers*

Even people who have studied a language for a long time may have difficulties when they need to use numbers. But numbers are extremely important when you travel, for finding out how much something costs, exchanging money, getting directions, and so forth. Here are some useful expressions involving numbers.

- *To ask for prices in general*

  ¿Cuánto {cuesta(n) / es/son / vale(n)} ... ?

### Clothing

Clothing and shoes in Europe and Latin America are sized differently than in this country. Until you learn what sizes you wear (**usar, llevar**), just ask the salesclerk to recommend something for you to try on (**probarse**) first.

- *To ask for sizes of clothing*

  ¿Qué talla es... ?

- *To ask for sizes of shoes*

  ¿Qué número es/son... ?

### Food

In most parts of the world, food and drink are measured by the metric system, so when you go to the market you will be buying fruit and vegetables by the **kilo** (2.2 lbs) or by **gramos** (.04 oz) and liquids by the **litro** (.26 gal). To express partial measures (e.g., 2½ or 2¼ kilos) say **dos kilos y medio,** or **dos kilos y cuarto.**

### Writing prices

In English a period is used when expressing the decimal between cents and dollars. Commas usually separate the hundreds column from the thousands, or the thousands from the millions. In the Hispanic world, the reverse is usually true. English $100,000.75 would be written $100.000,75 in most Spanish-speaking areas.

### Personal information

- ASK: **¿Cuál es tu número de teléfono?**
  ANSWER: Say each number individually, or say the last six numbers in pairs. Thus, 297-2330 would be **dos noventa y siete veintitrés treinta.**
- ASK: **¿Cuál es tu dirección?**
  ANSWER: In Spanish, the street name is given first, followed by the building number, and then the floor on which the apartment is located.* For example: **Anaya, veintitrés, quinto.** This would be written **Anaya, 23-5°.**

---

*In many large cities of Europe and Latin America, most people own and live in apartments rather than in single-family homes.

■ ASK: **¿Cuál es la fecha (de hoy)?**
ANSWER: Give the day first, then the month. For example, November 20, 1996, is **el veinte de noviembre de mil novecientos noventa y seis.** The date is often written, as **20 noviembre 1996.** This could be abbreviated as either **20-XI-96** or **20-11-96.** Centuries are expressed with cardinal numbers and require a definite article: **el siglo veinte (XX).** An expression like *the fifties* is expressed as **los años cincuenta.**

**A** ¡Necesito compañero! Working with a partner, ask each other and answer questions in order to determine the following information.

1. local telephone number
2. local address
3. e-mail address
4. home telephone number
5. home address
6. date and place of birth
7. shirt (blouse) size
8. shoe size

**B** Using the following information, dramatize various dialogues between a customer and a clerk in a small store. The customer is looking for the ingredients to make a paella* or the fruit to make sangría.† All prices are given in pesetas ($1 = 100 pesetas).

| | | | |
|---|---|---|---|
| arroz | 140,0/kg | limones | 120,0/kg |
| azafrán (*saffron*) | 760,0/gr | mejillones (*mussels*) | 1.175,5/kg |
| cebolla | 30,5/kg | melocotones (*peaches*) | 170,0/kg |
| chorizo | 295,0/kg | naranjas | 185,5/kg |
| fresas | 313,5/kg | pimiento verde | 194,5/kg |
| gambas | 1.130,5/kg | pollo | 575,5/kg |
| guisantes | 75,0/kg | tomates | 196,5/kg |
| | | vino tinto | 500,0/btlla |

# De entrada 46

A.

B.

Indique si las siguientes oraciones se refieren al Dibujo A (**A**), al Dibujo B (**B**) o a ambos dibujos (**AD**).

1. ______ Al hombre que mira por la ventana le gusta robar.
2. ______ El hombre que lleva camisa blanca está muy nervioso.
3. ______ La mujer que lo entrevista es muy seria.
4. ______ Había leído un anuncio en que se ofrecía este trabajo.
5. ______ Después de bajar del auto, corrieron hacia la puerta.
6. ______ Parecía que la única solución era escaparse, pero ya era tarde.

*You will need ½ tsp saffron, 5 lbs chicken, 1 onion, ¼ lb chorizo, 3 cups rice, 18 small mussels, 1 lb shrimp, ¼ lb peas, 2 bell peppers, and 2 tomatoes.
† You will need 6 oranges, 3 lemons, 2 peaches, ½ lb strawberries, and 1 bottle of dry red wine.

Si Ud. tradujera estas oraciones al inglés, ¿en cuáles usaría una forma verbal que terminara en *-ing*? En casi todas, ¿verdad? Sin embargo, observe que en ninguna de estas oraciones se utiliza el gerundio (la forma que termina en **-ndo**) en español. A continuación Ud. repasará algunos casos en los que *-ing* en inglés no corresponde a **-ndo** en español.

Some Spanish verbs have a special adjective form that is created by adding **-ante, -ente,** or **-iente** to the stem: **interesante, absorbente, siguiente.**

Ese niño **sonriente** es mi hijo.
*That smiling child is my son.*

Tienen muchas plantas **colgantes.**
*They have a lot of hanging plants.*

Since not all verbs have this special form, it is best to consult a dictionary.

# 46 RESTRICTIONS ON THE USE OF THE *-NDO* FORM

## A. Present participle versus conjugated verb

In English, the present participle can be used as an adjective. In most cases where the English present participle functions as an adjective, this idea is expressed in Spanish with an adjective clause introduced by **que.** Compare these sentences.

| | |
|---|---|
| La mujer **que canta** es roquera. | *The woman **singing** is a rock star.* |
| Recibieron una carta **que describía** el puesto. | *They got a letter **describing** the job.* |

Práctica Exprese en español las palabras entre paréntesis, según el contexto.

1. El hombre (*reading*) allí es un consejero (*working*) con los delincuentes.
2. ¿Cómo se llama el chico (*relaxing*) en aquel banco?
3. No logro encontrar el texto (*dealing*) del aprendizaje.
4. La persona (*interviewing*) a ese hombre, es el jefe del departamento.
5. La científica (*entering*) con el policía tenía un enorme pájaro en el hombro.
6. Ese hombre (*wearing*) una camisa blanca es un escritor famosísimo.

## B. *-ndo* form versus infinitive

In both English and Spanish, the *-ing*/**-ndo** form can function as an adverb, describing the main verbal action of a sentence. In English, this use is sometimes introduced by the preposition *by;* no preposition is used in Spanish.

Aprenderás nuevo vocabulario **leyendo** buenos libros.
*You'll learn new vocabulary by reading good books.*

In English, the *-ing* form can function as a noun: it can be the subject or direct object of a sentence or the object of a preposition. In Spanish, the **-ndo** form can *never* function as a noun. The only Spanish verb form that can do so is the infinitive. Compare these sentences.

| | | |
|---|---|---|
| SUBJECT | **(El) Leer*** es mi pasatiempo favorito. | ***Reading** is my favorite pastime.* |
| DIRECT OBJECT | Prefieren **nadar** en una piscina. | *They prefer **swimming** in a pool.* |
| OBJECT OF A PREPOSITION | Después de **comer** la fruta, se sintió mal. | *After **eating** the fruit, he felt sick.* |

Práctica Escoja la forma que se debe usar para completar cada una de las afirmaciones en la siguiente página.

*The use of **el** with the infinitive when it functions as a subject or direct object is optional.

1. Antes de (tomar/tomando) una decisión importante, consulto con mis padres.
2. (Vivir/Viviendo) en una residencia estudiantil, uno aprende muchas cosas importantes de la vida.
3. A los estudiantes de hoy no les gusta (meterse/metiéndose) en asuntos políticos o sociales.
4. (Sufrir/Sufriendo) es bueno para el alma (*soul*).
5. Una persona que pasa mucho tiempo cada día (mirar/mirando) la televisión es poco creativa.
6. La mayor parte de lo que he aprendido en la universidad, lo aprendí (leer/leyendo) libros.
7. (Escribir/Escribiendo) los ejercicios en el cuaderno realmente me ayudó a mejorar mi español.
8. Es muy difícil tener éxito en el mundo de la política sin (tener/teniendo) mucho dinero.
9. En este país, (trabajar/trabajando) es más importante que (relajarse/relajándose).

# Intercambios

**A** ¿Qué actividades siguen y preceden a las siguientes acciones? Siga el modelo.

MODELO: Me lavo los dientes. →
Me lavo los dientes antes de hablar con alguien por la mañana y después de comer.

1. Me pongo el pijama.
2. Le compro ¿ ? a mi novio/a (esposo/a, mejor amigo/a).
3. Voy a la biblioteca.
4. Me pongo muy contento/a.
5. Le hablo a mi profesor(a) de español en español.

**B** Describa a las personas que aparecen aquí. Incorpore en cada descripción una cláusula adjectival con **que,** una frase en tiempo progresivo y un infinitivo. Siga el modelo y use el vocabulario que sigue el dibujo.

MODELO: El pájaro que canta en el centro del dibujo está celebrando la llegada de la primavera. Cantar es su manera de expresar su alegría.

**Vocabulario útil:** el banco, el bateador, el campo (*field*) correr (*jogging*), divertirse, hacer gimnasia, jugar al béisbol, el lanzador (*pitcher*), el paraguas, la pareja, la raqueta, saltar, el tenis

**C** Entre todos Estudien la lista a continuación y determinen cuáles de las profesiones nombradas se asocian comúnmente con los hombres, cuáles se asocian normalmente con las mujeres y cuáles son ejercidas por ambos sexos. Luego, nombren algunos deportes o pasatiempos que se han asociado tradicionalmente con los hombres o con las mujeres, y comenten si estas ideas están cambiando en la sociedad actual.

| | | | |
|---|---|---|---|
| abogado | boxeador | físico | militar |
| ama de casa | cocinero | jugador de fútbol | misionero |
| arquitecto | electricista | ingeniero | policía |
| barbero | enfermero | juez | sacerdote |

**D** ¡Necesito compañero! Trabajando en parejas, comenten el siguiente anuncio. ¿Qué se ofrece? ¿Qué razones se dan para convencer a los posibles clientes? Háganse y contesten preguntas sobre los datos presentados en el anuncio para llenar el formulario que éste trae. ¿Qué curso escogería cada uno de Uds.? ¿Por qué?

En una hoja de papel aparte, clasifiquen los cursos que ofrece el anuncio en las cuatro categorías indicadas en la página siguiente. Después, comparen sus respuestas con las de sus compañeros. ¿En qué puntos coinciden? ¿En cuáles difieren? ¿Cómo explican Uds. estas diferencias en cuanto a sus opiniones?

| | OFICIOS | PASATIEMPOS |
|---|---|---|
| **principalmente para hombres** | | |
| **principalmente para mujeres** | | |

**E** ¿Debe ser función de la universidad preparar a los estudiantes para futuros empleos? ¿Cuál era la función de la universidad en el siglo XIX? ¿Cuáles de los siguientes conocimientos ha adquirido Ud. y qué habilidades ha desarrollado como resultado de todos sus años de educación? ¿Cuáles cree que lo/la han preparado para la vida profesional? Explique sus respuestas.

aceptar el fracaso
aprender de memoria
colaborar con otros como miembro de un equipo
escribir trabajos de investigación
estudiar sólo para sacar buenas notas
hablar con elocuencia
hablar español
leer mucho y rápidamente
organizar bien el tiempo
prepararse para un examen
tener paciencia
trasnochar
vivir con otros en una residencia estudiantil

¿Cuáles de estos conocimientos y habilidades *no* le van a ayudar en el futuro? ¿Por qué no? Nombre algo que no ha aprendido en la universidad ni en la escuela pero que cree que va a necesitar en el futuro. ¿Debería ser parte de la educación formal en el futuro? ¿Por qué sí o por qué no?

## En kayac* por Chiloé y carros de viento en Llay Llay, Chile

«El trabajo sin reposo, convierte al hombre en un soso».† Este refrán tradicional subraya (*underscores*) la importancia del ocio para el ser humano. No se puede llevar una vida feliz sin divertirse, sin tener tiempo libre. La definición de «ocio» varía de persona a persona, pero el significado común es descanso del trabajo y de las obligaciones diarias.

*Since **kayac** is not a Spanish word, you will see some variation in its rendering in Spanish. Many Spanish-speakers spell it **kayak.**

†Literally, "Work without rest turns a man into a dull person." The English equivalent of this saying is, "All work and no play makes Jack a dull boy."

## Antes de ver

- ¿Cómo se divierte Ud.? ¿Cómo pasa su tiempo libre? ¿Prefiere las actividades emocionantes o peligrosas, o prefiere las actividades más tranquilas?
- Tomando en cuenta sus respuestas a las preguntas anteriores, ¿cree Ud. que la personalidad determina qué actividades le gustan más a una persona? Explique.
- ¿Por qué cree Ud. que actividades como el camping, el montañismo (*mountaineering*) y el buceo son populares hoy en día? ¿Qué tienen en común? Explique sus respuestas.
- Ahora lea con cuidado la actividad en **Vamos a ver** antes de ver el vídeo por primera vez.

En kayac por Chiloé, Chile.

En carro de viento por Llay Llay, Chile.

## Vamos a ver

Determine si las siguientes afirmaciones son ciertas (**C**) o falsas (**F**), según lo que Ud. aprenda en los dos segmentos de vídeo. Corrija las oraciones falsas.

| | C | F |
|---|---|---|
| 1. Para ir a Chiloé, se recomienda viajar en autobús. | ☐ | ☐ |
| 2. Chiloé es una península. | ☐ | ☐ |
| 3. Una buena manera de conocer Chiloé es en kayac. | ☐ | ☐ |
| 4. Los carros de viento navegan por las calles de Llay Llay. | ☐ | ☐ |
| 5. Los carros de viento se controlan con cuerdas y con el peso del cuerpo del tripulante (*rider*). | ☐ | ☐ |
| 6. No hay peligro de accidentes en los carros de viento. | ☐ | ☐ |

## Después de ver

- ¿Cuál de las dos actividades—pasear en kayac o navegar en carro de viento—le interesa más? ¿Por qué?
- Trabajando en grupos, hagan una lista de varios pasatiempos y actividades para los ratos de ocio que les interesan. Expliquen brevemente por qué les parece interesante o divertido cada actividad o pasatiempo. Luego, presenten sus ideas a la clase.

- Busque información sobre la actividad o el pasatiempo que más le interesa a Ud. Esto puede incluir información sobre organizaciones dedicadas a esa actividad o pasatiempo, lugares donde se practica, el equipo (*equipment*) que se necesita y cualquier otro tipo de información. Comparta su información con sus compañeros de clase.

# Escenarios

**Primer paso: Por sí solo/a**

Imagínese que Ud. ya está listo/a para solicitar un puesto en su campo preferido. Utilice el siguiente formato, u otro que le convenga, para preparar una hoja de vida (*resumé*) según lo que Ud. espera lograr en el futuro. ¡Suponga que ha realizado sus sueños más ambiciosos!

**Hoja de vida**

Nombre y apellido(s): ______________________ N° de teléfono: ______________

Dirección: ____________________________________________

**Preparación profesional**

Graduado/a (B.A./B.S.)* en ______, ______________________
(año) (universidad)

Especialización principal: ______________ secundaria: ______________

Maestría (M.A./M.S.)/Doctorado (Ph.D.)/Estudios profesionales en ________, ________
(año) (universidad)

Area(s) de especialización: ______________________________

**Experiencia laboral**

Fechas Institución Tipo de trabajo

1. ____________________________________________

2. ____________________________________________

3. ____________________________________________

**Otras actividades relevantes**

(Investigaciones, publicaciones, participación en proyectos relacionados con el área en que Ud. busca trabajo, viajes, idiomas que hable, conocimientos que Ud. pueda aportar a su trabajo, cursos no formales que Ud. haya seguido, etcétera)

____________________________________________

____________________________________________

____________________________________________

*Estas siglas no se usan en el mundo hispano. Allí, los individuos que se interesan en ciencias o filosofía y letras (*Humanities*) estudian cuatro años para llamarse «Licenciado/a». Los que quieren seguir una carrera en ingeniería o derecho, por ejemplo, estudian cinco años para recibir el título «Profesional». «Doctor(a)» equivale al Ph.D.

**Segundo paso: En grupos de tres**

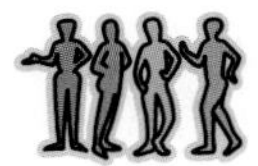

Escojan una de las hojas de vida que Uds. ya completaron, y trabajen juntos para dramatizar una entrevista de trabajo que dure entre cinco y diez minutos. Debe haber dos entrevistadores: uno/a es amable y quiere subrayar lo positivo del candidato / de la candidata, y el otro / la otra es hostil y hace preguntas con el propósito de probar las reacciones del candidato / de la candidata en situaciones que exigen tomar decisiones rápidas. Aquí tienen algunas ideas para redactar sus preguntas.

- ¿Podría Ud. comentar... ?
- ¿Qué fue lo que más le interesó de sus estudios (una de las experiencias mencionadas, etcétera)?
- ¿Qué razones tuvo Ud. para solicitar este puesto?
- Este puesto exige... Estamos buscando una persona que... ¿Se considera Ud. capacitado/a para... ?
- ¿Cuáles son sus aspiraciones o planes profesionales? ¿Qué espera lograr en los próximos cinco años?
- ¿Qué haría Ud. si... ? ¿Cómo reaccionaría en caso de que... ?
- ¿Qué aporte puede Ud. hacer para... ?

Después de que todos los grupos hayan presentado sus entrevistas ante la clase, comenten lo siguiente.

- ¿Qué ocupaciones se incluyeron en las entrevistas? ¿Qué otras habían escogido los estudiantes que no fueron entrevistados? ¿Cuáles de esas profesiones les parecen típicas de su generación (clase social, sexo)? ¿Cuáles *no* les parecen típicas? ¿En qué sentido?
- En cuanto a las preguntas hechas durante las entrevistas, ¿cuáles se consideran más difíciles? ¿más fáciles? ¿Cuáles podrían ser contra la ley (hacen alusiones a la edad, el sexo, la nacionalidad, la raza, la orientación sexual, la vida personal)?

# ¡OJO!

Las actividades en esta sección son un repaso de todas las secciones **¡Ojo!** en este libro.

### Práctica

**A** Dé la palabra española que corresponda mejor a la palabra en letra cursiva.

1. It *looked* like we would never be able to do it, *but* my family *saved* for years and finally *succeeded* in buying a cottage by the lake.
2. *Because* the food was awful, he *became* angry and refused *to pay the bill. Both* the chef *and* the maitre d' talked to him *because* they were afraid the scene *would hurt* business in the restaurant.

3. They *both* lived only three miles from here and *attended* services regularly every *time* Rev. Miles spoke. *Since they moved* to Peakwood we don't see them much anymore.
4. She works very hard *to support* her family; her parents *insist on* helping *to take care of* the children *since they realize* that she cannot afford *to take* them to a sitter.
5. *I don't care* if you *miss* two or three meetings, but I *get* upset if you *stop* others from *attending*. If you *feel* dissatisfied, fine, but *don't try to* influence others.
6. When the man *left* the room, he *did not realize* that he *had left* his briefcase next to the chair. I *think he returned* the next day *to look for* it.

**B** Elija la palabra que mejor completa cada oración.

1. Estoy pensando (con/de/en) hacerme ingeniera.
2. El niño (se movía / se mudaba) constantemente. Por fin se cayó de la cama (pero / sino que) no se (hizo daño / ofendió).
3. (Echaron de menos / Faltaron a / Perdieron) el autobús porque estaban trabajando y no (realizaron / se dieron cuenta) de (la hora / el tiempo / la vez) hasta que era demasiado tarde.
4. ¿Te (cuida/importa) si fumo? He (probado / tratado de) (dejar/detener) este hábito varias veces por nunca he tenido (éxito/suceso).
5. ¿No quiere Ud. (probarse/tratar) el suéter antes de (llevárselo/tomárselo) a casa?
6. Es (un dato / una fecha / un hecho) muy conocido/a que en los parques nacionales los osos (*bears*) dependen demasiado (a/de/en) los seres humanos. Precisamente, si queremos (ahorrarlos/salvarlos) tenemos que (dejar de / detener) «civilizarlos» tanto.
7. Si Uds. quieren (suceder / tener éxito) en el mundo de los negocios, tienen que (pagar/prestar) mucha atención a toda esta información. Es (cuestión/pregunta) de dedicación y disciplina.

# Repaso

**A** Complete el diálogo, dando la forma correcta de los verbos entre paréntesis y expresando en español las frases en inglés. Cuando se dan dos palabras entre paréntesis, escoja la palabra apropiada.

**Una decisión importante**

*Luis visita a su amigo Ernesto, quien a sólo cuatro meses de graduarse piensa dejar la universidad para viajar alrededor del mundo.*

LUIS: (Mirar: tú),[1] Ernesto, yo creo que (ser/estar)[2] una idea excelente viajar (por/para)[3] el mundo. Es bueno que todos (ver)[4] otros países y que (conocer)[5] a la gente (*who*)[6] vive allí. Algún día, cuando yo (tener)[7] la oportunidad, yo también (hacerlo).[8] (*What*)[9] yo todavía no (entender)[10] es por qué diablos tienes que (hacerlo)[11] ahora mismo. (*You must realize*)[12] que en sólo cuatro meses, te (haber)[13] graduado y (tener)[14] tiempo para (hacer)[15] todos los viajes que quieras. Me parece increíble que no (poder: tú)[16] esperar un poco más.

ERNESTO: Cuatro meses o cuatro años… (ser/estar)[17] igual, Luis. (*I feel*)[18] como hipócrita aquí y siempre (*I have felt*)[19] así. Tú sabes que yo (venir)[20] a estudiar aquí (por/para)[21] mis padres, (*who*)[22] insisten en que su hijo (tener)[23] una buena preparación académica. Sabes que ahora me (especializar)[24] en derecho porque mi abuelo (querer)[25] que yo (*become*)[26] abogado. (Haber: yo)[27] trabajado mucho y (haber)[28] sacado buenas notas a fin de que todos (estar)[29] orgullosos de mí…

LUIS: ¿Qué (haber)[30] de malo en eso? Es verdad que (haber: tú)[31] trabajado mucho. No conozco a nadie que (ser/estar)[32] un estudiante más serio que tú. Sin embargo, yo siempre pensaba que tú (ser/estar)[33] contento.

ERNESTO: Contento con los amigos, sí, pero con los estudios, jamás. ¿Es que voy a (ser/estar)[34] una persona culta porque me sé una serie de nombres y fechas? La sabiduría no (consistir)[35] en (*what*)[36] se sabe (sino / pero / sino que)[37] en (*what*)[38] se entiende y no hay nada aquí que me (haber)[39] ayudado a entender nada.

LUIS: Y tan pronto como (haber: tú)[40] visitado cinco o seis países, ¿crees que lo (ir)[41] a entender todo? No (ser/estar: tú)[42] tonto. Es posible que (*studying*)[43] no (ser)[44] la mejor manera de «instruirse», (pero / sino / sino que)[45] el viajar tampoco lo es. Si (ser)[46] así, todos (*would become*)[47] pilotos y azafatas, ¿verdad que sí?

ERNESTO: (Reírse: tú),[48] si quieres, Luis, pero ya (haber: yo)[49] tomado mi decisión.

**B** ¿Se identifica Ud. más con el punto de vista de Luis o con el de Ernesto? Si Ud. decidiera dejar los estudios por un tiempo indefinido para viajar, ¿cómo se sentirían sus padres? ¿Por qué? ¿Tendrían la misma reacción si dejara los estudios para trabajar en vez de viajar?

Trabaje con un compañero / una compañera de clase para preparar una lista de cuatro razones o motivos para dejar la universidad y cuatro para no hacerlo. Luego, compartan su lista con el resto de la clase. ¿Hay mucha diferencia de opiniones? Expliquen.

# APPENDICES

## 1. SYLLABICATION AND STRESS

**A.** Syllabication

- The basic rule of Spanish syllabication is to make each syllable end in a vowel whenever possible.

  ci-vi-li-za-do  ca-ra-co-les  so-ñar  ca-sa-do

- Two vowels should always be divided unless one of the vowels is an unaccented **i** or **u.** Accents on other vowels do not affect syllabication.

  | | | | |
  |---|---|---|---|
  | fe-o | bue-no | ac-tú-e | des-pués |
  | pre-o-cu-pa-do | ne-ce-sa-rio | rí-o | a-vión |

- In general, two consonants are divided. Although the Real Academia in Spain no longer considers the consonant combinations **ch, ll,** and **rr** to be single letters, for syllabication purposes they are still treated as such and should never be divided. Double **c** and double **n,** however, *are* separated.

  | | | | |
  |---|---|---|---|
  | en-fer-mo | ban-de-ra | mu-cha-cha | ac-ci-den-te |
  | doc-to-ra | cas-ti-llo | a-rroz | in-na-to |

- The consonants **l** and **r** are never separated from any consonant preceding them, except for **s.**

  | | | | |
  |---|---|---|---|
  | ha-blar | a-trás | a-brir | pa-dre |
  | com-ple-to | is-la | o-pre-si-vo | si-glo |

- Combinations of three and four consonants are divided following the rules above. The letter **s** should go with the preceding syllable.

  | | | | |
  |---|---|---|---|
  | es-truc-tu-ra | con-ver-tir | ex-tra-ño | obs-cu-ro |
  | cons-tan-te | es-tre-lla | in-fle-xi-ble | ins-truc-ción |

**B.** Stress

How you pronounce a specific Spanish word is determined by two basic rules of stress. Written accents to indicate stress are needed only when those rules are violated. Here are the two rules of stress.

1. For words ending in a vowel, **-n,** or **-s,** the natural stress falls on the next-to-last syllable. The letter **y** is *not* considered a vowel for purposes of assigning stress.

   *ha*-blan  pe-*rri*-to  tar-*je*-tas  a-me-ri-*ca*-na

2. For words ending in *any other letter,* the natural stress falls on the last syllable.

   pa-*pel*  di-fi-cul-*tad*  es-*toy*  pa-re-*cer*

If these stress rules are violated by the word's accepted pronunciation, stress must be indicated with a written accent.

| | | | |
|---|---|---|---|
| re-li-*gión* | e-*léc*-tri-co | fran-*cés* | ha-*blé* |
| *ár*-bol | *Pé*-rez | *cés*-ped | ca-*rác*-ter |

Note that words that are stressed on any syllable other than the last or next-to-last will always show a written accent. Particularly frequent words in this category include adjectives and adverbs ending in **-ísimo** and verb forms with pronouns attached.

mu-*chí*-si-mo   la-*ván*-do-lo   *dár*-se-las   *dí*-ga-me-lo

Written accents to show violations of stress rules are particularly important when diphthongs are involved. A diphthong is a combination of a weak (**i, u**) vowel and a strong (**a, e, o**) vowel (in either order), or of two weak vowels together. The two vowels are pronounced as a single sound, with one of the vowels being given slightly more emphasis than the other. In all diphthongs the strong vowel or the second of two weak vowels receives this slightly greater stress.

*a*i: paisaje   u*e*: vuelve   i*o*: rioja   u*i*: fui   i*u*: ciudad

When the stress in a vowel combination does not follow this rule, no diphthong exists. Instead, two separate sounds are heard, and a written accent appears over the weak vowel or the first of two weak vowels.

a-*í*: país   *ú*-e: acentúe   *í*-o: tío   *ú*-i: flúido

### **C.** Use of the Written Accent as a Diacritic

The written accent is also used to distinguish two words with similar spelling and pronunciation but different meaning.

- Nine common word pairs are identical in spelling and pronunciation; the accent mark is the only distinction between them.

| | | | | | | | |
|---|---|---|---|---|---|---|---|
| **dé** | give | **de** | of, from | **sí** | yes | **si** | if |
| **él** | he | **el** | the | **sólo** | only | **solo** | alone |
| **más** | more | **mas** | but | **té** | tea | **te** | you |
| **mí** | me | **mi** | my | **tú** | you | **tu** | your |
| **sé** | I know | **se** | *pronoun* | | | | |

- Diacritic accents are used to distinguish demonstrative adjectives from demonstrative pronouns, although this distinction is disappearing in many parts of the Spanish-speaking world.*

| | | | |
|---|---|---|---|
| **aquellos países** | those countries | **aquéllos** | those ones |
| **esa persona** | that person | **ésa** | that one |
| **este libro** | this book | **éste** | this one |

---

*The **Real Academia Española** formally eliminated the use of diacritic accents to distinguish demonstrative pronouns from demonstrative adjectives from the Spanish language in 1994. Nonetheless, this distinction has been retained in the *Pasajes* series as a matter of style.

- Diacritic accents are placed over relative pronouns or adverbs that are used interrogatively or in exclamations.

| | | | | | | | |
|---|---|---|---|---|---|---|---|
| **cómo** | how | **como** | as, since | **por qué** | why | **porque** | because |
| **dónde** | where | **donde** | where | **qué** | what | **que** | that |

# 2. SPELLING CHANGES

In general, Spanish has a far more phonetic spelling system than many other modern languages. Most Spanish sounds correspond to just one written symbol. Those that can be written in more than one way are of two main types: those for which the sound/letter correspondence is largely arbitrary and those for which the sound/letter correspondence is determined by spelling rules.

**A.** In the case of arbitrary sound/letter correspondences, writing the sound correctly is mainly a matter of memorization. The following are some of the more common arbitrary, or *nonpatterned,* sound/letter correspondences in Latin American Spanish.

| SOUND | SPELLING | EXAMPLES |
|---|---|---|
| /b/ + *vowel* | b, v | barco, ventana |
| /y/ | y, ll, i + *vowel* | haya, amarillo, hielo |
| /s/ | s, z, c | salario, zapato, cielo |
| /x/ + e, i | g, j | general, jefe<br>gitano, jinete |

Note that, although the spelling of the sounds /y/ and /s/ is largely arbitrary, two patterns occur with great frequency.

1. /y/ Whenever an unstressed **i** occurs between vowels, the **i** changes to **y.**

   le**i**ó → le**y**ó creiendo → cre**y**endo ca**i**eron → ca**y**eron

2. /s/ The sequence **ze** is rare in Spanish. Whenever a **ze** combination would occur in the plural of a noun ending in **z** or in a conjugated verb (for example, an **-e** ending on a verb stem that ends in **z**), the **z** changes to **c.**

   lu**z** → lu**ces** vo**z** → vo**ces** empe**z**- + é → empe**cé** ta**z**a → ta**c**ita

**B.** There are three major sets of *patterned* sound/letter sequences.

| SOUND | SPELLING | EXAMPLES |
|---|---|---|
| /g/ | g, gu | gato, pague |
| /k/ | c, qu | toca, toque |
| /$g^w$/ | gu, gü | agua, pingüino |

1. /g/ Before the vowel sounds /a/, /o/, and /u/, and before all consonant sounds, the sound /g/ is spelled with the letter **g.***

   gato gorro agudo grave gloria

*Remember that before the sounds /e/ and /i/ the *letter* **g** represents the *sound* /x/: **gente, lógico.**

Before the sounds /e/ and /i/, the sound /g/ is spelled with the letters **gu.**

guerra guitarra

2. /k/ Before the vowel sounds /a/, /o/, and /u/, and before all consonant sounds, the sound /k/ is spelled with the letter **c.**

   casa cosa curioso cristal club acción

   Before the sounds /e/ and /i/, the sound /k/ is spelled with the letters **qu.**

   queso quitar

3. /g$^w$/ Before the vowel sounds /a/ and /o/, the sound /g$^w$/ is spelled with the letters **gu.**

   guante antiguo

   Before the sounds /e/ and /i/, the sound /g$^w$/ is spelled with the letters **gü.**

   vergüenza lingüista

These spelling rules are particularly important in conjugating, because a specific consonant sound in the infinitive must be maintained throughout the conjugation, despite changes in stem vowels. It will help if you keep in mind the patterns of sound/letter correspondence, rather than attempt to conserve the spelling of the infinitive.

| | | | | | |
|---|---|---|---|---|---|
| /ga/ = | **ga** | lle*gar* | /ge/ = | **gue** | lle*gue* (*present subjunctive*) |
| /ga/ = | **ga** | lle*gar* | /ge/ = | **gué** | lle*gué* (*preterite*) |
| /gi/ = | **gui** | se*guir* | /go/ = | **go** | si*go* (*present indicative*) |
| /gi/ = | **gui** | se*guir* | /ga/ = | **ga** | si*ga* (*present subjunctive*) |
| /xe/ = | **ge** | reco*ger* | /xo/ = | **jo** | reco*jo* (*present indicative*) |
| /xe/ = | **ge** | reco*ger* | /xa/ = | **ja** | reco*ja* (*present subjunctive*) |
| /g$^w$a/ = | **gua** | averi*guar* | /g$^w$e/ = | **güe** | averi*güe* (*present subjunctive*) |
| /ka/ = | **ka** | sa*car* | /ke/ = | **qué** | sa*qué* (*preterite*) |

# 3. VERB CONJUGATIONS

The chart on pages A-5–A-6 lists common verbs whose conjugations include irregular forms. The chart lists only those irregular forms that cannot be easily predicted by a structure or spelling rule of Spanish. For example, the irregular **yo** forms of the present indicative of verbs such as **hacer** and **salir** are listed, but the present subjunctive forms are not, since these forms can be consistently predicted from the present indicative **yo** form. For the same reason, irregular preterites are listed, but not the past subjunctive, since this form is based on the preterite. Affirmative **tú** commands are listed, but not **Ud.** or **Uds.** commands (affirmative or negative), since these are identical to the present subjunctive forms for those persons. Spelling irregularities such as **busqué** and **leyendo** are also omitted, since these follow basic spelling rules (Appendix 2).

| VERB CONJUGATIONS | | | | | | | | | |
|---|---|---|---|---|---|---|---|---|---|
| **INFINITIVE** | **INDICATIVE** | | | | | **PRESENT SUBJUNCTIVE** | **AFFIRMATIVE *TU* COMMAND** | **PARTICIPLES** | |
| | ***Present*** | ***Imperfect*** | ***Preterite*** | ***Future*** | ***Conditional*** | | | ***Present*** | ***Past*** |
| **1.** abrir | | | | | | | | | abierto |
| **2.** andar | | | anduve | | | | | | |
| **3.** caber | quepo | | cupe | cabré | cabría | | | | |
| **4.** caer | caigo | | | | | | | | |
| **5.** conocer | conozco | | | | | | | | |
| **6.** cubrir | | | | | | | | | cubierto |
| **7.** dar | doy | | di<br>diste<br>dio<br>dimos<br>disteis<br>dieron | | | dé | | | |
| **8.** decir (i) | digo | | dije<br>dijeron | diré | diría | | di | diciendo | dicho |
| **9.** escribir | | | | | | | | | escrito |
| **10.** estar | estoy | | estuve | | | esté | | | |
| **11.** haber | he<br>has<br>ha<br>hemos<br>habéis<br>han | | hube | habré | habría | haya | | | |
| **12.** hacer | hago | | hice | haré | haría | | haz | | hecho |
| **13.** ir | voy<br>vas<br>va<br>vamos<br>vais<br>van | iba | fui<br>fuiste<br>fue<br>fuimos<br>fuisteis<br>fueron | | | vaya | ve | yendo | |
| **14.** morir (ue, u) | | | | | | | | | muerto |
| **15.** oír | oigo<br>oyes<br>oye<br>oímos<br>oís<br>oyen | | | | | | | | |

| INFINITIVE | INDICATIVE | | | | | PRESENT SUBJUNCTIVE | AFFIRMATIVE *TU* COMMAND | PARTICIPLES | |
|---|---|---|---|---|---|---|---|---|---|
| | *Present* | *Imperfect* | *Preterite* | *Future* | *Conditional* | | | *Present* | *Past* |
| **16.** oler (ue) | huelo<br>hueles<br>huele<br>olemos<br>oléis<br>huelen | | | | | | | | |
| **17.** poder (ue) | | | pude | podré | podría | | | pudiendo | |
| **18.** poner | pongo | | puse | pondré | pondría | | pon | | puesto |
| **19.** querer (ie) | | | quise | querré | querría | | | | |
| **20.** reír (i, i) | río<br>ríes<br>ríe<br>reímos<br>reís<br>ríen | | | | | | | riendo | |
| **21.** romper | | | | | | | | | roto |
| **22.** saber | sé | | supe | sabré | sabría | sepa | | | |
| **23.** salir | salgo | | | saldré | saldría | | sal | | |
| **24.** ser | soy<br>eres<br>es<br>somos<br>sois<br>son | era | fui<br>fuiste<br>fue<br>fuimos<br>fuisteis<br>fueron | | | sea | sé | | |
| **25.** tener (ie) | tengo | | tuve | tendré | tendría | | ten | | |
| **26.** traducir | traduzco | | traduje<br>tradujeron | | | | | | |
| **27.** traer | traigo | | traje<br>trajeron | | | | | | |
| **28.** valer | valgo | | | valdré | valdría | | | | |
| **29.** venir (ie) | vengo | | vine | vendré | vendría | | ven | viniendo | |
| **30.** ver | veo | veía | vi | | | | | | visto |
| **31.** volver (ue) | | | | | | | | | vuelto |

# 4. PREPOSITIONAL PRONOUNS

**A.** Forms of Prepositional Pronouns

| | |
|---|---|
| **mí** | nosotros/as |
| **ti** | vosotros/as |
| Ud., él, ella | Uds., ellos, ellas |

With the exception of the first- and second-person singular forms (**mí, ti**), the prepositional pronouns are the same as the subject pronouns. They are used when preceded by **para, por, a, de, en, sin,** and most other prepositions. The preposition and pronoun together form a prepositional phrase.

| | |
|---|---|
| ¿Piensas mucho **en ella**? | *Do you think **of her** a lot?* |
| Toma, es **para ti.** | *Take it, it's **for you.*** |

When **mí** or **ti** occurs with **con,** the special forms **conmigo** and **contigo** are used.

| | |
|---|---|
| Lo siento, pero no puedo ir **contigo.** | *I'm sorry, but I can't go **with you.*** |

Note that the prepositions **según** and **entre** are always used with subject pronouns.

| | |
|---|---|
| **Según tú,** el partido fue aburrido, ¿verdad? | ***According to you,** the game was boring, right?* |
| **Entre tú y yo,** él es un imbécil. | ***Between you and me,** he's an idiot.* |

**B.** Uses of Prepositional Pronouns

Third-person indirect object pronouns may have more than one meaning: **le** = *to you, to him, to her;* **les** = *to you all, to them.* This ambiguity is often clarified by using a prepositional phrase with **a.**

| | |
|---|---|
| **Le** doy el libro { **a él.** / **a ella.** } | *I'm giving the book* { ***to him.*** / ***to her.*** } |
| **Les** escribo { **a Uds.** / **a ellos.** } | *I'm writing* { ***to you all.*** / ***to them.*** } |

The prepositional phrase with **a** is also used with object pronouns for emphasis.

| | |
|---|---|
| **Me** da el libro **a mí,** no **a ella.** | *He's giving the book **to me,** not **to her.*** |

# 5. POSSESSIVE ADJECTIVES AND PRONOUNS

Spanish possessive adjectives have two forms: a short form that precedes the noun and a long form that follows it.

**A.** Possessive Adjectives That Precede the Noun*

English possessive adjectives (*my, his, her, your,* and so on) do not vary in form. Spanish possessive adjectives, like all adjectives in Spanish, agree in number with the noun they modify—that is, with the *object possessed.* The possessive adjectives **nuestro** and **vuestro** agree in gender as well. These forms of the possessive adjective always precede the noun.

| | |
|---|---|
| **Mi carro** es viejo. | ***My car*** *is old.* |
| **Mis carros** son viejos. | ***My cars*** *are old.* |
| **Nuestra abuela** falleció el año pasado. | ***Our grandmother*** *passed away last year.* |
| **Nuestros tíos** viven in New Jersey. | ***Our aunt and uncle*** *live in New Jersey.* |

Since **su(s)** can express *his, her, its, your,* and *their,* ambiguity is often avoided by using a prepositional phrase with **de** and a pronoun object. In this case, the definite article usually precedes the noun.

| | |
|---|---|
| **El padre de él** se sentó al lado de **la madre de ella** y viceversa. | ***His father*** *sat next to* ***her mother*** *and vice versa.* |
| Así que su carro venía por esta calle. ¿Y **el carro de él**? | *So, your car was coming up this street. And what about* ***his car****?* |

**B.** Possessive Adjectives That Follow the Noun

| POSSESSIVE PRONOUNS | | | | |
|---|---|---|---|---|
| | SINGULAR | | PLURAL | |
| | **masculine** | **feminine** | **masculine** | **feminine** |
| *mine* | el mío | la mía | los míos | las mías |
| *yours (informal)* | el tuyo | la tuya | los tuyos | las tuyas |
| *yours (formal)* / *his* / *hers* | el suyo | la suya | los suyos | las suyas |
| *ours* | el nuestro | la nuestra | los nuestros | las nuestras |
| *yours (pl. informal)* | el vuestro | la vuestra | los vuestros | las vuestras |
| *yours (pl. formal)* / *theirs* | el suyo | la suya | los suyos | las suyas |

The long, or emphatic, possessive adjectives are used when the speaker wishes to emphasize the possessor rather than the thing possessed. Note that all these forms agree in both number and gender, and that they always follow the noun, which is usually preceded by an article.

| | |
|---|---|
| José es **un amigo mío.** | *José is a friend of* ***mine.*** |
| Mi cartera está en la mesa; **la cartera tuya** está en el estante. | *My wallet is on the table;* ***your*** *wallet is on the bookcase.* |

*The forms of the Spanish possessive adjectives appear on page 114, Chapter 4.

Compare the preceding sentences, in which emphasis is given to the possessor, with the following sentences expressed with the nonemphatic possessives.

| | |
|---|---|
| José es **mi amigo.** | *José is my **friend.*** (more emphasis on *friend*) |
| Mi cartera está en la mesa; **tu mochila** está en el estante. | *My wallet is on the table; your **backpack** is on the bookcase.* (more emphasis on the item) |

**C.** Possessive Pronouns

Whenever a noun is modified by an adjective or an adjective phrase, the noun can be omitted in order to avoid repetition within a brief context (one or two sentences). In such an instance, the definite article and the adjective or adjective phrase are left standing alone.

| | |
|---|---|
| Prefiero el café regular sobre **el** (café) **descafeinado.** | *I prefer regular coffee over **decaf** (coffee).* |
| Los jóvenes de este país, como **los** (jóvenes) **de otras partes del mundo,** a veces tienen problemas con sus padres. | *Young people in this country, **like those** (the young people) **in other parts of the world,** sometimes have problems with their parents.* |

When possessive adjectives stand for nouns, the long form is used, preceded by the appropriate definite article.

| | |
|---|---|
| Mi disfraz es más impresionante que **su disfraz.** → Mi disfraz es más impresionante que **el suyo.** | *My costume is more impressive than her costume. → My costume is more impressive than **hers.*** |
| Su presentación y **nuestra presentación** recibieron un premio. → Su presentación y **la nuestra** recibieron un premio. | *Their presentation and our presentation received a prize. → Their presentation and **ours** received a prize.* |
| Su foto se encontró mezclada con **mis fotos.** → Su foto se encontró mezclada con **las mías.** | *His photo was found mixed in with my photos. → His photo was found mixed in with **mine.*** |

The definite article is usually omitted after forms of **ser.**

| | |
|---|---|
| —¿**Es tuyo** ese libro? | *—Is that book yours?* |
| —No, no **es mío.** Será de Ramón. | *—No, it isn't mine. It must be Ramón's.* |

# 6. DEMONSTRATIVE ADJECTIVES AND PRONOUNS

**A.** Demonstrative Adjectives

To indicate the relative distance of objects from the speaker, English has two sets of demonstrative adjectives: *this/these* for objects close to the speaker and *that/those* for objects farther away. English has two corresponding place adverbs: *here* and *there*. In Spanish, there are three sets of demonstrative adjectives: **este, esta, estos/as** for this/these, **ese, esa, esos/as** for that/those (near), and **aquel, aquella, aquellos/as** for that/those (far).

If **libro** is the noun being described, the phrase **este libro** indicates a book near the speaker: **este libro, aquí. Ese libro** indicates a book away from the speaker but close to the person addressed: **ese libro, allí.*** **Aquel libro, allí (allá)** indicates a book that is at a distance from both the speaker and the person addressed. These relationships are indicated in the following diagram.

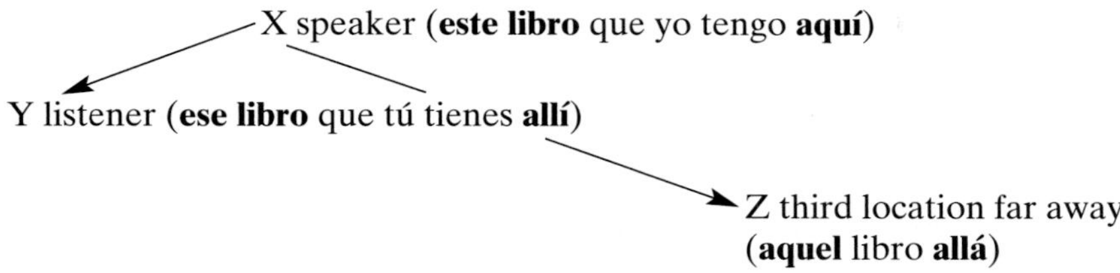


**B.** Demonstrative Pronouns

You can replace demonstrative adjectives and nouns with demonstrative pronouns in order to avoid unnecessary repetition by following the pattern that you have already seen with adjectives and possessive constructions (see Appendix 5). Like demonstrative adjectives, demonstrative pronouns agree with the noun in number and gender. Note that demonstrative pronouns are accented on the stressed syllable.†

| | |
|---|---|
| Este coche es de mi padre y **ese coche** es de mi madre. → Este coche es de mi padre y **ése** es de mi madre. | *This car is my father's and **that car** is my mother's. → This car is my father's and **that one** is my mother's.* |
| Esta mujer es mi madre y **aquellas mujeres** son mis tías. → Esta mujer es mi madre y **aquéllas** son mis tías. | *This woman is my mother and **those women** are my aunts. → This woman is my mother and **those** are my aunts.* |

**C.** Neuter Demonstrative Pronouns

The neuter pronouns **esto, eso,** and **aquello** refer to concepts or processes that have no identifiable gender. The neuter forms are also used to ask for the identification of an unknown object. They have no written accent.

| | |
|---|---|
| No comprendo **esto.** | *I don't understand **this** (concept, idea, action, etc.).* |
| Voy al laboratorio todos los días y **eso** me ayuda. | *I go to the lab every day, and **that** (going there often) helps me.* |
| ¿Qué es **esto**? | *What is **this**?* |

***Ese libro** can also indicate a book away from both speakers. **Aquel libro** would then indicate a book even farther away from both speakers.

†The **Real Academia Española** formally eliminated the accents distinguishing demonstrative pronouns from demonstrative adjectives in 1994. Nonetheless, this distinction has been retained in the *Pasajes* series as a matter of style.

## 7. *TENER* AND *HACER* EXPRESSIONS

In addition to **ser** and **estar,** Spanish uses the verbs **tener** and **hacer** to express the concept of *to be.*

**Tener** combines with certain nouns that are usually expressed with *to be + adjective* in English.

| | | |
|---|---|---|
| **tener** (mucho/a) | frío/calor | ***to be*** (*very*) *cold/hot* |
| | hambre/sed/sueño | *hungry/thirsty/sleepy* |
| | éxito/suerte | *successful/lucky* |
| | razón (no tener razón) | *right* (*to be wrong*) |
| | cuidado/prisa | *careful / in a hurry* |
| | miedo/vergüenza | *afraid/embarrassed* |
| | _____ años | _____ *years old* |

Another common **tener** expression is **tener ganas de** + *infinitive,* which expresses English *to feel like + present participle.*

| | |
|---|---|
| **Tengo ganas de** dormir. | ***I feel like*** *sleeping.* |

Weather conditions expressed with *to be* in English are usually expressed with **hacer** in Spanish.

| | | |
|---|---|---|
| **Hace** (mucho) | frío/calor/fresco. | ***It is*** (*very*) *cold/hot/cool.* |
| | sol/viento. | *sunny/windy.* |
| **Hace** (muy) | buen tiempo. | ***It is*** (*very*) *nice out.* |
| | mal tiempo. | *The weather* ***is*** (*very*) *bad.* |

Verbs that refer to precipitation, such as **nevar (ie)**, **llover (ue)**, and **lloviznar,** are conjugated only in the third-person singular. There is no **hacer** expression to describe these conditions.

| | |
|---|---|
| **Nieva** mucho en Colorado. | ***It snows*** *a lot in Colorado.* |
| **Llueve** ahora, pero antes sólo **lloviznaba.** | ***It's raining*** *now, but before* ***it was*** *only* ***drizzling.*** |

## 8. ANSWERS TO *REPASO* ACTIVITIES

### CAPITULO 1

1. son 2. están (estamos) 3. Es 4. las 5. considera 6. expresa 7. son 8. producen 9. causan 10. muchos 11. intentamos 12. estamos 13. un 14. es 15. son 16. comprenden (comprendemos) 17. vive 18. forma 19. hay 20. grandes 21. hay 22. son

### CAPITULO 2

1. son 2. están 3. son 4. son 5. están 6. ser 7. están 8. Es 9. son

### CAPITULO 3

Here is one possible answer to this exercise.

*Una conversación en la clase de español del profesor O'Higgins*

O'H: Bueno, estudiantes, es hora de entregar la tarea de hoy. Todos tenían que escribirme una breve composición sobre la originalidad, ¿no es cierto? ¿Me *la* escribieron?

J: Claro. Aquí tiene Ud. *la* (*composición*) *mía.*

O'H: Y Ud., señora Chandler, ¿también hizo la tarea?

CH: Sí, *la* hice, profesor O'Higgins, pero no *la* tengo aquí.

O'H: Ajá. Ud. *la* dejó en casa, ¿verdad? ¡Qué original!

CH: No, no *la* dejé en casa. Sucede que mi hijo tenía prisa esta mañana, el carro se descompuso y mi marido *lo* llevó al garaje.

O'H: Ud. me perdona, pero no veo la relación. ¿Me *la* quiere explicar?

CH: Bueno, anoche, después de escribir la composición, *la* puse en mi libro como siempre. Esta mañana salimos, mi marido, mi hijo y yo, en el coche. Siempre dejamos a Paul —mi hijo— en su escuela primero, luego mi marido me deja en la universidad y entonces él continúa hasta su oficina. Esta mañana, como le dije, mi hijo tenía mucha prisa y cogió mi libro con *los suyos* cuando bajó del coche. Desgraciadamente no vi que cogió *el mío.* Supe que *lo* cogió cuando llegamos a la universidad. Como ya era tarde, no pude volver a la escuela de mi hijo. Así que mi marido se ofreció a buscarme el libro. Entonces...

O'H: Bueno, Ud. me *la* puede traer mañana, ¿no?

CH: Sin duda, profesor.

## CAPITULO 4

1. era 2. parecía 3. llegaron 4. estoy 5. le dijo 6. recibió 7. quien 8. decidió 9. tenía (tuve) 10. me gustaba (me gustó) 11. me dijo 12. corto 13. quería 14. que 15. me puse 16. salí 17. hacía 18. estaba 19. caminamos 20. comenzó 21. me preguntó 22. era 23. me escuchaba 24. tenía 25. volvió 26. lo visitaba 27. le pedía 28. vez

## CAPITULO 5

1. sea 2. pasar 3. Escuche 4. sea 5. Compre 6. se la prepare 7. se la lave 8. se preocupe 9. se lo haga 10. empiece

## CAPITULO 6

1. levanté 2. vi 3. estaba 4. pensaba 5. Sabía 6. podía 7. grité 8. salí 9. pensaba 10. llegué 11. abrí 12. salía 13. me preguntó 14. respondí 15. sonrió 16. explicó 17. venía 18. le gustaba 19. Quise 20. tenía 21. dije 22. necesitaba 23. conocía 24. pudo 25. le dije 26. éramos 27. hacías 28. quería 29. Nos poníamos 30. me miró 31. sugirió 32. volvió 33. balbuceé 34. había 35. Me senté

## CAPITULO 7

1. vinieron 2. llegaron 3. es 4. significó 5. se llamaba 6. debía 7. daba 8. necesitaba 9. recibía 10. había 11. tuvieran 12. Era 13. produjeran 14. se cultivaban 15. pudiera 16. odiaban 17. les imponían 18. se convirtieron

## CAPITULO 8

1. hace muchísimos años 2. fuera 3. se reunieron 4. habló 5. necesitamos 6. vean 7. apareció 8. habitaran 9. devoraron 10. destruyeron 11. pusieron 12. empezaran 13. admiraran 14. devastaron 15. de los que 16. pudieron 17. tuviera 18. que (la cual) 19. cubrió 20. decidieron 21. Sabían 22. iban 23. hicieran 24. se preparaban 25. se arrojaron 26. descubrieron 27. vivieran 28. arrojó 29. sino 30. estaba 31. me den 32. se arrojaron 33. comió

## CAPITULO 9

1. Hace veinte años 2. por 3. parecía 4. tiene 5. se ven 6. Es 7. ayudó 8. es 9. tienen 10. Por 11. se presta (se prestó) 12. que 13. para 14. está 15. Hace poco 16. fueron exhibidas 17. por 18. se realizó 19. para 20. es acogido 21. se dirigen 22. son 23. que 24. había 25. se encuentra

## CAPITULO 10

1. se oyen 2. se organizan 3. que 4. apoye 5. causan 6. afirman 7. fueran eliminadas (se eliminaran) 8. empieza 9. acompaña 10. conocen 11. Se compra 12. se consume 13. es 14. es 15. mantener 16. afecta 17. causa 18. provoca 19. produzca

## CAPITULO 11

1. para 2. Tanto Yogi como Mark (Yogi tanto como Mark) 3. que 4. han trabajado 5. hacen 6. sino 7. son 8. utiliza 9. entrenados 10. colaborar 11. perdidas 12. por 13. se han usado los perros (los perros han sido usados) 14. se establecieron 15. para 16. se desarrolla 17. aprenden 18. sean 19. las repitan 20. lleguen a ser (se hagan) 21. sea entrenado por 22. obedezca 23. será 24. que 25. cuidar 26. se establezcan 27. los dos (ambos) 28. no serán 29. sino

## CAPITULO 12

1. Mira 2. es 3. por 4. vean (veamos) 5. conozcan (conozcamos) 6. que 7. tenga 8. lo haré 9. Lo que 10. entiendo 11. hacerlo 12. Debes de darte cuenta 13. habrás 14. tendrás 15. hacer 16. puedas 17. es 18. Me siento 19. me he sentido 20. vine 21. por 22. que (quienes) 23. tenga 24. especializo 25. quería (quiere) 26. me hiciera (me haga) 27. He 28. he 29. estén 30. hay 31. has 32. sea 33. estabas 34. ser 35. consiste 36. lo que 37. sino 38. lo que 39. haya 40. hayas 41. vas 42. seas 43. (el) estudiar 44. sea 45. pero 46. fuera 47. se harían (nos haríamos) 48. Ríete 49. he

# SPANISH–ENGLISH VOCABULARY

This vocabulary does not include exact or close cognates of English. Also omitted are certain common words well within the mastery of second-year students, such as cardinal numbers, articles, pronouns, possessive adjectives, and so on. Adverbs ending in **-mente** and regular past participles are not included if the root word is found in the vocabulary or is a cognate. Terms are generally defined according to their use(s) in this text.

The gender of nouns is given except for masculine nouns ending in **-l, -o, -n, -e, -r,** and **-s,** and feminine nouns ending in **-a, -d, -ión,** and **-z**. Nouns with masculine and feminine variants are listed when the English correspondents are different words (*grandmother, grandfather*); in most cases, however, only the masculine form is given (**abogado, piloto**). Adjectives are given only in the masculine singular form. Based on the Spanish Real Academia's 1994 decision, the letter combinations **ch** and **ll** are no longer treated as separate letters and are alphabetized accordingly. Verbs that have a spelling change in the first-person present indicative indicate the change with **(g), (j), (zc),** and so on. Both present-tense and preterite (if any) stem changes are given for stem-changing verbs. Finally, verbs that have further irregularities are followed by *irreg.*

The following abbreviations are used in this vocabulary.

| | | | |
|---|---|---|---|
| *abbrev.* | abbreviation | *inv.* | invariable |
| *adj.* | adjective | *irreg.* | irregular |
| *adv.* | adverb | *m.* | masculine |
| *conj.* | conjunction | *n.* | noun |
| *f.* | feminine | *pl.* | plural |
| *fig.* | figurative | *p.p.* | past participle |
| *gram.* | grammar | *prep.* | preposition |
| *inf.* | infinitive | *s.* | singular |
| *interj.* | interjection | | |

## A

**abajo** *adv.* below
**abandonar** to leave, abandon
**abeja** bee
**abierto** (*p.p. of* **abrir**) open; opened
**abnegado** self-denying, unselfish
**abogado** lawyer; **abogado defensor** defense attorney
**abordar** to address
**aborto** abortion
**abrazar** to hug
**abrazo** hug
**abrelatas** *m. s., pl.* can opener
**abrigo** overcoat; shelter
**abrir** (*p.p.* **abierto**) to open
**abrochar** to button up, fasten
**absoluto** absolute; **en absoluto** not at all
**absorber** to absorb
**absorto: estar** (*irreg.*) **absorto** to be entranced, amazed
**abuela** grandmother
**abuelo** grandfather; *pl.* grandparents
**aburrido** bored; boring
**aburrir** to bore
**abusivo** abusive
**abuso** abuse
**acá** (over) here; **acá y allá** here and there
**acabar** to end, finish; **acabarse** to run out of; **acabar con** to put an end to; **acabar de** + *inf.* to have just (*done something*)
**academia** academy
**académico** academic
**acaparar** to hoard
**accidente** accident
**acción** action; stock, share of stock; **Día** (*m.*) **de Acción de Gracias** Thanksgiving Day; **entrar en acción** to take action
**accionista** *m., f.* stockholder
**acelerar** to speed up, accelerate
**aceptable** acceptable
**aceptar** to accept
**acerca de** about, concerning, with regard to
**aclarar** to clarify, clear up
**acogedor** welcoming
**acoger** (*like* **coger**) to welcome
**acompañar** to accompany
**aconsejar** to advise
**acontecer (zc)** to happen, occur
**acontecimiento** event, happening
**acostar (ue)** to put to bed; **acostarse** to lie down; to go to bed
**acostumbrarse (a)** to become accustomed (to)
**acrobacias** *pl.* acrobatics
**actitud** attitude
**activar** to activate
**actividad** activity
**activista** *n. m., f.* activist
**activo** active

**acto** act; ceremony
**actriz** actress
**actual** current, present-day
**actualidad: en la actualidad** at the present time, currently
**actualmente** at present, now
**actuar (actúo)** to act, behave
**acudir** to come; **acudir a** to turn to, resort to
**acuerdo** agreement, pact; **de acuerdo con** in accordance with; **estar** (*irreg.*) **de acuerdo** to be in agreement; **ponerse** (*irreg.*) **de acuerdo** to come to an agreement
**acusado** *n.* accused
**acusar** to accuse
**adaptación** adaptation
**adaptarse (a)** to adapt (to)
**adecuado** appropriate
**adelante: de ahora en adelante** from now on
**además (de)** in addition (to)
**adentro** *adv.* inside, indoors
**adherencia** bond, connection; membership
**adhesivo: tira adhesiva** adhesive strip; bandage
**adicción** addiction
**adición** addition
**adicto** *adj.* addicted
**adinerado** wealthy, well-to-do
**adivinar** to guess
**adjetival: cláusula adjetival** *gram.* adjective clause
**administración de empresas** business administration
**admirar** to admire
**admisible** admissible
**admitir** to admit
**adolescencia** adolescence
**adolescente** adolescent
**adónde** where
**adoptación** adoption
**adoptar** to adopt
**adquirir (ie)** to acquire
**adulto** adult
**advertencia** warning
**aéreo: controlador aéreo** air-traffic controller
**aeróbico** *n. pl.* aerobics; *adj.* aerobic
**afabilidad** affability
**afectar** to affect
**afecto** affection
**afeitar(se)** to shave (oneself); **cuchilla de afeitar** razor blade
**afición** hobby
**aficionado** enthusiastic; fond
**afiliación** affiliation
**afirmación** statement
**afirmar** to state
**afirmativo** affirmative
**afligido** sorrowful, grieving
**afortunado** fortunate
**afroamericano** *n., adj.* African American
**afrocubano** *adj.* Afrocuban
**afuera** *adv.* outside, outdoors; *pl.* suburbs, outskirts
**agencia** agency
**agente** *m., f.* agent; **agente de cambio y bolsa** stockbroker; **agente doble** double agent; **agente secreto** secret agent
**agnosticismo** agnosticism
**agnóstico** *n.* agnostic
**agobiado** overwhelmed
**agotamiento** using up, exhaustion
**agradable** pleasant
**agradar** to please
**agregar** to add
**agresividad** aggressiveness
**agrícola** *m., f.* agricultural
**agricultor** farmer
**agrupar** to group, assemble
**agua** *f.* (*but* **el agua**) water; **agua corriente** running water
**aguantar** to put up with
**agudo** acute, extreme
**águila** *f.* (*but* **el águila**) eagle
**agujero** hole
**ahí** there
**ahora** *adv.* now; **ahora mismo** right now; **ahora que** *conj.* now that; **de ahora en adelante** from now on
**ahorrar** to save
**ahorros** savings; **cuenta de ahorros** savings account
**aire** air
**aislado** isolated
**¡ajá!** *interj.* aha!
**ajedrez** *m.* chess
**ajuste** adjustment
**alarma** alarm
**alarmado** alarmed
**albañil** mason
**albergar** to shelter
**albergue** shelter
**alcachofa** artichoke
**alcalde** mayor
**alcaldía** mayor's office
**alcanzar** to reach
**alcoba** bedroom
**alcohólico** alcoholic; **Alcohólicos Anónimos** Alcoholics Anonymous
**alegrar** to make happy; **alegrarse (de)** to get happy (about)
**alegre** happy
**alegría** happiness
**alemán** *n.* German
**alfabetización** literacy
**alfarería** pottery (*making*)
**alfarero** potter
**algo** *adv.* somewhat
**algún, alguno** some; **alguna vez** sometime; once; ever (*with a question*); **algunas veces** sometimes
**alimentación** food
**alimento** food
**alistar(se)** to get (oneself) ready
**aliviado** relieved
**alivio** relief
**allá** (over) there; **acá y allá** here and there; **el más allá** the hereafter, life after death; **más allá** further
**allegado** follower, supporter
**allí** there
**alma** *f.* (*but* **el alma**) soul
**almacén** store, department store
**almacenar** to store
**almorzar (ue)** to eat lunch
**almuerzo** lunch
**alquiler** rent
**alrededor de** *adv.* around, about
**alternar** to alternate
**alternativa** *n., adj.* alternative
**alto** tall; high; **en alta mar** *s.* on the high seas; **en voz alta** in a loud voice; aloud
**altruista** *n. m., f.* altruist; *adj.* altruistic
**alucinógeno** *n.* hallucinogen; *adj.* hallucinogenic
**aludir (a)** to allude (to), refer (to)
**alumno** student
**alusión** allusion
**amable** kind
**amante** *m., f.* lover
**amar** to love
**amarillo** yellow
**amarrado** tied, bound
**amasar** to knead
**amazónica: Selva Amazónica** Amazon Forest/Jungle
**ambición** ambition
**ambicioso** ambitious
**ambientalista** *m., f.* environmentalist

**ambiente** atmosphere; **medio ambiente** environment
**ámbito** ambit, scope, realm
**ambos** both
**americano** *n., adj.* American; **fútbol americano** football
**amigo** friend
**amistad** friendship
**amo** master; **ama** (*f., but* **el ama**) **de casa** homemaker
**amontonado** piled up
**amor** love
**analfabetismo** illiteracy
**analfabeto** illiterate
**analisis** analysis
**analizar** to analyze
**anciano** elderly person
**andar** *irreg.* to walk
**anglicano** *n., adj.* Anglican
**anglosajón** *n.* Anglo-Saxon
**anillo de compromiso** engagement ring
**animar** to encourage
**aniversario** anniversary
**anoche** last night
**anónimo** anonymous; **Alcohólicos Anónimos** Alcoholics Anonymous; **S.A.** *abbrev. of* **sociedad anónima** corporation (Inc.)
**anotar** to make a note of
**ansia** *f.* (*but* **el ansia**) yearning
**ansiedad** anxiety
**ansioso** anxious
**ante** *prep.* before, in the presence of; **ante todo** above all
**antecedentes** *pl.* background, record
**antepasado** ancestor
**anterior** *adj.* previous; **al día anterior** (on) the previous day; **año anterior** previous year; **mes anterior** previous month
**antes** *adv.* before; **antes de** before; **antes (de) que** *conj.* before
**anticipación** anticipation
**anticipar** to anticipate
**antifantasma** *adj., inv.* antighost, ghostbusting
**antiguo** old; ancient; former
**antónimo** antonym
**antropología** anthropology
**anual** annual, yearly
**anunciar** to announce
**anuncio** announcement; advertisement; commercial
**añadir** to add
**año** year; **año anterior** previous year; **año escolar** school year; **año pasado** last year; **cumplir... años** to turn . . . years old; **hace... años** . . . years ago; **tener** (*irreg.*)**... años** to be . . . years old; **todos los años** every year
**apagado** shut off; listless
**apagar** to blow out (*candles*); to turn off (*a light*)
**aparato** appliance; machine
**aparecer (zc)** to appear
**aparencia** appearance
**apartamento** apartment
**aparte** separate; **aparte de** apart from
**apellido** family name, surname
**apenas** hardly
**aplaudir** to applaud
**aplicable** applicable
**aplicación** application
**aplicado** studious
**aplicar** to apply
**aportar** to bring; to contribute
**aporte** contribution
**apostólico** apostolic
**apoyar** to support
**apoyo** *n.* support
**apreciar** to hold in esteem, think well of
**aprecio** esteem
**aprender** to learn; **aprender de memoria** to memorize
**aprendizaje** learning; apprenticeship
**aprobar (ue)** to approve
**apropiado** appropriate, correct
**aprovechar** to make use of; **aprovecharse (de)** to take advantage (of)
**aproximadamente** approximately
**aptitud** aptitude
**apuntar** to write down
**apuntes** *pl.* notes
**apurado** *adj.* hurried, rushed
**apuro** haste
**aquel: en aquel entonces** back then
**aquí** here
**árabe** *n.* Arab
**árbol** tree; **tala de árboles** logging
**arcilla** clay; **arcilla cocida** fired clay
**ardiente: capilla ardiente** funeral chapel
**arena** sand
**arete** earring
**argentino** *n., adj.* Argentine
**argumento** reasoning; argument
**arma** *f.* (*but* **el arma**) weapon; **arma de fuego** firearm
**armonía** harmony
**arquitecto** architect
**arquitectura** architecture
**arraigado** deeply rooted
**arreglar** to arrange
**arrestado** arrested
**arresto** arrest
**arriba** *adv.* above
**arrojar(se)** to throw, fling (oneself)
**arroz** *m.* rice
**arte** art
**artesanía** handicrafts
**artesenal** *adj.* pertaining to handicrafts
**artificial** artificial; **fuegos artificiales** fireworks; **preservativo artificial** artificial preservative
**artilugio** gadget, contraption
**artista** *m., f.* artist
**artístico** artistic
**asaltar** to attack
**asalto** attack, assault
**asco: dar** (*irreg.*) **asco** to disgust, sicken
**asegurar** to assure, guarantee
**asesinar** to murder
**asesinato** murder
**asesino** murderer
**así** *adv.* so, thus, in this/that manner; **así como** as well as; **así que** *conj.* so, then
**asiático** *adj.* Asian
**asignar** to assign
**asimilación** assimilation
**asimilarse** to become assimilated
**asistencia** attendance; assistance; **asistencia médica** health benefits
**asistir** to attend
**asociación** association
**asociar** to associate
**asombrado** surprised
**asopao de pollo** *a spicy, brothy soup from Puerto Rico, composed mainly of rice and chicken*
**aspecto** appearance; aspect
**aspiración** aspiration, goal
**aspirar (a)** to aspire (to)
**aspirina** aspirin
**astrología** astrology
**astucia** cunning, shrewdness
**asumir** to assume (*responsibilities*)
**asunto** matter, affair, issue
**asustar** to frighten; **asustarse** to become frightened

**atacar** to attack
**ataque al corazón** heart attack
**ateísmo** atheism
**atención** attention; **prestar atención** to pay attention
**atender (ie)** to take care of; to wait on; to attend to
**ateo** atheist
**aterrador** frightening
**atípico** atypical
**atleta** *m., f.* athlete
**atlético** athletic
**atracar** to hold up, mug
**atraco** hold-up, mugging
**atractivo** attractive
**atraer** (*like* **traer**) to attract
**atrapar** to catch, capture
**atrasado** late
**atravesar (ie)** to cross
**atrayente** attractive
**atribuido (a)** attributed (to)
**atributo** attribute
**atrofiar** to atrophy
**auditorio** *n.* auditorium
**aumentar** to increase
**aumento** increase
**aun** *adv.* even
**aún** *adv.* yet, still
**aunque** although, even if
**autobús** bus
**autoedición** self-publishing
**autómata** *m.* robot
**automático** automatic; **cajero automático** ATM machine
**automovilístico** *adj.* automobile, automotive
**autopista** freeway, superhighway; **autopista de la información** information highway
**autor** author
**autoridad** authority
**autorizar** to authorize
**auxiliar** *adj.* auxiliary; **auxiliar** (*m., f.*) **de vuelo** flight attendant
**avance** advance
**avanzar** to advance
**avena** oat(s); **pan de avena** oatmeal bread
**avenida** avenue
**aventura** adventure
**averiguar** to find out
**avestruz** *m.* ostrich
**avión** *m.* airplane
**ayer** yesterday
**ayuda** help, assistance
**ayuntamiento** town hall
**azafata** flight attendant
**azafrán** saffron
**azteca** *n., adj. m., f.* Aztec
**azúcar** sugar
**azul** blue

# B

**bahía** *n.* bay
**bailar** to dance
**bailarín** dancer
**baile** dance
**bajar** to lower; to get (down), out of; to descend; **bajar de peso** to lose weight
**bajo** *adj.* short (*height*); low; **barrio bajo** slum; **en voz baja** in a low (quiet) voice; *prep.* under; **bajo riesgo** at risk; *adv.* below
**balbucear** to stutter, stammer
**baloncesto** basketball
**bancario** *adj.* bank
**banco** bank; bench
**bandera** flag
**bañar** to bathe; **bañarse** to take a bath
**baño** bath; **cuarto de baño** bathroom; **darse** (*irreg.*) **un baño** to take a bath
**baraja** deck of cards
**barato** cheap, inexpensive
**barbero** barber
**barco** ship, boat
**barrer** to sweep
**barricada: predicador de barricada** soapbox preacher
**barrio** neighborhood; **barrio bajo** slum
**barro** clay
**basar(se) (en)** to base, found (*an opinion*); to be based (upon)
**base** *f.* base; **base de datos** database
**básico** basic
**básquetbol** basketball
**basquetbolista** *m., f.* basketball player
**bastante** *adj.* enough, sufficient; *adv.* enough; rather, quite
**bastar (con)** to suffice, be enough
**basura** trash; **comida basura** junk food
**basurero** garbage collector
**bateador** (*baseball*) batter
**batidora** beater
**bautizar** to baptize
**beber** to drink
**bebida** drink, beverage
**béisbol** baseball
**beisbolista** *m., f.* baseball player
**belleza** beauty; **sala/salón de belleza** beauty parlor/salon
**bello** beautiful; **la Bella Durmiente** Sleeping Beauty
**bendición** blessing
**beneficiar** to benefit
**beneficio** benefit; profit, gain
**beneficioso** beneficial
**besar** to kiss
**beso** kiss
**bíblico** biblical
**biblioteca** library
**bibliotecario** librarian
**bicicleta** bicycle
**bicolor** two-colored
**bien** *adv.* well; **bien educado** well-mannered; well educated; **caer** (*irreg.*) **bien** to strike (one) well, make a good impression; **(no) llevarse bien (con)** to (not) get along (with); **pasarlo bien** to have a good time; **portarse bien** to behave
**bienestar** well-being
**bienvenido** *adj.* welcome
**biftec** *m.* steak
**bilingüe** bilingual
**billar** billiards, pool; **salón de billar** billiards, pool hall
**billete** ticket
**biología** biology
**bisabuela** great-grandmother
**bisabuelo** great-grandfather; *pl.* great-grandparents
**bisnieta** great-granddaughter
**bisnieto** great-grandson; *pl.* great-grandchildren
**blanco** white; **espacio en blanco** blank
**boca** mouth
**boda** wedding
**bofetada** slap in the face
**boicoteo** boycott
**bola** ball
**boleto** ticket
**bolígrafo** pen
**boliviano** *n.* Bolivian
**bolo: cancha de bolos** bowling alley
**bolsa** bag, sack; **agente** (*m., f.*) **de cambio y de bolsa** stockbroker; **Bolsa** stock market
**bolsillo** pocket
**bombardear** to bombard
**bombero** firefighter; **mujer** (*f.*) **bombero** (female) firefighter
**bombilla** lightbulb

**bondad** goodness, kindness
**bonito** pretty
**borrachera** drunkenness
**borracho** *adj.* drunk
**bosque** forest; **bosque primario** old-growth forest
**bota** boot
**botella** bottle
**botón** button
**boxeador** boxer
**brazo** arm
**breve** brief
**brillante** brilliant, bright
**británico** *adj.* British
**broma** joke; **broma pesada** practical joke; **gastar una broma** to play a prank
**bromista** *m., f.* joker
**bruja** witch; **Día** (*m.*) **de las Brujas** Halloween
**bruto** stupid
**buceo** scuba diving
**budista** *n., adj. m., f.* Buddhist
**buen, bueno** *adj.* good; kind
**bufanda** scarf
**burlarse (de)** to poke, make fun (of)
**busca** search
**buscar** to look for
**búsqueda** search

## C

**caballo: a caballo** on horseback
**cabello** hair
**caber** *irreg.* to fit; **no cabe duda** there is no doubt
**cabeza** head
**cabo: al cabo de** at the end of; **al fin y al cabo** after all; at last
**cacería** *n.* hunting
**cachorro** puppy
**cada** *inv.* each; every; **cada vez más** more and more; **cada vez que** whenever, every time that
**cadáver** corpse, body
**cadena** chain; **cadena perpetua** life imprisonment
**caer** *irreg.* to fall; **caer bien/mal** to strike (one) well/badly, make a good/bad impression; **dejar caer** to drop (*an object*)
**café** coffee; cafe
**cafeína** caffeine
**cafetera** coffeepot, coffee maker
**cafetería** cafeteria
**caja** box
**cajero** cashier; teller; **cajero automático** ATM machine; **tarjeta de cajero** ATM card
**calavera** skull
**calcetín** sock
**calculadora** calculator
**calcular** to calculate
**cálculo: hoja de cálculo** spreadsheet
**calendario** calender
**calentarse (ie)** to get warm, warm up
**calidad** quality
**caliente** hot (*temperature*)
**calificado** qualified; trained
**calle** *f.* street
**callejero** *adj.* (of the) street
**calmado** calm
**calmante** sedative
**calmar(se)** to calm (down)
**calor** heat; **hacer** (*irreg.*) **calor** to be hot (*weather*)
**caloría** calorie
**calvario** suffering
**calvo** bald
**cama** bed
**Cámara de Representantes** House of Representatives
**camarero** waiter
**cambiar** to change; **cambiar de idea/opinión** to change one's mind
**cambio** change; **a cambio de** in exchange for; **agente** (*m., f.*) **de cambio y bolsa** stockbroker; **en cambio** on the other hand
**caminar** to walk
**caminata** *n.* walk, hike; **hacer** (*irreg.*)/**darse** (*irreg.*) **una caminata** to go on/for a hike
**camino** road
**camión** *m.* truck
**camioneta** pickup truck
**camisa** shirt
**camisería** shirt making
**camiseta** T-shirt
**campamento** camp
**campana** bell
**campanilla** bell
**campaña** campaign
**campesino** peasant, country person
**campo** countryside; field
**canadiense** *n.* Canadian
**canalizar** to channel
**Canarias: Islas Canarias** Canary Islands
**cáncer** cancer
**cancha** court (*sports*); **cancha de bolos** bowling alley; **cancha de racket** racquetball court; **cancha de squash** squash court; **cancha de tiro** shooting range
**canción** song
**candidato** candidate
**cansar** to tire; **cansarse** to get tired
**cantar** to sing
**cántaro** jug, pitcher
**cantidad** quantity
**caos** *m.* chaos
**capacidad** ability; capacity
**capacitado** qualified, having the aptitude
**capaz** capable
**Caperucita Roja** Little Red Riding Hood
**capilla** chapel; **capilla ardiente** funeral chapel
**capital: pena capital** capital punishment
**capítulo** chapter
**captar** to capture
**cara** face
**carabela** caravel (*ship*)
**carácter** character, disposition, nature
**característica** *n.* characteristic
**característico** *adj.* characteristic
**caracterizar** to characterize
**cárcel** *f.* jail, prison
**cargar** to charge (*to an account*)
**cargo** post, office; **estar** (*irreg.*) **a cargo (de)** to be in charge (of); **hacerse** (*irreg.*) **cargo (de)** to take charge (of)
**caricatura** caricature; cartoon
**caricaturista** *m., f.* cartoonist
**cariño** affection
**cariñoso** affectionate
**carnaval** carnival, Mardi Gras
**carnavalesco** *adj.* pertaining to carnival, Mardi Gras
**carne** *f.* meat
**carnet** *m.* card; **carnet de identidad** identity card
**carnicero** butcher
**carnívoro** carnivorous
**caro** expensive
**carrera** career, profession; university specialty, major; race (*contest*)
**carretera** highway
**carrito** shopping cart
**carro** car
**carta** letter

**cartelera** (*movie*) listings
**cartera** wallet
**casa** house; **ama** (*f., but* **el ama**) **de casa** homemaker
**casarse (con)** to marry, get married (to someone)
**casco** helmet
**casi** almost
**casillero** locker
**caso** case; **en caso de (que)** *conj.* in case; **hacer** (*irreg.*) **caso (de)** to pay attention (to), take into account
**castaño** brown, chestnut
**castigar** to punish
**castigo** punishment
**castillo** castle
**casualidad** chance
**catalán** *n. language from the Spanish region of Catalonia*
**Cataluña** Catalonia
**catástrofe** *f.* catastrophe
**catedral** *f.* cathedral
**catedrático** *n.* university professor
**categoría** category
**catolicismo** Catholicism
**católico** *n., adj.* Catholic
**causa** cause; **a causa de** because of
**causar** to cause
**cebolla** onion
**celebración** celebration
**celebrar** to celebrate
**celebre** famous
**celos** *m. pl.* jealousy
**celoso** jealous
**celular: teléfono celular** cellular telephone
**cementerio** cemetery
**cena** supper
**cenar** to eat supper
**censo** census
**centro** center; downtown; **centro comercial** shopping mall
**Centroamérica** Central America
**centroamericano** *adj.* Central American
**cerámica** ceramics, pottery
**cerca** *adv.* nearby, close by; **cerca de** near, close to
**cercano** *adj.* near, close
**cerebro** brain
**ceremonia** ceremony
**cerrajería** locksmith's trade
**cerrar (ie)** to close
**cerveza** beer
**cesto** basket, hamper
**champaña** champagne
**chantaje** blackmail
**chantajear** to blackmail
**chaqueta** jacket
**charla** chat, discussion
**charlar** to chat
**cheque** check; **cobrar un cheque** to cash a check
**chica** girl
**chicano** *n., adj.* Mexican American
**chicle** chewing gum
**chico** boy
**chile** (hot) pepper
**chileno** *n., adj.* Chilean
**chimenea** chimney
**chinitos** *pl.* curls (*hair*)
**chisme** gossip
**chismear** to gossip
**chiste** joke
**chistoso** funny
**chocar** to collide, crash
**choque** crash, collision
**chorizo** *type of sausage*
**chupete** pacifier
**churrasco** grilled steak
**churrasquería** steakhouse
**cielo** heaven; sky
**ciencia** science
**científico** *n.* scientist; *adj.* scientific
**ciento: por ciento** percent
**cierto** certain; sure; true
**cifra** number, figure
**cigarillo** cigarette
**cigarro** cigar
**cima** top, summit
**cine** movie theater
**cinta** tape
**cinturón de seguridad** seatbelt
**circulación** circulation; traffic
**circunstancia** circumstance
**cirio** candle
**cirugía** surgery; **cirugía estética** cosmetic surgery; **cirugía plástica** plastic surgery
**cirujano** surgeon
**cita** appointment; date
**citado** cited
**ciudad** city
**ciudadanía** citizenship
**ciudadano** citizen
**civilización** civilization
**claro** clear; light; **¡claro!** of course!; **¡claro que no!** of course not!; **¡claro que sí!** of course!
**clase** *f.* class; **clase media** middle class; **compañero de clase** classmate
**clásico** classic
**clasificación** classification
**clasificar** to classify
**cláusula** *gram.* clause; **cláusula adjetival** adjective clause; **cláusula subordinada** subordinate clause
**clave** *n.* key; main element; *adj. inv.* key
**clavo** nail
**clero** clergy
**cliente** *m., f.* client, customer
**clima** *m.* climate
**climatizado** air-conditioned
**clínica** clinic
**cobrar** to charge (*someone for something*); **cobrar un cheque** to cash a check
**cobre** copper
**cocaína** cocaine
**coche** car
**cocido: arcilla cocida** fired clay
**cocina** kitchen
**cocinar** to cook
**cocinero** cook, chef
**codificado** codified
**código postal** zip code
**coger (j)** to catch; to take, pick up
**cohete** rocket
**coincidencia** coincidence
**coincidir** to coincide
**cojear** to limp
**cola** line; **hacer** (*irreg.*) **cola** to be/stand/wait in line
**colaboración** collaboration
**colaborar** to collaborate
**colectivo** collective
**colega** *m., f.* colleague
**colegio** secondary school
**colesterol** cholesterol
**colgante** hanging
**colina** hill
**colocación** placement
**colocar** to place, put
**colombiano** *n.* Colombian
**colón** *monetary currency of Costa Rica*
**colonia** colony
**colonización** colonization, settlement
**colonizar** to colonize, settle
**coloquial** colloquial
**colorado: ponerse** (*irreg.*) **colorado** to blush
**columna** column
**combatir** to fight
**combinación** combination

**combinar** to combine
**combustible** fuel
**comedia** comedy
**comedor** dining room
**comentar** to comment (on), talk about
**comentario** comment, remark
**comenzar (ie)** to begin
**comer** to eat; **dar** (*irreg.*) **de comer** to feed
**comercial** *adj.* commercial; **centro comercial** shopping mall; **secretariado comercial** commercial secretaryship
**comercialización** commercialization
**comerciante** *m., f.* merchant
**comercio** business; trade; **libre comercio** free trade
**cometer** to commit
**cómico** funny; **dibujo cómico** cartoon; **tira cómica** comic strip
**comida** food; meal; **comida a domicilio** take-out food; **comida basura** junk food
**comilón** heavy eater
**como** like; as; **así como** as well as; **como consecuencia** as a result; **tan... como** as . . . as; **tan pronto como** as soon as; **tanto... como...** both . . . and . . .
**comodidad** comfort
**cómodo** comfortable
**compacto: disco compacto** compact disc
**compañero** companion, partner; **compañero de clase** classmate; **compañero de cuarto** roommate; **compañero de trabajo** co-worker
**compañía** company
**comparación** comparison
**comparar** to compare
**comparativo** *n., adj. gram.* comparative
**comparsa** costumed group
**compartir** to share
**compasión** compassion
**competencia** competition
**competir (i, i)** to compete
**competitivo** competitive
**complejo** complex
**complementar** to complement
**complemento** *gram.* object, complement; **complemento pronominal** object pronoun; **pronombre de complemento directo** direct object pronoun; **pronombre de complemento indirecto** indirect object pronoun
**completar** to complete
**completo** complete; **por completo** completely; **tiempo completo** full-time
**complicado** complicated
**componer** (*like* **poner**) to make up, compose
**comportamiento** behavior
**comportarse** to behave (oneself)
**composición** composition
**compra** *n.* shopping; **hacer** (*irreg.*) **la compra** to go shopping; **ir** (*irreg.*) **de compras** to go shopping
**comprar** to buy
**comprender** to understand
**comprensión** *n.* understanding
**comprensivo** *adj.* understanding
**comprobado** proven
**comprometerse (a)** to make a commitment (to)
**comprometido** committed
**compromiso** commitment; **anillo de compromiso** engagement ring
**computación** programming (*computer*)
**computadora** computer
**común** common; **común y corriente** common, everyday
**comunicación** communication; **medios de comunicación** media
**comunicar** to communicate
**comunidad** community
**con frecuencia** frequently
**concentración** concentration
**concepto** concept
**conciencia** conscience
**concierto** concert
**conciso** concise
**conclusión** conclusion
**concreto** concrete
**condena** sentence (*law*)
**condenar** to condemn
**condición** condition; **a condición (de) que** *conj.* provided that
**conducir** *irreg.* to drive; **licencia de conducir** driver's license
**conducta** conduct; **línea de conducta** course of action
**conductor** driver
**conejo** rabbit
**conexión** connection
**confederación** confederation
**conferencia** lecture
**confianza** confidence
**confiar (confío)** to entrust
**conflicto** conflict
**conformista** *adj. m., f.* conformist
**confundido** confused
**congelado** frozen
**congreso** congress
**conjetura** conjecture
**conjugar** to conjugate
**conjunto** (musical) group
**conmemorar** to commemorate, remember
**conmemorativo** commemorative
**connotación** connotation
**conocer (zc)** to know; to meet
**conocimiento** knowledge
**conquista** conquest
**conquistador** conqueror
**conquistar** to conquer
**consciente** aware, conscious
**consecuencia** consequence; **como consecuencia** as a result
**conseguir** (*like* **seguir**) to get, obtain
**consejero** counselor
**consejo** advice
**conservación** conservation
**conservador** conservative
**conservar** to keep, maintain
**considerar** to consider
**consiguiente: por consiguiente** consequently
**consistir en** to consist of
**conspirar** to conspire
**constante** constant
**construcción** construction
**construir (y)** to build
**consultar** to consult
**consultorio** doctor's office
**consumidor** consumer
**consumir** to consume, take, use; **consumir drogas** to take drugs
**consumo** consumption, use
**contabilidad mercantil** mercantile bookkeeping
**contacto** contact
**contador** accountant, bookkeeper
**contaminación** pollution
**contaminar** to pollute
**contar (ue)** to tell; to count
**contemporáneo** contemporary
**contendiente** *m., f.* contender, opponent
**contendor** contender, opponent
**contener** (*like* **tener**) to contain
**contenido** *n.* content

**contento** content, happy
**conteo** count, tally
**contestar** to answer
**contexto** context
**continente** continent
**continuación: a continuación** following, next
**continuar (continúo)** to continue
**contra** against; in opposition to
**contrabandista** *m., f.* smuggler
**contrabando** contraband
**contradecir** (*like* **decir**) to contradict
**contradicción** contradiction
**contraer** (*like* **traer**) to contract
**contrario** opposite; contrary; **lo contrario** the opposite
**contraste** contrast
**contratar** to hire, contract
**contrato** contract
**contribución** contribution
**contribuir (y)** to contribute
**contribuyente** *adj.* contributing
**control de la natalidad** birth control
**controlador aéreo** air-traffic controller
**controlar** to control
**convencer (z)** to convince
**convencional** conventional
**convencionalismo** conventionalism
**conveniente** convenient; advisable; worthwhile
**convenir** (*like* **venir**) to be appropriate
**conversación** conversation
**conversar** to converse, talk
**conversión** conversion
**convertir(se) (ie, i)** to convert
**cooperación** cooperation
**cooperar** to cooperate
**copa: tomar una copa** to have a drink
**copiar** to copy
**coqueta** *n. f.* flirt; *adj. f.* flirtatious
**coquetón** *n. m.* flirt; *adj. m.* flirtatious
**corazón** heart; **ataque al corazón** heart attack
**corbata** tie
**cordillera** mountain range
**cordón** cord, braid
**corona** crown; wreath
**corporación** corporation
**correcto** correct
**corregir (i, i) (j)** to correct
**correo** post office; mail; **correo electrónico** e-mail
**correr** to run
**corresponder** to correspond
**correspondiente** corresponding
**corriente** *n.* current month; current trend; *adj.* current; common; running; **agua corriente** running water; **común y corriente** common, everyday; **cuenta corriente** checking account
**corrupción** corruption
**corrupto** corrupt
**cortacésped** *m.* lawn mower
**cortar** to cut
**corte** *f.* court (*of law*); *m.* cut; **corte de electricidad** power outage
**corte-confección** *m.* ready-made clothing
**cortésmente** courteously
**corto** short (*length*)
**cosa** thing
**cosecha** harvest
**costar (ue)** to cost
**costarricense** *n. m., f.* Costa Rican
**costoso** costly
**costumbre** *f.* custom, habit
**creación** creation
**crear** to create
**creatividad** creativity
**creativo** creative
**creciente** growing
**crédito** credit; **tarjeta de crédito** credit card
**creencia** belief
**creer (y)** to believe, think
**cremallera** zipper
**creyente** *n. m., f.* believer; **no creyente** nonbeliever
**criada** maid
**crianza** childrearing
**criar (crío)** to raise, bring up
**crimen** crime (*in general*)
**criollo** *adj.* Creole
**crisol** melting pot
**cristianismo** Christianity
**cristiano** *n.* Christian
**Cristo** Christ
**criterio** criterion
**crítica** *n.* criticism
**criticar** to criticize
**crítico** *adj.* critical
**croata** *n. m., f.* Croatian
**cronología** chronology
**cronológico** chronological
**crucigrama** *m.* crossword puzzle
**cruz** cross
**cruzada** crusade
**cruzar** to cross
**cuaderno** notebook
**cuadro** square; table (*chart*); picture
**cualidad** quality
**cualquier** *adj.* any
**cuando** when; **de vez en cuando** once in a while
**cuanto** *adv.* as much as; **en cuanto** as soon as; **en cuanto a...** as far as . . . is concerned
**cuarto** *adj.* fourth
**cuarto** *n.* room; **compañero de cuarto** roommate; **cuarto de baño** bathroom
**cubano** *n., adj.* Cuban
**cubrir** (*p.p.* **cubierto**) to cover
**cucaracha** cockroach
**cuchilla de afeitar** razor blade
**cuenta** account, bill; **cuenta corriente** checking account; **cuenta de ahorros** savings account; **darse** (*irreg.*) **cuenta** to realize, become aware of; **tener** (*irreg.*) **en cuenta** to take into account; to keep in mind
**cuento** story
**cuero** leather
**cuerpo** body
**cuestión** question, matter
**cuestionario** questionnaire
**cuidado** care, caution; **con cuidado** carefully, cautiously; **tener** (*irreg.*) **cuidado** to be careful, cautious
**cuidar** to take care of
**culinario** culinary
**culminar** to finish
**cultivar** to cultivate
**cultivo** cultivation
**culto** well-educated
**cultura** culture
**cumpleaños** *s., pl.* birthday
**cumplir** to complete, fulfill; **cumplir... años** to turn . . . years old; **hacer** (*irreg.*) **cumplir** to enforce
**cuñada** sister-in-law
**cuñado** brother-in-law; *pl.* sisters- and brothers-in-law
**cura** *m.* priest; *f.* cure
**curar** to cure; **curar el ombligo** to tie off the umbilical cord at birth
**curiosidad** curiosity
**curioso** curious
**cursivo: letra** (*s.*) **cursiva** italics
**curso** course
**custodia** custody
**cuyo** whose

## D

**danzante** *m., f.* dancer
**danzar** to dance
**daño** harm, injury; damage; **hacer** (*irreg.*) **daño** to harm, hurt, injure
**dar** *irreg.* to give; **dar a luz** to give birth; **dar asco** to disgust, sicken; **dar de comer** to feed; **dar igual** to be the same to; **dar la gana** (*to do*) whatever one feels like doing; **dar las gracias** to thank; **dar sepultura** to bury; **dar una fiesta** to have a party; **darse cuenta** to realize, become aware of; **darse la mano** to shake hands; **darse palmadas en la espalda** to pat on the back; **darse un baño** to take a bath; **darse una caminata** to go on/for a hike
**dato** fact, result, datum; **base** (*f.*) **de datos** database
**deambular** to wander
**deber** *n.* duty
**deber** to owe; **deber** + *inf.* should, must
**debido a** due to
**débil** weak
**debilidad** weakness
**década** decade
**decadencia** decadence
**decano** dean
**decidir** to decide
**decir** *irreg.* to say, tell; **es decir** that is to say; **querer** (*irreg.*) **decir** to mean
**decisión** decision; **tomar una decisión** to make a decision
**declaración** statement, declaration
**declarar** to declare
**decorar** to decorate
**dedicación** dedication
**dedicarse (a)** to dedicate oneself (to)
**dedo** finger; toe
**deducir** *irreg.* to deduce
**defecto** fault
**defender (ie)** to defend
**defensor: abogado defensor** defense attorney
**déficit** *m.* deficit
**definición** definition
**definir** to define
**definitivo** definitive, final
**deforestado** deforested
**dejar** to leave, leave behind; to allow, permit; to quit; to drop (*a course*); **dejar caer** to drop (*an object*); **dejar de** + *inf.* to stop (*doing something*); **dejar en paz** to leave alone; **dejar plantado** to stand someone up; **no dejar de** + *inf.* to not neglect to (*do something*), not miss out on (*doing something*)
**delante de** in front of
**deletrear** to spell
**delfín** dolphin
**delgado** thin
**deliberar** to deliberate
**delicado** delicate
**delicioso** delicious
**delincuencia** delinquency
**delincuente** *n., adj. m., f.* delinquent
**delineante** *m., f.* draftsman, draftswoman; *m.* drafting (*profession*)
**delito** crime, criminal act
**demanda** request
**demás: los demás** the others
**demasiado** *adj.* too much; *pl.* too many; *adv.* too; too much
**democrático** democratic
**demografía** demography
**demográfico** demographic
**demoler (ue)** to tear down, demolish
**demorar** to delay
**demostrar (ue)** to demonstrate
**dentista** *m., f.* dentist
**dentro de** within, in
**denunciar** to denounce
**departamento** department
**dependencia** dependence
**depender (de)** to depend (on)
**dependiente** *n.* sales clerk; *adj.* dependent
**deportar** to deport
**deporte** sport
**deportista** *m., f.* sportsman, sportswoman
**deportivo** *adj.* sports
**depositar** to deposit
**depresión** depression
**deprimido** depressed
**derecha** *n.* right; **a la derecha** to the right
**derecho** *n.* right; law; *adj.* right; right-hand
**derribar** to tear down, demolish
**derrumbar** to tear down; **derrumbarse** to fall apart, collapse
**desabrochado** unfastened
**desacuerdo** disagreement
**desafortunado** *n.* unfortunate person
**desagradable** unpleasant, disagreeable
**desagradar** to displease
**desamparado** *n.* homeless person; *adj.* abandoned
**desanimar** to discourage
**desaparición** disappearance
**desaprobar** (*like* **aprobar**) to disapprove
**desarrollar** to develop
**desarrollo** development; **en vías de desarrollo** developing
**desastroso** disastrous
**desayunar** to have breakfast
**desayuno** breakfast
**descansar** to rest; **que en paz descanse** rest in peace
**descanso** rest, leisure
**descendiente** descendant
**descomponer** (*like* **poner**) to break down
**desconfianza** distrust
**desconocer** (*like* **conocer**) to not know, be ignorant of
**descortés** impolite, discourteous
**describir** (*p.p.* **descrito**) to describe
**descripción** description
**descriptivo** descriptive
**descubrir** (*like* **cubrir**) to discover
**desde** *prep.* since (*time*); from; **desde entonces** from then on; **desde hace** + *period of time* for + *period of time*; **desde que** *conj.* since
**deseable** desirable
**desear** to want, desire
**desechable** disposable
**desempeñar un papel** to play (fulfill) a role
**desempleado** *n.* unemployed person
**desempleo** unemployment
**desenchufado** unplugged
**deseo** desire
**desequilibrio** imbalance
**desesperado** desperate
**desgraciadamente** unfortunately
**deshacer** (*like* **hacer**) to undo
**deshonesto** dishonest
**deshumanizante** dehumanizing
**desierto** desert
**desigualdad** inequality
**desinflado** deflated, flat
**deslizarse en trineo** to go sledding
**desnutrición** malnutrition
**desnutrido** undernourished
**desobedecer** (*like* **obedecer**) to disobey

**desodorante** deodorant
**despacho** office (*specific room*)
**despacio** *adv.* slowly
**despedir** (*like* **pedir**) to fire; **despedirse** to say good-bye
**despegar** to take off (*airplane*)
**despertador: reloj** (*m.*) **despertador** alarm clock
**despertar(se) (ie)** to awaken, wake up
**desplazamiento** displacement; shifting (*from one place to another*)
**despoblación rural** movement away from the countryside
**despreciar** to look down on
**desprender** to loosen, release
**después** *adv.* afterwards; **después de** after; **después (de) que** *conj.* after
**destacado** outstanding
**destinado a** destined to, for
**destino** destination
**destreza** skill
**destrucción** destruction
**destruir (y)** to destroy
**desventaja** disadvantage
**desvestirse** (*like* **vestirse**) to get undressed
**detalladamente** in detail
**detalle** detail
**detectivismo** *n.* investigating
**detener(se)** (*like* **tener**) to detain; to stop; to arrest
**deteriorado** deteriorated
**deterioro** deterioration
**determinado** specific, fixed
**determinar** to determine
**detestar** to detest
**detrás de** behind
**deuda** debt
**devastar** to devastate
**devoción** devotion
**devolución** return
**devolver** (*like* **volver**) to return (*an object*)
**devoto** *n.* devotee; *adj.* devout, pious
**día** *m.* day; **al día** daily; **al día anterior** (on) the previous day; **al día siguiente** (on) the following day; **Día de Acción de Gracias** Thanksgiving Day; **Día de las Brujas** Halloween; **Día de los Difuntos/Muertos** All Souls' Day; **Día de Todos los Santos** All Saints' Day; **día festivo** holiday; **hoy (en) día** nowadays; **ponerse** (*irreg.*) **al día** to bring oneself up-to-date; **todo el día** all day; **todos los días** every day
**diablo** devil
**diagonal** *n.* diagonal (line), slash
**diálogo** dialog
**diamante** diamond
**diario** *n.* journal, diary; *adj.* daily
**dibujo** drawing; **dibujo cómico** cartoon
**diccionario** dictionary
**dictador** dictator
**diente** tooth
**dieta** diet; **estar** (*irreg.*) **a dieta** to be on a diet
**dietético** *adj.* diet
**diferencia** difference
**diferenciar** to distinguish; to differ
**diferente** different
**diferir (ie, i)** to differ
**difícil** difficult; **llevar una vida difícil** to lead a difficult life
**dificultad** difficulty
**difunto** dead person; **Día de los Difuntos** All Souls' Day
**difusión** spreading
**dilema** *m.* dilemma
**diluido** diluted
**dinero** money
**Diós** God
**dirección** address
**directo** direct; **pronombre de complemento directo** *gram.* direct object pronoun
**dirigir (j)** to direct
**disciplina** discipline
**disciplinar** to discipline
**disco** disc; **disco compacto** compact disc; **disco duro** hard drive
**discoteca** discotheque
**discriminación** discrimination
**discriminar** to discriminate
**disculpas: pedir (i, i) disculpas** to apologize
**discurso** speech
**discusión** discussion
**discutir** to argue
**diseñar** to design
**diseño** design
**disfraz** *m.* costume, disguise
**disfrazar(se)** to disguise (oneself); to dress up in costume
**disfrutar de** to enjoy
**disgustar** to annoy
**disminuir (y)** to reduce, lessen
**disponer (de)** (*like* **poner**) to have at one's disposal
**disponible** available, on hand
**dispuesto** (*p.p.* of **disponer**)**: estar** (*irreg.*) **dispuesto (a)** to be ready (to)
**disputar** to dispute; to debate
**disquete** diskette
**distancia** distance; **en larga distancia** for long distance (calling)
**distinción** distinction
**distintivo** distinctive
**distinto** different
**distorcionar** to distort
**distracción** distraction
**distribución** distribution
**distribuir (y)** to distribute
**distrito** district
**disuadir** to dissuade
**diversidad** diversity
**diversión** entertainment, amusement
**diverso** several; diverse
**divertirse (ie, i)** to enjoy oneself
**dividir** to divide
**divino** divine
**divorciarse (de)** to get divorced (from)
**divorcio** divorce
**doblar** to fold
**doble** double; **agente** (*m., f.*) **doble** double agent
**docena** dozen
**doctorado** doctorate
**doctrina** doctrine
**documento** document
**dólar** dollar
**dolerse (ue)** to hurt
**doliente** *adj.* mourning
**dolor** pain, ache
**doméstico** domestic; **tarea doméstica** household chore
**domicilio: comida a domicilio** take-out food
**dominar** to dominate, have sway over; to control
**dominicano** *n.* Dominican
**dominio** domain; power
**don** *title of respect used with a man's first name*
**donar** to donate
**donativo** donation
**donde** where
**doña** *title of respect used with a woman's first name*
**dorado** golden
**dormir (ue, u)** to sleep; **dormirse** to fall asleep
**dormitorio** bedroom
**drama** *m.* play

**dramatización** dramatization
**dramatizar** to act out, dramatize
**drástico** drastic
**droga** drug; **consumir drogas** to take drugs
**drogarse** to take drugs
**ducha** shower
**ducharse** to take a shower
**duda** doubt; **no cabe duda** there is no doubt; **sin duda** doubtless
**dudar** to doubt
**dudoso** doubtful
**dueño** owner
**dulce** candy, sweet
**duradero** lasting
**durante** during
**durar** to last
**durmiente: la Bella Durmiente** Sleeping Beauty
**duro** hard; **disco duro** hard drive

## E

**echar** to throw; **echar de menos** to miss, long for
**eco** echo
**ecología** ecology
**ecológico** ecological
**ecologista** *adj. m., f.* ecological
**economía** economy
**económico** economical
**economizar** to economize
**ecuatoriano** *n.* Ecuadorean
**edad** age; **Edad Media** Middle Ages
**edificio** building
**educación** education; upbringing
**educado: bien educado** well-mannered; well educated; **mal educado** bad mannered; poorly educated
**educar** to rear, bring up (*children*); to educate
**educativo** educational
**efectivo** *n.* cash; **pagar en efectivo** to pay in cash; *adj.* effective
**efecto** effect, result
**efectuar (efectúo)** to carry out
**eficaz** effective
**Egipto** Egypt
**egoísmo** selfishness
**egoísta** *n. m., f.* egotist; *adj.* egotistical, selfish
**ejecutivo** *n., adj.* executive
**ejemplo** example; **por ejemplo** for example
**ejercer (z)** to practice (*a profession*); to exert (*influence*)
**ejercicio** exercise; **hacer** (*irreg.*) **ejercicio** to exercise
**ejército** army
**elaborar** to make, manufacture; to elaborate
**elección** election
**electo** elected
**electricidad** electricity; **corte** (*m.*) **de electricidad** power outage
**eléctrico** electric
**electrodoméstico** appliance
**electrónica** electronics
**electrónico** electronic; **correo electrónico** e-mail
**elegante** elegant
**elegir (i, i) (j)** to elect
**elemento** element
**elevado** elevated, high
**eliminar** to eliminate
**elocuencia** eloquence
**embarazada** pregnant
**embargo: sin embargo** nevertheless, however
**emborracharse** to get drunk
**embriagador** intoxicating
**embrujado** bewitched
**emigración** emigration
**emigrar** to emigrate
**emoción** emotion
**emocionado** excited, moved, touched
**emocional** emotional
**emocionarse** to be moved, touched
**empanada** *turnover pie or pastry*
**emparejar** to pair, match
**empezar (ie)** to begin, start
**empleado** employee, worker
**emplear** to employ, use
**empleo** job; work, employment
**empresa** business; corporation; **administración de empresas** business administration
**empujar** to push
**enamorado** *n.* person in love; *adj.* in love
**enamorarse (de)** to fall in love (with)
**enano** dwarf
**encantador** charming
**encantar** to delight
**encarcelar** to imprison
**encargarse (de)** + *inf.* to take charge (of)
**encendido** lit
**encima** *adv.* in addition
**encontrar (ue)** to find; **encontrarse** to be located
**encuentro** encounter
**encuesta** survey
**enemigo** enemy
**energía** energy; **energía solar** solar energy
**enfadarse (con)** to get angry (with)
**énfasis** *m.* emphasis
**enfatizar** to emphasize, stress
**enfermarse** to get sick
**enfermedad** illness, sickness
**enfermero** nurse
**enfermo** *n.* sick person; *adj.* sick, ill
**enfocar (en)** to focus (on)
**enfrente de** in front of
**enlace** link
**enlatado** canned
**enojarse (con)** to get angry (with)
**enorme** huge, enormous
**enriquecer (zc)** to enrich
**enseñar** to teach
**entender (ie)** to understand
**enterarse** to find out
**enterrar (ie)** to bury
**entierro** burial
**entonces** then, at that moment; **desde entonces** from then on; **en aquel entonces** back then
**entrada** entrance; admission ticket; entrée
**entrar** to enter; **entrar en acción** to take action
**entre** between; among
**entregar** to turn over; to hand in
**entrenador** trainer
**entrenamiento** training
**entrenar** to train
**entretenerse** (*like* **tener**) to entertain oneself
**entretenimiento** entertainment
**entrevista** interview
**entrevistado** *n.* interviewee; *adj.* interviewed
**entrevistador** interviewer
**entrevistar** to interview; **entrevistarse con** to have an interview with
**entusiasmar(se)** to become enthusiastic
**entusiasmo** enthusiasm
**envase** (food) container; **envase de vidrio** jar; **envase de lata** can
**enviar (envío)** to send
**¡epa!** (*interj.*) hey!
**episodio** episode
**época** period (*time*)
**equilibrar** to balance
**equilibrio** balance

**equipo** equipment; team
**equivaler (a)** (*like* **valer**) to equal, be equivalent (to)
**equivocarse** to be mistaken, wrong
**erupción: estar** (*irreg.*) **en erupción** to be erupting
**escala** scale
**escandalizar** to scandalize
**Escandinavia** Scandinavia
**escandinavo** *n.* Scandinavian
**escapar(se)** to escape
**escena** scene
**escenario** setting
**escoger** (*like* **coger**) to choose
**escolar** *adj.* school; **año escolar** school year
**esconder** to hide
**escribir** (*p.p.* **escrito**) to write; **máquina de escribir** typewriter
**escritor** writer
**escritorio** desk
**escritura** writing
**escuchar** to listen
**escuela** school; **escuela primaria** elementary school; **escuela secundaria** middle/high school
**esforzarse** (like **forzar**) to strive, make an effort
**esfuerzo** effort
**eso: por eso** for that reason
**espacio** space; **espacio en blanco** blank
**espagueti** spaghetti
**espalda: darse** (*irreg.*) **palmadas en la espalda** to pat on the back
**España** Spain
**español** *n.* Spaniard; Spanish (*language*); *adj.* Spanish; **de habla española** Spanish-speaking
**especia** spice
**especial** special
**especialista** *m., f.* specialist
**especialización** specialization; major (*university*)
**especializarse (en)** to specialize (in); to major (in)
**específico** specific
**especular** to speculate
**espejo** mirror
**espera: sala de espera** waiting room
**esperanza** hope
**esperar** to hope, wish; to wait for
**espía** *m., f.* spy
**espiar (espío)** to spy
**espinacas** *pl.* spinach
**espionaje** spying, espionage
**espíritu** spirit
**espiritual** spiritual
**espléndido** splendid, magnificent
**esplendor** splendor, magnificence
**esplendoroso** magnificent, radiant
**esposa** wife
**esposo** husband
**esquela** obituary notice
**esqueleto** skeleton
**esquema** *m.* diagram
**esquiar (esquío)** to ski
**esquina** corner
**estable** *adj.* stable
**establecer (zc)** to establish; **establecerse** to get settled, established
**establecimiento** establishment
**estación** season; station
**estadio** stadium
**estadística** statistic
**estado** state
**Estados Unidos** United States
**estadounidense** *n. m., f.* person from the United States; *adj. m., f.* U.S., from the United States
**estafa** graft, fraud
**estafador** person who commits graft
**estallar** to break out
**estante** bookshelf; shelf
**estaño** tin
**estar** *irreg.* to be; **estar a cargo (de)** to be in charge (of); **estar a dieta** to be on a diet; **estar a favor de** to be for/in favor of; **estar a la venta** to be on/for sale; **estar absorto** to be entranced, amazed; **estar de acuerdo** to be in agreement; **estar de vacaciones** to be on vacation; **estar de visita** to be visiting; **estar dispuesto (a)** to be ready (to); **estar en erupción** to be erupting; **estar para** + *inf.* to be about to (*do something*); **sala de estar** living room
**estatal** *adj.* state, relating to the state
**estereo** stereo
**estereotipado** stereotyped
**estereotípico** stereotypical
**estereotipo** stereotype
**estético: cirugía estética** cosmetic surgery
**estilo** style
**estimulante** stimulant
**estimular** to stimulate
**estrategia** strategy
**estrechar la mano** to shake hands
**estrecho** tight
**estrella** star
**estrellado** starry
**estrés** *m.* stress
**estresante** stressful
**estructura** structure
**estudiante** student
**estudiantil** *adj.* student; **residencia estudiantil** dormitory
**estudiar** to study
**estudio** study
**estudioso** *n.* bookworm; *adj.* studious
**estupendo** wonderful
**estúpido** stupid
**ético** ethical
**étnico** ethnic
**Europa** Europe
**europeo** *n., adj.* European
**evaluar (evalúo)** to evaluate
**evangélico** evangelical
**evangelizador** evangelist
**evento** event
**evidencia** evidence
**evidente** obvious
**evitar** to avoid
**evolucionar** to evolve
**exactitud** accuracy, exactness
**exacto** exact, accurate; correct
**exámen** test
**examinar** to examine
**exceder** to exceed
**excelente** excellent
**excepción** exception
**excesivo** excessive
**exceso** excess
**excluir (y)** to exclude
**exclusivo** exclusive
**excusa** excuse
**exequias** *pl.* funeral rites
**exhibir** to exhibit
**exigente** demanding
**exigir (j)** to demand; to require
**exiliado** *n.* exile (*person*); *adj.* exiled
**existencia** existence
**existir** to exist
**éxito** success; **tener** (*irreg.*) **éxito** to be successful
**exótico** exotic
**expansión** expansion
**expectativa** expectation
**expedición** expedition
**experiencia** experience
**experimentación** experience
**experimentar** to experience
**experimento** experiment

**experto** expert
**explicación** explanation
**explicar** to explain
**explicativo** explanatory
**exploración** exploration
**explotar** to exploit
**exponer** (*like* **poner**) to explain, expound
**exportar** to export
**exposición** exposition, exhibition
**expresar** to express
**expresión** expression
**extender (ie)** to extend, expand
**extendido** widespread
**exterior** outside
**extracto** extract
**extranjero** *n.* abroad, overseas; *adj.* foreign
**extrañar** to miss, long for
**extraño** strange
**extraordinario** extraordinary; **hacer** (*irreg.*) **horas extraordinarias** to work overtime
**extraterrestre** extraterrestrial
**extremista** *m., f.* extremist
**extremo** *n., adj.* extreme
**extrovertido** extroverted, outgoing

## F

**fábrica** factory
**fabricación** manufacture, production
**fabricar** to manufacture, make
**fácil** easy
**facilidad** facility, ease
**facilitar** to facilitate, make easier
**factoría** factory
**facultad** faculty, power
**falda** skirt
**fallecer (zc)** to die
**falsificación** forgery
**falsificar** to forge, falsify
**falso** false
**falta** lack
**faltar a** to miss, not attend
**fama** reputation
**familia** family
**familiar** *n.* relative; *adj.* familiar; (of the) family
**famoso** famous
**fanatismo** fanaticism
**fantasma** *m.* ghost
**fantástico** fantastic
**farmacéutico** pharmacist
**farmacia** pharmacy
**fascinar** to fascinate
**fastidiar** to bother
**fatiga** fatigue
**favor** favor; **estar** (*irreg.*) **a favor de** to be for/in favor of; **por favor** please
**favorito** favorite
**fe** *f.* faith
**fecha** date
**felicidad** happiness
**feliz** happy; **llevar una vida feliz** to lead a happy life
**femenino** feminine
**feminista** *n., adj. m., f.* feminist
**fenómeno** phenomenon
**feo** ugly
**feroz** ferocious
**festejar** to celebrate; to wine and dine
**festividad** festivity
**festivo: día** (*m.*) **festivo** holiday
**fibra** fiber
**ficción** fiction
**ficticio** fictitious
**fidelidad** fidelity
**fiesta** party; **dar** (*irreg.*) **una fiesta** to have a party
**figura** figure
**figurar** to figure, be/take part in
**fijarse** to notice
**fijo** stationary; set, definite
**Filadelfia** Philadelphia
**filosofía** philosophy; **filosofía y letras** humanities
**fin** end; purpose; **a fin de** + *inf.* in order to (*do something*); **a fin de que** *conj.* so that; **al fin y al cabo** after all; at last; **en fin** in short; **fin de semana** weekend; **por fin** finally
**final** end; **a finales de** at the end of; **al final** at the end
**financiar** to finance
**financiero** financial
**firma** signature
**firmar** to sign
**fiscal** prosecuting attorney
**física** physics
**físico** physical
**flaco** skinny
**flautista** *m., f.* flautist
**flor** *f.* flower
**florecer (zc)** to flourish
**folleto** brochure
**fomentar** to promote
**fondo** background; back; fund; **en el fondo** if the truth be told; **reunir (reúno) fondos** to raise funds
**fonógrafo** phonograph, record player
**forma** form, shape; manner, way
**formación** training, education; formation
**formar** to form, shape; **formar parte** to make up
**formato** format
**formular** to formulate
**formulario** form
**fortalecer (zc)** to strengthen
**forzar (ue)** to force
**foto** *f.* photo; **sacar una foto** to photograph, take a picture
**fotografía** photograph; photography
**fracaso** failure
**fraile** friar, monk
**francés** *n.* French (*language*); French person; *adj.* French
**Francia** France
**frase** *f.* phrase
**fraternal: vínculo fraternal** fraternal bond
**frecuencia** frequency; **con frecuencia** frequently
**frecuente** frequent
**freno** brake
**frente a** faced with; in front of; **hacer** (*irreg.*) **frente a** to face
**fresa** strawberry
**fresco** *n.* coolness; *adj.* cool; fresh; **hacer** (*irreg.*) **fresco** to be cool (*weather*)
**fricasé: pollo en fricasé** chicken fricassee
**frigorífico** refrigerator
**frío** *n., adj.* cold; **tener** (*irreg.*) **frío** to be cold
**frito: patatas fritas** French fries
**frontera** border
**frustrado** frustrated
**fruta** fruit
**fruto** fruit (*as part or name of a plant*); fruit (*product, result*)
**fuego** fire; **arma de fuego** firearm; **fuegos artificiales** fireworks
**fuera** *adv.* outside; **por fuera** from the outside
**fuerte** strong
**fuerza** strength
**fumador** smoker
**fumar** to smoke
**función** function
**funcionar** to function
**fundar** to found
**fúnebre** *adj.* funereal

**furioso** furious
**fútbol** soccer; **fútbol americano** football
**futbolista** *m., f.* soccer/football player
**futuro** *n., adj.* future

## G

**gabinete** cabinet
**gafas** (eye)glasses
**galería** gallery
**galleta** cookie; cracker
**gallina** hen
**gamba** prawn
**gamín** street child
**gana: dar** (*irreg.*) **la gana** (*to do*) whatever one feels like doing; **tener** (*irreg.*) **ganas de** + *inf.* to feel like (*doing something*)
**ganancia** earning, profit
**ganar** to earn; to win
**gandul** pigeon pea
**ganga** bargain
**garaje** garage
**garantizado** guaranteed
**gasolina** gasoline
**gastar** to spend; **gastar una broma** to play a prank
**gasto** expense
**gato** cat
**gemelo** twin
**generación** generation
**generacional** generational
**general** *adj.* general; **por lo general** in general
**generalización** generalization
**generalizado** generalized
**género** gender
**generoso** generous
**genético** genetic
**genio** genius
**gente** *f. s.* people
**geografía** geography
**geográfico** geographic
**gerencia** management
**gerente** *m., f.* manager
**gerundio** *gram.* gerund
**gestión** management
**gigante** *n., adj.* giant
**gigantesco** gigantic
**gimnasia** *s.* gymnastics
**gimnasio** gymnasium
**girar** to turn
**giro: hacer** (*irreg.*) **un giro** to take a turn, tour
**gobernador** governor
**gobierno** government
**goloso** sweet-toothed; greedy (*about food*)
**golpear** to hit
**grabar** to record
**gracias** thank you; **dar** (*irreg.*) **las gracias** to thank; **Día** (*m.*) **de Acción de Gracias** Thanksgiving Day
**grado** degree, grade
**graduarse (me gradúo)** to graduate
**gráfica** graph, diagram
**grafología** graphology
**gran, grande** great; large, big
**Gran Bretaña** Great Britain
**grasa** fat
**gratis** free
**grave** serious
**gravedad** seriousness
**gris** gray
**gritar** to shout
**grocería** *n.* grocery store
**grúa** tow truck
**gruesa** thick
**grupo** group; **grupo de presión** lobbyist
**guante** glove
**guapo** handsome
**guardar** to keep; to set aside; to save
**guardería** day care center
**guatemalteco** *n.* Guatemalan
**guerra** war
**guía** *f.* guidebook; *m., f.* guide (*person*)
**guión** script
**guisado** stewed
**guisante** pea
**guitarra** guitar
**guitarrista** *m., f.* guitarist
**gustar** to be pleasing to
**gusto** taste

## H

**haber** *irreg.* to have (*auxiliary*); **hay** there is; there are
**habilidad** skill, ability
**habitación** room
**habitante** *m., f.* inhabitant
**hábito** habit
**habla** *f.* (*but* **el habla**) speech; **de habla española** Spanish-speaking
**hablador** talkative
**hablar** to talk, speak
**hacelotodo** *m., f.* do-it-all
**hacer** *irreg.* to do; to make; **desde hace** + *period of time* for + *period of time*; **hace...** *period of time* . . . *period of time* ago; **hace... años** . . . years ago; **hace calor/fresco** to be hot/cool (*weather*); **hacer caso (de)** to pay attention (to), take into account; **hacer cola** to be/stand/wait in line; **hacer cumplir** to enforce; **hacer daño** to harm, hurt, injure; **hacer ejercicio** to exercise; **hacer frente a** to face; **hacer horas extraordinarias** to work overtime; **hacer la compra** to go shopping; **hacer la maleta** to pack a suitcase; **hacer mal tiempo** to be bad weather; **hacer noticia** to make the news; **hacer sol** to be sunny; **hacer trampa(s)** to cheat; **hacer travesuras** to play pranks; **hacer trucos** to play tricks; **hacer un giro** to take a turn, tour; **hacer un viaje** to take a trip; **hacer una caminata** to go on/for a hike; **hacer una pregunta** to ask a question; **hacer una visita** to pay a visit; **hacerse** to become; to turn into; **hacerse cargo (de)** to take charge (of); **hacerse una idea** to conceive, imagine; **máquina para hacer palomitas de maíz** popcorn popper
**hacia** toward
**hacinado** stacked up
**hada** *f.* (*but* **el hada**) fairy; **hada madrina** fairy godmother
**hallazgo** finding, discovery
**hambre** *f.* (*but* **el hambre**) hunger; **tener** (*irreg.*) **hambre** to be hungry
**hasta** *adv.* even; *prep.* until; up to; **hasta luego** see you later; **hasta que** *conj.* until
**hastío** boredom
**hecho** *n.* fact; **de hecho** in fact; (*p.p. of* **hacer**) done; made; **hecho a mano** handmade
**helado** ice cream
**heredero** *m., f.* heir
**herencia** inheritance; heritage
**hermana** sister
**hermano** brother; *pl.* siblings; **hermanos políticos** brothers- and sisters-in-law
**hermoso** beautiful
**héroe** hero
**heroína** heroin; heroine
**heroinómano** heroin addict
**heroísmo** heroism

**herrería** blacksmithing
**hervido** boiled
**heterogéneo** heterogeneous
**hija** daughter
**hijo** son; *pl.* children; **hijo único** only child; **hijos políticos** sons- and daughters-in-law
**hipermercado** hypermarket, large discount store
**hipnotismo** hypnotism
**hipócrita** *m., f.* hypocrite
**hipotético** hypothetical
**hispánico** *n., adj.* Hispanic
**hispano** *n., adj.* Hispanic
**Hispanoamérica** Hispanic America
**hispanohablante** *n. m., f.* Spanish speaker; *adj.* Spanish-speaking
**historia** history; story
**histórico** historical
**hogar** home
**hoguera** bonfire
**hoja de cálculo** spreadsheet; **hoja de papel** sheet of paper
**holgazanería** laziness
**hombre** man; **hombre de negocios** businessman
**hombro** shoulder
**homicidio** homicide
**homogéneo** homogeneous, similar
**homosexualidad** homosexuality
**hondureño** *n.* Honduran
**honesto** honest
**honradez** honesty, integrity
**honrar** to honor
**hora** hour; time of day; **hacer** (*irreg.*) **horas extraordinarias** to work overtime
**horario** schedule
**horno** oven; **horno microondas** microwave oven
**horrorizar** to horrify, terrify
**hostil** hostile
**hotelería** hotel industry
**hoy** today; **hoy (en) día** nowadays
**huelga** strike
**huella** track; trace
**huérfano** orphan
**huesped** *m., f.* guest
**humanidad** humanity
**humano** *adj.* human; **ser humano** human being
**humilde** humble
**humo** smoke
**humor** mood; humor
**huracán** hurricane

## I

**ida: pasaje de ida** one-way passage/ticket
**idea** idea; **cambiar de idea** to change one's mind; **hacerse** (*irreg.*) **una idea** to conceive, imagine
**identidad** identity; **carnet** (*m.*) **de identidad** identity card
**identificar** to identify
**ideología** ideology
**idioma** *m.* language
**idiomático** idiomatic
**iglesia** church
**ignorancia** ignorance
**ignorante** ignorant
**igual** equal; same; **al igual que** just as; **dar** (*irreg.*) **igual** to be the same to
**igualdad** equality
**ilegal** illegal
**iluminado** enlightened
**ilustrar** to illustrate
**imagen** *f.* image, picture
**imaginación** imagination
**imaginaria** imaginary
**imán** magnet
**imitado** imitated
**impacientarse** to become impatient
**impacto** impact
**impedir** (*like* **pedir**) to impede, prevent
**implicar** to imply
**imponer** (*like* **poner**) to impose
**importancia** importance
**importante** important
**importar** to matter; to import
**imposible** impossible
**imprescindible** indispensable
**impresión** impression
**impresionar** to impress
**impresora** printer
**imprimir** to print
**improbable** improbable
**improvisación** improvisation
**impuesto** *n.* tax; *adj.* (*p.p. of* **imponer**) to impose
**impulsar** to impel, force
**impulsivo** impulsive
**inadmisible** inadmissible
**inalámbrico: teléfono inalámbrico** cordless telephone
**incaico** *adj.* Incan
**incautado** confiscated
**incitar** to incite
**inclinación** inclination
**incluir (y)** to include
**inclusive** including
**incluso** including
**incorporar** to incorporate
**increíble** incredible
**incriminar** to incriminate
**indefinido** indefinite
**independencia** independence
**independiente** independent
**indeterminado** indeterminate
**indicación** indication; instruction
**indicar** to indicate
**índice** index
**indígena** *n. m., f.* native; *adj.* indigenous, native
**indio** Native American
**indirecto: pronombre de complemento indirecto** *gram.* indirect object pronoun
**individuo** *n.* individual
**industria** industry
**industrialización** industrialization
**ineficaz** ineffective
**inexacto** inexact
**infancia** infancy
**infantil** *adj.* children's
**infeliz** unhappy
**inferior** lower
**inferioridad** inferiority
**inferir (ie, i)** to infer
**infiel** *n. m., f.* infidel, unbeliever
**infinito** infinity
**influencia** influence
**influir (y)** to influence
**información** information; **autopista de la información** information highway
**informarse** to find out
**informática** computer science
**informe** report
**infracción** infraction
**ingeniería** engineering
**ingeniero** engineer
**ingenio** ingenuity
**ingestión** ingestion
**Inglaterra** England
**inglés** *n.* English person; English (*language*); *adj.* English
**ingrediente** ingredient
**ingresar** to deposit (*funds*)
**inhalar** to inhale
**iniciar** to initiate
**injusticia** injustice
**injusto** unjust, unfair
**inmaduro** immature
**inmediato** immediate

**inmensamente** immensely
**inmigración** immigration
**inmigrante** *m., f.* immigrant
**inmigrar** to immigrate
**innecesario** unnecessary
**inocente** innocent
**inolvidable** unforgettable
**inquilino** tenant, boarder
**inquisición** Inquisition
**inscribirse** (*p.p.* **inscrito**) to enroll
**insecto** insect
**inseguro** unsure
**insignificante** insignificant
**insistir en** to insist on
**insólito** unusual
**insoportable** unbearable, intolerable
**inspirar** to inspire
**instante** instant
**instigar** to instigate
**institución** institution
**instituir (y)** to institute
**instituto** institute
**institutriz** governess
**instrucción** instruction
**instruirse (y)** to be informed
**insultante** insulting
**intachable** irreproachable; exemplary
**integración** integration
**intelectual** intellectual
**inteligencia** intelligence
**inteligente** intelligent
**intención** intention
**intenso** intense
**intentar** to try, attempt
**intento** attempt
**intercambio** exchange, interchange
**interés** interest
**interesante** interesting
**interesar** to be interesting to; **interesarse (en)** to become interested (in)
**interiormente** internally
**internacional** international
**interpretación** interpretation
**interpretar** to interpret
**interrogatorio** interrogation
**interrumpir** interrupt
**íntimo** intimate
**intransferible** nontransferable
**introducir** *irreg.* to introduce
**introvertido** introverted
**intuición** intuition
**inválido** disabled person
**inventar** to invent
**invento** invention
**inversión** investment
**invertir (ie, i)** to invest
**investigación** investigation
**investigador** investigator; **investigador privado** private investigator
**investigar** to investigate
**invierno** winter
**invitación** invitation
**invitado** guest
**invitar** to invite
**ir** *irreg.* to go; **ir a** + *inf.* to be going (*to do something*); **ir de compras** to go shopping; **ir de vacaciones** to take a vacation; **irse** to go away; **¡vaya!** *interj.* really!; well!
**irónico** ironic
**irritar** to irritate
**Islas Canarias** Canary Islands
**Italia** Italy
**italiano** *n., adj.* Italian
**itinerante** *adj.* traveling
**izquierda** *n.* left
**izquierdista** *m., f.* leftist

## J

**jabón** soap
**jamás** never
**Japón** Japan
**jaquemate** checkmate (*chess*)
**jardín** garden
**jardinero** gardener
**jefe** boss, supervisor
**jerga** slang; jargon
**jornada** workday
**joven** *n. m., f.* young person, youth; *adj.* young
**joyería** jewelry making
**jubilación** retirement
**jubilarse** to retire
**judaísmo** Judaism
**judeocristiano** Judeo-Christian
**judío** Jewish person
**juego** game
**juez** *m.* judge
**jugada** play, move (*in a game*)
**jugador** player
**jugar (ue) (a)** to play
**jugo** juice
**juguete** toy
**juicio** judgment
**junto a** near, next to; **junto con** along with, together with
**juntos** together
**jurado** jury
**juramentar** to swear in
**justicia** justice
**justificación** justification
**justificar** to justify
**justo** just, fair
**juvenil** juvenile
**juventud** youth
**juzgar** to judge

## K

**kilo** kilogram
**kilómetro** kilometer

## L

**labio** lip
**labor** *f.* labor, work, task
**laboral** *adj.* pertaining to work
**laboratorio** laboratory
**labrar** to plow
**laca** hair spray
**lado** side; **al lado de** next to; **ningún lado** nowhere; **por otro lado** on the other hand
**ladrar** to bark
**ladrón** robber, thief
**lamentar** to lament, regret
**lanzador** pitcher (*baseball*)
**lápiz** *m.* pencil
**largo** long; **a largo plazo** in the long run; **a lo largo de** throughout; **en larga distancia** for long distance (calling)
**lástima** shame, pity
**lastimar** to hurt, injure
**lata** can, tin; **envase de lata** can
**latino** *n., adj.* Latino, Latin American
**Latinoamérica** Latin America
**latinoamericano** *n., adj.* Latin American
**lavabo** sink
**lavaplatos** *m. s., pl.* dishwasher
**lavar(se)** to wash
**lazo** bond, tie
**lección** lesson
**lector** reader
**leer (y)** to read
**legalización** legalization
**legalizar** to legalize
**legumbre** *f.* vegetable
**lejos** far
**lema** *m.* sound bite; slogan
**lempira** *monetary unit of Honduras*
**lengua** language
**lenguaje** language, speech
**lentilla** contact lens
**leña** firewood

**león** lion
**letra** letter (*alphabet*); **filosofía y letras** humanities; **letra** *s.* **cursiva** italics; **sopa de letras** word-search puzzle
**levantar** to raise, pick up; **levantarse** to get up; to stand up
**ley** *f.* law; **violar la ley** to break the law
**liberación** liberation, freedom
**liberar** to liberate, free
**libertad** freedom
**libre** free; **libre comercio** free trade; **tiempo libre** free time
**librería** bookstore
**libro** book
**licencia de conducir** driver's license
**licenciado** person holding a university degree
**líder** leader
**lienzo** canvas
**lima** file (*tool*)
**limitar** to limit
**límite** limit; **límite de velocidad** speed limit
**limón** lemon
**limosna: pedir (i, i) limosna** to panhandle
**limpiar** to clean
**limpieza** cleanliness
**línea: en línea** on-line; **línea de conducta** course of action
**lingüístico** linguistic
**lío** mess
**lista** list
**listo** ready; bright, smart
**literatura** literature
**litro** liter
**llama** *m.* llama
**llamar** to call; **llamar a la puerta** to knock at the door; **llamarse** to call oneself, be named
**llanta** tire
**llanto** crying
**llave** *f.* key
**llegada** arrival
**llegar** to arrive, reach; **llegar a ser** to get to be, become
**llenar** to fill (out)
**llevar** to carry; to wear; to take; **llevar una vida (feliz/difícil)** to lead a (happy/difficult) life; **(no) llevarse bien (con)** to (not) get along (with)
**llorar** to cry
**llover (ue)** to rain
**lluvia** rain
**lluvioso** rainy
**lobo** wolf
**local: red local** local area network
**loco** crazy
**locución** locution, public speaking
**lógico** logical
**lograr** to achieve
**logro** achievement
**Londres** London
**lotería** lottery
**lucha** fight, struggle
**luchar** to fight, struggle
**lucrativo** lucrative
**luego** then, next, later; **hasta luego** see you later
**lugar** place; **en primer lugar** in the first place; **tener** (*irreg.*) **lugar** to take place
**lujo** luxury
**lujoso** luxurious
**luminoso: señal** (*f.*) **luminosa** traffic light, signal
**luna** moon
**luz** light; **dar** (*irreg.*) **a luz** to give birth; **salir** (*irreg.*) **a la luz** to come to light

## M

**machista** *n. m., f.* male chauvinist; *adj.* male-chauvinistic
**madera** wood
**madrastra** stepmother
**madre** *f.* mother; **madre patria** mother country; **madre soltera** single mother
**madrina: hada madrina** fairy godmother
**madrugada** dawn
**madurez** maturity; adulthood
**maestría** master's degree
**maestro** teacher; **maestro particular** tutor
**magia** magic
**magnífico** magnificent
**maíz** *m.*: **palomitas de maíz** *pl.* popcorn; **máquina para hacer palomitas de maíz** popcorn popper
**mal, malo** *adj.* bad; sick
**mal** *adv.* badly; **caer** (*irreg.*) **mal** to strike (one) badly, make a bad impression; **hacer** (*irreg.*) **mal tiempo** to be bad weather; **mal educado** ill-mannered; poorly educated; **portarse mal** to misbehave
**malcriado** bad-mannered, ill-mannered
**maleducado** *n.* bad/ill-mannered person; *adj.* bad/ill-mannered
**maleta** suitcase; **hacer** (*irreg.*) **la maleta** to pack a suitcase
**maletín** small case, bag
**malévolo** evil
**malgastar** to waste, misspend
**malhablado** foulmouthed
**mamá** mother, mom
**mancha** stain
**manchar** to stain
**mandamiento** commandment
**mandar** to order, command; to send
**mandarina** mandarin orange
**mandato** command, order
**mandón** bossy
**manejar** to drive; to handle; to manage
**manera** way, manner; **de manera que** *conj.* so that
**manifestación** demonstration, protest, rally
**manifestar (ie)** to demonstrate, show, express
**manipular** to manipulate
**mano** *f.* hand; **a mano** by hand; **darse** (*irreg.*) **la mano** to shake hands; **de segunda mano** secondhand; **estrechar la mano** to shake hands; **hecho a mano** handmade; **mano de obra** workforce
**manso** tame; docile
**mantener** (*like* **tener**) to maintain
**mantenimiento** maintenance
**manual: trabajo manual** manual labor
**manuscrito** manuscript
**manzana** apple
**mañana** morning; tomorrow; **por la mañana** in the morning
**mapa** *m.* map
**máquina** machine; **máquina de escribir** typewriter; **máquina para hacer palomitas de maíz** popcorn popper
**mar** *m., f.* sea; **en alta mar** *s.* on the high seas
**maratón** marathon
**maravilla** wonder
**maravilloso** wonderful, marvelous
**marca** brand
**marcar** to mark; to dial (*a telephone*)
**marcharse** to leave, go away
**marido** husband
**marihuana** marijuana
**marinero** sailor
**martillo** hammer

**más** more; **cada vez más** more and more; **el más allá** the hereafter, life after death; **más allá** further; **más que nada** more than anything
**masaje** massage
**masculino** masculine; **sastrería masculina** tailor's trade
**masticar** to chew
**matar** to kill; **matar a puñaladas** to stab to death
**matemáticas** *pl.* mathematics
**materia** subject (*school*); **materia prima** raw material
**materialista** *n. m., f.* materialist
**maternidad** maternity
**matricularse** to register, enroll
**matrimonio** matrimony; married couple
**máximo** maximum
**maya** *adj. m., f.* Mayan
**mayor** *n.* elder; *adj.* older; greater; greatest; **la mayor parte** most, the majority
**mayoría** *n.* majority
**mayorista** *m., f.* wholesaler
**mayoritario** *adj.* majority
**mecánica** mechanics
**mecánico** mechanic
**mecanismo** mechanism
**media** average, mean; stocking
**mediano** medium
**medianoche** *f.* midnight
**medicamento** medicine (*drug*)
**medicina** medicine (*practice; drug*)
**médico** *n.* doctor; *adj.* medical; **asistencia médica** health benefits; **receta médica** prescription
**medida** measure, means; **a la medida** in accordance with; **a medida que** as, at the same time as
**medio** *n.* middle; half; means; environment, milieu; **clase** (*f.*) **media** middle class; **Edad Media** Middle Ages; **medio ambiente** environment; **medios de comunicación** media; *adj.* average; half; middle, mid; **Oriente Medio** Middle East
**mediodía** *m.* midday, noon
**medir (i, i)** to measure
**mejilla** cheek
**mijillón** mussel
**mejor** better; best
**mejorar** to improve
**melancólico** melancholy
**melaza** molasses
**melocotón** peach
**memoria** memory; **aprender de memoria** to memorize; **saber** (*irreg.*) **de memoria** to know by heart
**mencionar** to mention
**menor** *n.* minor; *adj.* smaller, smallest; younger, youngest
**menos** less, lesser, least; **a menos que** *conj.* unless; **echar de menos** to miss, long for; **ni mucho menos** not by any means; **por lo menos** at least
**mensaje** message
**mensajero** messenger
**mensual** monthly
**mentir (ie, i)** to lie
**mentira** lie
**mentiroso** lying, deceitful
**menudo: a menudo** often
**mercado** market
**mercantil: contabilidad mercantil** mercantile bookkeeping
**mercantilismo** mercantilism, commercialism
**merecer (zc)** to deserve
**mérito** merit
**mes** month; **mes anterior** previous month; **mes pasado** last month
**mesa** table; **poner** (*irreg.*) **la mesa** to set the table
**mesero** waiter
**meta** goal, aim
**metafórico** metaphorical
**metálico** metallic
**meterse** to get into, enter
**método** method
**metro** meter
**mexicano** *n., adj.* Mexican
**México** Mexico
**mezcla** mixture
**mezquita** mosque
**microondas: horno microondas** microwave oven
**miedo** fear; **tener** (*irreg.*) **miedo** to be afraid
**miel** *f.* honey
**miembro** member
**mientras** *adv.* meanwhile; **mientras que** *conj.* while, as long as
**migratorio** migratory, migrating
**milagro** miracle
**milanesa** chicken-fried steak
**milicia** militia
**militar** *n.* career military person; *adj.* military
**milla** mile
**millonario** millionaire
**mimar** to indulge, spoil (*a person*)
**mina** mine
**minero** miner
**mínimo** minimum
**ministerio** ministry
**ministro** minister
**minoría** *n.* minority
**minoritario** *adj.* minority
**minuta** *breaded cutlet of fish, fowl, or meat*
**minuto** minute
**miopía** nearsightedness
**mirar** to watch; to look (at); **¡mira!** look (here)!
**misa** Mass
**misionero** missionary
**mismo** self; same; **ahora mismo** right now; **al mismo tiempo** at the same time; **lo mismo** the same thing
**misterioso** mysterious
**mitigador** mitigating, alleviating
**mitigativo** mitigating, moderating
**mito** myth
**mobilario** set of furniture
**mochila** backpack
**moda** fashion
**modales** *pl.* manners, behavior
**modelo** model
**moderado** moderate
**modernización** modernization
**modernizar** to modernize
**moderno** modern; **lo moderno** modern things
**módico** reasonable, moderate
**modificación** modification
**modificar** to modify
**modistería** ladies' dress wear
**modo** way, manner; mood *gram.*; **de modo que** *conj.* so that
**mojado** wet
**mojar(se)** to get wet
**molde** mold
**moler (ue)** to grind
**molestar** to bother, annoy
**molestia** annoyance
**momentáneo** momentary; temporary
**momento** moment
**monetario** monetary
**monja** nun
**monje** monk
**mono** monkey
**monotonía** monotony
**monótono** monotonous

**montar** to ride
**morado** purple
**morir (ue, u)** (*p.p.* **muerto**) to die
**mostrar (ue)** to show
**motivación** motivation
**motivar** to motivate; to provide a reason for
**motivo** motive
**moto(cicleta)** *f.* motorcycle
**mover(se) (ue)** to move (*an object or body part*)
**móvil** mobile
**movimiento** movement
**muchacha** girl
**muchacho** boy
**muchedumbre** *f.* crowd, multitude
**mucho** much, a lot; **muchas veces** often, frequently; **ni mucho menos** not by any means
**mudarse** to move (*residence*)
**mueble** piece of furniture
**muerte** *f.* death; **pena de muerte** death penalty
**muerto** *n.* dead person; **Día** (*m.*) **de los Muertos** All Souls' Day; *adj.* (*p.p.* of **morir**) dead
**muestra** sample
**mujer** *f.* woman; wife; **mujer bombero** (female) firefighter; **mujer de negocios** businesswoman; **mujer policía** (female) police officer; **mujer soldado** (female) soldier
**mulo** mule
**multa** fine; **poner** (*irreg.*) **una multa** to (give a) fine
**multinacional** multinational
**múltiple** multiple
**mundial** *adj.* world, worldwide
**mundo** world
**municipio** municipality
**muñeca** doll
**muralismo** muralism
**muralista** *m., f.* muralist
**muralla** wall
**museo** museum
**música** music
**músico** musician
**musulman** *n., adj.* Muslim
**mutuo** mutual
**muy** very

## N

**nacer (zc)** to be born
**naciente** growing, emerging
**nacimiento** birth
**nación** nation
**nacional** national
**nacionalidad** nationality
**nacionalizado** naturalized
**nada** nothing; **más que nada** more than anything
**nadar** to swim
**nadie** no one
**naranja** orange
**narcóticos** *pl.* narcotics
**nariz** nose
**narración** narration
**narrar** to narrate
**natal** *adj.* native; pertaining to birth
**natalidad: control de la natalidad** birth control
**nativo** *adj.* native
**naturaleza** nature
**naturismo** natural energy, healing
**navegar** to navigate; **navegar la red** to surf the net
**Navidad** Christmas
**necesario** necessary
**necesidad** necessity
**necesitar** to need
**negar (ie)** to deny; **negarse a** + *inf.* to refuse to (*do something*)
**negativo** negative
**negociación** negotiation
**negociante** *m., f.* negotiator
**negociar** to negotiate
**negocio** business; **hombre de negocios** businessman; **mujer** (*m.*) **de negocios** businesswoman
**negro** black
**neolítico** neolithic
**neoyorquino** New Yorker
**nerviosidad** nervousness
**nervioso** nervous
**neutro** neutral
**nevada** snowfall
**ni** nor; **ni... ni...** neither . . . nor . . . ; **ni mucho menos** not by any means; **ni siquiera** not even
**nicaragüense** *n.* Nicaraguan
**nicotina** nicotine
**nieta** granddaughter
**nieto** grandson; *pl.* grandchildren
**nieve** *f.* snow
**Nilo** Nile
**ningún, ninguno** none, no; **ningún lado** nowhere
**niña** little girl
**niñero** babysitter
**niñez** childhood
**niño** little boy; *pl.* children; **de niño** as a child
**nivel** level; standard
**noche** *f.* night; **esta noche** tonight; **por la noche** in the evening, at night
**Noél: Papá Noél** Santa Claus
**nogal** walnut tree
**nombrar** to name
**nombre** name; **nombre de pila** first name
**norma** norm, standard
**noroeste** northwest
**norte** north
**Norteamérica** North America
**norteamericano** *n., adj.* North American
**nota** grade
**notar** to notice, note
**notario** notary public
**noticia** (piece of) news; **hacer** (*irreg.*) **noticia** to make the news
**notorio** notorious
**novela** *n.* novel
**novia** girlfriend; fiancée; bride
**noviazgo** courtship; engagement
**novio** boyfriend; fiancé; bridegroom; *pl.* (engaged) couple; bride and groom
**nuera** daughter-in-law
**Nueva York** New York
**nuevo** new; **de nuevo** again
**número** number
**numeroso** numerous
**nunca** never, not ever
**nutrimento** nourishment

## O

**o** or
**oaxaqueño** person from Oaxaca
**obedecer (zc)** to obey
**obediencia** obedience
**obediente** obedient
**obesidad** obesity
**objetividad** objectivity
**objetivo** goal, objective
**objeto** object, target
**obligación** obligation
**obligar (a)** to oblige, force
**obligatorio** compulsory
**obra** work; **mano** (*f.*) **de obra** workforce
**obrero** worker
**observación** observation
**observador** observer
**observar** to observe
**obsesión** obsession

**obstáculo** obstacle
**obtener** (*like* **tener**) to obtain
**obviamente** obviously
**obvio** obvious
**ocasión** occasion
**occidental** western
**océano** ocean
**ocio** leisure time, relaxation
**ocupación** occupation
**ocupado** busy
**ocurrencia** occurrence
**ocurrir** to occur
**odiar** to hate
**odio** hatred
**oeste** west
**ofenderse** to get one's feelings hurt, be offended
**oferta** offer
**oficial** official
**oficina** office (*general*)
**oficinista** *m., f.* office clerk
**oficio** trade, occupation
**ofrecer (zc)** to offer
**oír** *irreg.* to hear; **¡oye!** *interj.* hey!, listen!
**ojalá** I wish that; I hope that
**ojo** eye; **¡ojo!** *interj.* watch out!
**oleada** wave
**oler** *irreg.* to smell
**olfato** sense of smell
**olla** pot
**olvidar(se) (de)** to forget
**ombligo** navel; **curar el ombligo** to tie off the umbilical cord at birth
**omitir** to omit
**opción** option
**ópera** opera
**operación** operation
**opinar** to think, have an opinion
**opinión** opinion; **cambiar de opinión** to change one's mind
**oponerse a** (*like* **poner**) to be opposed to
**oportunidad** opportunity
**optimista** *n. m., f.* optimist; *adj.* optimistic
**opuesto** (*p.p.* of **oponer**) opposite
**oración** sentence; prayer
**orden** *m.* order, arrangement; *f.* order, command; **a sus ordenes** at your service
**ordenación** arrangement, putting in order
**ordenador** computer
**ordenar** to order
**organización** organization
**organizar** to organize
**órgano** organ (*of the body*)
**orgullo** pride
**orgulloso** proud
**orientación** orientation, direction
**orientado (a)** directed (at)
**oriente** east; **Oriente Medio** Middle East
**origen** origin
**originalidad** originality
**originario** originating
**orillar** to skirt, go around the edge of
**oro** gold
**ortografía** spelling
**oscurecer (zc)** to get dark
**oscuro** dark
**oso** bear
**otorgar** to grant, award
**otro** another; other; **el uno al otro** one another; **otra vez** again; **por otra parte** on the other hand; **por otro lado** on the other hand

## P

**paciencia** patience
**paciente** *n., adj. m., f.* patient
**Pacífico** Pacific Ocean
**pacifista** *n. m., f.* pacifist
**padre** father; priest
**paella** *rice dish from Spain*
**pagano** *n.* pagan
**pagar** to pay for; **pagar a plazos** to pay in installments; **pagar en efectivo** to pay in cash
**página** page; **página Web** Web page
**país** country
**pájaro** bird
**palabra** word
**palmada: darse** (*irreg.*) **palmadas en la espalda** to pat on the back
**paloma** dove
**palomitas de maíz** *pl.* popcorn; **máquina para hacer palomitas de maíz** popcorn popper
**palustre** trowel
**pan** bread; **pan de avena** oatmeal bread
**panameño** *n.* Panamanian
**pantalla** screen
**pantalón** *s., pl.* pants
**pañal** diaper
**pañuelo** handkerchief
**papa** *m.* Pope; *f.* potato
**papá** *m.* dad, father; **Papá Noél** Santa Claus
**papel** paper; role; **desempeñar un papel** to play (fulfill) a role; **hoja de papel** sheet of paper
**papelina** *colloquial* hit, fix (*drugs*)
**paquete** package
**par** pair; **un par de** a couple of
**para** for; in order to; toward; by; **estar** (*irreg.*) **para** + *inf.* to be about to (*do something*); **para que** *conj.* so that
**parabrisas** *m. s., pl.* windshield
**paraguas** *m. s., pl.* umbrella
**paraguayo** *n.* Paraguayan
**paramilitar** *adj.* paramilitary
**parapsicología** parapsychology
**parar** to stop, halt
**parcela** plot, parcel (*of land*)
**parcial: tiempo parcial** part-time
**parecer** *n.* opinion; **a mi parecer** in my opinion
**parecer (zc)** to seem, appear; **parecerse a** to look like, resemble
**pared** wall
**pareja** pair; couple; partner
**paréntesis** *s., pl.* parentheses
**pariente** relative (*family*)
**parque** park
**parqueadero** parking (*lot*)
**parquear** to park
**párrafo** paragraph
**parricidio** parricide
**parrilla** *grilled meats*
**parroquial** parochial, pertaining to the parish
**parte** *f.* part; **en/por todas partes** everywhere; **formar parte** to make up; **la mayor parte** most, the majority; **por otra parte** on the other hand; **por una parte** on the one hand
**participación** participation
**participante** *m., f.* participant
**participar** to participate
**participio** *gram.* participle
**particular** particular; private; **maestro particular** tutor
**particularmente** individually
**partida: punto de partida** starting point
**partido** game, match; (political) party
**partir** to leave, depart; **a partir de** as of, starting from
**pasa** raisin

**pasado** *n.* past; *adj.* past, last; **año/mes pasado** last year/month; **semana pasada** last week
**pasaje** passage; **pasaje de ida** one-way passage/ticket
**pasar** to pass; to spend (*time*); to happen; **pasarlo bien** to have a good time
**pasatiempo** pastime, hobby
**Pascuas** *pl.* Easter
**pasear** to take a walk; to take a ride
**paseo** walk; ride; **sacar de paseo** to take for a walk/ride
**pasillo** hallway
**pasivo** passive
**paso** step
**pastel** pastry
**pastilla** pill
**pata** paw
**patatas fritas** French fries
**patear** to kick
**paterno** paternal
**patinar** to skate
**patria** country; native land; **madre** (*f.*) **patria** mother country
**patriótico** patriotic
**patrocinar** to sponsor
**patrón** boss
**pausa** pause, break
**pauta** standard, guide
**payaso** clown
**paz** peace; **dejar en paz** to leave alone; **que en paz descanse** rest in peace
**pedalear** to pedal
**pedazo** piece
**pedir (i, i)** to ask for; **pedir disculpas** to apologize; **pedir limosna** to panhandle; **pedir prestado** to borrow; **pedir un préstamo** to request/take out a loan
**pegar** to stick
**peinado** hairstyle
**peinarse** to comb one's hair
**pelear(se)** to fight
**película** movie
**peligro** danger
**peligrosidad** dangerousness
**peligroso** dangerous
**pelo** hair; **secador de pelo** hair dryer
**pelota** ball
**peluquería** hair salon
**pena: pena capital** capital punishment; **pena de muerte** death penalty
**penal** *adj.* criminal
**pendiente** pending
**penicilina** penicillin
**pensamiento** thought
**pensar (ie)** to think; **pensar** + *inf.* to plan to (*do something*); **pensar de** to think of (*opinion*); **pensar en** to think about, focus on
**peor** worse, worst
**pequeño** small
**percepción** perception
**percibir** to perceive
**perder (ie)** to lose; to miss (*an opportunity, deadline, or train*); **perder tiempo** to waste time; **perderse** to get lost
**pérdida** loss; waste (*of time*)
**perezoso** lazy
**perfeccionar** to perfect
**perfecto** perfect
**perfume** fragrance, smell
**periódico** newspaper
**periodista** *m., f.* journalist
**período** period (*time*)
**perito** expert
**perjudicar** to harm
**perjudicial** damaging, harmful
**permanecer (zc)** to remain, stay
**permitir** to allow
**pero** but
**perpetuo: cadena perpetua** life imprisonment
**perro** dog
**persecución** persecution
**persona** person
**personaje** personality, personage; character (*in fiction*)
**personalidad** personality
**persuadir** to persuade
**pertenecer (zc)** to belong
**Perú** *m.* Peru
**peruano** *n.* Peruvian
**pesado** heavy; dull, uninteresting; **broma pesada** practical joke
**pesar** to weigh; **a pesar de** despite, in spite of
**pescado** fish (*to eat*)
**pesimista** *n. m., f.* pessimist; *adj.* pessimistic
**peso** weight; *monetary unit of Mexico*; **bajar de peso** to lose weight; **subir de peso** to gain weight
**petición** petition
**pez** *m.* fish
**pianista** *m., f.* pianist
**picadillo** hash
**pie** foot; **a pie** on foot; **al pie de** at the bottom of (*page*)
**pierna** leg
**pieza** piece
**pijama** *m. s.* pajamas
**pila** battery; **nombre de pila** first name
**píldora** pill
**piloto** pilot
**pimiento** pepper
**pintar** to paint; **pintarse** to put on makeup
**pintor** painter
**pipa** pipe
**pirata** *m., f.* pirate
**piscina** swimming pool
**piso** floor
**pista** trail; clue
**pistola** pistol, gun
**pizarra** chalkboard
**pizzería** pizza parlor
**placa** plaque
**plagiar** to plagiarize
**plagio** plagiarism
**planchar** to iron
**planear** to plan
**planeta** *m.* planet
**planta** plant
**plantado: dejar plantado** to stand someone up
**plástico** *n., adj.* plastic; **cirugía plástica** plastic surgery
**plata** silver
**platillo volador/volante** flying saucer
**plato** plate; dish
**playa** beach
**plazo: a largo plazo** in the long run; **pagar a plazos** to pay in installments
**pleno** full
**pluscuamperfecto** *gram.* pluperfect, past perfect
**población** population
**pobre** *n. m., f.* poor person; *adj.* poor
**pobreza** poverty
**poco** *n.* a little bit; *adj., adv.* little, few
**poder** *n.* power
**poder** *irreg.* to be able to, can
**poderoso** powerful
**poema** *m.* poem
**poeta** *m., f.* poet
**polémica** *n.* debate, controversy
**polémico** *adj.* controversial
**policía** *f.* police (force); *m.* police officer; **mujer** (*f.*) **policía** (female) police officer
**poliéster** polyester
**polígono** handball court
**política** *s.* politics; policy

**político** *n.* politician; *adj.* political; **hermanos políticos** brothers- and sisters-in-law; **hijos políticos** sons- and daughters-in-law
**pollo** chicken; **asopao de pollo** *a spicy, brothy soup from Puerto Rico, composed mainly of rice and chicken*; **pollo en fricasé** chicken fricassee
**poner** *irreg.* to put; **poner la mesa** to set the table; **poner una multa** to (give a) fine; **ponerse** to put on (clothing); to become; **ponerse al día** to bring oneself up-to-date; **ponerse colorado** to blush; **ponerse de acuerdo** to come to an agreement
**por** for; because of; by; through; per; **por ciento** percent; **por completo** completely; **por consiguiente** consequently; **por ejemplo** for example; **por eso** for that reason; **por favor** please; **por fin** finally; **por fuera** from the outside; **por la mañana/noche/tarde** in the morning/evening (at night)/afternoon; **por lo general** in general; **por lo menos** at least; **por lo tanto** therefore; **por otra parte** on the other hand; **por otro lado** on the other hand; **¿por qué?** why?; **por supuesto** of course; **por todas partes** everywhere; **por último** finally; **por una parte** on the one hand
**porcelana** porcelain
**porcentaje** percentage
**porque** because
**portarse bien/mal** to behave/misbehave
**porvenir** *n.* future
**poseer** *irreg.* to possess
**posesión** possession
**posgrado** postgraduate
**posibilidad** possibility
**posible** possible
**posición** position
**positivo** positive
**postal: código postal** zip code; **tarjeta postal** postcard
**posteriormente** after, later
**postre** dessert
**postularse** to apply (*for a position or job*)
**postura** stance
**práctica** practice
**practicante** *m., f.* believer, person practicing a religion
**practicar** to practice
**práctico** practical
**precaución** precaution
**preceder** to precede
**precio** price
**preciso** precise
**preconcebido** preconceived
**predecir** (*like* **decir**) to predict
**predicador de barricada** soapbox preacher
**predicar** to preach
**predicción** prediction
**predominar** to prevail, predominate
**preferencia** preference
**preferible** preferable
**preferir (ie, i)** to prefer
**pregunta** question; **hacer** (*irreg.*) **una pregunta** to ask a question
**preguntar** to ask (a question)
**prehistórico** prehistoric
**prejuicio** prejudice
**premio** prize
**prenda** garment
**prensa** press
**preocupación** worry, concern
**preocupar(se)** to worry
**preparación** preparation
**preparar** to prepare; **prepararse** to get ready, prepare oneself
**prescindir** to do without
**presencia** presence
**presenciar** to witness
**presentación** presentation
**presentar** to present, introduce
**presente** *n., adj.* present (*time*)
**preservativo artificial** artificial preservative
**presidencial** presidential
**presidente** president
**presidir** to preside
**presión** pressure; **grupo de presión** lobbyist
**prestado: pedir (i, i) prestado** to borrow
**préstamo** loan; **pedir (i, i) un préstamo** to request/take out a loan
**prestar** to lend; **pedir (i, i) prestado** to borrow; **prestar atención** to pay attention
**prestigio** prestige
**prestigioso** prestigious
**presupuesto** budget
**prevenir** (*like* **venir**) to prevent
**primario: bosque primario** old-growth forest; **escuela primaria** elementary school
**primavera** spring
**primer, primero** first; **en primer lugar** in the first place
**primicia** early results, news
**primo** cousin; **materia prima** raw material
**princesa** princess
**principal** main
**príncipe** prince
**principio: a principios de** at the beginning of; **al principio** at first, in the beginning
**prisa: tener** (*irreg.*) **prisa** to be in a hurry
**privado** private; **investigador privado** private investigator
**privilegio** privilege
**probar (ue)** to try; to test; to taste; **probarse** to try on
**problema** *m.* problem
**problemático** problematic
**procesador de textos** word processor
**procesión** procession
**proceso** process
**proclamar** to proclaim
**producir** *irreg.* to produce
**producto** product
**profesión** profession
**profesional** professional
**profesor** teacher, professor
**profundidad** depth
**profundo** deep
**programa** *m.* program
**programación** programming
**programador** programmer
**programar** to program (a computer)
**progresar** to progress
**progreso** progress
**prohibir (prohíbo)** to outlaw, prohibit
**promedio** *n., adj.* average
**promesa** promise
**prometedor** hopeful, promising
**prometer** to promise
**promocional** promotional
**promocionar** to promote, advertise
**promover** (*like* **mover**) to promote
**pronombre** *gram.* pronoun; **pronombre de complemento directo/indirecto** direct/indirect object pronoun
**pronominal: complemento pronominal** *gram.* object pronoun
**pronto** soon; **de pronto** suddenly; **tan pronto como** as soon as
**propina** tip
**propio** one's own; appropriate

**proponente** *m., f.* supporter
**proponer** (*like* **poner**) to propose
**proporcionar** to provide
**propósito** purpose; end; goal; **a propósito** by the way
**prosperar** to prosper
**próspero** prosperous
**prostituta** prostitute
**protagonista** *m., f.* protagonist
**protección** protection
**proteger (j)** to protect
**protestante** *n., adj. m., f.* Protestant
**protestantismo** Protestantism
**protestar** to protest
**provincia** province
**provisión** provision
**provocar** to provoke
**próximo** next
**proyecto** project
**prudente** cautious, prudent
**psicología** psychology
**psicológico** psychological
**psicólogo** psychologist
**publicación** publication
**publicar** to publish
**publicidad** *n.* publicity, advertising
**publicitario** *adj.* advertising, publicity
**público** *n., adj.* public
**pueblo** town; people; nation
**puerta** door; **llamar a la puerta** to knock at the door
**puertorriqueño** *n., adj.* Puerto Rican
**pues** then; well
**puesto** job, position; (*p.p. of* **poner**) placed; put; set; **puesto que** *conj.* since, given that
**pulir** to polish
**pulmón** lung
**pulpo** octopus
**puntaje** score
**puntiagudo** pointy
**punto** point; **a punto de** about to, on the verge of; **punto de partida** starting point; **punto de vista** point of view
**puntual** punctual
**puñalada: matar a puñaladas** to stab to death
**puro** pure

## Q

**quedar** to be left; to have left; to fit (*clothing*); **quedarse** to stay, remain
**quehacer** household chore
**queja** complaint
**quejarse (de)** to complain about
**quemar** to burn
**querer** (*irreg.*) to want; to love; **no querer** (*preterite*) to refuse; **querer decir** to mean
**queso** cheese
**quiebra** bankruptcy
**quieto** still, calm
**química** chemistry
**químico** *n.* chemist; *adj.* chemical
**quirúrgico** surgical
**quitar** to remove, take away; **quitarse** to take off (*clothing*)
**quizá(s)** perhaps

## R

**rabino** rabbi
**racional** *adj.* rational
**racket: cancha de racket** racquetball court
**radicado** established
**radio** *m.* radio (*instrument, set*); radium; *f.* radio (*medium*)
**raíz** root
**rana** frog
**rápido** *adj.* fast, rapid; *adv.* quickly, rapidly
**raqueta** racket
**raro** strange, odd; rare
**rascacielos** *m. s., pl.* skyscraper
**rasgo** trait, feature
**rastreo** tracking
**rato** brief period of time
**ratón** mouse
**rayo** ray
**raza** race (*ethnic*)
**razón** *f.* reason
**razonamiento** reasoning
**reacción** reaction
**reaccionar** to react
**real** real; royal
**realidad** reality
**realista** *m., f.* realistic
**realización** accomplishment, carrying out
**realizar** to accomplish, carry out; **realizarse** to be realized/completed
**rebelde** *n. m., f.* rebel; *adj.* rebellious
**rebeldía** rebellion
**rebotar** to bounce
**recado** message, note
**recelo** distrust
**receptividad** receptivity
**receta médica** prescription
**rechazar** to reject
**recibir** to receive
**reciclaje** recycling
**reciclar** to recycle
**recién** + *p.p.* recently, newly + *p.p.*
**reciente** recent
**recíproco** reciprocal
**recluta** *m., f.* recruit
**recoger** (*like* **coger**) to pick up; to collect, gather
**recolección** harvest
**recomendación** recommendation
**recomendar (ie)** to recommend
**reconocer** (*like* **conocer**) to recognize
**reconstrucción** reconstruction
**recopilar** to compile
**recordar (ue)** to remember
**recorrido** route
**recorte** newspaper clipping
**recreativo** recreational
**rector** president (*of a university*)
**recurso** resource
**red** *f.* net(work); **navegar la red** to surf the net; **red local** local area network; **trabajar en red** to be networked
**redactar** to edit
**reducir** *irreg.* to reduce
**reemplazado** replaced
**reencarnación** reincarnation
**referencia** reference
**referirse (ie, i) (a)** to refer (to)
**refinar** to refine
**reflejar** to reflect
**reflexión** reflection
**reflexivo** reflexive
**reformular** to reformulate
**reforzar** (*like* **forzar**) to reinforce
**refresco** refreshment
**refugiado** refugee
**regalar** to give (*a gift*)
**regalo** gift
**regaño** nagging; scolding
**régimen** special diet
**regio** super, fantastic (*fig.*)
**región** region
**registro** register
**regla** rule
**reglamento** regulation
**regresar** to return
**regular** to regulate
**reina** queen
**reír(se) (í, i)** to laugh
**relación** relation

**relacionado (con)** related (to)
**relacionar** to connect, relate
**relajar(se)** to relax
**relativo** *adj.* relative
**relevante** relevant
**religión** religion
**religioso** religious
**reloj** *m.* clock; watch; **reloj despertador** alarm clock
**relojería** watch making, clock making
**remedio** solution
**remontarse** to go back (*in time*)
**Renacimiento** Renaissance
**rentabilidad** profitability
**renunciar (a)** to quit
**reparación** repair
**reparar** to repair
**repartir** to distribute, divide up
**repasar** to review
**repaso** review
**repente: de repente** suddenly
**repercusión** repercussion
**repetición** repetition
**repetir (i, i)** to repeat
**reportar** to report
**reportero** reporter
**representación** representation
**representante** *n. m., f.* representative; **Cámara de Representantes** House of Representatives
**representar** to represent
**representativo** *adj.* representative
**Republicano** *n.* Republican
**requerer** (*like* **querer**) to require
**requeterrico** very, very rich
**requisito** requirement
**reservar** to reserve
**resfriado** common cold
**residencia** residence; **residencia estudiantil** dormitory
**residencial** residential
**residente** *m., f.* resident
**resistencia** resistance
**resolución** resolution
**resolver (ue)** (*p.p.* **resuelto**) to solve; to resolve
**repectivamente** respectively
**respecto: al respecto** in regard to the matter; **con respecto a** with respect to, with regard to
**respetar** to respect
**respeto** respect
**respirar** to breathe
**responder** to answer, respond
**responsabilidad** responsibility
**responsable** responsible
**respuesta** answer, response
**restaurante** restaurant
**resto** rest
**restricción** restriction
**resultado** result
**resultante** resulting
**resumen** summary
**retirar** to withdraw
**retoño** child, kid (*fig.*)
**retornar** to return, go back
**retraso** delay
**retrato** portrait
**reunión** meeting; reunion
**reunir (reúno)** to unite, assemble; **reunir fondos** to raise funds; **reunirse** to meet, get together
**revelar** to reveal
**revista** magazine
**revolución** revolution
**revolucionario** revolutionary
**rey** *m.* king
**rezar** to pray
**rico** rich; delicious
**ridiculizar** to ridicule, make fun of
**ridículo** ridiculous
**riesgo** risk; **bajo riesgo** at risk
**rincón** corner
**riña** quarrel, dispute
**río** river
**riqueza** wealth, riches
**ritmo** rhythm; pace
**rival** *n. m., f.* rival
**rivalidad** rivalry
**robar** to rob, steal
**robo** theft, robbery
**rodear** to surround
**rojo** red; **Caperucita Roja** Little Red Riding Hood
**romántico** romantic
**romper** (*p.p.* **roto**) to break; to tear
**ropa** clothing; **ropa vieja** *braised shredded beef*
**rubio** blond
**rueda** wheel
**ruido** noise
**ruidoso** noisy
**ruína** ruin
**rural** rural; **despoblación rural** movement away from the countryside
**ruso** *n., adj.* Russian

## S

**S.A.** *abbrev. of* **sociedad anónima** corporation (Inc.)
**saber** *irreg.* to know; (*preterite*) to find out; **saber** + *inf.* to know how to (*do something*); **saber de memoria** to know by heart
**sabiduría** knowledge, wisdom
**sabor** taste, flavor
**saborear** to taste
**sacar** to take out; to obtain, get; **sacar de paseo** to take for a walk/ride; **sacar una foto** to photograph, take a picture
**sacerdote** priest
**sacramento: Santo Sacramento** Holy Sacrament
**sacrificar** to sacrifice
**sacrificio** sacrifice
**sagrado** sacred
**sala** room; **sala de belleza** beauty parlor/salon; **sala de espera** waiting room; **sala de estar** living room
**salario** salary
**saliente** outgoing, exiting
**salir** *irreg.* to leave, go out; **salir a la luz** to come to light
**salón** room, salon, reception room; **salón de belleza** beauty parlor/ salon; **salón de billar** pool hall
**saltar** to jump
**salud** health
**saludable** healthy
**saludar** to greet
**salvadoreño** *n.* Salvadoran
**salvar** to save
**salvavidas** *m., f. s., pl.* lifeguard (*person*)
**sándwich** *m.* sandwich
**sangre** *f.* blood
**sanidad** health
**santería** *a class of religious rites or practices originating from West Africa, a form of voodoo*
**santidad: Su Santidad** His Holiness
**santo** *n.* saint; **Día de Todos los Santos** All Saints' Day; *adj.* holy; **Santo Sacramento** Holy Sacrament; **Semana Santa** Holy Week; **Tierra Santa** Holy Land
**saqueo** sacking, pillaging
**sargento** sergeant
**sastrería masculina** tailor's trade
**satisfacción** satisfaction
**satisfecho** (*p.p.* of **satisfacer**) satisfied
**saturado** saturated
**secador de pelo** hair dryer
**secar(se)** to dry
**sección** section

**secretariado** secretaryship; **secretariado comercial** commercial secretaryship
**secretario** secretary
**secreto** secret; **agente** (*m., f.*) **secreto** secret agent
**secta** sect
**secuencia** sequence
**secuestrar** to kidnap, hijack
**secundario: escuela secundaria** middle/high school
**sedentario** sedentary
**segmento** segment
**seguida: en seguida** immediately, right away
**seguidamente** immediately, forthwith
**seguir (i, i) (g)** to follow
**según** according to
**segundo** second; **de segunda mano** secondhand
**seguridad** security; **cinturón de seguridad** seatbelt
**seguro** *n.* insurance; *adj.* sure
**selección** selection
**selva** jungle; **Selva Amazónica** Amazon Forest/Jungle
**semáforo** traffic light
**semana** week; **fin de semana** weekend; **semana pasada** last week; **semana que viene** next week; **Semana Santa** Holy Week
**semántico** semantic
**semejante** similar
**semejanza** similarity
**semestre** semester
**senado** Senate
**sensación** sensation
**sensibilidad** sensitivity
**sensible** sensitive
**sentarse (ie)** to sit down
**sentido** sense (*physical*); meaning; **tener** (*irreg.*) **sentido** to make sense
**sentimiento** feeling
**sentir (ie, i)** to feel (*with nouns*); to regret; **lo siento** I'm sorry; **sentirse** to feel (*with adjectives*)
**señal** *f.* signal; **señal luminosa** traffic light, signal
**señalar** to point out
**señalización** system of signs, signals (*traffic*)
**señor** Mr.; man
**señora** Mrs.; lady
**separación** separation
**separar** to separate
**sepultura: dar** (*irreg.*) **sepultura** to bury
**ser** *n.* being; **ser humano** human being
**ser** *irreg.* to be; **es decir** that is to say; **llegar a ser** to get to be, become
**serbio** Serb
**serie** *f.* series
**serio** serious
**serpiente** *f.* snake
**servicio** service
**servir (i, i)** to serve
**sesión** session
**severo** severe
**sevillano** person from Seville
**sexismo** sexism
**sexo** sex
**si** if
**sí** yes
**siempre** always
**siesta** nap
**sigla** acronym; abbreviation
**siglo** century
**significado** meaning
**significar** to mean
**significativo** significant, meaningful
**siguiente** following; **al día siguiente** (on) the following day
**silencio** silence
**silla** chair
**sillón** armchair
**simbolizar** to symbolize
**símbolo** symbol
**similitud** similarity, resemblance
**simpático** nice
**simplista** *m., f.* simplistic
**simultaneamente** simultaneously
**sin** without; **sin duda** doubtless; **sin embargo** nevertheless, however; **sin que** *conj.* without
**sinagoga** synagogue
**sincero** sincere
**sincretismo** syncretism
**sindicato** labor union
**sino** but, except, but rather; **sino que** *conj.* but rather
**sinónimo** synonym
**síntesis** synthesis
**síntoma** *m.* symptom
**sintonía** theme song
**siquiera: ni siquiera** not even
**sistema** *m.* system
**sitio** place
**situación** situation
**sobornar** to bribe
**soborno** bribery
**sobre** over; on; about; regarding
**sobredosis** *f. s., pl.* overdose
**sobrenatural** supernatural
**sobrepoblación** overpopulation
**sobrevivir** to survive
**sobrina** niece
**sobrino** nephew; *pl.* nieces and nephews
**socialización** socialization
**socializar** to socialize
**sociedad** society
**socio** partner, associate
**socioeconómico** socioeconomic
**sociólogo** sociologist
**sofá** *m.* sofa
**sofisticado** sophisticated
**sol** sun; *unit of currency of Peru;* **hacer** (*irreg.*) **sol** to be sunny; **tomar el sol** to sunbathe
**solar: energía solar** solar energy
**soldado** soldier; **mujer** (*f.*) **soldado** (female) soldier
**soler (ue)** to be in the habit of
**solicitar** to apply (*for a job*)
**solicitud** application
**solidaridad** solidarity
**solo** *adj.* alone; only, sole; **a solas** by oneself
**sólo** *adv.* only
**soltero** *adj.* single, unmarried; **madre** (*f.*) **soltera** single mother
**soluble** soluble, solvable
**solución** solution
**solucionar** to solve
**sombrero** hat
**sombrilla** parasol
**someter** to submit; to subdue
**sonar (ue)** to ring; to sound; to go off
**sondeo** survey
**sonreír** (*like* **reír**) to smile
**sonriente** smiling
**soñar (ue) (con)** to dream (about)
**sopa de letras** word-search puzzle
**soportar** to tolerate, put up with; to bear, endure
**sordo** deaf
**sorprendente** surprising
**sorprender** to surprise
**sorpresa** surprise
**sosegar (ie)** to calm, quiet
**sospechoso** suspicious
**sostener** (*like* **tener**) to hold up, support; to maintain
**squash: cancha de squash** squash court

**suave** soft
**subir** to raise; to go up, climb; to take up; **subir de peso** to gain weight
**subordinado: cláusula subordinada** *gram.* subordinate clause
**subrayar** to underline
**suburbio** suburb; slum
**suceder** to happen, occur
**suceso** event, happening
**sucio** dirty
**Sudamérica** South America
**sudamericano** *adj.* South American
**suegra** mother-in-law
**suegro** father-in-law; *pl.* in-laws
**sueldo** salary
**sueño** dream; **tener** (*irreg.*) **sueño** to be sleepy
**suerte** *f.* luck; **tener** (*irreg.*) **suerte** to be lucky
**suéter** sweater
**suficiente** enough, sufficient
**sufrimiento** suffering
**sufrir** to suffer; to undergo
**sugerencia** suggestion
**sugerir (ie, i)** to suggest
**suizo** *adj.* Swiss
**sujeto** subject
**sumamente** extremely
**sumar** to add up
**suministrar** to supply, provide
**superar** to overcome
**superficie** *f.* surface
**superior** higher; superior
**superioridad** superiority
**supermercado** supermarket
**supervisado** supervised
**suplemento** supplement
**suplicar** to entreat, implore
**suponer** (*like* **poner**) to suppose, assume
**supremo: Corte** (*f.*) **Suprema** Supreme Court
**supuestamente** supposedly
**supuesto: por supuesto** of course
**sur** south
**suroeste** southwest
**suspender** to fail, flunk (*someone*); to suspend
**sustancia** substance
**sustantivo** noun
**sustituir (y)** to substitute

## T

**tabaco** tobacco; cigarettes
**taberna** tavern
**tabla** table, chart
**tacaño** stingy
**tacón** heel
**tal** such (a); **con tal (de) que** provided that; **tal vez** perhaps, maybe
**tala de árboles** logging
**talco** powder, talc
**talento** talent
**talla** size (*clothing*)
**taller** shop, workshop
**tamaño** size
**también** also
**tampoco** neither, not either
**tan** so, as; such **tan... como** as . . . as; **tan pronto como** as soon as
**tanto** so much; as much; *pl.* so many; as many; **por lo tanto** therefore; **tanto... como...** both . . . and . . .
**taquito** building block (*toy*)
**tardar (en)** to take (*time*)
**tarde** *n. f.* afternoon; *adv.* late; **tarde o temprano** sooner or later
**tarea** homework; task; **tarea doméstica** household chore
**tarjeta** card; **tarjeta de cajero** ATM card; **tarjeta de crédito** credit card; **tarjeta postal** postcard
**tasa** rate
**tatuaje** tattoo
**tatuarse** to get a tattoo
**taza** cup
**teatro** theater
**teclado** keyboard
**técnica** technique
**técnico** *n.* technician; *adj.* technical
**tecnología** technology
**tecnológico** technological
**tecnólogo** technologist
**tela** fabric, cloth
**teleadicto** television addict
**telefónico** *adj.* telephone
**teléfono** telephone; **teléfono celular** cellular telephone; **teléfono inalámbrico** cordless telephone
**telemaratón** telethon
**telenovela** soap opera
**tele(visión)** television (*programming*)
**televisor** television (*set*)
**tema** *m.* theme; subject
**temer** to fear
**temerario** foolhardy
**templo** temple
**temporal** temporary
**temprano** early; **tarde o temprano** sooner or later
**tendencia** tendency
**tener** *irreg.* to have; **tener... años** to be . . . years old; **tener calor/frío** to be hot/cold; **tener cuidado** to be careful, cautious; **tener en cuenta** to take into account; to keep in mind; **tener éxito** to be successful; **tener ganas de** + *inf.* to feel like (*doing* something); **tener hambre** to be hungry; **tener lugar** to take place; **tener miedo** to be afraid; **tener prisa** to be in a hurry; **tener que** + *inf.* to have to (*do something*); **tener que ver con** to have to do with; **tener sentido** to make sense; **tener sueño** to be sleepy; **tener suerte** to be lucky
**tenis** tennis
**tenista** *m., f.* tennis player
**tensión** tension
**teñirse (i, i)** to dye
**teoría** theory
**terapéutico** therapeutic
**tercer, tercero** third
**terminar** to finish, end
**término** term
**terraza** terrace
**terreno** terrain, land
**terrestre** terrestrial, earthly
**territorio** territory
**terrorismo** terrorism
**terrorista** *n. m., f.* terrorist
**tesis** *f. s., pl.* thesis
**testigo** *m., f.* witness
**testimonio** testimony
**texto** text; **procesador de textos** word processor
**tía** aunt
**tiempo** time (*general*); weather; tense (*gram.*); **a tiempo** on time; **al mismo tiempo** at the same time; **hacer** (*irreg.*) **buen/mal tiempo** to be good/bad weather; **perder (ie) tiempo** to waste time; **tiempo completo** full-time; **tiempo libre** free time; **tiempo parcial** part-time
**tienda** store
**tierra** land, earth; Earth (*planet*); **Tierra Santa** Holy Land
**tímido** shy, timid
**tinaja** big jar
**tinto: vino tinto** red wine
**tío** uncle; *pl.* aunts and uncles
**típico** typical

**tipo** type, kind, sort; guy
**tiquete** ticket
**tira: tira adhesiva** adhesive strip; bandage; **tira cómica** comic strip
**tirar** to throw
**tiro: cancha de tiro** shooting range
**título** title
**tocadiscos** *m. s., pl.* record player, stereo
**tocar** to touch; to knock (at the door); to play (*an instrument*); **tocar a** to be someone's turn
**todavía** still, yet
**todo** all, everything, all of; **ante todo** above all; **Día** (*m.*) **de Todos los Santos** All Saints' Day; **en/por todas partes** everywhere; **todo el día** all day; **todos los años** every year; **todos los días** every day
**tolerancia** tolerance
**tolerar** to tolerate
**toma** intake; taking
**tomar** to take; to drink; to eat; **tomar el sol** to sunbathe; **tomar una copa** to have a drink; **tomar una decisión** to make a decision; **tomar (unas) vacaciones** to take a vacation
**tomate** tomato
**tonto** silly, dumb
**torero** bullfighter
**tornero** lathe operator
**torno** pottery wheel
**toronja** grapefruit
**torpe** clumsy, awkward
**tortuga** turtle
**toser** to cough
**toxicomanía** (drug) addiction
**toxicómano** (drug) addict
**trabajador** *n.* worker; *adj.* hard-working
**trabajar** to work; **trabajar en red** to be networked
**trabajo** job; work; paper (*academic*); **compañero de trabajo** co-worker; **trabajo manual** manual labor
**tradición** tradition
**tradicional** traditional; **lo tradicional** traditional things
**traducción** translation
**traducir** *irreg.* to translate
**traer** *irreg.* to bring
**traficante** *m., f.* drug dealer
**tráfico** traffic
**traje** suit
**trampa: hacer** (*irreg.*) **trampa(s)** to cheat
**tramposo** cheater
**tranquilo** calm, tranquil
**transacción** transaction
**transformar** to transform
**tránsito** traffic
**transmitir** to transmit; to broadcast
**transplante** transplant
**transporte** transportation
**tras** *prep.* after, behind
**trasladar(se)** to move, transfer (*to another place*)
**trasnochar** to stay up all night
**tratado** treaty
**tratar** to treat; **se trata de** it's a question of, it's about; **tratar de** + *inf.* to try to (*do something*); **tratar de** + *noun* to deal with (*a topic*)
**trato** treatment
**través: a través de** through, across
**travesura** trick, prank; **hacer** (*irreg.*) **travesuras** to play pranks
**travieso** mischievous
**tremendo** tremendous
**tren** train
**trimestre** trimester
**trineo: deslizarse en trineo** to go sledding
**triste** sad
**tristeza** sadness
**trono** throne
**trozo** piece, chunk
**truco** trick; **hacer** (*irreg.*) **trucos** to play tricks
**tumba** tomb, grave
**tumbar** to knock down, knock over
**turco** Turkish bath
**turismo** tourism
**turista** *n. m., f.* tourist
**turno** (work) shift

## U

**ubicuo** ubiquitous
**últimamente** lately
**último** last; most recent, latest; **por último** finally
**ultraconservador** ultraconservative
**único** only, sole; unique; **hijo único** only child
**unidad** unit
**unido: Estados Unidos** United States
**uniforme** *n., adj.* uniform
**unir** to join, unite; **unirse a** to join together
**universidad** university
**universitario** *adj.* university, pertaining to the university
**universo** universe
**urbanismo** urban development
**urbanista** *m., f.* developer, city planner
**urbanización** migration into the cities; subdivision or residential area
**urbanizar** to urbanize
**urbano** urban
**urgente** urgent
**uruguayo** *n.* Uruguayan
**usar** to use
**uso** use
**usuario** user
**útil** useful
**utilizar** to use, utilize
**uva** grape

## V

**vaca** cow
**vacaciones** *pl.* vacation; **estar** (*irreg.*) **de vacaciones** to be on vacation; **ir** (*irreg.*) **de vacaciones** to take a vacation; **tomar (unas) vacaciones** to take a vacation
**vacío** empty
**vagabundo** bum
**valentía** bravery
**valer** *irreg.* to be worth
**válido** valid
**valioso** valuable
**valor** value
**valorar** to value
**vampiro** vampire
**vaquera** cowgirl
**vaquero** cowboy
**variar** to vary
**varios** several
**¡vaya!** *interj.* well!; really!
**vecindario** neighborhood
**vecino** neighbor
**vegetariano** vegetarian
**vehículo** vehicle
**vejez** old age
**vela** candle
**velocidad** speed; **límite de velocidad** speed limit
**vendaje** bandage
**vendedor** salesperson
**vender** to sell
**venezolano** *n., adj.* Venezuelan
**venir** *irreg.* to come; **la semana que viene** next week
**venta** sale; **estar** (*irreg.*) **a la venta** to be on/for sale

**ventaja** advantage
**ventana** window
**ver** *irreg.* to see; **tener** (*irreg.*) **que ver con** to have to do with
**verano** summer
**veras: de veras** really, truly
**verdad** truth
**verdadero** real, genuine; true
**verde** green
**verdura** vegetable
**veredicto** verdict
**vergüenza** shame
**vestido** dress
**vestigios** remains
**vestir(se) (i, i)** to dress
**vez** time, instance; **a veces** sometimes, at times; **a la vez** at the same time; **a su vez** in turn; **alguna vez** sometime; once; ever (*with a question*); **algunas veces** sometimes; **cada vez más** more and more; **cada vez que** whenever, every time that; **de vez en cuando** once in a while; **en vez de** instead of; **muchas veces** often, frequently; **otra vez** again; **tal vez** perhaps, maybe
**vía: en vías de desarrollo** developing
**viajar** to travel
**viaje** trip; **hacer** (*irreg.*) **un viaje** to take a trip
**vicio** bad habit, vice
**víctima** victim
**vida** life; **llevar una vida (feliz/difícil)** to lead a (happy/difficult) life
**vídeo** video
**videocasetera** VCR
**videojuego** video game
**vidrio** glass; **envase de vidrio** jar
**viejo** *n.* old person; *adj.* old; **ropa vieja** *braised shredded beef*
**vínculo** link, bond; **vínculo fraternal** fraternal bond
**vino** wine; **vino tinto** red wine
**violación** rape
**violar** to rape; **violar la ley** to break the law
**violencia** violence
**violento** violent
**visión** vision
**visita** visit; **estar** (*irreg.*) **de visita** to be visiting; **hacer** (*irreg.*) **una visita** to pay a visit
**visitante** *m., f.* visitor
**visitar** to visit
**víspera** eve, day before
**vista: punto de vista** point of view
**viuda** widow
**viudo** widower
**vivienda** housing, dwelling place
**vivir** to live
**vocabulario** vocabulary
**vocal** *f.* vowel
**volador: platillo volador** flying saucer
**volante: platillo volante** flying saucer
**volar (ue)** to blow up; to fly
**volcán** volcano
**voluntad** will
**voluntario** volunteer
**volver (ue)** (*p.p.* **vuelto**) to return, come/go back; **volverse** to become
**votar** to vote
**voto** vote
**voz** voice; **en voz alta** in a loud voice; aloud; **en voz baja** in a low/quiet voz
**vuelo: auxiliar** (*m., f.*) **de vuelo** flight attendant

## W

**Web: página Web** Web page

## Y

**y** and
**ya** already; right away; now; **ya no** no longer; **ya que** since, given that
**yanqui** *n., adj.* Yankee

## Z

**zapatería** shoe store
**zapatilla** dress shoe
**zapato** shoe (*general*)
**zona** area, zone

# INDEX

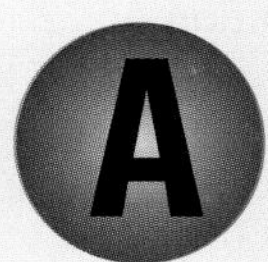

Abbreviations in this index are identical to those used in the end vocabulary.

**Grateful acknowledgment is made for use of the following:**

**Photographs:** *Page 2* © Bob Daemmrich Photos; *6* © Allen Russell/Index Stock; *32* © Robert Frerck/Odyssey/Chicago; *42* © Danilo Boschung/Leo dy Wys Inc.; *78* © L. Mangino/The Image Works; *110* © Bachmann/Uniphoto; *138* © Hubertus Kanus/Superstock; *170* AFP/Corbis; *194* © Joe Viesti/The Viesti Collection; *224 top* © Karl Kummels/Superstock; *224 bottom left* © Jean Dominique Dallet/Superstock; *224 bottom right* © Ulrike Welsch; *228* © 1997 The Museum of Modern Art, New York; *254* © Beryl Goldberg; *282* © Ulrike Welsch; *310* © Stuart Cohen; *336* © Peter Menzel.

**Realia:** *Page 10* Born Loser © UFS. Reprinted by permission; *53* © Quino/Quipos; *55* Courtesy of AT&T; *101* © Quino/Quipos; *114* © Quino/Quipos; *133 Ser Padres Hoy,* Spain; *143* Quino/Quipos; *151* Published by Comunidad de Madrid, Agencia de Medio Ambiente; *174* El Perich; *189* Published in *Cosmo,* Spanish edition; *203* Reprinted with special permission of King Features Syndicate; *208* © *Muy Interesante; 216* © Quino/Quipos; *259* Reprinted with permission of Joral Productions, Inc.; *265 left* Reprinted with permission of Goya Food, Inc.; *265 right* Courtesy of the Pillsbury Company; *286* Reprinted with permission of Sociedad/Familia; *296* © *Muy Interesante; 304* Ministerio de Sanidad y Consumo; *312* © Quino/Quipos; *319* Reprinted with special permission of King Features Syndicate; *321* Chummy Chumez; *322* Columbia Pictures; *323 top* Published in *Nuevo Estilo; 323 bottom* © Quino/Quipos; *333* © Quino/Quipos; *345* Reprinted with permission of *Elle* Spanish edition; *357* Reprinted with permission of Modern Schools.

# ABOUT THE AUTHORS

**Mary Lee Bretz** is Professor of Spanish and former Chair of the Department of Spanish and Portuguese at Rutgers University. Professor Bretz received her Ph.D. in Spanish from the University of Maryland. She has published numerous books and articles on nineteenth- and twentieth-century Spanish literature and on the application of contemporary literary theory to the study and teaching of Hispanic literature.

**Trisha Dvorak** is Senior Program Manager with Educational Outreach at the University of Washington. She has coordinated elementary language programs in Spanish and taught courses in Spanish language and foreign language methodology. Professor Dvorak received her Ph.D. in Applied Linguistics from the University of Texas at Austin. She has published books and articles on aspects of foreign language learning and teaching, and is co-author of *Composición: Proceso y síntesis,* a writing text for third-year college students.

**Carl Kirschner** is Professor of Spanish and Dean of Rutgers College. Formerly Chair of the Department of Spanish and Portuguese at Rutgers, he teaches courses in linguistics (syntax and semantics), sociolinguistics and bilingualism, and second language acquisition. Professor Kirschner received his Ph.D. in Spanish Linguistics from the University of Massachusetts. He has published a book on Spanish semantics and numerous articles on Spanish syntax, semantics, and bilingualism, and edited a volume on Romance linguistics.

**Rodney Bransdorfer** received his Ph.D. in Spanish Linguistics and Second Language Acquisition from the University of Illinois at Urbana-Champaign. He has taught at Purdue University, the University of Illinois at Chicago, and Gustavus Adolphus College. He is currently Associate Professor of Spanish at Central Washington University. He has presented papers at national conferences such as AATSP and AAAL. In addition to his work on the fifth edition of the *Pasajes* series, he also co-authored the first and second editions of the *Manual que acompaña ¿Qué te parece?* (2000, McGraw-Hill), authored the instructor's annotations for *Nuevos Destinos: Spanish in Review* (1998, McGraw-Hill), and co-authored the instructor's annotations for *Destinos: Alternate Edition* (1997, McGraw-Hill).